ima

De Plutarque à Michon

Textes choisis et présentés
par Alexandre Gefen

Chargé de recherche au CNRS

Gallimard

PRÉFACE

De la Vie de saint Alexis, *poème anonyme du XIe siècle, que l'on peut considérer comme l'un des tout premiers, si ce n'est le tout premier, texte littéraire français, à* In Memoriam, *recueil de « biographèmes » de Stéphane Audeguy, paru en 2009 et représentatif du genre capital de la* biofiction, *on trouvera dans cette anthologie de* vies imaginaires *des biographies dont le point commun est de faire du récit d'une vie humaine non un savoir, mais l'occasion d'un jeu littéraire, d'une rêverie ou d'une méditation. Qu'ils moquent le sérieux historiographique ou qu'ils inventent leur propre manière de raconter une vie, les cas de littérarisation de la forme biographique par des écrivains sont légion depuis les* Vies imaginaires *de Marcel Schwob (1896). À ces vies intentionnellement fictionnelles qui revendiquent l'autonomie de leur discours et le droit à l'imagination s'ajoutent nombre de formes prémodernes d'écriture biographique, récits imaginés pour servir de tombeau, pour convertir, éduquer, faire exemple ou contre-exemple, et qui ne correspondent plus aux critères de vérité que nous attachons désormais à l'écriture de l'Histoire : hagiographies, récits à valeur mythique, hommages littéraires, toutes œuvres que nous tendons désormais à lire comme des romans involontaires et à classer, avec parfois un peu de gêne, dans des collections « littéraires » parce qu'elles semblent indifférentes aux frontières qui assignent l'imaginaire hors du champ de la biographie. Narrations d'existences de personnages illustres aussi bien que d'inconnus, les* vies *réunies par cette anthologie — qu'elles soient réelles, mythiques ou clairement fictionnelles — disent toute la liberté de l'écriture littéraire : romans biographiques, « vies imaginaires » pour utiliser la formule de Marcel Schwob, « biofictions » pour user d'un néologisme plus moderne, légendes, vies brèves, microfictions, histoires de..., toutes ces formes célèbrent une existence humaine, avérée, supposée ou possible, avec l'autonomie formelle et interprétative propre à un discours que l'impératif de vérité historique ne tient pas ; elles constituent un corpus essentiel mais flou, à la fois central par sa thématique et rétif aux définitions traditionnelles proposées par les genres littéraires.*

Si elles brouillent bien souvent nos catégories de lecture, ces vies *perturbent aussi nos chronologies littéraires : mises en regard des expérimentations contemporaines, ces hagiographies et légendes résonnent d'une poésie nouvelle, tandis que le retour au genre archaïque de la* vie *manifeste la survivance des anciennes fonctions du genre biographique. Pierre Michon, l'auteur des* Vies minuscules, *le rappelle :*

> Ce très vieux genre [la vie] a secrètement survécu à sa laïcisation en roman, récit ou nouvelle. Car les modernes aussi ont écrit des vies, en annonçant clairement cette intention dans leurs titres, de façon parfois traditionnelle (la Vie de Rancé), mais le

> plus souvent nostalgique ou parodique, en tout cas référée : les Vies imaginaires de Schwob, la Vie de Samuel Belet de Ramuz, les Trois vies de G. Stein, ou même Une vie [de Maupassant[1]].

La production pléthorique de fictions biographiques, *fait déterminant de l'histoire des lettres contemporaines (de Pascal Quignard à Jean Echenoz, de Jacques Roubaud à Patrick Mauriès, d'Antoine Volodine à Éric Chevillard, de Patrick Modiano à Emmanuel Carrère, de Gérard Macé à Patrick Deville), tend à nous faire relire rétroactivement comme tels nombre de textes anciens qui n'avaient rien de littéraire au sens moderne, des vies de troubadours médiévales à la* Vie de Rancé *de Chateaubriand.*

*C'est sans doute que les lignes de partage restent floues, malgré l'apparition du terme de « biographie » au début du XVIIIe siècle (*Dictionnaire de Trévoux, *1721), pour distinguer les formes de récit régies par les exigences de la vérité factuelle, des formes rhétoriques profanes ou sacrées du passé : le terme ancien de « vie » se maintient, protégé par la légitimité que lui confère la métonymie fondatrice. On nommera plutôt « biographie » le récit « sérieux » produit par un historien, tandis que « vie » soulignera, parfois avec une connotation archaïsante, le caractère littéraire d'un récit. Par opposition à l'autobiographie (récit à la première personne), les deux termes caractérisent un récit rétrospectif unificateur, énoncé à la troisième personne et produit par un tiers, de la vie d'un individu généralement — quoique pas nécessairement —*

1. Pierre Michon, « Contemporain de la légende », dans *Le roi vient quand il veut. Propos sur la littérature*, textes réunis et édités par Agnès Castiglione et Pierre-Marc de Biasi, Paris, Albin Michel, 2007, p. 22.

célèbre. Mais les glissements et les transgressions de toute nature restent nombreux, même après la dissociation des sciences et des lettres qui s'opère au siècle des Lumières et l'émergence, au siècle suivant, d'une histoire méthodique qui propose des modèles de représentation (biologiques, historiques, évolutionnistes, etc.) et de validation (formalisation des méthodes d'érudition, désengagement énonciatif de l'auteur, examen critique des discours rapportés, etc.) accentuant les distinctions entre biographie littéraire (et fictionnelle) et biographie sérieuse (et référentielle). Aussi peu enclin à l'imprécision que soit Émile Littré, celui-ci se contente ainsi de définir la biographie comme une « sorte d'histoire qui a pour objet la vie d'une seule personne », englobant par anticipation toutes les variations formelles et énonciatives du « biographique » moderne : brouillage des frontières entre biographie et autobiographie (le récit autobiographique à la troisième personne, à la manière des Commentaires *de César, par exemple), entre biographie et fiction (le roman biographique à la Balzac, la vie imaginaire à la Marcel Schwob, la biofiction à la manière de Borges ou des écrivains contemporains, etc.), ou entre biographie d'un personnage unique et récit collectif (les vies parallèles à la Plutarque, le recueil biographique, la prosopographie qui recherche à travers les traits des individus l'identité d'une classe sociale).*

Malgré sa fausse simplicité, ces œuvres constituent donc un réservoir esthétique et herméneutique immense, où vient régulièrement se réinventer le roman, qui puise dans un paysage de modèles variés : biographies à caractère historique ou protohistorique, vies *à finalité d'édification morale ou pédagogique, récits traditionnels, profanes (panégyrique, éloge, nécrologue, galerie, etc.) ou sacrés (actes, légendes,* *martyrologe, etc.), formes explicitement littéraires (*vies *satiriques, contes et légendes, etc.), textes modernes intitulés* vies, *mais dont le rapport au biographique relève de l'allusion humoristique (*Biographie sentimentale de l'huître, *de Mary Frances Kennedy Fisher). Ce que notre sensibilité contemporaine au genre de la biofiction fait résonner de commun dans tous ces textes, même les plus érudits et les plus neutres, c'est une attention inquiète à la temporalité humaine, une fascination pour la diversité des corps, des caractères et des mœurs, un désir de connaissance concrète d'autrui, un besoin de sacralisation du propre et de sanctification des noms. Pour notre regard moderne, les hagiographies ou les récits mythiques de l'Antiquité ne sont guère différents des romans biographiques et autres fantaisies biographoïdes modernes. Lorsqu'on les rapporte à une volonté de donner une identité narrative à un destin, les inscriptions funéraires babyloniennes qui se voulaient déjà* consolations, *la biographie d'un marchand de la Renaissance, destinée à combler ses descendants, la vie d'un pirate contemporain de Defoe*[1]*, forgée pour divertir le lecteur en quête d'émotions romanesques, l'hagiographie destinée à nourrir l'imagination populaire, à renforcer la foi en la médiation des saints ou à assurer la réputation d'un lieu, la biographie d'un général romain taillée pour servir opportunément sa carrière, les vies de philosophes qui pourvoient à la plus grande gloire de l'École, la vie d'un gueux confiée à la microhistoire, qui ressuscite de manière inattendue un nom « sans qualités », à l'instar de Louis-François Pinagot chez Alain Corbin*[2]*, sont autant d'histoires particulières*

1. Voir Daniel Defoe, *Le Roi des pirates*, 1719.
2. Alain Corbin, *Le Monde retrouvé de Louis-François*

pouvant accueillir notre rêve universel d'habiter, le temps de la lecture, d'autres existences que la nôtre.

Depuis les légendes hagiographiques qui viennent nous toucher par leur étrangeté jusqu'aux fantaisies contemporaines, les vies imaginaires *sollicitent ce que Marcel Schwob nommait « le sentiment moderne du particulier et de l'inimitable*[1] *», en suscitant dans le même temps chez le lecteur l'évidence de l'altérité et la possibilité de l'identification. C'est à ce titre que les* vies *constituent un genre esthétique aussi bien qu'une modalité de lecture de la fiction : lire une biographie fictionnelle, ou lire un roman comme un récit d'existence, c'est devenir attentif à ce que la littérature nous dit de la particularité d'une vie, réalisée ou virtuelle. En hébergeant la mémoire d'un nom, une* vie *conduit son lecteur, et en premier lieu le biographe, à se demander en quoi autrui nous appartient et en quoi il nous échappe, à s'engager à la fois dans une anthropologie et un jeu spéculaire. Telle est la raison qui nous conduit à rassembler ici des* vies, imaginaires *par l'intention de l'écrivain ou par notre lecture contemporaine. De cette longue tradition, nous avons retenu des récits denses et compacts, des* vies *brèves dont le caractère resserré rend particulièrement visible la manière dont la fiction biographique met en scène la double question de la singularité et de la finitude. Représentatives de la variété des formes et des fonctions de l'imagination biographique, leur point*

Pinagot. Sur les traces d'un inconnu (1798-1876), Flammarion, 1998, rééd. coll. « Champs ».

1. Marcel Schwob, « L'Art de la Biographie », préface aux *Vies imaginaires* (1896), reprise dans *Spicilège* (*Œuvres* de Marcel Schwob, textes réunis et présentés par Alexandre Gefen, Paris, Les Belles Lettres, 2001, p. 630).

commun est d'abandonner la fonction informatrice et positive du récit biographique au bénéfice de son pouvoir de projection et de fascination.

Les textes médiévaux que l'on trouvera présentés au début de ce volume appartiennent à l'ancienne tradition hagiographique ; ils fournissent l'occasion d'en rappeler la richesse littéraire interne, ainsi que l'influence au-delà du monde médiéval. Certes, dans le discours accéléré et téléologique des vies de saints, *le temps humain et l'identité humaine sont à première vue de simples variables : le récit entend moins raconter l'enchaînement problématique d'un destin qu'en dégager la signification au regard de Dieu. Indifférent aux catégories modernes de la vérité, le genre est pourtant exposé à la tentation de la fiction littéraire, quand ce n'est pas du mensonge ; comme le fait malicieusement remarquer Michel de Certeau, la « plus ancienne mention d'un hagiographe dans la littérature chrétienne ecclésiastique est une condamnation : l'auteur (un prêtre) fut dégradé pour avoir commis un apocryphe[1] ». La subjectivisation et l'autonomisation progressive de l'hagiographie par rapport à ses modèles oraux et populaires, comme ses croisements génériques (avec, par exemple, les légendes hindoues, dans le cas de la « Vie des saints Barlaam et Josaphat ») s'accompagnent de la découverte des potentialités romanesques du genre : lieux évocatoires, situations théâtrales, temporalité dramatisée, méditations sur la destinée humaine enrichissent un discours rendu mémorable par la densité de ses héros et par les leçons générales qui en orientent le devenir. Les récits relatifs à saint Julien l'Hospitalier, saint Genès et saint*

1. Michel de Certeau, « Hagiographie », dans *Encyclopædia Universalis*, Paris, 1998, t. XI, p. 483-487, citation p. 484.

Siméon Stylite exposent la radicalité insondable d'un choix de vie : les vies *attachent durablement un destin à un nom ; elles mettent en scène des déterminismes abrupts, laissant leurs futurs lecteurs méditer sur la violence et l'étrangeté des idéaux humains.*

Croisées avec le conte fantastique et privées de métaphysique, comme dans La Terrible et Merveilleuse Vie de Robert le Diable *(texte anonyme du XVIIe siècle), les hagiographies nourrissent l'imaginaire de légendes et peuplent d'hyperboles notre mémoire culturelle du passé. Transposé en vies de poètes à la fin du Moyen Âge, ce modèle se transforme en histoires tragiques ou fantaisistes dont les nouvelles de la Renaissance seront les héritières directes. À travers les* vidas *et les* razos *des troubadours naît cette forme si importante pour l'histoire littéraire qu'est la biographie d'écrivain : la vie de Guilhem de Cabestaing (donnée ici dans la traduction de Stendhal) est la première pierre d'un martyrologe héroïque et funeste du poète, qui se poursuivra jusqu'à l'époque romantique. Que la version soit optimiste (la « Notice sur la vie de La Fontaine » de Balzac), larmoyante (la « Vie de Joseph Delorme » de Sainte-Beuve) ou pathétique (« Edgar Poe, sa vie et ses œuvres » de Baudelaire, « Cornélius Béga » de Huysmans), le XIXe siècle cherchera à théoriser par la fiction biographique les devenirs possibles du génie artistique et à réfléchir sur ses voisinages avec la folie (*Raoul Spifame *chez Gérard de Nerval), non sans mêler au genre de troublantes résonances autobiographiques. Écrire la vie d'un poète sans la rapporter aux schémas convenus, voilà la grande affaire de la modernité littéraire, qui cherchera à produire des versions alternatives de l'histoire officielle et des mécaniques pittoresques qui seraient l'image de l'originalité même du créateur. Diderot avait déjà rêvé la*

« Vie de La Fontaine » et La Fontaine la « Vie d'Ésope », dans des récits qui ont l'élégance de poèmes en prose ; les modernes livrent le portrait du poète en érotomane (la « Vie de Méléagre » de Pierre Louÿs), en anarchiste (« Érostrate, incendiaire » de Marcel Schwob), en dilettante (la « Biographie de M. Barnabooth » de Valery Larbaud). Lettré ascète chez Pascal Quignard (« Vie de Lu »), collectionneur tourmenté chez Patrick Mauriès (« Mario Praz »), acteur épuisé chez Gérard Macé (« La Vocation d'acteur »), l'écrivain imaginaire, souvent irréconciliable et mélancolique, servira chez les contemporains à penser les limites de la littérature.

« Aux extrémités des cartes », on entre dans des régions dont les historiens « n'ont point de connaissance », note Plutarque dans la « Vie de Thésée *», fantastique mythe politique construit autour d'un corps absent. À côté de la tradition hagiographique, les* Vies parallèles, *servies à la Renaissance par l'admirable traduction de Jacques Amyot, impriment elles aussi leur modèle à l'imaginaire biographique français : qu'ils veuillent répéter ou railler le panthéon, fabriquer des lieux communs ou les démonter, c'est avec le modèle plutarquien, théâtral et édifiant, que les écrivains devront composer. En contestant et en récrivant Plutarque, la fiction biographique concourra à l'immense mouvement de privatisation et de démocratisation du genre, à la démythification de l'aristocratie des hommes illustres, à la banalisation de la grandeur : en régime démocratique, chaque expérience se vaut, et le biographe idéal est celui qui exercera sa sollicitude envers l'homme ordinaire.*

> Il ne faudrait sans doute point décrire minutieusement le plus grand homme de son temps, ou noter la caractéristique des plus célèbres dans le passé, mais

> raconter avec le même souci les existences uniques des hommes, qu'ils aient été divins, médiocres, ou criminels[1],

propose Marcel Schwob avant d'offrir un florilège de cas « inimitables », en exploitant la formule historiographique consistant à donner des vies parallèles et exemplaires, mais en infléchissant délibérément le sens, puisqu'il s'attache à mêler aux vies de personnages illustres (Lucrèce) ou mythiques (Érostrate) des inconnus, noirs compagnons de l'histoire du monde (le juge Nicolas Loyseleur, qui envoya Jeanne au bûcher) ou simples anonymes (la dentellière Katherine, « fille amoureuse ») rencontrés sur les pages de registres ou d'archives. Les vies *modernes habitent le territoire du banal et nous répètent qu'il faudrait donner un tombeau à l'homme ordinaire, comme le voudrait Pierre Michon, sans jamais oublier les « hommes infâmes », pour reprendre l'expression inventée par Michel Foucault pour caractériser les destinées indignes de la mémoire officielle*[2]. *D'où le fait que les* vies imaginaires *du* XX*e siècle, souvent brèves ou délibérément fragmentaires, déstabilisent les vies officielles en les déconstruisant, et, inversement, accordent à quiconque le droit de posséder un indéchiffrable secret : elles rééquilibrent au profit des oubliés de l'Histoire la balance injuste de la mémoire.*

1. Marcel Schwob, *Œuvres*, textes réunis et présentés par A. Gefen, *op. cit.*, p. 634.

2. Michel Foucault, « La vie des hommes infâmes », *Les Cahiers du Chemin*, n° 29, 15 janvier 1977, p. 12-29 ; repris dans *Dits et écrits, 1954-1988*, édition établie sous la direction de Daniel Defert et François Ewald, avec la collaboration de Jacques Lagrange, Paris, Gallimard, coll. « Bibliothèque des sciences humaines », 1994, 4 vol., t. III, p. 237-253.

Dans ces vies *« minuscules », concrètes, corporelles et matérialistes, la fonction du récit biographique n'est plus d'apporter, par le truchement d'un exemple individuel, un savoir sur le monde, un discours, ou même simplement l'émotion temporelle de la durée, mais d'engendrer « une science nouvelle par objet*[1] *», comme le rêvait Roland Barthes : de montrer les résistances des grands hommes à tout déchiffrement, de dénoncer par la parodie à ce que Pierre Bourdieu nommait l'« illusion biographique*[2] *» et, au contraire, de créer une biographie nominaliste, un roman sans romanesque, où l'individu n'est pas l'objet d'une connaissance collective, d'une exemplification partageable, mais où il existe entre les lignes du récit, par les pouvoirs concrets de l'énumération et les germinations mystérieuses de la mémoire.*

On le voit : en recueillant des vies imaginaires, *il ne s'agit donc pas seulement — à l'instar de la critique américaine Dorrit Cohn étudiant le* Marbot *de Wolfgang Hildesheimer (1981), très sérieuse biographie d'un écrivain parfaitement imaginaire et « cas frontière*[3] *» des genres — de comptabiliser quelques hapax jalonnant l'histoire de la littérature, ni de faire la tératologie des formes variées du « biographique », chimères troublées de la biographie et de l'autobiographie, engendrées par une culture que tourmentent*

1. Roland Barthes, *La Chambre claire : note sur la photographie*, Paris, Gallimard, 1980, p. 21.

2. Pierre Bourdieu, « L'illusion biographique », *Actes de la recherche en sciences sociales*, n° 62-63, juin 1986, p. 69-72.

3. Dorrit Cohn, « Briser le code de la biographie fictionnelle : *Sir Andrew Marbot* de Wolfgang Hildesheimer », dans *Le Propre de la fiction* [1999], traduit de l'anglais par Claude Hary-Schaeffer, Paris, Éd. du Seuil, coll. « Poétique », 2001, p. 125-147.

la philosophie de la différence, le devoir de mémoire et les pulsions narcissiques de l'homme privé. Forme anthropomorphique de la narration, reposant sur ces unités fondamentales que sont la temporalité de la vie humaine et l'unicité inaliénable de l'individu, comprise intuitivement comme une catégorie a priori *de la connaissance discursive, le récit biographique configure nos représentations de la vie humaine et dirige nos manières de vivre et de mourir. Se connaître, connaître les siens, comprendre sa nation, c'est pouvoir les raconter en leur accordant une forme de devenir : à chaque identité son récit, comme le suggérait le philosophe Paul Ricœur, qui a souvent souligné à quel point notre désir de biographie s'alimentait à la source de la fiction*[1]*. Derrière son apparent individualisme, l'imaginaire biographique éloigne le proche en le creusant et rapproche de nous le lointain, injecte de l'altérité dans les fictions que nous nous faisons de notre identité et découvre ce que l'existence spécifique d'autrui peut avoir au contraire d'étrangement familier.*

Aux frontières de l'écriture historienne, la tentation a souvent été grande pour les biographes d'user de reconstructions téléologiques pour décrire et interpréter un destin, pour combler les lacunes de l'histoire officielle et rappeler à la vie du présent les ombres du passé, dans une « résurrection de la vie intégrale[2] *». Pour les écrivains, au contraire, l'écriture biographique est un espace d'exploration herméneutique*

1. Voir notamment Paul Ricœur, *Soi-même comme un autre*, Paris, Éd. du Seuil, coll. « L'Ordre philosophique », p. 190-192.

2. Jules Michelet, « Préface de 1869 » à l'*Histoire de France*, dans *Œuvres complètes*, Paris, Flammarion, 1974, t. IV, p. 12.

et formel, qu'il s'agisse de proposer des jeux sur les conventions du genre, d'inventer des vies explicitement imaginaires à valeur de modèle ou de question, d'introduire des variations possibilistes dans le parcours des personnages illustres, ou de proposer des formes originales de célébration de la mémoire et de sacralisation de la vie humaine. Écrire des existences en les inventant, c'est rappeler la légitimité des formes littéraires de connaissance et de mémoire, et la spécificité du discours qu'elles produisent : un discours apte à saisir les aspects voilés ou inavoués de l'histoire officielle, capable de s'intéresser aux modalités concrètes de l'action historique, susceptible d'en expliquer les ressorts secrets en les référant à des mythes ou à des légendes — ou encore, pour les modernes, un discours permettant de convertir l'ordinaire en religion et d'accompagner au panthéon les destins des misérables. L'attention portée à la dimension corporelle de l'existence, la mise en scène de la lutte entre les puissances vitales et les normes sociales, la résistance de la vie des artistes ou des saints aux quantifications et aux qualifications rationalistes sont autant de thèmes que les vies imaginaires parcourent, en humanisant le discours de l'Histoire, en le référant à notre désir moins d'explication logique que de projection empathique.

D'évidence, la division moderne entre biographie historique et biographie littéraire n'est donc pas satisfaisante. Écrire une vie, c'est s'exposer immédiatement aux limites de la connaissance historique : elle n'accède à l'intériorité des êtres que sous le régime de l'hypothèse et ne peut reconstituer le cours profond d'une vie qu'en recourant à la reconstitution spéculative, laquelle tient souvent beaucoup de la fiction. Jusqu'au XXe siècle, l'historien ne disposait pas de règles et de normes « scientifiques » pour raconter *une vie, et cette dimension hybride du discours biographique n'était en rien un problème : la biographie restait située au carrefour des représentations de la vie humaine, elle jouait des compétences inventées peu à peu par le savoir historique, de la puissance démonstrative de l'éloquence comme des formes de savoir propres au mythe pour fournir des connaissances irréductibles à la question du vrai et du faux. Qu'elle le veuille ou non, réaffirme la tradition des* vies imaginaires, *l'écriture d'une vie emprunte aux ressources de la spiritualité et aux modèles de la légende : « Les annales humaines se composent de beaucoup de fables mêlées à quelques vérités : quiconque est voué à l'avenir a au fond de sa vie un roman, pour donner naissance à la légende, mirage de l'histoire*[1] *», écrivait Chateaubriand dans sa* Vie de Rancé *; il voulait par là, non pas disqualifier le sérieux du travail historique, mais souligner plutôt la versatilité des spéculations biographiques et l'aura de fiction inséparable de tout récit de vie lorsque nous requérons celui-ci pour réfléchir au cours de notre propre existence. En marge de l'Histoire des historiens, c'est bien par l'imagination des possibles et la poésie associative de la mémoire que la biographie littéraire s'obstine à répondre différemment à la question de Sartre : « Que peut-on savoir d'un homme, aujourd'hui*[2] *? »*

Lire des vies imaginaires, *c'est aussi rappeler que la production d'êtres fictionnels et les cérémonials*

1. François-René de Chateaubriand, *Vie de Rancé*, éd. présentée et annotée par André Berne-Joffroy, Paris, Gallimard, coll. « Folio », 1986, p. 96-97.

2. Jean-Paul Sartre, *L'Idiot de la famille : Gustave Flaubert de 1821 à 1857*, t. I, Paris, Gallimard, coll. « Bibliothèque de philosophie », 1972, p. 7.

symboliques proposés par les textes constituent les rituels sécularisés par lesquels nous aimons aussi à perpétuer nos vies. Que tout individu soit digne de mémoire et doive être défendu contre l'anonymat, que toute existence puisse intéresser par elle-même et mérite d'être racontée dans sa différence, que tout destin particulier puisse être sauvé en étant remémoré et transmis, voilà en effet les traits frappants de notre société contemporaine, qui a adjoint aux droits fondamentaux de l'homme un droit à la mémoire et au récit. Ces présupposés inhérents à notre définition et à notre pratique des sciences humaines sont les axiomes fondamentaux de la morale moderne, qui fait de l'intérêt apporté à une identité particulière et de l'attention à un parcours de vie des formes essentielles et socialement structurantes de sollicitude. À défaut d'autres formes de transcendance, l'époque nous renvoie l'injonction d'exister en tant que nom, d'être l'inventeur de notre propre style de vie, le narrateur d'une destinée se devant d'être unique. Ce désir de mémoire moderne prolonge en le démultipliant le vieux concept de réputation, valeur suprême au nom de laquelle tant d'hommes choisirent de mourir. « Ne pouvant éterniser leur vie, il n'y avait rien qu'ils ne fissent pour éterniser leur réputation, et sauver du naufrage ce qui n'en peut être garanti[1] », dit, non sans méchanceté, La Rochefoucauld des innombrables palliatifs textuels et livresques que les hommes inventèrent pour prolonger leur vie au-delà de leur existence biologique, en devenant, chacun à sa manière, « illustre ». Résonnant des échos souvent contradictoires de l'orgueil de la différence et du devoir de transmission, les vies

1. La Rochefoucauld, *Maximes*, § 504, édition de Jacques Truchet, Paris, Classiques Garnier, 1967, p. 114.

imaginaires *font ainsi de la littérature à la fois un mode de connaissance par analogie et une religion de substitution : barrage textuel contre la mort, elles sont autant l'occasion d'une méditation mélancolique qu'une forme de mémoire et de connaissance originale, où nous prolongeons nos existences fugaces en nous projetant en dehors de nous-mêmes.*

Les vies *brèves que l'on trouvera dans ce volume ont pour point commun une volonté de décrire l'originalité des êtres et des mœurs, un goût des secrets de l'Histoire, une passion pour les* minores *ou les contre-légendes, une fascination pour la sainteté des cœurs simples, qu'il s'agisse de moquer la* libido sciendi *historienne, de proposer une théorie du destin de l'écrivain, ou de retrouver le très ancien ministère de mémoire propre à la littérature. En usant de la métaphore d'une enquête ou d'une spéculation, directe ou oblique, sur autrui, ou des pouvoirs émotionnels de la légende, elles produisent des destins romanesques ou minuscules, tragiques ou ludiques, dont la valeur est de constituer simultanément un laboratoire narratif des identités personnelles, une mythographie proprement littéraire et un nouvel art de mémoire. Car le lecteur de* vies *est celui qui embrasse la religion de la métempsycose :*

> [...] si j'étais écrivain, et mort, comme j'aimerais que ma vie se réduisît, par les soins d'un biographe amical et désinvolte, à quelques détails, à quelques goûts, à quelques inflexions, disons : des « biographèmes », dont la distinction et la mobilité pourraient voyager hors de tout destin et venir toucher, à la façon des atomes épicuriens, quelque corps futur, promis à la même dispersion[1],

1. Roland Barthes, *Sade, Fourier, Loyola*, Paris, Éd. du Seuil, coll. « Tel quel », 1971, p. 14.

écrivait Roland Barthes. Grâce à la lecture, nous pourrions avec profit sortir de l'illusion de la première personne et du fantasme de l'intériorité pour trouver un asile identitaire, si ce n'est un salut, dans la mémoire d'autrui. À nous de lire les vies *que l'écrivain invente ou réinvente, non seulement comme un cimetière de vanités et une bibliothèque de fantasmes, mais aussi comme un livre ouvert d'exemples, de voyages temporels, d'identités disponibles — comme un corpus secret de destins possibles, comme un peuple de « corps futurs », de* vies *habitables par le rêve.*

ALEXANDRE GEFEN*

* Je tiens à remercier Frédérique Fleck pour sa traduction de la *Vie de saint Genès* de Laurentius Surius, Stéphane Macé qui m'a aidé pour l'établissement du texte de la *Vie de Malherbe* de Racan ainsi qu'Éric Thiébaud pour ses innombrables suggestions et ses attentives relectures.

Vies imaginaires

De Plutarque à Michon

PLUTARQUE

(v. 46-v. 125)

Aristocrate grec sujet de Rome, philologue, moraliste et prêtre d'Apollon, Plutarque de Chéronée renouvelle dans les Vies parallèles *le genre biographique, inauguré au début du IVe siècle av. J.-C. par la* Cyropédie *de Xénophon. À l'apogée de l'Empire, il récapitule le destin du monde antique : la thématique de la fondation, l'obsession de la corruption, le pouvoir agissant des signes et des superstitions* (Vie de César), *le mouvement souterrain des superstructures historiques* (Vie de Crassus) *et le hasard des batailles* (Vie de Pompée) *se rejoignent en une merveilleuse psychologie comparée (un Grec et un Romain célèbre adossés deux à deux en cinquante* vies parallèles*), mise au service d'un paradigme global. Pour la première fois, l'Histoire apparaît comme le lieu de réalisation problématique des grandes destinées individuelles et le récit biographique comme la forme idéale d'expression de cette dialectique. Mieux encore, les* Vies parallèles *proposent d'amples destinées romanesques ; plus statiques que celles proposées à la même époque par Suétone, elles sont autant de monuments à la gloire de figures majeures, statufiées par le discours en des textes à la thématique forte (les conquérants, les fon-*

dateurs, etc.). Si la bipartition vie/caractère n'est pas nouvelle — les biographes de l'école aristotélicienne l'avaient déjà mise en pratique —, la tournure d'esprit de Plutarque, analytique et psychologisante, pieuse et moraliste, rompt avec la tradition rhétorique et joue avec une exceptionnelle finesse des dualismes et des parallèles qu'il instaure. « Je n'ai pas appris à écrire des histoires, mais des vies seulement ; et les plus hauts et les plus glorieux exploits ne sont pas toujours ceux qui montrent le mieux le vice ou la vertu de l'homme ; mais bien souvent une légère chose, une parole ou un jeu mettent plus clairement en évidence le naturel des personnes que ne le font des défaites où il sera demeuré dix mille hommes morts […]. Aussi doit-on nous concéder que nous allions principalement recherchant les signes de l'âme[1] », écrit le narrateur de la Vie d'Alexandre. *L'entreprise trouve un idéal d'équilibre entre l'arbitraire des faits et la liberté individuelle, et un idéal d'harmonie entre les limites de la connaissance historique et les suggestions de la fable, idéal qui marquera comme aucun autre l'histoire du genre biographique. Porteuses d'un projet plus philosophique qu'historique, et qui semble annoncer la « résurrection de la vie intégrale » chère à Michelet[2], les* Vies *de Plutarque offrent à l'identification et à la mémoire du lecteur des figures inoubliables. Leur admirable traduction en 1559 par Jacques Amyot marqua profondément son temps. Leur incorpora-*

1. Plutarque, *Vie d'Alexandre*, I, dans *Les Vies des hommes illustres*, traduction de Jacques Amyot, texte établi et annoté par Gérard Walter, Paris, Gallimard, coll. « Bibliothèque de la Pléiade », 1959, t. II, p. 323.

2. Jean Sirinelli, *Plutarque de Chéronée : un philosophe dans le siècle*, Paris, Fayard, 2000, p. 171.

tion aux Essais *de Montaigne (« Je donne avec grande raison, ce me semble, la palme à Jacques Amiot sur tous nos écrivains français, non seulement pour la naïveté et pureté du langage, en quoi il surpasse tous autres*[1]*... ») et leur inscription dans les programmes scolaires, de la* Ratio studiorum *jésuite de 1586 au* Traité des études *de Rollin de 1728, les rendent célèbres et en font des textes pédagogiques de référence. Qu'il s'agisse de réfléchir au destin des grands hommes son Plutarque à la main, comme Rousseau ou Napoléon, ou de servir de contre-modèle, de* Han d'Islande *de Victor Hugo aux* Hommes illustres *de Jean Rouaud, en passant par les railleries de Bouvard et Pécuchet ou les* Vies imaginaires *de Marcel Schwob, les* Vies parallèles *s'imposent durablement à l'histoire des représentations. Couplée avec celle de Romulus, la figure mythique de Thésée, roi-fondateur dont le « trésor des Athéniens » à Delphes racontait déjà la vie de manière chronologique, vise à faire « ressortir les liens spirituels de Rome avec la Grèce pour mieux amarrer à l'Empire les provinces hellénisées*[2] *». Peut-être composée en dernier, elle ouvre le recueil par un tableau où l'auteur reconnaît avec scepticisme devoir quitter l'ordre de la vérité des faits afin de rejoindre « aux extrémités de leurs cartes, les régions dont [les historiens] n'ont point de connaissance » et de donner à son récit mythologique « quelque apparence de narration historiale ».*

Voir Plutarque, « Thésée », dans *Les Vies des hommes illustres*, traduction de Jacques Amyot, texte établi et annoté par

1. Montaigne, *Essais*, II, 4.
2. Jean Sirinelli, *Plutarque de Chéronée*, *op. cit.*, p. 265.

Gérard Walter, Paris, Gallimard, coll. « Bibliothèque de la Pléiade », 1959, t. I, p. 1-36 ; *id.*, *Vies parallèles*, traduction par Anne-Marie Ozanam, édition publiée sous la direction de François Hartog, suivi d'un *Dictionnaire Plutarque* sous la direction de Pascal Payen, Paris, Gallimard, coll. « Quarto », 2001. — Sur Plutarque et Thésée : Claude CALAME, *Thésée et l'imaginaire athénien : légende et culte en Grèce antique*, préface de Pierre Vidal-Naquet, 2e éd., Lausanne, Payot, 1996. Jean SIRINELLI, *Plutarque de Chéronée : un philosophe dans le siècle*, Paris, Fayard, 2000. — Sur Amyot : Auguste DE BLIGNIÈRES, *Essai sur Amyot et les traducteurs français au XVIe siècle* [1851], Genève, Slatkine reprints, 1968 ; René STUREL, *Jacques Amyot, traducteur des « Vies parallèles » de Plutarque* [1908], Genève, Slatkine, 1974 ; Michel BALARD (dir.), *Fortunes de Jacques Amyot*, Paris, A.-G. Nizet, 1986.

Nous avons modernisé l'orthographe, sauf celle des noms propres.

Vie de Thésée[1]

Ainsi comme les Historiens qui décrivent la terre en figure, ami Sossius Senecion[2], ont accoutumé de supprimer aux extrémités de leurs cartes, les régions dont[a] ils n'ont point de connaissance, et en conter quelques telles raisons par endroits de la marge : Outre ces pays-ci n'y a plus que profondes sablonnières[b] sans eau, pleines de bêtes venimeuses, ou de la vase que l'on ne peut naviguer, ou la Scythie[3] déserte pour le froid, ou bien la mer glacée. Aussi en cette mienne histoire, en laquelle j'ai comparé les Vies d'aucuns hommes illustres les unes avec les autres, ayant suivi tout le temps, duquel les monuments sont encore si entiers, que l'on en peut parler avec quelque vérisimilitude, ou en écrire à la réale[c] vérité, je puis bien dire des temps plus anciens et plus éloignés du présent. Ce qui est auparavant n'est plus que fiction étrange, et ne trouve-t-on plus que fables monstrueuses, que les poètes ont controuvées, où il n'y a certaineté ni apparence quelconque

a *Dont* : d'où.
b *Sablonnière* : désert, étendue de sable.
c *Réal* : réel, vérifié dans les faits.

de vérité. Toutefois ayant mis en lumière les vies de Lycurgus[1], qui établit les lois des Lacédémoniens, et du Roi Numa Pompilius[2], il m'a semblé que je pouvais bien raisonnablement monter encore jusques à Romulus[3], puisque j'étais approché si près de son temps. Si[a] ai pensé longuement en moi-même ce que dit le poète Æschylus[4],

Quel champion se parira[b]
A un tel homme, & qui ira
Par mon jugement à l'encontre ?
Qui soubstiendra telle rencontre ?

Et me suis à la fin résolu, de conférer[c] celui qui peupla la noble et fameuse ville d'Athènes, à celui qui fonda la glorieuse et invincible cité de Rome : en quoi j'eusse bien désiré, que les fables de cette antiquité se fussent laissées si dextrement nettoyer par nos écrits, que nous leur eussions pu donner quelque apparence de narration historiale : mais si d'aventure en quelques endroits elles sortent un peu trop audacieusement hors des bornes de vraisemblance, et n'ont aucune conformité avec chose croyable, il est besoin que les lisants m'excusent gracieusement, recevant en gré ce que l'on peut écrire et raconter de choses si vieilles et si anciennes. Or m'a-t-il semblé que Theseus avait beaucoup de choses semblables à Romulus : car ayant été tous deux engendrés à la dérobée et hors légitime mariage, ils ont tous deux eu le bruit d'être nés de la semence des dieux :

a *Si* : aussi.
b *Se parier* : se mesurer à.
c *Conférer* : comparer.

Tous deux vaillans, ainsi que chascun sçait[1] :

Tous deux ont eu le bon sens conjoint avec la force de corps : et des deux plus nobles cités du monde, l'un fonda celle de Rome, et l'autre assembla en un corps de ville les habitants de celle d'Athènes. L'un et l'autre ravit des femmes : et ni l'un ni l'autre ne put éviter le malheur d'avoir querelle avec les siens, et de se souiller du sang de ses plus proches parents ; qui plus est, on tient que l'un et l'autre à la fin encourut la haine et malveillance de ses citoyens : au moins si nous voulons recevoir pour véritable ce qui s'en écrit le moins étrangement, et où il y a plus de semblance de vérité.

Theseus donc de par son père était descendu en droite ligne du grand Erechtheus[2] et des premiers habitants qui tinrent le pays d'Attique, lesquels on a depuis appelés Autochtones, qui vaut autant à dire comme, nés de la terre même, pource qu'il[a] n'est point de mémoire qu'ils soient oncques[b] venus d'ailleurs : et du côté de sa mère, était issu de Pelops[3], qui de son temps fut le plus puissant Roi de toute la province du Péloponnèse : non tant pour ses richesses que pour la multitude de ses enfants, à cause qu'il donnait ses filles, dont il avait bon nombre, aux plus grands seigneurs du pays : et allait semant ses fils, qui étaient aussi en bon nombre, par les villes franches, trouvant moyen de leur en faire avoir les gouvernements. Pitheus[4], aïeul maternel de Theseus, en fut l'un, lequel fonda la petite ville de Trézène[5], et eut la réputation du plus savant et

a *Pource que* : parce que.
b *Oncques* : jamais.

du plus sage homme qui fût de son temps : mais la science et sagesse qui pour lors était en estime, consistait toute en graves sentences et dits moraux, comme sont ceux pour lesquels le poète Hesiodus[1] a été tant estimé en son livre intitulé *Les Œuvres et les Jours* : auquel livre se lit encore à présent cette belle sentence que l'on dit être de Pitheus,

Tu payëras promptement le salaire
Qu'auras promis au pauvre mercenaire.

Ainsi l'écrit le philosophe même Aristote : et le poète Euripides appelant Hippolytus[2] disciple du saint Pitheus, donne assez à entendre en quelle réputation il était tenu. Mais Ægeus[3] désirant, ainsi que l'on dit, savoir comment il pourrait avoir des enfants, s'en alla en la ville de Delphes à l'oracle d'Apollo : là où par la religieuse du temple lui fut répondue cette prophétie tant renommée, laquelle lui défendait de toucher et connaître femme, qu'il ne fût de retour à Athènes : et pource que les paroles de la prophétie étaient un peu obscures, il retourna par la ville de Trézène, pour les communiquer à Pitheus. Les paroles de la prophétie étaient telles :

Homme en qui est la vertu accomplie,
Le pied sortant hors du bouc ne deslie,
Que tu ne sois de retour à Athenes.

Ce qu'entendant Pitheus, lui persuada, où bien par quelque ruse l'affina, de sorte qu'il le fit coucher avec sa fille nommée Æthra. Ægeus donc après avoir eu sa compagnie, connaissant que c'était la fille de Pitheus qui avait couché avec lui, et se doutant qu'elle était enceinte de ses œuvres, lui laissa une épée, et des souliers, lesquels il cacha dessous une grosse pierre, qui était creuse tout autant justement qu'il fallait pour contenir ce qu'il y mettait, et ne le dit à personne du monde qu'à elle seule, lui enchargeant[a] que si d'aventure elle faisait un fils, quand il serait parvenu jusques en âge d'homme assez puissant pour remuer cette pierre, et prendre ce qu'il aurait laissé dessous, elle lui envoyât, avec telles enseignes[b], le plus secrètement qu'elle pourrait, sans que nul autre en eût la connaissance : pour autant qu'il[c] redoutait fort les enfants d'un nommé Pallas[1], lesquels épiaient tous moyens de le faire mourir, et le méprisaient, à cause qu'il n'avait point d'enfants, et eux étaient cinquante frères tous engendrés d'un même père. Cela fait, il s'en alla : et Æthra, quelques mois après, se délivra d'un beau fils, lequel fut dès lors appelé Theseus, comme aucuns ont voulu dire, à cause de ces enseignes de reconnaissance que son père avait posées dessous la pierre[2]. Toutefois il y en a d'autres qui écrivent, que ce fut depuis à Athènes, quand son père le reconnut, et l'avoua pour son fils : mais cependant ès premiers ans de sa jeunesse, étant nourri en la maison de son grand-père Pitheus, il eut un maître et gouverneur appelé Connidas, en l'honneur duquel les Athéniens jusques aujourd'hui sacrifient un mouton le jour de devant la grande fête de Theseus, honorant avec meilleure raison la mémoire de ce gouverneur, que d'un Silanion, et d'un Parrhasius[3], auxquels ils font honneur aussi, pour autant qu'ils peignirent et moulèrent des images de Theseus.

a *Encharger* : ordonner.
b *Enseigne* : signe.
c *Pour autant que* : parce que.

Or était encore la coutume pour lors en la Grèce, que les jeunes hommes, au sortir de leur enfance, allaient en la ville de Delphes offrir partie de leurs cheveux au temple d'Apollo. Theseus y alla comme les autres : et dit-on que le lieu où se faisait la cérémonie de cette offrande, en a jusques aujourd'hui retenu le nom, car il s'appelle encore à présent Theseia : mais il ne fit raire[a] que le devant de sa tête seulement, ainsi comme[b] Homère dit que les Abantes[1] se tondaient anciennement : et fut cette sorte de tonsure appelée Theseïde, pour l'amour de lui. Et quant aux Abantes, ils ont véritablement été les premiers qu'ils se sont ainsi faits tondre : mais ils ne l'avaient pas appris des Arabes, comme quelques-uns ont estimé, ni ne le faisaient pas à l'imitation des Mysiens[2] : ainsi le faisaient pource que c'étaient hommes belliqueux et hardis, qui joignaient de près leur ennemi en bataille[c], et sur toutes gens du monde savaient bien combattre le pied ferme à coups de main : ainsi comme le poète Archilochus[3] le témoigne en ces vers,

Ils n'usent point de frondes en bataille,
Ny d'arcs aussi, mais d'estoc & de taille.
Quand Mars sanglant sur la pleine mortelle
Va commenceant sa meslee cruelle :
Alors font ilz maint exploit inhumain,
En combattant d'espees main à main :
Car ouvriers de telle escrime sont
Les belliqueux hommes de Negrepont[4].

a *Raire* : tondre.
b *Ainsi comme* : comme.
c *Bataille* : troupe en formation de combat, ligne de bataille.

La cause pour laquelle ils se faisaient ainsi tondre par devant, était, afin que leurs ennemis ne les pussent prendre par les cheveux en combattant, comme pour la même considération, Alexandre le Grand commanda aussi à ses capitaines qu'ils fissent couper les barbes aux Macédoniens : à cause que c'est la plus aisée prise, et plus à la main, que l'on saurait avoir sur son ennemi en combattant, que de le saisir à la barbe.

Mais pour retourner à Theseus, Æthra sa mère, tout le temps auparavant lui avait celé qui était son vrai père : et Pitheus avait fait courir le bruit qu'il était engendré de Neptune, pour autant que les Trézéniens ont ce dieu en grande révérence, et l'adorent comme patron et protecteur de leur ville, lui faisant offrande de leurs premiers fruits : et si ont pour la marque de leur monnaie, le trident, qui est une fourche à trois fourchons, l'enseigne de Neptune : mais arrivé qu'il fut aux premiers ans de sa jeunesse, et qu'il montra avec la force de corps avoir une grandeur de courage, jointe à une prudence naturelle et à un sens rassis, adonc[a] sa mère le mena au lieu où était la grosse pierre creuse, et lui déclarant au vrai le fait de sa naissance, et par qui il avait été engendré, lui fit prendre les enseignes de reconnaissance que son père y avait cachées, et lui conseilla de s'en aller par mer devers lui à Athènes. Theseus souleva facilement la pierre, et prit ce qui était dessous : mais il répondit franchement qu'il n'irait point par mer, combien que ce fût de beaucoup le plus sûr, et que sa mère et son aïeul l'en priassent fort instamment, à cause que le chemin pour aller par terre de Trézène à Athènes était bien

a *Adonc, adonques* : alors.

dangereux, à raison des brigands et voleurs qu'il y avait partout. Car ce siècle-là porta des hommes qui en force de bras, légèreté de pieds, et puissance universelle de toute la personne, surpassaient grandement l'ordinaire des autres, et ne se lassaient jamais pour quelque travail qu'ils prissent : mais ils n'employaient ces dons de nature à nulle chose honnête ni profitable, ains[a] prenaient plaisir à outrager vilainement et arrogamment les autres, comme si tout le fruit de leurs forces extraordinaires eût consisté en cruauté et inhumanité seulement, et à pouvoir tenir en sujétion, forcer, perdre et gâter, tout ce qui tombait en leurs mains : estimant que la plupart de ceux qui louent la honte de mal faire, la justice, l'équité, et l'humanité, le font par faiblesse de cœur, pource qu'ils n'osent faire tort à autrui de peur que l'on ne leur en fasse à eux-mêmes : et pourtant, que ceux qui par force pouvaient avoir avantage sur les autres, n'avaient que faire de toutes ces qualités-là. Or de ces méchants hommes-là, Hercules[1] allant par le monde en ôtait et faisait mourir aucuns : les autres, pendant qu'il passait par les lieux où ils se tenaient, se cachaient de peur, et se tiraient arrière, tellement que Hercules, voyant qu'ils étaient ainsi abaissés et humiliés, ne faisait plus compte de les poursuivre davantage : mais quand la fortune lui fut advenue qu'il eut occis de sa propre main Iphytus, et qu'il s'en fut allé outremer au pays de Lydie, là où il servit longuement la Reine Omphale[2], se condamnant lui-même à cette peine volontaire, pour le meurtre qu'il avait commis : tout le royaume de la Lydie, pendant qu'il y fut, demeura en grande paix et en grande sûreté de telle manière de gens : mais

a *Ains* : mais.

en la Grèce, et aux environs d'icelle, ces méchancetés commencèrent derechef à se renouveler, et à se ressourdre plus que jamais, pource qu'il n'y avait plus personne qui les châtiât, ni qui les ôtât de ce monde : à l'occasion de quoi, le chemin pour aller du Péloponnèse à Athènes, par terre, était fort dangereux. Et à cette cause Pitheus, racontant à Theseus, quels étaient les brigands qui tenaient ce chemin-là, et les outrages et violences qu'ils faisaient aux passants, tâchait à lui persuader, qu'il fît plutôt ce voyage par mer : mais il y avait longtemps, à mon avis, que la gloire des faits renommés de Hercules lui avait secrètement enflammé le cœur, de manière qu'il ne faisait compte que de lui, et écoutait très affectueusement ceux qui allaient récitant quel homme c'était, mêmement ceux qui l'avaient vu, et qui avaient été présents quand il avait dit ou fait aucune chose digne de mémoire : car alors donnait-il manifestement à connaître qu'il souffrait la même passion en son cœur, que Themistocles longtemps depuis souffrit, quand il dit, que la victoire et le trophée de Miltiades ne le laissaient point dormir[1]. Car aussi l'admiration grande, en laquelle Theseus avait la vertu de Hercules, faisait que la nuit il ne songeait que de ses gestes[a], et le jour la jalousie de sa gloire le poignait du désir d'en faire quelquefois autant, avec ce qu'ils étaient proches parents, comme ceux qui étaient enfants de deux cousines germaines : car Æthra était fille de Pitheus, et Alcmena la mère de Hercules fille de Lysidice, laquelle était sœur germaine de Pitheus, tous deux enfants de Pelops et de sa femme Hippodamia. Si pensa que ce serait chose honteuse et insupportable à lui, que Her-

a *Gestes* : hauts faits.

cules fût allé ainsi par tout le monde, cherchant les méchants pour en nettoyer la mer et la terre, et que lui, au contraire, fuît l'occasion de combattre ceux qui se présentaient en son chemin : en quoi faisant il déshonorerait celui que l'opinion commune et le bruit du peuple disait être son père, si en fuyant l'occasion de combattre, il se faisait mener par mer, et porterait à son vrai père, pour se faire reconnaître, des souliers, et une épée non encore teinte de sang : là où plutôt il devait chercher matière de faire connaître incontinent, par la marque évidente de quelques beaux faits d'armes, la noblesse du sang dont il était issu. En telle délibération se mit Theseus en chemin, proposant bien de n'outrager personne, mais bien de se défendre et revenger[a] de ceux qui entreprendraient de l'assaillir.

Le premier donc qu'il défit fut un voleur nommé Periphetés, dedans le territoire de la ville d'Épidaure[1]. Ce voleur portait ordinairement pour son bâton une massue, et à cette cause était communément surnommé Corynetés, c'est-à-dire, le porteur de massue. Si mit le premier la main sur lui pour le garder de passer, mais Theseus le combattit, de sorte qu'il le tua : dont il fut si aise, mêmement d'avoir gagné sa massue, que depuis il la porta toujours lui-même, ni plus ni moins que Hercules portait la peau du lion : et tout ainsi que cette dépouille du lion, témoignait la grandeur de la bête que Hercules avait occise : aussi[b] Theseus allait partout montrant que cette massue, qu'il avait conquise des mains d'un autre, était imprenable entre les siennes. Passant plus outre dedans le détroit du Péloponnèse, il en

a *Se revenger* : se venger.

b *Ainsi que... aussi...* : de même que... de même...

défit un autre nommé Sinnis[1], et surnommé Pityocamptés, c'est-à-dire, ployeur de pins, et le défit tout en la même sorte qu'il avait fait mourir plusieurs passants, non qu'il l'eût auparavant appris, ni qu'il se fût exercité à ce faire, mais faisant voir par effet que la vertu seule peut plus que ne fait tout artifice, ni toute exercitation. Ce Sinnis avait une très belle et grande fille nommée Perigoune, laquelle s'enfuit quand elle vit son père occis : et Theseus l'allait cherchant çà et là, mais elle s'était jetée dans un bocage, où il y avait force rouche[a], et force asperges sauvages, qu'elle priait fort simplement, en enfant, comme s'ils eussent eu sens de l'entendre, leur promettant avec serment, que s'ils la cachaient et couvraient si bien qu'elle ne pût être trouvée, jamais elle ne les couperait, ni ne les brûlerait. Theseus l'appela, et lui jura sa foi, qu'il la traiterait bien, et ne lui ferait mal ni déplaisir quelconque : sur laquelle promesse elle sortit du buisson, et coucha avec lui, dont elle conçut un bel enfant, qui eut nom Melanippus. Depuis Theseus la donna en mariage à un nommé Deioneus fils de Eurytus Œchalien. De ce Melanippus fils de Theseus naquit Ioxus, lequel avec Ornitus mena des gens au pays de la Carie[2], où il bâtit la ville des Ioxides : et de là vient que ces Ioxides observent encore aujourd'hui cette ancienne cérémonie, de ne brûler jamais l'épine des asperges, ni la rouche, ains les ont en quelque honneur et révérence.

Quant à la Laie Crommyenne que l'on appelait autrement Phæa[3], c'est-à-dire Bure, ce n'était point une bête dont on dût faire peu de compte, ains était courageuse, et bien malaisée à tuer. Theseus

a *Rouche* : roseaux.

néanmoins l'attendit, et la tua en passant chemin, afin qu'il ne semblât au monde, qu'il fît toutes les vaillances qu'il faisait, pource qu'il y fût contraint par nécessité : joint aussi qu'il avait opinion, que l'homme de bien doit combattre contre les hommes pour se défendre seulement des méchants, mais qu'il doit assaillir, et courir sus, le premier, aux bêtes sauvages et malfaisantes. Toutefois les autres ont écrit que cette Phæa était une brigande, meurtrière, et abandonnée de son corps, laquelle détroussait ceux qui passaient par auprès du lieu appelé Crommyon, où elle se tenait : et qu'elle fut surnommée Laie, pour ses mœurs déshonnêtes et sa méchante vie, pour laquelle finalement elle fut tuée par Theseus.

Après celle-là il défit Scirron[1] à l'entrée du territoire de Mégare, pource qu'il détroussait les passants, ainsi que le tient la plus commune opinion : ou bien, ainsi que des autres disent, pource que par une outrageuse mauvaiseté, et un plaisir désordonné, il tendait ses pieds à ceux qui passaient par là le long de la marine[a], et leur commandait de les lui laver : puis quand ils se cuidaient[b] baisser pour ce faire, il les poussait à coups de pied, tant qu'il les faisait trébucher en la mer : et Theseus l'y jeta lui-même du haut en bas des rochers. Toutefois les historiens de Mégare contredisant à la publique renommée, et voulant, comme dit Simonides[2], combattre la prescription du long temps, maintiennent que ce Scirron ne fut oncques ni brigand ni méchant, ains plutôt persécuteur des mauvais, et ami et allié des plus gens de bien, et plus justes hommes de la Grèce : car il n'y a personne qui ne

a *Marine* : bord de mer.
b *Cuider* : avoir l'intention de ; penser, croire.

confesse, que Æacus a été le plus saint homme de son temps, et que Cychreus Salaminien est honoré et révéré comme un Dieu à Athènes : et si n'y a homme qui ne sache aussi, que Peleus et Telamon ont été gens de singulière vertu. Or est-il certain que ce Scirron fut gendre de Cychreus, beau-père d'Æacus, et grand-père de Peleus et de Telamon, qui tous deux furent enfants de Endeide fille dudit Scirron et de sa femme Chariclo. Si n'est pas vraisemblable, que tant de gens de bien eussent voulu avoir alliance avec un si malheureux homme, en prenant de lui et lui donnant ce que les hommes ont le plus cher en ce monde : et pourtant disent ces historiens, que ce ne fut pas à la première fois que Theseus alla à Athènes, qu'il tua Scirron, mais que ce fut depuis, quand il prit la ville d'Éleusis[1] que les Mégariens tenaient alors, là où il trompa le gouverneur de la ville nommé Diocles, et y fit mourir Scirron. Voilà les oppositions que les Mégariens allèguent à ce propos.

Il tua aussi en la ville d'Éleusis Cercyon Arcadien[2] en luttant contre lui. Et tirant un peu plus outre, défit en la ville d'Hermione[3] Damastes, qui autrement était surnommé Procustes[4] : et ce, en le faisant égaler à la mesure de ses lits, comme lui avait accoutumé de faire aux étrangers passants. Cela faisait Theseus à l'imitation de Hercules, lequel punissait les tyrans de la même peine qu'ils avaient fait souffrir à d'autres. Car ainsi sacrifia-t-il Busiris : ainsi étouffa-t-il Antheus à la lutte : ainsi fit-il mourir Cycnus en combattant à lui d'homme à homme : ainsi rompit-il la tête à Termerus, dont est encore jusques aujourd'hui demeuré le proverbe du mal Termerien[5], pource que ce Termerus avait accoutumé de faire ainsi mourir ceux qu'il rencontrait, en choquant de sa tête contre la leur. Au cas pareil Theseus allait punissant de même les méchants, en leur faisant endurer justement les mêmes tourments qu'ils avaient les premiers fait endurer injustement à d'autres : et poursuivit ainsi son chemin jusques à ce qu'il arriva à la rivière de Cephisus[1], là où quelques-uns de la maison des Phytalides furent les premiers qui lui allèrent par honneur au-devant, et à sa requête le purifièrent selon les cérémonies accoutumées en ces temps-là : puis ayant fait aux Dieux un sacrifice de propitiation, le festoyèrent en leurs maisons, et fut le premier bon recueil[a] qu'il trouva en tout son chemin. L'on tient qu'il arriva en la ville d'Athènes le huitième jour du mois de Juin[b], que l'on appelait alors Cronius. Si trouva la chose publique troublée de séditions, partialités[c] et divisions, et particulièrement la maison d'Ægeus en mauvais termes aussi, à cause que Médée[2] ayant été bannie de la ville de Corinthe s'était retirée à Athènes, et se tenait avec Ægeus, auquel elle avait promis de lui faire avoir des enfants par la vertu de quelques médecines : mais ayant senti le vent de la venue de Theseus, premier que[d] le bon homme Ægeus, qui était déjà vieux, soupçonneux, et se défiant de toutes choses, pour les grandes partialités qui régnaient dedans la ville, sût qui il était, elle lui persuada de l'empoisonner en un banquet, que l'on lui ferait comme à un étranger passant. Theseus ne faillit pas d'aller à ce banquet, où il était convié :

a *Recueil* : accueil.
b *Juin* : Hécatombeion (anciennement Cronios), 1er mois du calendrier attique (juillet-août).
c *Partialités* : factions.
d *Premier que* : avant que.

mais aussi ne trouva-t-il pas bon de se découvrir soi-même, ains voulant donner à Ægeus matière et moyen de le reconnaître, quand on apporta la viande sur la table il dégaina son épée, comme s'il en eût voulu trancher, et la lui montra. Ægeus tout soudain la reconnut, et incontinent renversa la coupe où était le poison que l'on avait apprêté pour lui bailler[a]. Puis après l'avoir enquis et interrogé, l'embrassa : et depuis, en publique assemblée de tous les habitants de la ville, déclara, qu'il l'avouait pour son fils. Tout le peuple le reçut à grande joie, pour le renom de sa prouesse : et dit-on que quand Ægeus renversa la coupe, le poison qui était dedans tomba au lieu, où il y a maintenant un certain pourpris[b] renfermé tout alentour dedans le temple que l'on appelle Delphinium. Car en cet endroit-là était anciennement la maison d'Ægeus : en témoignage de quoi l'on appelle encore aujourd'hui l'image de Mercure, qui est au côté de ce temple regardant vers le soleil levant, le Mercure de la porte d'Ægeus.

Mais les Pallantides qui auparavant avaient toujours espéré de recouvrer le royaume d'Athènes, à tout le moins après la mort d'Ægeus, pource qu'il n'avait point d'enfants, quand ils virent que Theseus était reconnu et avoué pour son fils, héritier, et successeur au royaume, alors ne pouvant plus supporter, que non seulement Ægeus, qui n'était que fils adoptif de Pandion, et ne tenait rien au sang royal des Erechtheides, eût usurpé le royaume sur eux, ains que Theseus encore l'occupât, ils résolurent de leur faire la guerre à tous deux, et s'étant divisés en deux troupes, les uns vinrent tout ouvertement en armes, avec leur père, droit à la ville : les autres se mirent

a *Bailler* : donner.
b *Pourpris* : enceinte, enclos.

en embûche au bourg[a] de Gargettus, en intention de les assaillir par deux côtés. Or avaient-ils quand et[b] eux un héraut natif du bourg d'Agnus nommé Leos, qui découvrit à Theseus le dessein de toute leur entreprise. Theseus en étant averti, alla incontinent charger ceux qui étaient en embûche et les mit tous au fil de l'épée : ce qu'entendant, les autres, qui étaient à la troupe de Pallas, se débandèrent aussitôt et s'écartèrent çà et là : d'où vient, à ce que l'on dit, que ceux du bourg de Pallène ne font jamais alliance de mariage avec ceux du bourg d'Agnus : et qu'en leur bourg, quand on fait quelque cri public, jamais on ne dit les paroles que l'on dit ailleurs par tout le pays de l'Attique, Acoueté Leos, qui valent autant à dire comme, Or oyez peuple : tant ils ont en grande haine ce mot de Leos, pour la trahison que leur fit le héraut qui s'appelait ainsi.

Cela fait, Theseus, qui ne voulait pas demeurer sans rien faire, et quand et quand[c] désirait gratifier[d] au peuple, se partit pour aller combattre le taureau de Marathon, lequel faisait beaucoup de maux aux habitants de la contrée de Tétrapolis[1] : et l'ayant pris vif, le passa à travers la ville, afin qu'il fût vu de tous les habitants, puis le sacrifia à Apollo surnommé Delphinien. Or quant à Hecale, et à ce que l'on conte qu'elle le logea, et du bon traitement qu'elle lui fit, cela n'est pas du tout hors de vérité : car anciennement les bourgs et villages de là autour s'assemblaient, et faisaient un commun

a *Bourg* : rend le grec *dêmos* (δῆμος), « dème », désignant la circonscription administrative de base de l'Attique.

b *Quand et* : avec.

c *Quand et quand* : en même temps.

d *Gratifier* : être agréable.

sacrifice qu'ils appelaient Hecalesion, en l'honneur de Jupiter Hecalien, là où ils honoraient cette vieille, en l'appelant par un nom diminutif, Hecalene, pour autant que quand elle reçut en son logis Theseus qui était encore fort jeune, elle le salua et caressa ainsi par noms diminutifs, comme les vieilles gens ont accoutumé de faire fête aux jeunes enfants : et pource qu'elle avait voué à Jupiter de lui faire un sacrifice solennel si Theseus retournait sain et sauf de l'affaire où il allait, et qu'elle était morte avant son retour, elle eut en récompense de la bonne chère qu'elle lui avait faite, l'honneur que nous avons dit, par le commandement de Theseus, ainsi comme l'a écrit Philochorus[1].

Peu de temps après cet exploit, vinrent de Candie[2] les gens du Roi Minos[3], demander pour la troisième fois le tribut que payaient ceux d'Athènes pour telle occasion. Androgeos[4] fils aîné du Roi Minos fut occis en trahison dedans le pays de l'Attique, à raison de quoi Minos poursuivant la vengeance de cette mort, fit la guerre fort âpre aux Athéniens, et leur porta beaucoup de dommage : mais outre cela les Dieux encore persécutèrent et affligèrent fort durement tout le pays, tant par stérilité et famine, que par pestilences et autres maux, jusques à faire tarir les rivières. Quoi voyant ceux d'Athènes recoururent à l'oracle d'Apollo : lequel leur répondit, qu'ils apaisassent Minos, et quand ils seraient réconciliés avec lui, que l'ire des Dieux cesserait aussi encontre eux, et leurs afflictions prendraient fin. Si envoyèrent incontinent ceux d'Athènes devers lui, et le requirent de paix : laquelle il leur octroya, sous condition, que l'espace de neuf ans durant ils seraient tenus d'envoyer chacun an en Candie, par forme de tribut, sept jeunes garçons, et autant de jeunes garces. Or jusques ici tous les historiens sont bien d'accord : mais au demeurant, non : et ceux qui semblent s'éloigner le plus de la vérité, content que quand ces jeunes garçons étaient arrivés en Candie, on les faisait dévorer par le Minotaure[1] dedans le Labyrinthe, ou bien que l'on les enfermait dedans ce Labyrinthe, et qu'ils y allaient errant çà et là, sans pouvoir trouver issue pour en sortir, jusques à ce qu'ils y mouraient de male faim, et était ce Minotaure, ainsi que dit le poète Euripides,

Un corps meslé, un monstre aiant figure
De taureau joinct à humaine nature[2].

Mais Philochorus écrit, que ceux de Candie ne confessent point cela, ains disent que ce Labyrinthe était une geôle, en laquelle il n'y avait autre mal, sinon que ceux qui y étaient enfermés n'en pouvaient sortir : et que Minos en mémoire de son fils Androgeos avait institué des fêtes et jeux de prix, là où il donnait à ceux qui y emportaient la victoire ces jeunes enfants athéniens, lesquels cependant étaient soigneusement gardés dedans la geôle du Labyrinthe, et qu'aux premiers jeux l'un des capitaines du Roi nommé Taurus, qui avait le plus de crédit autour de son maître, gagna le prix. Ce Taurus fut homme rebours[a] et malgracieux de nature, qui traita fort durement et superbement ces enfants d'Athènes : et qu'il soit vrai, le philosophe même Aristote, parlant de la chose publique des Bottiéens[3], montre bien qu'il n'estimait pas que Minos eût oncques fait mourir les enfants des Athéniens, ains dit qu'ils vieillissaient en Candie, gagnant leurs vies

a *Rebours* : de mœurs rudes.

à servir pauvrement. Car il écrit, que les Candiots s'acquittant d'un vœu qu'ils avaient longtemps auparavant voué, envoyèrent quelquefois les prémices de leurs hommes à Apollo en la ville de Delphes, et que parmi eux se mêlèrent aussi ceux qui étaient descendus de ces anciens prisonniers d'Athènes, et s'en allèrent quand et eux. Mais pource qu'ils n'y purent pas vivre, ils dressèrent leur chemin premièrement en Italie, là où ils demeurèrent quelque temps en la province de la Pouille, et que depuis ils se transportèrent encore de là ès marches de la Thrace, là où ils eurent ce nom de Bottiéens : en mémoire de quoi, les filles bottiéennes en un solennel sacrifice qu'elles font ont accoutumé de chanter ce refrain, Allons à Athènes. Mais à cela peut-on voir, combien il fait dangereux encourir la malveillance d'une ville qui sait bien parler, et où les lettres et l'éloquence fleurissent. Car depuis ce temps-là Minos a été toujours diffamé et injurié par les théâtres d'Athènes, et ne lui a servi de rien le témoignage d'Hesiodus qui l'appelle très digne Roi, ni la recommandation d'Homère qui le nomme familier ami de Jupiter[1], pource que les poètes tragiques gagnèrent, nonobstant le dessus : et du chafault[a], où se jouaient leurs tragédies, épandirent toujours plusieurs paroles injurieuses, et atteintes diffamatoires contre lui, comme à l'encontre d'un homme qui aurait été cruel et inhumain, quoique l'on tienne communément, que Minos soit le Roi qui a établi les lois des trépassés, et Radamanthus[2] le juge qui les fait observer.

Étant donc le terme échu, qu'il fallait payer le tribut pour la troisième fois, quand on vint à contraindre les pères qui avaient des enfants non encore mariés, de les bailler pour les mettre à l'aven-

a *Chafault* : estrade, scène.

ture du sort, les citoyens d'Athènes commencèrent à murmurer derechef contre Ægeus, alléguant pour leurs griefs, que lui qui avait été cause de tout le mal, était seul exempt de la peine : et que pour faire tomber le royaume ès[a] mains d'un sien bâtard étranger, il ne se souciait point qu'ils fussent eux privés et destitués de leurs naturels et légitimes enfants. Ces justes doléances des pères à qui l'on ôtait les enfants, perçaient le cœur à Theseus : lequel se voulant soumettre à la raison, et courir la même fortune que feraient ses citoyens, s'offrit volontairement à y être envoyé sans attendre l'aventure du sort, dont ceux de la ville estimèrent grandement la gentillesse[b] de son courage, et l'aimèrent singulièrement pour l'affection qu'il montrait avoir à la communauté : mais Ægeus, après avoir essayé toutes sortes de prières et de remontrances, pour le cuider[c] divertir de ce propos, à la fin voyant qu'il n'y avait ordre, tira au sort les autres enfants qui devaient aller quand et[d] lui. Toutefois Hellanicus[1] écrit, que ce n'étaient pas ceux de la ville qui tiraient au sort les enfants que l'on devait envoyer, mais que Minos lui-même y allait en personne, qui les choisissait, comme lors[e] il choisit Theseus le premier, sous les conditions accordées entre eux, c'est à savoir que les Athéniens fourniraient de vaisseaux, et que les enfants s'embarqueraient quand et lui sans porter aucun bâton de guerre[f], mais après la mort du Minotaure, que la peine de ce tribut cessa. Or auparavant n'y avait-il jamais eu espérance quelconque

a *Ès* : dans les.
b *Gentillesse* : noblesse.
c *Cuider* : tenter de.
d *Quand et* : avec.
e *Lors* : cette fois.
f *Bâton de guerre* : arme offensive.

de retour, ni de salut : et pourtant avaient toujours les Athéniens envoyé un navire pour conduire leurs enfants avec une voile noire, en signifiance de perte toute certaine. Toutefois pour l'espérance que Theseus donnait à son père, se faisant fort, et promettant hardiment qu'il viendrait au-dessus[a] du Minotaure, Ægeus donna au pilote du navire une voile blanche, lui ordonnant qu'à son retour il tendît la voile blanche, si son fils était échappé : sinon, qu'il mît la noire, pour lui montrer de tout loin son malheur. Toutefois Simonides dit, que cette voile qu'Ægeus donna au pilote n'était pas blanche, ains rouge, teinte en graine d'écarlate : et qu'il lui bailla pour signifier de loin leur délivrance et salut. Ce pilote avait nom Phereclus Amarsyadas, ainsi que dit Simonides : mais Philochorus écrit, que Scirus Salaminien[1] donna à Theseus un pilote nommé Nausitheus, et un autre marinier pour gouverner la proue, qui avait nom Pheias, à cause que les Athéniens pour lors n'étaient point encore duits[b] à la marine : et le fit ce Scirus, pour autant que l'un des enfants sur lesquels tomba le sort, était son neveu : de quoi font foi les chapelles que Theseus édifia depuis en l'honneur de Nausitheus et de Pheias au bourg de Phalerus[2], joignant le temple de Scirus. Et si dit-on que la fête que l'on nomme Cybernesia[3], c'est-à-dire, la fête des patrons des navires, se célèbre en leur honneur.

Après donc que le sort eut été tiré, Theseus prenant avec lui ceux sur qui il était tombé, s'en alla du palais au temple nommé Delphinion, offrir à Apollo pour lui et pour eux l'offrande de supplication,

a *Venir au-dessus de* : vaincre.
b *Duit* : exercé, expérimenté.

que l'on nomme Hiceteria[1], qui était un rameau de l'olive[a] sacrée entortillé à l'entour de laine blanche : et après avoir fait sa prière, descendit sur le bord de la mer pour s'embarquer le sixième jour du mois de Mars[b], auquel on envoie encore aujourd'hui en ce même temple de Delphinion les jeunes filles, pour y faire leurs prières et oraisons aux Dieux : mais on dit que l'oracle d'Apollo en la ville de Delphes lui avait répondu, qu'il prît Venus pour sa guide, et qu'il la réclamât pour le conduire en son voyage : à l'occasion de quoi il lui sacrifia une chèvre sur le bord de la mer, laquelle on trouva s'être soudainement tournée en un bouc, et que c'est la cause pour laquelle on surnomme cette déesse Epitragia[2], comme qui dirait, la déesse du bouc.

Au reste quand il fut arrivé à Candie, il y tua le Minotaure, ainsi que la plupart des auteurs anciens l'écrit, avec le moyen que lui bailla Ariadne[3], laquelle étant devenue amoureuse de lui, lui donna un peloton de fil, à l'aide duquel elle lui enseigna qu'il pourrait facilement issir[c] des tours et détours du Labyrinthe : et disent qu'ayant occis le Minotaure, il s'en retourna dont il était parti, emmenant quand et lui les autres jeunes enfants d'Athènes, et Ariadne aussi. Pherecides[4] dit davantage[d], qu'il brisa et gâta les quilles et carènes de tous les vaisseaux de Candie, afin que l'on ne les pût soudainement poursuivre : et Demon[5] écrit que Taurus capitaine de Minos fut par Theseus occis dedans le port même,

a *Olive* : olivier.

b *Mars* : Munychion, 10e mois du calendrier attique (avril-mai).

c *Issir* : sortir, se tirer de.

d *Davantage* : en outre.

en combattant, ainsi comme ils étaient tous prêts à faire voile. Toutefois Philochorus raconte que le Roi Minos ayant fait ouvrir les jeux, ainsi qu'il avait accoutumé tous les ans, en l'honneur et mémoire de son fils, chacun commença à porter envie à ce capitaine Taurus, pource que l'on s'attendait bien qu'il en emporterait encore le prix, comme il avait fait ès années précédentes, avec ce que son autorité le rendait mal voulu[a], à cause qu'il était homme superbe[b], et si le soupçonnait-on qu'il entretenait[c] la Reine Pasiphaé[1]. Parquoi[d] quand Theseus vint à demander le combat contre lui, Minos le lui octroya facilement. Et étant la coutume en Candie, que les dames se trouvaient aux ébattements publics, et assistaient à voir les jeux, Ariadne se trouvant à ceux-là, y fut éprise de l'amour de Theseus, le voyant si beau, et si adroit à la lutte, qu'il surmonta tous ceux qui se présentèrent pour lutter. Et le Roi même Minos fut si joyeux de ce qu'il avait ôté l'honneur au capitaine Taurus, qu'il le renvoya franc et quitte en son pays, en lui rendant quand et quand les autres prisonniers athéniens, et remettant, pour l'amour de lui, à la ville d'Athènes ce tribut qu'elle lui devait payer. Mais Clidemus[2] conte ces choses d'une autre et toute différente sorte, bien particulièrement, en recherchant le commencement de plus haut. Car il dit qu'il y avait lors une ordonnance générale par toute la Grèce, qui défendait à toute manière de gens, de faire voile en vaisseau ou il y eût plus de cinq personnes, excepté à Jason[3] seul, qui fut élu

a *Mal voulu* : odieux.
b *Superbe* : arrogant, hautain.
c *Entretenir* : avoir des relations charnelles avec.
d *Parquoi* : c'est pourquoi.

capitaine de la grande nef d'Argo, avec commission d'aller çà et là, pour ôter et chasser tous les corsaires et larrons écumant la mer : et que Dædalus[1] s'en étant fui de Candie à Athènes dedans un petit bateau, Minos contre les défenses publiques, le voulut poursuivre avec une flotte de plusieurs vaisseaux à rames, mais qu'il fut jeté par la tourmente en la côte de la Sicile, là où il décéda. Depuis son fils Deucalion étant grièvement courroucé contre les Athéniens, les envoya sommer de lui rendre Dædalus, ou autrement qu'il ferait mourir les enfants qui avaient été baillés en otage à Minos son père : de quoi Theseus s'excusa, disant qu'il ne pouvait abandonner Dædalus, attendu qu'il lui tenait de si près, comme d'être son cousin germain, pource qu'il était fils de Merope fille d'Erechtheus : mais cependant il fit secrètement faire plusieurs vaisseaux, partie dedans l'Attique même, au bourg de Thymètades, arrière des grands chemins passants, et partie aussi en la ville de Trézène par l'entremise de son aïeul Pitheus, afin que son entreprise en fût plus couverte. Puis quand tout son équipage fut prêt, il monta sur mer, premier que les Candiots en fussent aucunement avertis : de sorte, que quand ils le découvrirent de loin, ils cuidèrent que ce fussent vaisseaux d'amis. Au moyen de quoi, Theseus descendit en terre sans aucune résistance, et se saisit du port : puis, ayant Dædalus et les bannis de Candie pour guides, entra jusque dedans la ville même de Gnose[2], là où il défit en bataille Deucalion, devant les portes du Labyrinthe, avec tous ses gardes et satellites[a], et par ce moyen fallut que Ariadne sa sœur prît les affaires du royaume en main. Theseus fit appointement[b]

a *Satellite* : bretteur à gages.
b *Faire appointement* : se réconcilier.

avec elle, et retira les jeunes garçons d'Athènes, qui étaient détenus en otage, remettant en bonne paix, amitié et concorde les Athéniens avec les Candiots : lesquels promirent et jurèrent, que jamais ils ne leur commenceraient la guerre.

On conte encore beaucoup d'autres choses sur ce propos, mêmement d'Ariadne, mais il n'y a rien d'assuré ni de certain : car aucuns disent que Ariadne se pendit de douleur, quand elle se vit abandonnée par Theseus : les autres écrivent qu'elle fut menée par les mariniers en l'île de Naxos, là où elle fut mariée à Œnarus le prêtre de Bacchus, et tiennent que Theseus la laissa, pource qu'il en aimait une autre.

Car il aimoit Ægle[1] Nymphe gentille,
Laquelle estoit de Panopeus fille.

Hereas Mégarien[2] dit que ces deux vers étaient anciennement entre les vers du poète Hesiodus, mais que Pisistratus[3] les en ôta : comme aussi ajouta-t-il ces deux autres-ci à la description des enfers en Homère, pour gratifier aux Athéniens :

Pirithous[4] & Theseus enfans
Des immortelz en armes triumphans[5].

Les autres tiennent qu'Ariadne eut deux enfants de Theseus, l'un desquels eut nom Œnopion, l'autre Staphylus : et l'écrit ainsi entre les autres le poète Ion[6] natif de l'île de Chio, lequel parlant de sa ville dit ainsi :

Œnopion du preux Theseus filz,
Bastir jadis nostre ville tu feis.

Or quant à ce qu'il s'en lit le plus honnête ès fables des poètes, il n'y a personne qui ne le chante, par manière de dire : mais un Pænon[1] natif de la ville d'Amathunte, le récite d'une sorte toute diverse des autres, disant que Theseus fut jeté par une tourmente en l'île de Cypre[2], ayant quand et[a] lui Ariadne qui était enceinte, et si travaillée de l'agitation de la mer, qu'elle n'en pouvait plus, tellement qu'il fut contraint de la mettre à terre, et que depuis il rentra dedans sa navire pour le cuider[b] défendre contre la tourmente, mais qu'il fut derechef jeté loin de la côte en pleine mer par la violence des vents. Les femmes du pays recueillirent humainement Ariadne, et pour la réconforter (à cause qu'elle se déconforta merveilleusement, quand elle se vit ainsi abandonnée) elles contrefirent des lettres comme si Theseus les lui eût écrites, et quand elle fut prête à se délivrer de son enfant, elles firent tout devoir de la secourir : mais toutefois elle mourut en travail, sans jamais s'en pouvoir délivrer, et fut inhumée honorablement par les dames de Cypre. Theseus un peu après y retourna, qui fut fort déplaisant[c] de cette mort, et laissa de l'argent à ceux du pays pour lui sacrifier par chacun an : et en mémoire d'elle fit fondre deux petites statues, l'une de cuivre, et l'autre d'argent, qu'il lui dédia. Ce sacrifice se fait le deuxième jour de Septembre[d], auquel on observe encore cette cérémonie, que l'on couche un jeune garçon dessus un lit, lequel crie, et se plaint ni plus ni moins que font les femmes en travail d'enfant : et si dit que les Amathusiens appellent encore le bocage auquel

a *Quand et* : avec.
b *Cuider* : tenter de.
c *Déplaisant* : affligé.
d *Septembre* : Gorpiaios, mois intercalaire correspondant à septembre.

est sa sépulture, le bois de Venus Ariadne. Encore y a-t-il des Naxiens qui le racontent autrement, disant qu'il y a eu deux Minos, et deux Ariadnes, dont l'une fut mariée à Bacchus en l'île de Naxos, de laquelle naquit Staphylus, l'autre plus jeune fut ravie et enlevée par Theseus, lequel puis après l'abandonna, et elle se retira en l'île de Naxos avec sa nourrice nommée Corcyne, de laquelle on y montre encore aujourd'hui la sépulture. Cette seconde Ariadne y mourut aussi, mais elle n'eut pas de tels honneurs après sa mort comme la première, pource qu'ils célèbrent la fête de la première en toute réjouissance et toute liesse, là où les sacrifices qui se font en mémoire de cette seconde, sont entremêlés de deuil et de tristesse.

Theseus donc partant de l'île de Candie vint descendre en celle de Délos, où il sacrifia au temple d'Apollo, et y donna une petite image de Venus, qu'il avait eue d'Ariadne : puis avec les autres jeunes garçons qu'il avait délivré, dansa une manière de danse que les Déliens gardent encore aujourd'hui, comme l'on dit : en laquelle y a plusieurs tours et retours, à l'imitation des tournoiements du Labyrinthe : et appellent les Déliens cette sorte de branle, la Grue, ainsi que dit Dicæarchus[1] : et la dansa Theseus premièrement à l'entour de l'autel qui s'appelle Ceraton, c'est-à-dire, fait de cornes, pour autant qu'il est composé de cornes seulement, toutes du côté gauche si bien entrelacées ensemble, sans autre liaison, qu'elles font un autel. On dit aussi qu'il fit en cette même île de Délos, un jeu de prix, auquel fut premièrement donnée au vainqueur la branche de palme, pour loyer de la victoire[2] : mais quand ils approchèrent de la côte d'Attique, ils furent tant épris de joie lui et son pilote, qu'ils oublièrent de mettre au vent la voile blanche, par laquelle ils devaient donner signifiance de leur salut à Ægeus. Lequel voyant de loin la voile noire, et n'espérant plus de revoir jamais son fils, en eut si grand regret, qu'il se précipita du haut en bas d'un rocher, et se tua. Sitôt que Theseus fut arrivé au port de Phalerus, il s'acquitta des sacrifices qu'il avait voués aux dieux à son partement[a], et envoya devant vers la ville un sien héraut porter la nouvelle de sa venue. Le héraut trouva plusieurs en la ville, qui lamentaient la mort du Roi Ægeus, et plusieurs autres aussi qui le reçurent à grand joie, comme l'on peut penser, et le voulurent couronner de chapeaux de fleurs, pour leur avoir apporté de si bonnes nouvelles, que les enfants de la ville étaient retournés à sauveté[b]. Le héraut reçut bien les chapeaux de fleurs, mais il ne les voulut pas mettre sur sa tête, ains les mit à l'entour de sa verge de héraut qu'il portait en la main, puis s'en retourna vers la mer, là où Theseus faisait ses sacrifices : et voyant qu'il n'avait pas encore achevé, ne voulut point entrer dedans le temple, ains demeura dehors, afin de ne troubler les sacrifices : puis quand toutes les cérémonies furent achevées, alors il lui alla dire les nouvelles de la mort de son père : et adonc lui, et ceux qui étaient en sa compagnie, démenant grand deuil, tirèrent en diligence vers la ville. C'est la raison pourquoi jusques aujourd'hui, en la fête que l'on nomme Oschophoria[1], comme qui dirait, la fête des rameaux, le héraut n'y a point la tête couronnée de fleurs, ains l'est sa verge seulement : et aussi pourquoi les assistants, après que le sacrifice est parachevé, font de telles exclamations, *Ele-leuf, iou iou*[2] : dont la première est

a *Partement* : départ.
b *À sauveté* : en sûreté.

le cri et la voix dont usent ordinairement ceux qui s'entredonnent courage l'un à l'autre pour se hâter, ou bien est le refrain d'un chant de triomphe : et l'autre est le cri et la voix de gens effrayés, ou bien affligés. Après avoir fait les obsèques de son père, il s'acquitta envers Apollo des sacrifices qu'il lui avait voués le septième jour du mois d'Octobre[a], auquel ils arrivèrent de retour en la ville d'Athènes. Ainsi la coutume que l'on garde jusques aujourd'hui, de faire cuire à tel jour des légumages, vient de ce que ceux qui retournèrent lors avec Theseus, firent cuire dedans une marmite tout ce qui leur était demeuré de vivres, et en banquetèrent ensemble. Aussi en est procédée l'usance[b] de porter la branche d'olive entortillée de laine, que l'on appelle Iresione[1], pource que lors ils portèrent aussi le rameau de supplication, comme nous avons dit par ci-devant : et y attache-t-on à l'entour toutes sortes de fruits, pource que lors cessa la stérilité, ainsi que témoignent les vers que l'on va chantant après :

Apportez luy de bon pain savoureux,
Figues aussi, & du miel amoureux,
De l'huile à s'oindre, avec pleine tasse
De bon vin pur, qui endormir la face.

Toutefois il y en a qui veulent dire, que ces vers furent faits pour les Heraclides, c'est-à-dire, les descendants de Hercules, lesquels s'étant retirés en la sauvegarde des Athéniens, furent par eux ainsi nourris quelque temps : mais la plus grande part tient, qu'ils furent faits pour l'occasion que nous avons dite.

a *Octobre* : Pyanepsion, 4e mois du calendrier attique (octobre-novembre).

b *Usance* : usage.

Le vaisseau sur lequel Theseus alla et retourna, était une galiote[a] à trente rames, que les Athéniens gardèrent jusques au temps de Demetrius le Phalérien[1], en ôtant toujours les vieilles pièces de bois, à mesure qu'elles se pourrissaient, et y en remettant des neuves en leurs places : tellement que depuis, ès disputes des philosophes touchant les choses qui s'augmentent, à savoir si elles demeurent unes, ou si elles se font autres, cette galiote était toujours alléguée pour exemple de doute, pource que les uns maintenaient que c'était un même vaisseau, les autres, au contraire, soutenaient que non : et tient-on que la fête des rameaux, que l'on célèbre à Athènes encore aujourd'hui, fut lors premièrement instituée par Theseus. On dit davantage qu'il ne mena pas toutes les filles, sur lesquelles était tombé le sort, ains choisit deux beaux jeunes garçons, qui avaient les visages doux et délicats comme pucelles, combien qu'ils fussent au demeurant hardis et prompts à la main : mais il les fit tant baigner en bains chauds, tenir à couvert sans sortir au hâle ni au Soleil, tant laver, oindre et frotter d'huiles qui servent à attendrir le cuir, à garder le teint frais, et à blondir les cheveux : et leur enseigna tant à contrefaire la parole, la contenance et la façon des jeunes filles, qu'ils le semblaient être plutôt que jeunes garçons, pource qu'il n'y avait rien de différence que l'on eût pu au-dehors apercevoir, de sorte qu'il les mêla parmi les autres filles, sans que personne y connût rien. Puis quand il fut de retour, il fit une procession, en laquelle lui et les autres jeunes garçons s'habillèrent ainsi que le sont aujourd'hui ceux qui portent les rameaux au jour de

a *Galiote* : petite galère à voile et à rames, ici une trière.

la fête : et les porte-t-on en l'honneur de Bacchus et d'Ariadne, suivant la fable que l'on en conte : ou plutôt, à cause qu'ils retournèrent justement au temps et en la saison que l'on cueille les fruits des arbres : et y a des femmes que l'on appelle Dipnophores, c'est-à-dire, portant à souper, lesquelles assistent et participent au sacrifice qui se fait ce jour-là, en représentant les mères de ceux sur qui le sort était tombé, pource qu'elles leur apportèrent ainsi à boire et à manger : et y conte-t-on des fables, pource que ces mères firent aussi des contes à leurs enfants, pour les réconforter, et leur donner bon courage. L'historien Demon a écrit toutes ces particularités. Il fut davantage choisi lieu pour lui bâtir un temple, et lui-même ordonna que les maisons qui avaient payé ès années précédentes le tribut au Roi de Candie, contribuassent tous les ans à l'avenir aux frais d'un solennel sacrifice, qui se ferait en son honneur : et en donna l'administration à la maison des Phytalides, en récompense de la courtoisie dont ils usèrent en son endroit quand il arriva.

Au reste depuis la mort de son père Ægeus, il entreprit une chose grande à merveilles : c'est qu'il assembla en une cité, et réduisit en un corps de ville les habitants de toute la province d'Attique, lesquels auparavant étaient épars en plusieurs bourgs, et à cette occasion malaisés à assembler, quand il était question de donner ordre à aucune chose concernant le bien public : et si avaient bien souvent des querelles et des guerres les uns contre les autres. Mais Theseus prit la peine d'aller de bourg en bourg, et de famille en famille leur donner à entendre les raisons, pour lesquelles ils le devaient ainsi faire : si trouva les pauvres gens et les hommes privés bien prêts d'obtempérer à sa semonce, mais les riches et ceux qui avaient autorité en chaque bourg, non : toutefois il les gagna aussi en leur promettant, que ce serait une chose publique non sujette à la puissance d'un prince souverain, ains plutôt un gouvernement populaire, auquel il se retiendrait la superintendance de la guerre, et la garde des lois seulement : et au demeurant, que chaque citoyen y aurait en tout et partout égale autorité. Ainsi y en eut aucuns qui se rangèrent à cela de leur bon gré : les autres, qui n'en avaient point d'envie, fléchirent néanmoins, pour la crainte de sa puissance, et de sa hardiesse, qui était déjà grande : tellement qu'ils aimèrent mieux, lui consentir de bonne volonté ce qu'il leur demandait, que d'attendre qu'ils y fussent contraints par force. Si fit adonc démolir tous les palais à tenir la justice, et toutes les salles à assembler le conseil, ôta tous juges et officiers, et bâtit un palais commun, et une salle pour tenir le conseil au lieu où maintenant est assise la cité que les Athéniens appellent Asty[1], mais il appela tout le corps de la ville ensemble, Athènes : puis institua la fête générale et le sacrifice commun à tous ceux de l'Attique, que l'on appelle Panathenea[2] : et en ordonna aussi un autre le seizième jour du mois de Juin, pour les étrangers qui viendraient s'habituer à Athènes, lequel fut appelé Metœcia[3] que l'on observe encore aujourd'hui. Et cela fait, il quitta son autorité royale, comme il avait promis, et se mit à ordonner l'état et police de la chose publique, commençant aux services des dieux, car il envoya en premier lieu devers l'oracle d'Apollo, en la ville de Delphes[4], pour enquérir des aventures de cette nouvelle ville, dont lui fut rapportée une telle réponse :

Filz d'Ægeus, & de la fille chere
De Pitheus, le hault tonnant mon pere

En vostre ville a mis la destinee
D'autres plusieurs, & leur fin terminee.
Et quant à toy, ne va ton cueur vaillant
De trop d'ennuy à penser travaillant :
Car comme un cuir enflé, tousjours iras
Flottant sur mer, & point ne periras.

On trouve par écrit, que la Sibylle[1] depuis prononça de sa bouche un tout semblable oracle pour la ville d'Athènes :

Le cuir enflé flotte bien sur la Mer,
Mais il ne peult au dedans abysmer.

Au demeurant, afin de peupler et augmenter sa ville encore davantage, il convia tous ceux qui y voudraient venir habiter, en leur offrant tous mêmes droits, et mêmes privilèges de bourgeoisie, que les naturels citoyens avaient : tellement que l'on estime, que ces paroles dont on use encore aujourd'hui à Athènes, quand on y fait un cri public : TOUS PEUPLES VENEZ ICI, sont celles mêmes que Theseus fit alors proclamer, quand il amassa ainsi un peuple de toutes pièces. Toutefois il ne laissa pas la grande multitude d'hommes qui s'y jeta pêle-mêle, sans ordre ni distinction quelconque des états : car ce fut lui premier qui divisa la noblesse d'avec les laboureurs, et d'avec les artisans et gens de métier, donnant aux nobles la charge de connaître des choses appartenant au fait de la religion et au service des Dieux, de pouvoir être élus aux offices de la chose publique, d'interpréter les lois, d'enseigner les choses saintes et sacrées, et par ce moyen égala la noblesse aux deux autres états : car comme les nobles en honneur surpassaient les autres, aussi les artisans les surmontaient en nombre, et les laboureurs en utilité. Et qu'il soit vrai, que ç'ait été lui, qui ait le premier incliné au gouvernement de chose publique populaire, comme dit Aristote, et qui ait quitté la souveraineté royale, Homère même semble le témoigner au dénombrement des navires qui étaient en l'armée des Grecs devant la ville de Troie : parce qu'il appelle les Athéniens seuls entre tous les Grecs, peuple. Davantage il fit forger de la monnaie qui avait pour marque la figure d'un bœuf, en mémoire du taureau de Marathon, ou du capitaine de Minos, ou pour inciter ses citoyens à s'adonner au labourage : et dit-on, que de cette monnaie ont depuis été appelés Hecatombœon et Decabœon, qui signifient, valant cent bœufs, et valant dix bœufs. Qui plus est, ayant joint tout le territoire de la ville de Mégare à celui de l'Attique, il fit dresser cette tant renommée colonne carrée qui est pour borne dans le détroit du Péloponnèse, et y fit engraver une inscription, qui déclare la séparation des deux pays qui là confinent. Les paroles de l'inscription sont telles :

Ionie est vers le Soleil naissant,
Peloponese est devers le baissant.

Ce fut aussi lui qui institua les jeux que l'on appelle Isthmia[1], à l'imitation de Hercules, à cette fin que comme les Grecs célébraient la fête des jeux appelés Olympia, en l'honneur de Jupiter, par l'ordonnance de Hercules[2], ils célébrassent aussi ceux que l'on appelle Isthmia, par son ordonnance, et de son institution, en l'honneur de Neptune : car ceux qui se faisaient au même détroit en l'honneur de Melicerta se faisaient de nuit, et avaient plutôt forme de sacrifice ou de mystère, que de jeux et de fête publique. Toutefois il y en a qui veulent dire, que ces jeux Isthmiques furent institués en l'honneur et mémoire de Sciron, et que Theseus les ordonna en satisfaction[a] de sa mort, pource qu'il était son cousin germain, étant fils de Canethus, et de Henioche fille de Pitheus. Les autres disent que c'était Sinnis, et non pas Sciron, et que ce fut pour lui que Theseus établit lesdits jeux, non pas pour la mémoire de l'autre. Quoi que ce soit, il ordonna notamment aux Corinthiens, de donner à ceux qui viendraient d'Athènes pour voir l'ébattement[b] des jeux, au plus honorable endroit du parc et pourpris où se faisait la fête, autant de place que pourrait couvrir la voile de la navire sur lequel ils seraient venus : ainsi comme Hellanicus et Andron Halicarnassien[1] l'écrivent.

Quant au voyage qu'il fit en mer majour[2], Philochorus et quelques autres tiennent, qu'il y alla avec Hercules contre les Amazones[3], et que pour honorer sa vertu, Hercules lui donna Antiope[4] : mais la plupart des autres historiens, mêmement Hellanicus, Pherecides et Herodorus[5] écrivent, que Theseus y fut à part depuis le voyage de Hercules, et qu'il y prit cette Amazone prisonnière : ce qui est plus vraisemblable. Car on ne trouve point qu'autres de tous ceux qui firent ce voyage quand et lui aient jamais pris aucune Amazone captive : et si dit l'historien Bion[6] qu'encore l'emmena-t-il par tromperie et par surprise, pource que les Amazones, aimant (ce dit-il) naturellement les hommes, ne s'enfuirent point quand elles le virent aborder en leur pays, ains lui envoyèrent des présents : et que Theseus convia celle qui les lui apporta, d'entrer en sa navire : mais

a *Satisfaction* : réparation.
b *Ébattement* : divertissement.

que sitôt qu'elle y fut entrée, il fit mettre la voile au vent, et ainsi l'emmena. Un autre historien Menecrates, qui a écrit l'histoire de la ville de Nicée[1] au pays de Bithynie, dit que Theseus ayant avec lui cette Amazone Antiope, séjourna quelque temps en ces marches-là, et qu'en sa compagnie étaient entre autres trois jeunes frères athéniens, Euneus, Thoas, et Solois. Ce dernier Solois devint amoureux d'Antiope, et n'en découvrit rien à ses autres compagnons, sinon à un, dont il était plus familier, et de qui il se fiait le plus : tellement qu'il en porta la parole à Antiope : laquelle rejeta bien arrière sa requête, mais au demeurant coula la chose sagement et doucement, sans l'en accuser envers Theseus : mais le jeune homme désespérant de pouvoir jouir de ses amours, en fut si déplaisant, qu'il se jeta la tête devant en une rivière, où il se noya. De quoi Theseus étant averti, et quand et quand de la cause pour laquelle il s'était ainsi désespéré, en fut fort dolent et marri : si lui vint en mémoire un certain oracle Pythique, par lequel il lui était commandé qu'il fondât une ville en pays étranger, à l'endroit où il se trouverait le plus déplaisant, et d'y laisser pour gouverneurs d'icelle, quelques-uns de ceux qui seraient alors autour de lui. À cette cause il fonda en ce lieu-là une ville, laquelle il nomma Pythopolis[2], pour autant qu'il l'avait bâtie par ordonnance de la religieuse Pythia : nomma la rivière où s'était noyé le jeune homme Solois, en mémoire de lui : et laissa ses deux frères pour gouverneurs et superintendants de cette nouvelle ville, avec un autre gentilhomme athénien nommé Hermus : d'où vient qu'encore aujourd'hui les Pythopolitains appellent un certain lieu de leur ville, la maison de Hermus : mais ils faillent à l'accent, en le mettant sur la dernière syllabe : car en le prononçant ainsi, Hermu signifie Mercure[1] : et par ce moyen ils transportent l'honneur dû à la mémoire de ce demi-dieu, au dieu Mercure.

Voilà donc quelle fut l'occasion de la guerre des Amazones, laquelle ne me semble point avoir été chose légère, ni entreprise de femmes : car elles n'eussent point planté leur camp dedans la propre ville d'Athènes, ni n'eussent point combattu sur la place même que l'on appelle Pnyce, joignant le temple des Muses[2], si premièrement elles n'eussent conquis tout le pays d'alentour : ni ne fussent pas tout de primesaut venues ainsi hardiment assaillir la ville. Or qu'elles soient venues par terre de si lointain pays, et qu'elles aient passé par-dessus le bras de mer qui s'appelle Bosphore Cimmérien[3] étant glacé, comme l'a écrit Hellanicus, il est bien malaisé à croire : mais qu'elles aient campé dedans l'enceinte de la ville même, les noms des lieux, qui en sont demeurés jusques aujourd'hui, le témoignent, et les sépultures aussi de celles qui y moururent. Tant y a, que les deux armées furent longuement l'une devant l'autre sans combattre : toutefois à la fin Theseus ayant premier fait un sacrifice à la Peur, suivant le mandement d'une prophétie qu'il en avait eu, leur donna la bataille au mois d'Août[a], au même jour que les Athéniens solennisent encore de présent la fête qu'ils appellent Boedromia[4]. Mais l'historien Clidemus[5] voulant écrire par le menu toutes les particularités de cette rencontre, dit que la pointe gauche de leur bataille s'étendait jusqu'au lieu que l'on appelle Amazonion : et que la pointe droite marcha par le

a *Août* : Boédromion, 3e mois du calendrier attique (septembre-octobre).

côté de Chrysa, jusque sur la place que l'on appelle Pnyce, contre laquelle les Athéniens venant devers le temple des Muses choquèrent les premiers. Et qu'il soit vrai, les sépultures de celles qui moururent en cette première rencontre se trouvent encore en la grande rue, qui va répondre à[a] la porte Piraïque, près la chapelle du demi-dieu Chalcodus : et furent, dit-il, les Athéniens en cet endroit repoussés par les Amazones, jusque là où sont les images des Eumenides[1], c'est-à-dire, des furies : mais de l'autre côté aussi, les Athéniens venant de devers les quartiers du Palladium, Ardettus et Lycium[2], rembarrèrent leur pointe droite jusque dedans leur camp : et en tuèrent un bon nombre. Puis, au bout de quatre mois, fut fait appointement entre eux, par le moyen d'une nommée Hippolyte[3] : car cet historien appelle l'Amazone que Theseus épousa, Hippolyte, et non pas Antiope : toutefois aucuns disent qu'elle fut tuée en combattant du côté de Theseus, par une autre nommée Molpadia, d'un coup de javelot : en mémoire de quoi la colonne qui est joignant le temple de la terre Olympique[4] lui fut dressée. Si ne faut pas s'émerveiller, si l'histoire de choses tant anciennes se trouve écrite diversement : car il y en a même qui écrivent, que la Reine Antiope envoya secrètement celles qui furent lors blessées, en la ville de Chalcide[5], là où aucunes d'elles guérirent, et les autres moururent, qui y furent enterrées près du lieu que l'on appelle Amazonion. Quoi que ce soit, il est bien certain, que cette guerre se termina par appointement : car un lieu qui est joignant le temple de Theseus le témoigne, en étant appelé Orcomosium[6], pource que la paix y fut jurée : et aussi en fait foi le sacrifice, que l'on fait de toute ancienneté aux Amazones

a *Aller répondre à* : mener à.

devant la fête de Theseus. Ceux de Mégare montrent semblablement une sépulture d'Amazones en leur ville, qui est ainsi que l'on va de la place vers le ruisseau où l'on voit une ancienne tombe en forme de losange. L'on dit qu'il en mourut aussi d'autres près la ville de Chéronée, lesquelles furent inhumées le long du petit ruisseau qui y passe, lequel s'appelait anciennement, à mon avis, Thermodon, et maintenant s'appelle Hæmon[1], comme nous avons ailleurs écrit en la vie de Demosthenes. Et si semble qu'elles ne passèrent pas par la Thessalie sans combattre, pource que l'on y montre encore de leurs sépultures à l'entour de la ville de Scotesse, près des rochers, qui ont nom Les têtes de chien[2].

C'est ce qui me semble digne de mémoire, touchant cette guerre des Amazones : car quant à l'émotion que décrit le poète, qui a fait la *Théséide*[3], là où il dit que les Amazones murent la guerre[a] à Theseus, pour venger le tort qu'il faisait à leur Reine Antiope, en la répudiant pour épouser Phedra[4] : et aussi quant à l'occision qu'il dit que Hercules en fit, cela me semble totalement fiction poétique. Bien est vrai, qu'après la mort d'Antiope, Theseus épousa Phedra, ayant déjà eu d'Antiope un fils nommé Hippolytus, ou comme le poète Pindare écrit, Demophon. Et pource que les historiens ne contredisent en rien aux poètes tragiques, en ce qui touche les malheurs qui lui advinrent ès personnes de cette sienne femme, et de son fils, il faut estimer qu'il soit ainsi comme nous le lisons écrit ès tragédies : toutefois on trouve plusieurs autres contes touchant les mariages de Theseus, dont les commencements n'ont point été honnêtes, ni les issues bien fortunées : et néanmoins on n'en a point fait des tragédies, ni n'ont point été

a *Movoir la guerre* : déclarer la guerre.

joués par les théâtres. Car on dit qu'il ravit Anaxo Trézénienne, et qu'après avoir tué Sinnis et Cercyon, il prit à force leurs filles : qu'il épousa aussi Peribœa la mère d'Ajax, et puis Pherebœa, et Ioppe fille de Iphicles[1] : et si le blâme-t-on d'avoir lâchement abandonné sa femme Ariadne pour l'amour d'Ægle fille de Panopeus, comme nous avons déjà dit auparavant. Et finalement il ravit Hélène : lequel ravissement emplit de guerre toute la province d'Attique, et fut à la fin cause qu'il lui convint abandonner son pays : et après tout, le fit mourir, comme nous dirons ci-après. Et combien que de son temps les autres princes de la Grèce aient fait plusieurs beaux et grands exploits d'armes, Herodorus estime que Theseus ne se trouva en pas un, sinon qu'en la bataille des Lapithes contre les Centaures[2] : et au contraire, les autres disent qu'il fut au voyage de la Colchide avec Jason, et qu'il aida à Meleager à défaire le sanglier de Calydoine[3], dont est venu, ce disent-ils, le proverbe *Non sans Theseus*, quand on veut entendre que la chose n'a pas été faite sans grand secours d'autrui : mais que lui-même exécuta plusieurs hauts faits de prouesse, sans requérir aide de personne, et que pour sa vaillance vint en usage le proverbe que l'on dit *Cestuy ci est un autre Theseus*. Bien est-il certain, qu'il aida au Roi Adrastus[4] à recouvrer les corps de ceux qui étaient morts en bataille devant la ville de Thèbes : mais ce ne fut pas, comme dit le poète Euripides, par force d'armes, ayant vaincu les Thébains en bataille, ains fut par composition, car le plus grand nombre des anciens auteurs le met ainsi. Et davantage Philochorus écrit, que ce fut le premier traité qui fut oncques fait pour recouvrer les corps des occis en bataille : toutefois si lit-on ès histoires des gestes de Hercules, que ce fut lui le premier, qui permit à ses ennemis d'enlever leurs morts, après les avoir passés au fil de l'épée. Mais comment qu'il en soit, on montre encore aujourd'hui au bourg d'Éleuthères, le lieu auquel fut le peuple enterré, et les sépultures des princes se voient à l'entour de la ville d'Éleusis : ce qu'il fit à la requête d'Adrastus, comme témoigne la tragédie des *Suppliantes* d'Euripides : et le confirme celle des *Éleusiniens* de Æschylus, là où il le fait ainsi dire à Theseus même.

Au demeurant, quant à l'amitié de Pirithous et de lui, on dit qu'elle commença en cette sorte : la renommée de sa vaillance était fort répandue par toute la Grèce, et Pirithous la voulant connaître par expérience, alla exprès courir ses terres, et en emmena quelques bœufs, qui étaient à lui, au territoire de Marathon : de quoi Theseus étant averti alla incontinent en armes à la rescousse. Pirithous en ayant la nouvelle ne s'enfuit point, ains retourna tout court au-devant de lui : et incontinent qu'ils s'entrevirent, ils furent tous deux ébahis de la beauté et hardiesse l'un de l'autre, tellement qu'ils n'eurent point envie de combattre : ains Pirithous tendant le premier la main à Theseus, lui dit, qu'il le faisait lui-même juge du dommage qu'il pouvait avoir reçu de cette sienne course : et que volontiers il en paierait l'amende, telle qu'il la lui plairait taxer. Theseus adonc lui quitta non seulement tout ce dédommagement, mais davantage le convia à vouloir être son ami, et son frère d'armes. Ainsi jurèrent-ils sur-le-champ amitié fraternelle : depuis laquelle jurée entre eux, Pirithous épousa Deidamia[1], et envoya prier Theseus de venir à ses noces, visiter son pays, et faire bonne chère avec les Lapithes. Or avait-il aussi fait convier à la fête, les Centaures : lesquels s'y étant enivrés commirent plusieurs insolences, jusques à vouloir prendre les femmes à force : mais les Lapithes les en châtièrent si bien, qu'ils en tuèrent aucuns sur l'heure en la place, et depuis chassèrent les autres de tout le pays, moyennant l'aide de Theseus qui prit les armes, et combattit pour eux. Toutefois Herodorus écrit la chose un peu diversement, disant que Theseus n'y alla point, que la guerre ne fût déjà bien commencée : et que ce fut la première fois qu'il vit Hercules, et parla à lui près la ville de Trachine[1], lors qu'il était déjà de repos, ayant mis fin à ses lointains voyages, et à ses plus grands travaux. Si dit que cette entrevue fut pleine de bonne chère, de caresses, et d'honneurs qu'ils s'entrefirent, et de louanges qu'ils s'entredonnèrent l'un à l'autre : toutefois il me semble que l'on doit ajouter plus de foi à ceux qui écrivent, qu'ils se sont entrevus par plusieurs fois, et que la réception de Hercules en la religion et confrérie des mystères d'Éleusis, lui fut octroyée moyennant le port[2a] et la faveur que lui fit Theseus : et semblablement aussi sa purification, pource qu'il fallait nécessairement qu'il fût purifié, avant que pouvoir entrer en la confrérie des saints mystères, à cause de quelque malheureux cas que par méchef[b], il lui était advenu de faire[3].

Au reste Theseus avait déjà cinquante ans quand il ravit Hélène[4], laquelle était encore fort jeunette, et non en âge d'être mariée, comme dit Hellanicus : au moyen de quoi quelques-uns voulant couvrir ce ravissement, comme un très grand crime, vont disant que ce ne fut pas lui qui la ravit, ains furent un Idas et un Lynceus, qui l'ayant ravie la mirent en

a *Port* : exemption.
b *Méchef* : malheur.

dépôt entre ses mains, et que Theseus la leur voulut garder sans la rendre à Castor et à Pollux ses frères, qui depuis la lui redemandèrent : ou bien disent, que ce fut le père même Tyndarus qui la lui bailla en garde, pour crainte qu'il avait de Enarsphorus[1] fils de Hippocoon, lequel à toute force la voulait avoir. Mais ce qui est plus vraisemblable en ce cas, et qui est témoigné par plus d'auteurs, se fit en cette sorte : Theseus et Pirithous s'en allèrent ensemble en la ville de Lacédémone, là où ils ravirent Hélène étant encore fort jeune, ainsi comme elle dansait au temple de Diane surnommée Orthia[2] : et s'enfuirent à tout[a]. L'on envoya après, mais ceux qui y furent envoyés ne passèrent point la ville de Tégée[3]. Parquoi étant échappés hors du pays de Péloponnèse, ils accordèrent entre eux de tirer au sort, à qui des deux elle demeurerait, à la charge, que celui auquel elle échoirait, l'aurait pour sa femme, mais qu'il serait aussi tenu d'aider à son compagnon à en recouvrer une autre. Le sort la donna à Theseus, qui l'emporta en la ville de Aphidnes, pource qu'elle n'était pas encore en âge de marier : et y ayant fait venir sa mère pour la gouverner, les bailla en garde à un sien ami nommé Aphidnus, lui recommandant de la garder si soigneusement, et si secrètement, que personne n'en sût rien : et afin de rendre la pareille à Pirithous selon qu'il avait été accordé entre eux, il s'en alla quand et[b] lui pour ravir la fille de Ædoneus Roi des Molossiens, lequel avait surnommé sa femme Ceres, sa fille Proserpine, et son chien Cerberus[4], contre lequel il faisait combattre ceux qui venaient demander sa fille en mariage, promettant la donner à celui qui demeurerait vainqueur : mais

a *À tout* : avec.
b *Quand et* : avec.

étant lors averti que Pirithous était venu non pour requérir la fille en mariage, ains pour la ravir, il le fit arrêter prisonnier avec Theseus : et quant à Pirithous, il le fit incontinent défaire par son chien, et fit serrer Theseus en étroite prison.

Or cependant y avait à Athènes un nommé Menestheus[1] fils de Peteus, lequel Peteus fut fils d'Orneus, et Orneus fils d'Erechtheus. Ce Menestheus fut le premier qui commença à flatter le peuple, et à tâcher de gagner la bonne grâce de la commune[a] par belles et attrayantes paroles : moyennant lequel artifice, il irrita à l'encontre de Theseus les principaux de la ville, qui déjà de longtemps commençaient à se fâcher de lui, leur mettant en avant qu'il avait ôté à chacun d'eux leurs royautés et seigneuries, et les avait ainsi renfermés dedans la clôture d'une ville, afin de les pouvoir mieux asservir et assujettir de tout point à sa volonté. Quant au menu populaire, il le mutinait aussi, en lui donnant à entendre, que ce n'était qu'un songe de la liberté qu'on leur avait promise : mais au contraire, qu'ils avaient réalement et de fait été privés de leurs propres maisons, de leurs temples, et des lieux de leurs naissances, afin qu'au lieu de plusieurs bons et naturels seigneurs, qu'ils soulaient[b] avoir auparavant, ils fussent contraints de servir à un seul maître et seigneur étranger. Ainsi comme Menestheus brassait[c] cette menée, la guerre des Tyndarides survint là-dessus, qui servit beaucoup à sa pratique[d] : car ces Tyndarides, c'est-à-dire, enfants de Tyndarus, Castor et Pollux[2], vinrent

a *Commune* : le peuple.
b *Souloir* : avoir coutume de, avoir l'habitude de.
c *Brasser* : ourdir, tramer.
d *Pratique* : complot.

à main armée contre la ville d'Athènes : et y en a qui tiennent, que Menestheus même fut cause de les y faire venir : toutefois à leur première arrivée ils ne firent dommage quelconque au pays, ains demandèrent seulement que l'on leur rendît leur sœur. À quoi ceux de la ville firent réponse, qu'ils ne savaient là où elle avait été laissée : et adonques se mirent les frères à faire la guerre à bon escient : toutefois il y eut un nommé Academus[1], lequel ayant entendu, ne sais par quel moyen, qu'elle était recelée en la ville d'Aphidnes, le leur déclara. À raison de quoi les Tyndarides lui portèrent toujours grand honneur, tant comme il vécut : et depuis les Lacédémoniens, ayant par tant de fois brûlé et gâté entièrement tout le reste du pays d'Attique, ne touchèrent jamais à l'Académie, en l'honneur de cet Academus. Toutefois Dicæarchus dit qu'en l'armée des Tyndarides y avait deux Arcadiens, Echemus et Marathus, et que du nom de l'un fut alors appelé le lieu Échédémie, qui depuis a été nommé Académie : et du nom de l'autre a été aussi nommé le bourg de Marathon, à cause qu'il s'offrit volontairement à être sacrifié devant la bataille, suivant ce qui leur avait été enjoint et ordonné par une prophétie. Si s'en allèrent planter leur camp devant la ville d'Aphidnes, et y ayant gagné la bataille et pris la ville d'assaut, rasèrent la place. L'on dit qu'en cette bataille mourut Alycus le fils de Sciron, qui était en l'ost des Tyndarides, et que de lui a été appelé Alycus un certain quartier du territoire de Mégare, auquel son corps fut enterré. Qui plus est, Hereas écrit que Theseus le tua lui-même devant Aphidnes, en témoignage de quoi il allègue ces vers qui parlent d'Alycus :

Es champs ouvers d'Aphidnes sur la plaine,
En combatant pour la tresbelle Helene,
Par Theseus à mort dure il fut mis.

Toutefois il n'est pas vraisemblable que y étant Theseus, la ville d'Athènes, et sa mère même, aient été prises : mais quand la ville d'Aphidnes fut rasée, ceux d'Athènes commencèrent à avoir peur, et Menestheus leur conseilla de recevoir les Tyndarides en la ville, et leur faire bonne chère, attendu qu'ils ne faisaient la guerre qu'à Theseus, qui les avait le premier outragés, et qu'ils faisaient au demeurant plaisir et bien à tout le monde : comme il était vrai. Car quand ils eurent tout en leur puissance, ils ne demandèrent autre chose, sinon qu'on les reçût en la confrérie des mystères, attendu qu'ils n'étaient point plus étrangers que Hercules : ce qui leur fut octroyé, moyennant qu'Aphidnus les adopta pour ses enfants, comme Pylius avait adopté Hercules : et davantage leur fit-on honneur, ni plus ni moins que s'ils eussent été Dieux, en les appelant Anaces : soit ou pource qu'ils firent cesser la guerre[1], ou[a] pource qu'ils donnèrent si bon ordre à tout, qu'étant leur armée logée dedans la ville, il n'y fut néanmoins fait tort ni déplaisir à personne, ainsi comme il appartient, que ceux qui ont la charge d'aucune chose, veillent diligemment pour la conservation d'icelle : ce que signifie cette parole grecque Anacos[2], dont vient à l'aventure que l'on appelle les Rois Anactes. Encore en y a-t-il d'autres qui tiennent qu'ils furent appelés Anaces, à cause de leurs étoiles qui apparaissent en l'air : pource que la langue Attique dit Anecas et Anecathen, là où la commune dit Ano et Anothen, c'est-à-dire, en haut[3].

a *Soit ou... ou...* : que ce soit... ou...

Ce néanmoins Æthra la mère de Theseus fut emmenée prisonnière à Lacédémone, et de là à Troie avec Hélène, comme aucuns disent, et comme Homère même le témoigne en ces vers, où il parle des femmes qui suivirent Hélène :

Æthra la fille à Pitheus le vieux,
Et Clymene avec elle aux beaux yeux[1].

Toutefois les autres rejettent ces deux vers, et maintiennent qu'ils ne sont point d'Homère, comme aussi ils réprouvent tout ce que l'on conte de Munychus[2], savoir est, que Laodice l'ayant secrètement conçu de Demophon, il fut nourri à cachettes par Æthra dedans Troie : mais l'historien Hister[3] en son treizième des histoires d'Attique en fait un récit tout différent des autres, disant que quelques-uns tiennent, que Paris Alexandre fut défait en bataille par Achilles et Patroclus, au pays de Thessalie, près la rivière de Sperchius[4], et que son frère Hector prit la ville de Trézène, dont il emmena Æthra : en quoi n'y a nulle apparence.

Mais Ædoneus roi des Molossiens festoyant Hercules un jour qu'il passa par son royaume, tomba d'aventure en propos de Theseus et de Pirithous, comment ils étaient venus pour lui ravir d'emblée sa fille : et comme ayant été découverts, ils en avaient été punis. Hercules fut bien déplaisant d'entendre que l'un était déjà mort, et l'autre en danger de mourir, et pensa bien que s'en plaindre à Ædoneus ne servirait de rien : si le pria seulement de vouloir délivrer Theseus pour l'amour de lui, ce qu'il lui octroya. Ainsi Theseus étant délivré de cette captivité, s'en retourna à Athènes, là où ses amis n'étaient point encore totalement opprimés par ses ennemis, et à son retour il dédia à Hercules tous les temples que la ville auparavant avait fait bâtir en son honneur : et au lieu que premièrement ils s'appelaient Thesea, il les surnomma tous Herculea, excepté quatre, ainsi que l'écrit Philochorus. Or incontinent qu'il fut arrivé à Athènes, il voulut commander et ordonner, comme il avait accoutumé : mais il se trouva embrouillé de séditions civiles, à cause que ceux qui le haïssaient de longue main, avaient ajouté à leur haine ancienne le mépris de ne le craindre plus : et le commun populaire était devenu si corrompu, que là où il soulait auparavant faire, sans mot dire ni répliquer au contraire, tout ce qui lui était commandé, alors il voulait être obéi et flatté. Si cuida Theseus au commencement user de force, mais il fut contraint par les brigues et menées de ses adversaires de s'en déporter[a] : et à la fin n'espérant plus que ses affaires se portassent jamais comme il désirait, il envoya secrètement ses enfants en l'île d'Eubée à Elphenor[1] fils de Chalcodus : et lui, après avoir fait plusieurs imprécations et malédictions contre les Athéniens dedans le bourg de Gargettus, en un lieu qui pour cela s'appelle encore aujourd'hui Aratérion, c'est-à-dire, lieu des malédictions[2], il monta sur mer, et s'en alla en l'île de Scyros[3], là où il y avait des biens, et y pensait avoir aussi des amis. Lycomedes était pour lors Roi de l'île, auquel Theseus demanda ses terres, comme ayant intention de s'y habituer : combien que les autres disent qu'il le requit de lui donner aide contre les Athéniens. Lycomedes, fût ou pource qu'il redoutât la renommée d'un si grand personnage, ou pource qu'il voulût gratifier à Menestheus,

a *Se déporter de* : renoncer à.

le mena sur de hauts rochers, feignant que c'était pour lui montrer de là ses terres : mais quand il y fut, il le précipita du haut en bas, et le fit ainsi malheureusement mourir. Toutefois les autres disent qu'il tomba de lui-même par cas de méchef, en se promenant un jour après souper, ainsi qu'il avait accoutumé. Il n'y eut personne qui fît sur l'heure poursuite de cette mort, ains demeura Menestheus paisible Roi d'Athènes : et les enfants de Theseus, comme personnes privées, suivirent Elphenor en la guerre de Troie : mais après la mort de Menestheus, qui mourut en ce voyage, les enfants de Theseus retournèrent à Athènes, où ils recouvrèrent le royaume. Et depuis il y a eu beaucoup d'occasions qui ont ému les Athéniens à le révérer et honorer comme demi-dieu : car en la bataille de Marathon[1] plusieurs pensèrent voir son image en armes, combattant contre les Barbares : et depuis les guerres Médoises, l'année que Phædon[2] fut prévôt à Athènes, la religieuse Pythia répondit aux Athéniens, qui avaient envoyé à l'oracle d'Apollo, qu'ils retirassent les os de Theseus, et que les mettant en lieu honorable ils les gardassent religieusement : mais il était bien malaisé de trouver sa sépulture : et quand bien on l'eût trouvée, encore était-il plus difficile d'en emporter les os, pour la malice des Barbares habitant en l'île, qui étaient si farouches, que l'on ne pouvait fréquenter avec eux. Toutefois Cimon[3] l'ayant prise, comme nous avons écrit en sa vie, et cherchant cette sépulture, aperçut de bonne fortune un aigle qui frappait du bec et grattait des griffes en un endroit qui était un peu relevé : si lui vint incontinent en pensée, comme par inspiration divine, de faire fouiller en ce lieu, là où l'on trouva la sépulture d'un grand corps, avec la pointe d'une lance, qui était d'airain, et une épée. Lesquelles choses furent toutes portées à Athènes par Cimon, sur sa galère capitainesse, que les Athéniens reçurent à grande joie, avec processions et sacrifices magnifiques, ni plus ni moins que si c'eût été Theseus lui-même vivant, qui fût retourné en la ville : et gisent encore aujourd'hui ces reliques tout au milieu de la ville, près du parc où les jeunes hommes se dressent aux exercices de la personne : et y a franchise pour les esclaves, et pour tous pauvres affligés qui sont poursuivis par plus puissant qu'eux : en mémoire que Theseus en son vivant fut protecteur des oppressés, et qu'il reçut humainement les prières de ceux qui lui requirent aide. Le plus grand, et le plus solennel sacrifice qu'on lui fasse, est le huitième jour d'Octobre, auquel il retourna de Candie avec les autres jeunes enfants d'Athènes : mais on ne laisse pas encore de l'honorer tous les huitièmes jours des autres mois, soit ou pource qu'il arriva de Trézène à Athènes le huitième jour de Juin, ainsi que l'écrit Diodorus le Géographe[1], ou pource qu'ils estimaient ce nombre-là lui être plus convenable, attendu qu'il avait le bruit d'avoir été engendré par Neptune. Et l'on sacrifie aussi à Neptune tous les huitièmes jours de chaque mois, à cause que le nombre de huit est le premier cubique, procédant de nombre pair, et le double du premier nombre carré, qui représente une fermeté immobile, proprement attribuée à la puissance de Neptune, lequel pour cette raison nous surnommons Asphalius et Gæiochus[2], qui valent autant à dire comme[a], assurant et affermissant la terre.

Traduction du latin de Jacques Amyot.

a *Qui valent autant à dire comme* : qui signifient.

ANONYME

(XIe siècle)

« Encombré de l'honneur du monde » et appelé par Dieu à fuir la vie terrestre fragile « où il n'y a pas d'honneur durable », un jeune prince romain quitte « au milieu d'une nuit » épouse et fortune pour s'enfuir en Orient. Conduit après dix-sept ans d'exil volontaire à revenir à Rome, il achève sa vie incognito dans un recoin de la maison de sa propre famille, tel un Ulysse qui aurait refusé de se laisser reconnaître, nourri de détritus par un serviteur. Dans ce texte faussement archaïque mais en vérité, comme l'a montré le philologue allemand Ernst Robert Curtius, nourri de la rhétorique antique de la déploration et du topos *de l'ineffable, l'écriture de la vocation se fait violence désocialisante et disruptive, mise en scène tantôt lyrique, tantôt épique, d'un vain combat contre l'appel au sacrifice, sans que l'hagiographe ait besoin de recourir à quelque puissance surnaturelle que ce soit pour nourrir son drame. La mécanique de la sainteté s'y déploie avec un déterminisme radical et abrupt, en des scènes accolées sans liaison — comme l'a souligné, dans une autre analyse restée célèbre, Erich Auerbach*[1] *—,*

1. Erich Auerbach, *Mimésis : la représentation de la réalité*

mais puissamment figuratives et, en un sens, romanesques.

Cette vie, *rédigée en ancien français par un auteur anonyme dans la seconde moitié du* XIe *siècle, est la traduction relativement fidèle d'une* vita *latine du siècle précédent, qui pourrait être elle-même la traduction d'une œuvre byzantine antérieure. Elle réunit en un seul récit deux histoires distinctes qui sont toutes deux situées au* V^e *siècle. Écrite en syriaque, la première de ces histoires raconte la vie du fils unique d'une riche famille de Constantinople (capitale de l'Empire romain d'Orient, fondée par l'empereur Constantin en 330). Le jeune homme s'est enfui de la maison paternelle le jour de son mariage pour aller à Édesse, dans l'actuelle Turquie, d'où provient vraisemblablement cette histoire. Il y vit jusqu'à sa mort — elle serait survenue en 436 —, en mendiant et en redistribuant aux plus pauvres les aumônes qu'il reçoit. Lorsque l'évêque Rabbula veut récupérer son corps dans la fosse commune où il avait été enseveli, ce dernier a miraculeusement disparu — comme le cadavre du Christ de son tombeau. Le personnage de cette histoire ne porte pas de nom. Il est simplement appelé « l'homme de Dieu » (soit* Mar Riscia *en syriaque).*

D'origine byzantine, la deuxième histoire est consacrée à un personnage appelé saint Jean le Calybite. Ce jeune aristocrate a quitté la demeure de son père, située à Rome, afin d'entrer dans un monastère près de Constantinople où il est resté de nombreuses années. Un jour, une voix céleste l'invite à retourner chez ses parents pour recevoir leur bénédiction avant

---

dans la littérature occidentale [1945], trad. de l'allemand par Cornélius Heim, Paris, Gallimard, coll. « Tel », 1994.

de mourir. Il se présente sous les traits d'un mendiant chez les siens, qui ne le reconnaissent pas, et passe le reste de sa vie dans une petite cabane qui jouxte leur maison (d'où son surnom, le Calybite, du grec kalubè, *« petite cabane »). Il se fait reconnaître juste avant sa mort et il est enterré dans l'église édifiée sur le site de sa cabane, afin qu'on y célèbre sa grande humilité.*

Ces deux histoires ont été fusionnées en un seul récit, qui semblerait avoir été composé en grec, avant d'être traduit en latin. Après avoir fui, la nuit même de son mariage, la demeure paternelle et la ville de Rome où habitent ses parents, d'une famille de la plus haute noblesse, Alexis se retrouve à Édesse, où il vit en mendiant pendant dix-sept ans. Désigné comme l'homme de Dieu par une statue de la Vierge qui se met miraculeusement à parler, il s'enfuit à nouveau, afin de ne pas recevoir les honneurs qu'on veut lui prodiguer. Il se retrouve à Rome dans la maison de ses parents, où, sans que ceux-ci le reconnaissent, il va vivre pendant dix-sept ans comme un pauvre sous l'escalier, couvert de détritus et se nourrissant de restes. Peu avant de mourir, il rédige une lettre dans laquelle il raconte sa vie et grâce à laquelle il pourra être identifié. Destiné à sauver le peuple de Rome du malheur qui le menace, il suscite après sa disparition une ferveur unanime et finit par être enseveli dans l'église Saint-Boniface.

*C'est à ce récit que l'on doit le nom d'Alexis, dérivé probablement d'*Alexandros, *lui-même construit à partir du verbe grec* alexein, *qui signifie* protéger *ou* repousser. *Le père s'appelle Euphémien et la mère Aglaé (nom qui ne se retrouve pas dans la version française), tandis que l'épouse demeure anonyme. La mort d'Alexis est située au temps des empereurs Honorius et Arcadius, fils de l'empereur Théodose Ier*

(347-395), qui partagea entre eux l'Empire romain, attribuant l'Occident à Honorius († 423) et l'Orient à Arcadius († 408). Il semble que, dans un premier temps, le pape se soit appelé Marcien, nom qu'aucun évêque de Rome n'a porté, mais auquel une version syriaque aurait substitué celui d'Innocent (soit Innocent Ier, pape de 401 à 417). C'est en tout cas le nom de ce dernier que comportent la version latine et la traduction française. Enfin, Alexis serait mort un 17 juillet. D'après La Légende dorée *de Jacques de Voragine, il s'agit de l'an 398. D'autres dates sont mentionnées par différents textes (comme 404 ou 412). Mais c'est toujours le 17 juillet qu'Alexis était fêté dans la liturgie romaine (jusqu'à son remplacement par Alexis Falconieri, fêté le 17 février).*

On constatera que saint Alexis meurt au milieu de sa vita. *Il rédige à la strophe 57 la lettre retraçant le récit de sa vie qui permettra de révéler son identité après sa disparition. Il rend l'âme à la strophe 67. Le texte ne s'achève toutefois qu'à la strophe 125. La mort ne saurait être le terme de l'existence pour la tradition chrétienne ; c'est au contraire un véritable jour de naissance à la vie éternelle (raison pour laquelle c'est cette date que l'on retenait habituellement pour fêter les morts). C'est particulièrement vrai pour le saint qui, non seulement accède à l'immortalité, mais continue de vivre sur la terre à travers les reliques que laisse son corps et les miracles que ces dernières permettent d'y accomplir.*

La version latine de cette légende semble être l'œuvre du métropolite Serge de Damas et de ses moines qui, après s'être enfuis de Damas à la suite de l'invasion arabe, gagnèrent Rome et s'installèrent en 977 dans l'église Saint-Boniface, sur l'Aventin, qui devint alors une abbaye bénédictine. L'histoire de saint Alexis paraît avoir été à peu près inconnue du monde latin à cette époque. L'auteur de cette nouvelle version en profita pour affirmer que le saint avait été enseveli en l'église Saint-Boniface. C'est donc là que se trouveraient ses reliques et qu'on peut venir les vénérer. Saint Alexis apparaît d'ailleurs comme le second patron de cette abbaye à partir de 986. Devenue aussi connue en Occident qu'elle l'était en Orient, cette vita *latine fit l'objet de nombreuses traductions, en français, en provençal, en allemand, en italien, en espagnol, en portugais, en anglais, en russe, en vieux norrois, ainsi qu'en arabe et en éthiopien. La première traduction française de cette histoire a suscité à son tour, durant la seule période médiévale, une dizaine de versions nouvelles. Celles-ci ont donné lieu, le plus souvent, à divers ajouts. On trouve également de nombreux échos de cette légende dans différents textes. C'est le cas, par exemple, dans les récits de Tristan et de Robert le Diable* *(voir p. 243)**.*

La première version française de ce récit hagiographique est non seulement la plus ancienne vie de saint traduite en français (si l'on fait exception de la Cantilène de sainte Eulalie, *de la fin du* IXe *siècle, qui se présente plutôt comme un hymne à caractère lyrique), mais aussi le premier texte narratif de langue française. Elle nous a été transmise par plusieurs manuscrits qui comportent un certain nombre de divergences. Celles-ci soulèvent divers problèmes qui touchent en particulier l'origine et la nature exacte de cette version. Il n'est pas possible de présenter ici les nombreux débats que cette dernière a suscités ni les différentes éditions qui en ont été proposées*[1].

1. Voir notamment *La Vie de saint Alexis. Textes des* XIe*,* XIIe*,* XIIIe *et* XIVe *siècles*, publiés par Gaston Paris et Léopold

Notre traduction est fondée sur l'édition réalisée par Christopher Storey[1]*. Celle-ci est basée sur le manuscrit de Hildesheim (L), le plus ancien témoin de notre texte, qui date au plus tard de 1123 et qui comprend également un* Psautier *latin. Ce manuscrit a été copié à St Albans, en Angleterre, pour Christina de Markyate, qui avait quitté son mari afin de se réfugier dans un ermitage et qui pouvait trouver dans le personnage de cette histoire un exemple préfigurant son propre destin.* La Vie de saint Alexis *contenue dans ce manuscrit est précédée d'un prologue vraisemblablement dû au copiste. Elle est caractérisée surtout par une structure numérique remarquable : elle comprend en effet 625 décasyllabes assonancés regroupés pas strophes de cinq vers (ce qui fait 125 strophes). Nous avons bien sûr conservé ce découpage en strophes. Si nous avons choisi de traduire en prose, sans même aller à la ligne après chaque vers, nous avons respecté dans la mesure du possible l'unité syntaxique que forme habituellement chaque vers, soit le style paratactique de cette œuvre et le rythme narratif qui en découle.*

Pannier, Paris, Franck (Bibliothèque de l'École des Hautes Études. Sciences philologiques et historiques, n° 7), 1872, *A Critical Edition of the 13th and 14th Centuries Old French Poem Versions of the "Vie de saint Alexis"*, éd. Charles E. Stebbins, Tübingen, Niemeyer (Beihefte zur Zeitschrift für romanische Philologie, 145), 1974, *La Vie de saint Alexis. Texte du manuscrit A (B.N. nouv. acq. fr. 4503)*, éditée avec Introduction, Notes et Glossaires par Tim D. Hemming, Exeter, University of Exeter Press, 1994, et *La Vie de saint Alexis*, édition critique par Maurizio Perugi, Genève, Droz, 2000.

1. *La Vie de saint Alexis. Texte du manuscrit de Hildesheim (L)*, publié avec une Introduction historique et linguistique, un Commentaire et un Glossaire complet par Christopher Storey, Genève-Paris, Droz-Minard, 1968.

Nous avons également essayé de rendre la simplicité de son langage et sa relative rudesse.

DOMINIQUE DEMARTINI, ALEXANDRE GEFEN ET CHRISTOPHER LUCKEN

Voir Arthur AMIAUD, *La Légende syriaque de saint Alexis, l'homme de Dieu*, Paris, E. Bouillon, 1889 ; Margarete RÖSLER, *Die Fassungen der Alexius-Legend, mit besonderer Berücksichtigung der mittelenglischen Versionen*, Vienne et Leipzig, W. Braumüller, 1905 ; Erich AUERBACH, *Mimésis : la représentation de la réalité dans la littérature occidentale* [1945], trad. de l'allemand par Cornélius Heim, Paris, Gallimard, coll. « Tel », 1994 ; Robert CURTIUS, *La Littérature européenne et le Moyen Âge latin* [1948], Paris, PUF, 1956 ; *The Life of St. Alexius in the Old French Version of the Hildesheim Manuscript : The Original Text Reviewed with Comparative Greek and Latin Versions*, traduction anglaise, introduction, bibliographie et appendices par Carl J. O. Oldenkirchen, Brookline (Mass.) et Leyde, Classical Folia, 1978.

La Vie de saint Alexis

Ici commence la délicieuse chanson et la leçon édifiante qui parle d'un noble seigneur appelé Euphémien et de la vie de son fils bienheureux. Nous en avons maintes fois entendu récits et chansons. Par la volonté de Dieu, Euphémien vit son désir exaucé : il engendra un fils unique. Dès sa naissance, cet enfant fut aimé de Dieu. Il fut élevé par son père et sa mère dans une grande affection. Durant sa jeunesse, il fut honnête et animé de l'esprit de Dieu. Par amour pour la miséricorde divine, il confia sa jeune épouse à l'Époux éternel et véritable, le Créateur unique qui règne dans la Trinité.

Cette histoire est grâce délectable et consolation souveraine pour la mémoire et l'esprit de tous ceux qui vivent avec pureté et chasteté, et qui se réjouissent dignement dans les joies du ciel et les noces virginales.

1 Au temps ancien le monde était bon, car y régnaient la foi, la justice et l'amour. On croyait alors en Dieu. Nul aujourd'hui n'en a cure. Tout a changé, tout a perdu sa couleur. Jamais plus ce ne sera comme au temps de nos ancêtres.

2 Au temps de Noé, au temps d'Abraham et au temps de David à qui Dieu prodigua tant d'amour, le monde était bon. Jamais plus il n'aura la même vigueur : il est vieux et chancelant, et ne cesse de décliner. Il va de mal en pis, ayant renoncé à tout bien.

3 Depuis le temps où Dieu est venu nous sauver, tous nos ancêtres furent chrétiens. L'un d'eux était un seigneur de la cité de Rome, un homme puissant et de grande noblesse. Je vous le dis, car c'est de son fils que je veux vous parler.

4 Euphémien, tel était le nom de ce père[1]. Il était comte de Rome[2], parmi les plus respectables qui s'y trouvaient alors. L'empereur le préférait à tous ses pairs[3]. Aussi épousa-t-il une femme estimable et honorée, parmi les plus nobles de toute la contrée[4].

5 Ils vécurent ensemble longtemps. Ils n'avaient pas d'enfant, ce qui les peinait fortement. Tous deux en appelèrent à Dieu de tout leur cœur : « Oh ! Roi du ciel, que par ta volonté un enfant nous soit donné conforme à ton désir[5] ! »

6 Ils le prièrent avec une telle humilité que Dieu rendit la femme féconde. Il leur donna un fils, et ils lui en furent reconnaissants. Ils le purifièrent par le saint baptême. Ils lui donnèrent un beau nom, comme en portent les chrétiens.

7 Il fut baptisé et appelé Alexis[6]. Celle qui l'avait porté le fit élever tendrement. Son père bienveillant le mit ensuite à l'école. Alexis apprit si bien à lire et à écrire qu'il fut parfaitement ins-

truit. L'enfant entra par la suite au service de l'empereur.

8 Quand le père voit qu'il n'aura plus d'autre enfant que ce fils unique qu'il aime tant, il songe à l'avenir. Il veut que son fils prenne femme tant qu'il est lui-même encore en vie. Il lui procure alors la fille d'un noble seigneur.

9 La jeune fille était de haut lignage : c'était la fille d'un comte de la cité de Rome[1]. Comme ce dernier n'a pas d'autre enfant, il veut la pourvoir d'un bon parti. Les deux pères se rencontrent et décident d'unir leurs deux enfants.

10 Ils fixent la date de leur union. Le jour dit, ils la célébrèrent dignement. Le noble Alexis épousa la jeune fille avec faste. Mais c'était une alliance dont il ne voulait pas. Son désir était tout entier tourné vers Dieu.

11 Quand le jour tomba et qu'il fit nuit, son père lui dit : « Fils, va donc te coucher auprès de ton épouse, comme l'ordonne Dieu qui est au ciel. » Le jeune homme ne voulait pas fâcher son père. Il entra dans la chambre où se trouvait sa femme.

12 Il vit le lit et regarda la jeune fille. C'est alors qu'il se souvint de son seigneur céleste, qu'il aimait plus que tout bien terrestre. « Mon Dieu ! dit-il, quel grand péché me menace ! Si je ne m'enfuis pas maintenant, je crains fort de Te perdre. »

13 Quand ils se retrouvèrent seuls dans la chambre, le noble Alexis adressa la parole à sa femme. Il se met à fustiger sévèrement la vie mortelle et lui révèle la vérité de la vie céleste. Mais il lui tarde de s'en aller.

14 « Écoute-moi, jeune fille, je considère comme mon époux Celui qui nous a rachetés de son précieux sang. En ce monde il n'y a pas d'amour parfait. La vie est incertaine ; aucun bien ne dure. La joie d'ici-bas se change en grande tristesse ».

15 Après lui avoir exprimé ses raisons, Alexis confie à sa femme le baudrier de son épée et son alliance[1]. Il la recommande à Dieu. Il sort de la chambre de son père et s'enfuit en pleine nuit de son pays.

16 Il fila tout droit vers la mer. La nef où il devait entrer était prête. Il paie ce qu'il doit et on lui attribue une place. La voile est hissée, le navire est emporté à travers la mer. Ils touchèrent terre là où Dieu voulut les conduire.

17 Le navire accoste directement et sans encombre à Laodicée, une très belle ville[2]. C'est là en effet que débarque le noble Alexis. Je ne sais combien de temps il y demeura. Où qu'il soit, il ne cesse de servir Dieu.

18 De là, il partit pour la ville d'Édesse[3] : il avait entendu parler d'une statue que les anges avaient faite sur le commandement de Dieu, en l'honneur de la Vierge qui apporta le Salut, sainte Marie, qui porta le Seigneur.

19 Tous les biens qu'il avait emportés avec lui, il s'en défait en prodiguant de larges aumônes dans toute la ville d'Édesse, au point qu'il ne lui reste plus rien. Il donne aux pauvres où qu'il les trouve. Il ne veut être encombré d'aucun bien.

20 Après leur avoir distribué tous ses biens, le noble Alexis s'assit parmi les pauvres. Il reçoit l'aumône quand Dieu veut bien la lui accorder. Il conserve juste de quoi survivre. S'il lui en reste, il le rend aux pauvres.

21 Je reviens à présent au père, à la mère et à la jeune femme qu'il avait épousée. Quand ils apprirent qu'il s'était enfui, grandes furent leur douleur et les lamentations qu'ils poussèrent à travers toute la cité.

22 Le père s'exclame : « Cher fils, t'ai-je donc perdu ? » La mère répond : « Pauvre de moi ! Qu'est-il devenu ? » L'épouse s'écrie : « Le péché me l'a enlevé. Hélas, cher ami, je vous ai si peu connu ! Je suis si triste désormais ; je ne puis l'être davantage ! »

23 Le père choisit alors quelques uns de ses meilleurs serviteurs. Il fait rechercher son fils à travers de nombreux pays. Deux d'entre eux arrivèrent rapidement à Édesse. Ils trouvèrent là le noble Alexis, assis parmi les pauvres. Mais ils ne reconnurent ni son visage ni son apparence.

24 Comme la tendre chair du jeune homme était altérée ! Les deux serviteurs de son père ne le reconnurent pas. Ils lui firent l'aumône. Alexis la reçut comme tous ses frères. Les serviteurs ne le reconnurent pas et s'en retournèrent aussitôt.

25 Ils ne le reconnurent pas et ne lui adressèrent pas la parole. Le noble Alexis loua Dieu qui est au ciel d'avoir reçu l'aumône de ses propres serviteurs. Il avait été leur maître, il était pour eux

désormais un miséreux. Je ne saurais vous dire combien il en fut heureux.

26 Les serviteurs s'en retournent à la cité de Rome. Ils annoncent au père qu'ils n'ont pas réussi à le trouver. Inutile de demander si ce dernier en fut affligé. La pauvre mère en devint folle de douleur. Elle ne cessait de pleurer son cher fils.

27 « Alexis, mon fils, pourquoi ta mère t'a-t-elle porté ? Tu m'as abandonnée et il ne me reste que la douleur. Je ne sais en quel lieu ni en quel pays aller te chercher. J'en suis toute désespérée. Jamais plus je ne serai heureuse, cher fils, et jamais plus ton père ne le sera. »

28 Emplie de douleur, elle entre dans la chambre. Elle la dévaste au point qu'il n'y reste rien. Il n'y a plus ni tenture ni ornement. Elle en devint si triste que, depuis ce jour, jamais plus elle ne fut heureuse.

29 « Chambre, dit-elle, jamais plus tu ne seras parée. Jamais plus tu ne seras un lieu de joie. » Elle la saccage comme la ravagerait une armée : elle ne laisse suspendus que des sacs et des tissus en loques. Ce qui faisait tout son honneur, elle le réduit à n'être qu'une vaste désolation.

30 De douleur, la mère s'est assise à même le sol. L'épouse du noble Alexis fit de même : « Madame, dit-elle, quelle perte immense pour moi ! Je vivrai désormais comme la tourterelle[1]. Puisque je suis privée de votre fils, je veux rester avec vous. »

31 La mère lui répond : « Si tu veux demeurer avec moi, je te garderai pour l'amour d'Alexis. Tu ne

connaîtras désormais aucun malheur dont je ne pourrai te protéger. Pleurons ensemble la perte de notre bien aimé, toi ton époux, moi mon fils ».

32 Il ne peut en être autrement, il leur faut se résigner. Mais elles ne peuvent oublier leur douleur. Dans la ville d'Édesse, le noble Alexis est tout dévoué au service de son Seigneur. L'Ennemi ne peut le tromper.

33 Pendant dix-sept ans, il mortifia son corps au service de Dieu. Il n'y a rien d'autre à dire. Ni l'affection d'un ami ou d'une amie, ni les honneurs qu'on pourrait lui procurer ne sauraient l'en détourner, aussi longtemps qu'il est en vie.

34 Quand Alexis acquit la conviction qu'il ne quitterait jamais cette ville de lui-même, Dieu, par amour pour lui, fit parler la statue, qui s'adressa au serviteur préposé au service de l'autel. Elle lui ordonna : « Appelle l'homme de Dieu ! »

35 Voici ce que dit la statue : « Fais venir l'homme de Dieu, car il l'a bien servi et de bon gré. Il est digne d'entrer au Paradis. » Le serviteur s'en va, le cherche, mais il ne sait comment reconnaître le saint homme dont parle la statue.

36 Le sacristain retourna dans l'église auprès de la statue. « En vérité, dit-il, je ne sais qui demander. » La statue lui répond : « C'est celui qui est assis près de la porte. Il est près de Dieu et du royaume céleste. Pour rien au monde il ne veut s'en éloigner. »

37 Le sacristain s'en va, le cherche et le fait venir dans l'église. À travers tout le pays se répandit le miracle que la statue avait parlé en désignant

Alexis. Tous lui font honneur, les grands comme les petits, et tous le prient d'avoir pitié d'eux.

38 Quand il voit qu'ils veulent l'honorer, il dit : « En vérité, il n'y a plus de raison de rester ici. Je ne veux pas à nouveau m'encombrer d'un tel honneur. » Il s'enfuit en pleine nuit de la ville. Son chemin le ramena tout droit à Laodicée.

39 Le noble Alexis monta dans un navire. Le vent se leva et ils se laissèrent emporter à travers la mer. Alexis espérait aborder directement à Tarse[1], mais cela ne pouvait être : il lui fallait aller ailleurs. Le vent le conduisit tout droit à Rome.

40 C'est au port le plus proche de Rome qu'accosta le navire du saint homme. Quand Alexis vit son pays, il craignit fortement que ses parents ne le reconnaissent et ne l'encombrent des honneurs de ce monde.

41 « Mon Dieu ! s'écria-t-il, roi bien aimé qui gouverne tout, si tu l'avais voulu, j'aurais préféré ne pas être ici. Si à présent mes parents en cette terre me reconnaissent, ils s'empareront de moi par la prière ou par la force. Si je me fie à ce qu'ils disent, ils me mèneront à ma perte.

42 Bien que mon père me regrette, et ma mère plus qu'aucune femme au monde, et mon épouse que je leur ai abandonnée, je n'accepterai pas de me remettre en leur pouvoir. Mais ils ne me reconnaîtront pas : cela fait si longtemps qu'ils ne m'ont pas vu. »

43 Alexis sort du navire et se dirige tout droit vers Rome. Il va par les rues qu'il connaissait déjà bien, passant de l'une à l'autre, jusqu'à ce qu'il

rencontre son père accompagné d'un grand nombre de ses gens. Il le reconnut et l'appela par son nom :

44 « Euphémien, cher seigneur, toi qui es un homme puissant, héberge-moi donc dans ta maison, pour l'amour de Dieu. Installe-moi une couche sous ton escalier, au nom de ton fils pour qui tu éprouves une telle douleur. Je suis très malade, nourris-moi pour l'amour de lui. »

45 Quand le père entend parler de son fils, il ne peut empêcher ses yeux de pleurer : « Pour l'amour de Dieu et pour mon fils bien aimé, brave homme, je te donnerai tout ce que tu me demandes : lit, hospitalité, pain, viande et vin. »

46 « Ah ! Dieu, poursuit-il, si seulement j'avais un serviteur pour veiller sur cet homme, je lui rendrais sa liberté ! » L'un se présenta aussitôt. « Me voici, dit-il, pour veiller sur lui comme tu l'ordonnes. Pour l'amour de toi, j'accepterai cette tâche. »

47 Ce dernier emmena Alexis directement sous l'escalier. Il lui installe un lit où il pourra se reposer. Il lui prépare tout ce dont il aura besoin. Il ne veut pas aller contre la volonté de son seigneur. Il n'y a rien qu'on puisse lui reprocher.

48 Le père et la mère le voyaient souvent, ainsi que la jeune femme qu'il avait épousée. Jamais, en aucune manière, ils ne le reconnurent. Il ne leur a dit ni qui il était ni de quel pays il venait ; et ils ne le lui ont pas non plus demandé.

49 Il les voyait souvent manifester leur grande douleur et verser maintes larmes avec émotion, tou-

jours pour lui, jamais pour eux-mêmes. Mais le seigneur Alexis les ignore. Cela ne le touche pas ; il est tout entier tourné vers Dieu[1].

50 Sous l'escalier où il gît sur sa paillasse, on le nourrit des restes de la table. Il voue sa grande noblesse à une grande pauvreté. Il ne veut pas que sa mère le sache. Il préfère Dieu à tout son lignage.

51 De la nourriture qui lui provient de ses hôtes, il ne garde que de quoi subsister. S'il lui en reste, il le rend aux miséreux. Il n'en fait pas provision pour se remplir le ventre, mais il le donne à manger aux plus pauvres.

52 Il passe volontiers son temps à l'intérieur de la sainte église. À chaque fête, il reçoit la communion. La Sainte Écriture, voilà son guide. Alexis met toutes ses forces au service de Dieu. Il ne veut pour rien au monde s'en éloigner.

53 Sous l'escalier où il demeure couché, il mène joyeusement une vie de pauvreté. Les serviteurs attachés à la maison de son père lui jettent leurs eaux sales sur la tête. Il ne s'en irrite pas et ne leur fait aucun reproche.

54 Tous le raillent et le tiennent pour un imbécile. Ils lui jettent de l'eau et trempent sa paillasse. Il ne s'en irrite pas, ce saint homme, mais prie Dieu qu'il veuille bien dans sa miséricorde le leur pardonner, car ils ne savent pas ce qu'ils font[2].

55 C'est là qu'il demeura pendant dix-sept ans. Personne dans son entourage ne le reconnut, personne ne s'aperçut de ses souffrances, si ce n'est le lit où il resta si longtemps couché : il ne pouvait se cacher de lui.

56 Pendant trente-quatre ans il mortifia ainsi son corps. Dieu voulut alors récompenser son service. Il fit empirer fortement sa maladie. Alexis comprend dès lors qu'il doit s'en aller. Il appelle auprès de lui celui qui est son serviteur.

57 « Va me chercher, cher frère, de l'encre, du parchemin et une plume, je t'en prie, par pitié. » Le serviteur les lui apporte et Alexis les prend. Il écrit de ses propres mains une lettre, y racontant comment il était parti et comment il était revenu.

58 Il la tint contre lui : il ne voulait pas la montrer, afin de ne pas être reconnu avant de s'en être allé. Il s'est tout entier recommandé à Dieu. Sa fin approche, son état physique s'est aggravé. Il cesse complètement de parler.

59 La semaine où il devait s'en aller, une voix sortie de la sacristie se fit entendre par trois fois dans la cité, sur l'ordre de Dieu. Elle rassembla d'abord tous les fidèles. La gloire que Dieu voulait accorder à Alexis était proche.

60 La deuxième fois, la voix leur adressa l'ordre suivant : qu'ils aillent chercher l'homme de Dieu qui se trouve à Rome et le supplient de faire en sorte que la cité ne s'effondre et que ses habitants ne périssent. Ceux qui l'ont entendue sont saisis d'une grande frayeur.

61 Le pape était alors saint Innocent[1]. C'est à lui que viennent et les riches et les pauvres. Ils lui demandent son avis sur ce qu'ils ont entendu et qui les terrorise. Ils s'attendent à ce que la terre les engloutisse à toute heure.

62 Le pape et les deux empereurs, l'un appelé Acarius, l'autre Honorius[1], ainsi que le peuple tout entier, prient Dieu d'une seule et même voix de les aider à trouver ce saint homme par qui ils seront sauvés.

63 Ils le prient que, dans sa miséricorde, il leur enseigne où le trouver. La voix se fit à nouveau entendre pour le leur indiquer : « Cherchez dans la maison d'Euphémien. C'est là qu'il est et c'est là que vous le trouverez. »

64 Tous se tournent vers le seigneur Euphémien. Certains se mettent à le réprimander avec vivacité : « Tu aurais dû nous annoncer une telle chose, nous le peuple tout entier, privé de secours ! En le cachant si bien tu as commis un grand péché. »

65 Il s'en défend comme quelqu'un qui n'y comprend rien. Mais les autres ne le croient pas et se dirigent chez lui. Euphémien les précède pour préparer sa maison. Il interroge instamment tous ses serviteurs. Ces derniers répondent qu'aucun d'eux ne sait ce qu'il en est.

66 Le pape et les empereurs, trônant sur leur siège, sont inquiets et en pleurs. Tous les autres seigneurs ont leur regard fixé sur eux. Ils prient Dieu de les aider à trouver ce saint homme par qui ils seront sauvés.

67 Tandis qu'ils siégeaient, l'âme de saint Alexis se sépare de son corps. Elle s'en va tout droit au paradis, auprès de son seigneur qu'il avait si bien servi. Ah ! Roi du ciel, puisses-tu nous y accueillir !

68 Le brave serviteur qui veillait sur lui de bon cœur annonça sa mort à son père Euphémien. Il

l'appelle à voix basse et lui confie discrètement : « Seigneur, dit-il, ton pauvre mendiant est mort, et je peux dire que c'était un bon chrétien.

69 Je suis resté longuement auprès de lui. Je ne saurais, en vérité, lui reprocher quoi que ce soit ; il me semble que c'est lui l'homme de Dieu. » Euphémien s'en va. Il vient seul auprès de son fils couché sous l'escalier.

70 Il soulève les draps qui le recouvrent et voit le visage du saint homme, beau et lumineux. Le serviteur de Dieu tient en sa main la lettre où il a mis par écrit toute sa vie. Euphémien veut savoir ce qu'elle contient.

71 Il veut la prendre, mais le mort ne veut pas la lui céder. Il s'en retourne tout bouleversé auprès du pape : « J'ai désormais trouvé ce que nous avons tant cherché. Sous mon escalier gît, mort, un pèlerin. Il tend une lettre, mais je ne peux la lui prendre. »

72 Le pape et les empereurs se rendent auprès du corps et tombent en prières. Ils se prosternent avec la plus grande humilité : « Pitié, pitié, pitié, très saint homme ! Nous ne t'avons pas reconnu ; et nous ne te connaissons toujours pas.

73 Devant toi se tiennent deux pécheurs. Par la grâce de Dieu, ils sont appelés empereurs. C'est dans sa miséricorde qu'Il nous accorde cet honneur. Nous sommes les juges de ce monde. Nous avons besoin de ton secours.

74 Le pape que tu vois ici a la charge des âmes. C'est l'office auquel il doit se consacrer. Donne-lui la lettre, par pitié ! Il nous dira ce qu'il y trou-

vera écrit. Et que Dieu fasse que nous puissions en être sauvés ! »

75 Le pape tend la main vers la lettre. Saint Alexis ouvre la sienne : il la lui cède, à lui, le pape de Rome. Sans la lire ni regarder ce qu'elle contient, ce dernier la remet à un clerc sage et savant.

76 Le chancelier, dont c'est la fonction, lit la lettre. Les autres l'écoutent. Elle leur révèle le nom de son père et de sa mère. Elle leur dit de quels parents est né ce joyau qu'ils ont trouvé en ce lieu.

77 Elle leur dit comment il s'était enfui par la mer, comment il s'en était allé à la ville d'Édesse, comment Dieu avait fait parler la statue en sa faveur et comment, pour ne pas s'encombrer des honneurs qu'on allait lui rendre, il s'était à nouveau enfui vers la cité de Rome.

78 Quand le père entend ce que la lettre révèle, de ses deux mains il s'arrache sa barbe blanche : « Hélas ! mon fils, dit-il, quelle douloureuse nouvelle ! J'espérais que tu reviendrais auprès de moi et que, par la grâce de Dieu, tu pourrais me réconforter ! ».

79 Le père se mit à crier à haute voix : « Alexis, mon fils, quelle douleur s'abat sur moi ! J'ai bien mal veillé sur toi sous mon escalier. Hélas, pauvre pécheur, comme j'étais aveugle ! J'ai eu beau le voir, je n'ai pu le reconnaître.

80 Alexis, mon fils, ta pauvre mère ! Que de douleurs elle a endurées pour toi, que de jeûnes et de privations, que de larmes elle a pleurées pour toi ! Une telle douleur va lui arracher le cœur.

81 Ô fils, à qui reviendront mes nombreux biens, mes vastes terres que j'ai en abondance, mes grands palais dans la cité de Rome ? C'est pour toi que j'avais consacré tant d'efforts. Après mon décès l'honneur t'en serait revenu.

82 J'ai les cheveux blancs et la barbe chenue. Toutes mes richesses, je les avais gardées pour toi, mais tu n'en avais cure. Une si grande douleur s'empare désormais de moi ! Mon fils, que ton âme au ciel soit délivrée du péché !

83 Tu aurais dû porter le heaume et la cotte de mailles, ceindre l'épée comme tous tes pairs. Tu aurais dû gouverner ta grande maison, porter l'étendard de l'empereur, comme le firent ton père et ceux de ton lignage.

84 À quelle douleur et à quelle grande pauvreté, mon fils, tu t'es abandonné en terres étrangères ! Et ces richesses qui auraient dû te revenir, que n'en as-tu profité dans ton pauvre logis ? S'il avait plu à Dieu, tu en aurais été le seigneur. »

85 La douleur qu'exprima le père retentit si fort que la mère l'entendit. Elle courut le rejoindre comme une femme hors d'elle-même, échevelée, frappant ses paumes et poussant des cris. Elle voit son fils mort et tombe à terre évanouie.

86 En la voyant manifester sa grande douleur, frapper sa poitrine et se jeter contre terre, s'arracher les cheveux et lacérer son visage, tirer contre elle son enfant mort et le serrer dans ses bras, nul, aussi insensible qu'il fût, n'aurait pu s'empêcher de pleurer.

87 Elle se tire les cheveux et se frappe la poitrine. Elle inflige à son propre corps une grande souffrance. « Ah ! mon fils, dit-elle, comme tu as dû me haïr ! Et moi, malheureuse, comme j'étais aveugle. Je ne t'ai pas plus reconnu que si je ne t'avais jamais vu ! »

88 Ses yeux versent des larmes et elle pousse de grands cris. Elle ne cesse de se lamenter : « C'est pour mon malheur que je t'ai porté, cher fils ! Pourquoi n'as-tu pas eu pitié de ta mère ? Alors que tu me voyais désirer la mort, il est incroyable que tu n'aies pas été pris de pitié !

89 Hélas, pauvre misérable ! Quel terrible destin que le mien ! Je vois morte à présent toute ma progéniture ! Ma longue espérance s'achève sur un grand deuil. Pourquoi t'ai-je porté, malheureuse infortunée ? Il est incroyable que mon cœur continue de battre !

90 Alexis, mon fils, tu as eu le cœur bien dur en méprisant ton noble lignage. Si seulement tu m'avais parlé, à moi, ne serait-ce qu'une seule fois, tu aurais réconforté ta pauvre mère qui est si malheureuse ! Cher fils, tu aurais bien fait !

91 Alexis, mon fils, qu'est-il devenu de ta chair si tendre ? À quelle douleur as-tu livré ta jeunesse ! Pourquoi m'as-tu fuie ? Je t'ai jadis porté dans mon ventre. Dieu sait combien je suis malheureuse ! Jamais plus personne ne me rendra heureuse.

92 Avant de te voir, j'en avais un grand désir. Avant que tu naisses, j'étais dans une grande inquiétude. Quand je t'ai vu naître, je fus remplie de bonheur et de joie. À présent que je te vois mort,

je suis remplie de chagrin. Il me pèse que ma fin tarde tant à venir.

93 Seigneurs de Rome, pour l'amour de Dieu, ayez pitié de moi ! Aidez-moi à pleurer la mort de mon bien aimé. Grande est la douleur qui s'est abattue sur moi. Je ne sais que faire pour que mon cœur en soit rassasié. Il n'y a là rien d'étonnant : je n'ai plus ni fils ni fille.

94 Tandis que le père et la mère se lamentaient, arriva la jeune femme qu'il avait épousée. « Seigneur, dit-elle, comme je t'ai longtemps attendu dans la maison de ton père, où tu m'as laissée triste et éperdue !

95 Seigneur Alexis, que de jours je t'ai regretté ! Combien de larmes j'ai versées pour toi ! Combien de fois pour toi j'ai regardé au loin. Si tu étais revenu réconforter ton épouse, cela n'aurait été ni félonie ni faiblesse.

96 Ô cher ami, qu'en est-il de ta belle jeunesse ? Il me pèse qu'elle doive pourrir en terre ! Ah, noble seigneur, j'ai de quoi être bien malheureuse ! J'attendais de toi de bonnes nouvelles, mais les voilà désormais si cruelles et si terribles !

97 Ô belle bouche, beau visage, beau jeune homme ! Comme votre belle apparence s'est métamorphosée ! Je vous aimais plus que toute autre créature. Une si grande douleur s'empare désormais de moi ! J'aurais préféré être morte, mon bien aimé !

98 Si j'avais su que tu étais là en bas, sous l'escalier où tu es resté couché durant ta longue maladie, jamais personne n'aurait pu m'empêcher d'y

demeurer avec toi. Si tu me l'avais permis, j'aurais veillé sur toi.

99 Désormais je suis veuve, seigneur, dit la jeune femme. Jamais plus je n'aurai de joie, car cela ne peut être ; et jamais plus je n'aurai d'homme en cette terre ! Je servirai Dieu, le Roi qui gouverne tout. Il ne me fera pas défaut, s'Il voit que je suis sa servante. »

100 Le père et la mère et la jeune femme pleurèrent jusqu'à l'épuisement. Pendant ce temps, tous les seigneurs de la cité préparèrent le corps saint et le vêtirent de beaux habits. Bienheureux ceux qui l'honorèrent avec foi !

101 « Seigneurs, que faites-vous donc ? dit le pape. Pourquoi ces cris, cette douleur et ces plaintes ? Bien qu'on puisse en éprouver de la douleur, pour nous c'est une joie, car il nous sera d'un grand secours. Prions-le donc qu'il nous délivre de tout mal ! »

102 Tous ceux qui avaient pu s'en approcher s'emparent de lui. En chantant, ils emportent le corps de saint Alexis. Tous le prient d'avoir pitié d'eux. Inutile de convoquer ceux qui ont entendu cette nouvelle : tous y accourent, les grands comme les petits.

103 Tout le peuple de Rome se met en marche. Plus vite on court, plus vite on arrive. Une foule immense avance à travers les rues. Les comtes et les rois ne peuvent se frayer un passage, ni se placer devant le corps saint.

104 Les seigneurs commencent à dire : « La foule est grande, nous ne pouvons passer. À cause

de ce corps saint que Dieu nous a donné, le peuple est heureux, lui qui l'a tant désiré. Tous accourent auprès de lui, aucun ne veut s'en retourner. »

105 Ceux qui gouvernent l'empire leur répondent : « Seigneurs, de grâce, il nous faut trouver une solution. Nous allons dispenser largement nos richesses aux mains misérables qui réclament l'aumône. Si elles accourent, nous en serons débarrassés. »

106 Ils tirent de leurs trésors de l'or et de l'argent qu'ils font jeter aux pauvres gens. Ils croient par ce moyen pouvoir se frayer un passage. Mais ce n'est pas possible, le peuple ne veut rien de cela. Tout son désir va vers le saint homme.

107 Les petites gens crient d'une seule voix : « Nous n'avons rien à faire, en vérité, de cette richesse. Si grande est la joie que nous procure ce corps saint qui est en notre possession ! Si Dieu le veut, il nous sera d'un grand secours. »

108 Jamais à Rome il n'y eut une aussi grande joie que celle qu'eurent ce jour-là les pauvres et les riches, grâce à ce corps saint qu'ils avaient en leur possession. Il leur semble tenir Dieu lui-même. Le peuple tout entier rend louange à Dieu et Le remercie.

109 Saint Alexis avait le cœur pur. C'est pourquoi il est honoré en ce jour[1]. Son corps repose dans la cité de Rome et son âme est entrée au paradis de Dieu. Bienheureux celui qui reçoit pareille demeure !

110 Celui qui a péché peut bien se souvenir de lui. En faisant pénitence, il peut très bien être sauvé. Ce monde est bref ; espérez-en un qui soit plus durable. Prions Dieu et la Sainte Trinité que nous puissions régner au ciel avec Dieu[1].

111 Les sourds, les aveugles, les contrefaits, les lépreux, les muets, les borgnes, les paralytiques et, enfin, tous les malades, il n'y en a pas un qui, allant auprès de lui en souffrant, s'en reparte avec sa douleur.

112 Pas un infirme, quelle que soit son infirmité, ne vient l'invoquer sans obtenir aussitôt de lui la santé. Certains y vont d'eux-mêmes, d'autres se font porter. Dieu a fait pour eux un véritable miracle ! Qui vient en pleurant, Il le fait s'en retourner en chantant[2].

113 Quand les deux seigneurs qui gouvernent l'empire voient des miracles aussi manifestes, ils récupèrent le corps, le pleurent et lui rendent hommage. Un peu par la prière et surtout par la force, ils se mettent en marche et traversent la foule.

114 Saint Boniface, qu'on dit le martyr, avait à Rome une très belle église[3]. C'est là en vérité qu'ils emportent le seigneur Alexis. Ils le déposent délicatement à terre. Bienheureux le lieu qui abrite son corps saint !

115 Le peuple de Rome, qui l'a tant désiré, le garde de force hors de terre pendant sept jours. La foule est grande, inutile de le souligner. Ils l'ont entouré de toutes parts. Il semble que nul ne puisse s'en approcher.

116 Le septième jour fut édifiée la sépulture de ce corps saint, ce joyau céleste. La foule se retire et se disperse. Qu'elle le veuille ou non, elle le laisse mettre en terre. Cela lui pèse, mais il ne peut en être autrement.

117 Tenant des encensoirs et des candélabres d'or, les clercs, revêtus de leur aube et de leur chape, mettent le corps dans un cercueil de marbre. Certains chantent, la plupart versent des larmes. S'il n'en tenait qu'à eux, jamais ils ne s'en sépareraient.

118 Le cercueil est orné d'or et de pierres précieuses, en l'honneur de ce corps saint qu'ils doivent y déposer. Ils usent de toute leur force pour le mettre en terre. Le peuple de la cité de Rome pleure. Personne au monde ne peut retenir ses larmes.

119 Inutile de dire combien le père, la mère et l'épouse se lamentent. Tous, de leurs voix à l'unisson, le plaignent et le regrettent. Cent mille larmes furent versées ce jour-là.

120 Ils ne pouvaient plus le garder hors de terre. Qu'ils le veuillent ou non, ils le laissent ensevelir. Ils prennent congé du corps de saint Alexis et le prient d'avoir pitié d'eux : qu'il plaide bien en leur faveur auprès du Seigneur.

121 Le peuple se retira. Le père, la mère et la jeune femme ne se quittèrent plus. Ils demeurèrent ensemble jusqu'au moment où ils s'en retournèrent à Dieu. Leur vie commune fut vertueuse et honorable. Grâce à ce corps saint, leurs âmes furent sauvées.

122 Saint Alexis est au ciel, il n'y a aucun doute, avec Dieu et la compagnie des anges, et avec la jeune femme dont il s'était tenu si éloigné. Désormais, il l'a auprès de lui ; leurs âmes sont réunies. Je ne saurais vous dire combien leur joie est grande.

123 Dieu, quelle souffrance bénéfique a endurée ce saint homme en cette vie mortelle, quel bon service il a accompli ! Désormais son âme est remplie de gloire. Il a ce qu'il voulait, il n'y a rien à dire de plus. Et, par-dessus tout, il voit Dieu lui-même.

124 Hélas ! Pauvres infortunés ! Comme nous sommes aveugles ! Car nous voyons bien que nous sommes tous égarés. Nous sommes si encombrés de nos péchés qu'ils nous font oublier complètement la vie droite. Grâce à ce saint homme nous devrions recouvrer la lumière.

125 Gardons, seigneurs, ce saint homme en mémoire. Prions-le qu'il nous délivre de tout mal. Qu'il nous procure paix et joie en ce monde et, en l'autre, la gloire éternelle. Dans son verbe même, disons le *Pater noster*[1].

Amen.

Traduction de l'ancien français de Dominique Demartini et Christopher Lucken.

ANONYMES

(XIIIe-XIVe siècles)

Les vies *de troubadours (en occitan* vidas*), récits en prose d'une ou plusieurs anecdotes attachées à un poète célèbre, apparurent d'abord, au début du* XIII*e siècle, sous la forme de brèves notices adjointes à des chansonniers ; elles s'accompagnèrent, à partir du* XIV*e siècle, de* razos*, explications de poèmes à teneur essentiellement biographique. Improvisées oralement ou composées par des jongleurs, ces deux formes littéraires propres au monde provençal étaient sans doute destinées à être données en manière de prélude. Si ces textes anonymes constituent les premières traces d'une histoire de la littérature française, il serait illusoire d'y chercher une volonté de comprendre la psychologie des auteurs ou d'expliquer la naissance de leurs œuvres : selon un principe que ces récits tirent des vies de poètes latins, le témoignage biographique allégué vient illustrer un poème — moins l'expliquer que le mettre en scène pour mieux distraire un auditoire. Hormis dans certains* razos*, assez rares, comme celui de Bertrand de Born, les témoignages concrets ou les événements historiques en sont absents. Loin de relever d'une enquête érudite, les faits y semblent produits par les textes — au prix de surinterprétations* *rocambolesques, de reprises de motifs stéréotypiques, d'emprunts à d'autres vies ou de pures inventions. C'est une mythologie — et non un portrait de l'auteur — qu'il faut donc y découvrir.*

Bien avant de connaître une renaissance inattendue à la fin du XX*e siècle chez Christian Garcin (*Vidas, *1993), ces formes biographiques ambiguës influenceront les œuvres de Dante et de Pétrarque, et les* novelle *de la Renaissance italienne. Comme en témoigne la compilation qu'en produit Jehan de Nostredame (procureur au parlement de Provence et frère du célèbre astrologue) en 1575, les* Vies des plus célèbres et anciens poètes provensaux, *l'influence de ces biographies miniatures s'étend à l'ensemble de la production de nouvelles en Europe. Les diverses versions de la* vie *de Guillem de Cabestaing constituent l'un des plus célèbres ensembles de ce corpus : retenu par Boccace dans le* Décaméron *(IV, 9), repris et encore ornementé par le recueil de Nostredame, le récit apparaît en 1782 dans la* Bibliothèque universelle des romans, *avant sa réédition à l'époque romantique par François Raynouard, dans sa* Biographie des troubadours *(1820). Nous en donnons ici deux versions : une* vida *du* XIII*e siècle, issue d'un des plus anciens chansonniers provençaux*[1] *; et un* razo *du début du* XIV*e siècle, tiré d'un manuscrit languedocien, publié par Raynouard et traduit par Stendhal*[2]*.*

1. Le manuscrit Vat. lat. 5232, conservé à la Bibliothèque Vaticane (f. 83c). Texte original dans Jean Boutière et Alexander-Hermann Schutz, *Biographies des troubadours : textes provençaux des* XIII*e et* XIV*e siècles*, édition refondue et augmentée, avec la collaboration de Irénée-Marcel Cluzel, Paris, A.-G. Nizet, 1964, p. 531-533.

2. Le manuscrit Plut. XLI, Cod. 42, conservé à la Bibliothèque Laurentienne de Florence (f. 50r). Texte original dans

Dès le XVIII*e siècle, la vraisemblance historique de ces* vies *fait question mais, comme l'illustrent les rêveries de Fabre d'Olivet sur les « cours d'amour » médiévales, ces légendes ne cessent de fasciner*[1]. *Ainsi des deux chapitres que le* De l'amour *consacre aux troubadours provençaux : Stendhal entreprend, on l'a dit, de traduire l'« anecdote célèbre » de la vie de Guillaume, « mot à mot et sans chercher aucunement l'élégance du langage actuel », d'après le texte qu'en a donné Raynouard (que le romancier connaît par les conseils de Claude Fauriel). Le récit tragique s'insère dans la série d'observations anthropologiques du recueil sur « une maladie appelée* amour *» : il s'agit de « juger l'ensemble des mœurs d'après quelques faits particuliers » pour constater, par exemple, que les Provençaux avaient « moins de passion et beaucoup plus de gaieté que les Italiens*[2] *». Mais l'histoire générale du sentiment amoureux entreprise en 1822 par Henri Beyle, dont on sait à quel point les œuvres de jeunesse ont été souvent tentées par la forme biographique (*Vie de Napoléon, Vies de Haydn, de Mozart,

---

Boutière et Schutz, *op. cit.*, p. 544-549. Le *razo* commente le poème de Guillem « Li doutz consire... » (« La douce pensée... »), cité à la fin de la *vie* du troubadour. La traduction de Stendhal abrège le dernier paragraphe du texte provençal, mais ne contient, de l'avis des spécialistes, que de menues « lacunes et inexactitudes » (Boutière et Schutz, *op. cit.*, p. 554-555).

1. En témoigne le succès que rencontre Fabre avec son recueil prétendument traduit du provençal, *Le Troubadour : poésies occitaniques du* XIII*e siècle* (Paris, Henrichs, 1803-1804, 2 vol.). Il faut attendre 1824 pour que Raynouard révèle que l'œuvre est entièrement issue de l'imagination du traducteur.

2. Stendhal, *De l'amour* [1822], édition présentée, établie et annotée par Victor Del Litto, Paris, Gallimard, coll. « Folio classique », 1992, p. 418, 187, 189.

de Métastase), *ne dissimule qu'à peine l'hommage pathétique : profondément troublé par son échec récent auprès de Matilde Viscontini Dembowski, l'essayiste nous donne à lire le tombeau d'un poète et l'« histoire tragique », comme on disait au* XVIIe *siècle, d'un martyre amoureux.*

Voir François-Just-Marie RAYNOUARD, *Choix des poésies originales des troubadours*, t. V, Paris, Firmin Didot, 1820, p. 187-196 ; STENDHAL, *De l'amour* [1822], édition présentée, établie et annotée par Victor Del Litto, Paris, Gallimard, coll. « Folio classique », 1992, chapitre LII : « La Provence au XIIe siècle », p. 190-196 ; Jean BOUTIÈRE et Alexander-Hermann SCHUTZ, *Biographies des troubadours : textes provençaux des* XIIIe *et* XIVe *siècles*, édition refondue et augmentée, Paris, A.-G. Nizet, 1964 ; *Les Vies des troubadours*, textes réunis et traduits par Margarita EGAN, Paris, UGE, coll. « 10/18 », 1985. — Sur le contexte littéraire : Jean-Charles HUCHET, « Le réalisme biographique dans les *Vidas* et les *Razos* occitanes », dans Jean BESSIÈRES (éd.), *Roman, réalité, réalismes*, Paris, PUF, 1989, p. 91-111 ; Jean-Michel CALUWÉ, *Du chant à l'enchantement : contribution à l'étude des rapports entre lyrique et narratif dans la littérature provençale du* XIIIe *siècle*, Gand, Universiteit Gent, 1993. — Pour une autre histoire de « cœur mangé » : JAKEMÈS, *Le Roman du Châtelain de Coucy et de la Dame de Fayel*, publication, traduction, présentations et notes par Catherine Gaullier-Bougassas, Paris, Honoré Champion, 2009.

Vida de Guillem de Cabestaing

Guillem de Cabestaing fut un chevalier de la contrée de Roussillon, qui confinait à la Catalogne et au Narbonnais. Il fut très avenant et prisé en fait d'armes, de service et de courtoisie.

Il y avait, dans sa contrée, une dame qui avait nom madame Saurimonde, femme de Raimon de Castel-Roussillon, qui était fort puissant et noble, mais méchant, farouche, cruel et orgueilleux. Guillem de Cabestaing aimait la dame d'amour, la célébrait dans ses chants et faisait d'elle le sujet de ses chansons. Et la dame, qui était jeune, noble, belle et charmante, lui voulait plus de bien qu'à toute autre créature au monde. Et cela fut dit à Raimon de Castel-Roussillon ; et lui, en homme furieux et jaloux, fit une enquête sur l'affaire, apprit que c'était vrai, et fit garder étroitement sa femme.

Un jour, Raimon de Castel-Roussillon trouva Guillem passant sans grand compagnie et le tua. Puis il lui fit arracher le cœur de la poitrine et couper la tête, et les fit porter à sa demeure ; il fit rôtir le cœur, et préparer au poivre, et le fit donner à manger à sa femme[1]. Et quand la dame l'eut mangé, Raimon de Castel-Roussillon lui dit : « Savez-vous ce que vous avez mangé ? » Elle répondit : « Non, sinon que c'était un mets bon et savoureux. » Et il lui dit que ce qu'elle venait de manger était le cœur de Guillem de Cabestaing ; et pour qu'elle le crût, il fit apporter la tête devant elle. Lorsque la dame vit et entendit tout cela, elle perdit la vue et l'ouïe. Revenue à elle, elle dit : « Seigneur, vous m'avez donné un si bon mets que jamais je n'en mangerai d'autre. » Lorsqu'il entendit ces mots, il courut sur elle avec son épée et voulut l'en frapper à la tête ; mais elle courut à un balcon, se laissa tomber en bas, et c'est ainsi qu'elle mourut.

La nouvelle courut par le Roussillon et par toute la Catalogne que Guillem de Cabestaing et la dame avaient ainsi péri de mâle mort et que Raimon de Castel-Roussillon avait donné à manger à la dame le cœur de Guillem. Bien grande fut la tristesse par toutes ces contrées ; et plainte en fut portée devant le roi d'Aragon, qui était le suzerain de Raimon de Castel-Roussillon et de Guillem de Cabestaing. Le roi se rendit à Perpignan, en Roussillon, et fit comparaître Raimon de Castel-Roussillon devant lui. Lorsque Raimon fut venu, il le fit prendre, lui enleva tous les châteaux et les fit détruire ; il lui prit tout ce qu'il possédait, et l'emmena en prison. Puis il fit enlever les corps de Guillem de Cabestaing et de la dame, et les fit porter à Perpignan et mettre en un tombeau devant la porte de l'église. Et il fit marquer sur le tombeau de quelle façon ils étaient morts, et ordonna dans tout le comté de Roussillon, à tous les chevaliers et à toutes les dames, de venir chaque année célébrer l'anniversaire de leur mort.

Et Raimon de Castel-Roussillon mourut dans la prison du roi.

Traduction de l'ancien français d'Irénée-Marcel Cluzel.

Histoire de Guillaume de Cabstaing

Je vais traduire une anecdote des manuscrits provençaux ; le fait que l'on va lire eut lieu vers l'an 1180, et l'histoire fut écrite vers 1250* ; l'anecdote est assurément fort connue : toute la nuance des mœurs est dans le style. Je supplie qu'on me permette de traduire mot à mot et sans chercher aucunement l'élégance du langage actuel.

« Monseigneur Raymond de Roussillon fut un vaillant baron ainsi que le savez, et eut pour femme madona Marguerite, la plus belle femme que l'on connût en ce temps, et la plus douée de toutes belles qualités, de toute valeur et de toute courtoisie. Il arriva ainsi que Guillaume de Cabstaing, qui fut fils d'un pauvre chevalier du château Cabstaing, vint à la cour de monseigneur Raymond de Roussillon, se présenta à lui et lui demanda s'il lui plaisait qu'il fût varlet de sa cour. Monseigneur Raymond,

* Le manuscrit est à la bibliothèque Laurentiana. M. Raynouard le rapporte au tome V de ses *Troubadours*, page 189. Il y a plusieurs fautes dans son texte ; il a trop loué et trop peu connu les troubadours. *[Les notes de bas de page sont de Stendhal.]*

qui le vit beau et avenant, lui dit qu'il fût le bienvenu et qu'il demeurât en sa cour. Ainsi Guillaume demeura avec lui et sut si gentement se conduire, que petits et grands l'aimaient ; et il sut tant se distinguer que monseigneur Raymond voulut qu'il fût donzel de madona Marguerite sa femme ; et ainsi fut fait. Adonc s'efforça Guillaume de valoir encore plus et en dits et en faits. Mais ainsi comme il a coutume d'avenir en amour, il se trouva qu'amour voulut prendre madona Marguerite et enflammer sa pensée. Tant lui plaisait le faire de Guillaume, et son dire, et son semblant, qu'elle ne put se tenir un jour de lui dire : Or ça, dis-moi, Guillaume, si une femme te faisait semblant d'amour, oserais-tu bien l'aimer ? Guillaume qui s'en était aperçu lui répondit tout franchement : Oui, bien ferais-je, madame, pourvu seulement que le semblant fût véritier. — Par saint Jean ! fit la dame, bien avez répondu comme un homme de valeur ; mais à présent je te veux éprouver si tu pourras savoir et connaître en fait de semblants quels sont de vérité et quels non.

« Quand Guillaume eut entendu ces paroles, il répondit : Madame, qu'il soit ainsi comme il vous plaira.

« Il commença à être pensif, et Amour aussitôt lui chercha guerre ; et les pensers qu'Amour envoie aux siens lui entrèrent dans le tout profond du cœur, et de là en avant il fut des servants d'amour et commença à trouver* de petits couplets avenants et gais, et des chansons à danser et des chansons de chant** plaisant, par quoi il était fort agréé, et plus de celle pour laquelle il chantait. Or, Amour qui accorde

* Faire.

** Il inventait les airs et les paroles.

à ses servants leur récompense quand il lui plaît, voulut à Guillaume donner le prix du sien ; et le voilà qui commence à prendre la dame si fort de pensers et de réflexions d'amour que ni jour ni nuit elle ne pouvait reposer, songeant à la valeur et à la prouesse qui en Guillaume s'était si copieusement logée et mise.

« Un jour il arriva que la dame prit Guillaume et lui dit : Guillaume, or ça, dis-moi, t'es-tu à cette heure aperçu de mes semblants, s'ils sont véritables ou mensongers ? Guillaume répond : Madona, ainsi Dieu me soit en aide, du moment en çà que j'ai été votre servant il ne m'a pu entrer au cœur nulle pensée que vous ne fussiez la meilleure qui onc naquit et la plus véritable et en paroles et en semblants. Cela je crois et croirai toute ma vie. Et la dame répondit : Guillaume, je vous dis que si Dieu m'aide que jà ne serez par moi trompé, et que vos pensers ne seront pas vains ni perdus. Et elle étendit les bras et l'embrassa doucement dans la chambre où ils étaient tous deux assis, et ils commencèrent leur druerie*, et il ne tarda guère que les médisants que Dieu ait en ire, se mirent à parler et à deviser de leur amour, à propos des chansons que Guillaume faisait, disant qu'il avait mis son amour en madame Marguerite, et tant dirent-ils à tort et à travers que la chose vint aux oreilles de monseigneur Raymond. Alors il fut grandement peiné et fort grièvement triste, d'abord parce qu'il lui fallait perdre son compagnon-écuyer qu'il aimait tant, et plus encore pour la honte de sa femme.

« Un jour il arriva que Guillaume s'en était allé à la chasse à l'épervier avec un écuyer seulement ; et

* *A far all' amore.*

monseigneur Raymond fit demander où il était ; et un valet lui répondit qu'il était allé à l'épervier, et tel qu'il le savait ajouta qu'il était en tel endroit. Sur-le-champ Raymond prend des armes cachées et se fait amener son cheval, et prend tout seul son chemin vers cet endroit où Guillaume était allé : tant il chevaucha qu'il le trouva. Quand Guillaume le vit venir, il s'en étonna beaucoup, et sur-le-champ il lui vint de sinistres pensées, et il s'avança à sa rencontre et lui dit : Seigneur, soyez le bien arrivé. Comment êtes-vous ainsi seul ? Monseigneur Raymond répondit : Guillaume, c'est que je vais vous cherchant pour me divertir avec vous. N'avez-vous rien pris ? — Je n'ai guère pris, seigneur, car je n'ai guère trouvé ; et qui peu trouve ne peut guère prendre, comme dit le proverbe. — Laissons là désormais cette conversation, dit monseigneur Raymond, et, par la foi que vous me devez, dites-moi vérité sur tous les sujets que je vous voudrai demander. — Par Dieu ! seigneur, dit Guillaume, si cela est chose à dire, bien vous la dirai-je. — Je ne veux ici aucune subtilité, ainsi dit monseigneur Raymond, mais vous me direz tout entièrement sur tout ce que je vous demanderai. — Seigneur, autant qu'il vous plaira me demander, dit Guillaume, autant vous dirai-je la vérité. Et monseigneur Raymond demande : Guillaume, si Dieu et la sainte foi vous vaut, avez-vous une maîtresse pour qui vous chantiez ou pour laquelle Amour vous étreigne ? Guillaume répond : Seigneur, et comment ferais-je pour chanter, si Amour ne me pressait pas ? Sachez la vérité, monseigneur, qu'Amour m'a tout en son pouvoir. Raymond répond : Je veux bien le croire, qu'autrement vous ne pourriez pas si bien chanter ; mais je veux savoir s'il vous plaît qui est votre dame. — Ah ! seigneur, au nom de Dieu, dit

Guillaume, voyez ce que vous me demandez. Vous savez trop bien qu'il ne faut pas nommer sa dame, et que Bernard de Ventadour dit :

*En une chose ma raison me sert**,*
Que jamais homme ne m'a demandé ma joie,
Que je ne lui en aie menti volontiers.
Car cela ne me semble pas bonne doctrine,
Mais plutôt folie et acte d'enfant,
Que quiconque est bien traité en amour
En veuille ouvrir son cœur à un autre homme,
À moins qu'il ne puisse le servir et l'aider.

« Monseigneur Raymond répond : et je vous donne ma foi que je vous servirai selon mon pouvoir. Raymond en dit tant que Guillaume lui répondit :

« Seigneur, il faut que vous sachiez que j'aime la sœur de madame Marguerite votre femme et que je pense en avoir échange d'amour. Maintenant que vous le savez, je vous prie de venir à mon aide ou du moins de ne pas me faire dommage. — Prenez main et foi, fit Raymond, car je vous jure et vous engage que j'emploierai pour vous tout mon pouvoir ; et alors il lui donna sa foi, et quand il la lui eut donnée, Raymond lui dit : Je veux que nous allions à son château, car il est près d'ici. — Et je vous en prie, fit Guillaume, par Dieu. Et ainsi ils prirent leur chemin vers le château de *Liet*. Et, quand ils furent au château, ils furent bien accueillis par *En*** Robert de Tarascon, qui était mari de madame Agnès, la

* On traduit mot à mot les vers provençaux cités par Guillaume.

** *En*, manière de parler parmi les Provençaux, que nous traduisons par le *sire*.

sœur de madame Marguerite, et par madame Agnès elle-même. Et monseigneur Raymond prit madame Agnès par la main, il la mena dans la chambre, et ils s'assirent sur le lit. Et monseigneur Raymond dit : Maintenant dites-moi, belle-sœur, par la foi que vous me devez, aimez-vous d'amour ? Et elle dit : Oui, seigneur. — Et qui ? fit-il. — Oh ! cela, je ne vous le dis pas, répondit-elle ; et quels discours me tenez-vous là ?

« À la fin tant la pria, qu'elle dit qu'elle aimait Guillaume de Cabstaing. Elle dit cela parce qu'elle voyait Guillaume triste et pensif, et elle savait bien comme quoi il aimait sa sœur ; et ainsi elle craignait que Raymond n'eût de mauvaises pensées de Guillaume. Une telle réponse causa une grande joie à Raymond. Agnès conta tout à son mari, et le mari lui répondit qu'elle avait bien fait, et lui donna parole qu'elle avait la liberté de faire ou dire tout ce qui pourrait sauver Guillaume. Agnès n'y manqua pas. Elle appela Guillaume dans sa chambre tout seul, et resta tant avec lui, que Raymond pensa qu'il devait avoir eu d'elle plaisir d'amour ; et tout cela lui plaisait, et il commença à penser que ce qu'on lui avait dit de lui n'était pas vrai et qu'on parlait en l'air. Agnès et Guillaume sortirent de la chambre, le souper fut préparé et l'on soupa en grande gaieté. Et après souper Agnès fit préparer le lit des deux proche de la porte de sa chambre, et si bien firent de semblant en semblant la dame et Guillaume, que Raymond crut qu'il couchait avec elle.

« Et le lendemain ils dînèrent au château avec grande allégresse, et après dîner ils partirent avec tous les honneurs d'un noble congé et vinrent à Roussillon. Et aussitôt que Raymond le put, il se sépara de Guillaume et s'en vint à sa femme, et lui conta ce qu'il avait vu de Guillaume et de sa sœur, de quoi eut sa femme une grande tristesse toute la nuit. Et le lendemain elle fit appeler Guillaume, et le reçut mal, et l'appela faux ami et traître. Et Guillaume lui demanda merci, comme homme qui n'avait faute aucune de ce dont elle l'accusait, et lui conta tout ce qui s'était passé mot à mot. Et la femme manda sa sœur, et par elle sut bien que Guillaume n'avait pas tort. Et pour cela elle lui dit et commanda qu'il fît une chanson par laquelle il montrât qu'il n'aimait aucune femme excepté elle, et alors il fit la chanson qui dit :

La douce pensée
Qu'amour souvent me donne.

« Et quand Raymond de Roussillon ouït la chanson que Guillaume avait faite pour sa femme, il le fit venir pour lui parler assez loin du château, et il lui coupa la tête qu'il mit dans un carnier ; il lui tira le cœur du corps et il le mit avec la tête. Il s'en alla au château, il fit rôtir le cœur et apporter à table à sa femme, et il le lui fit manger sans qu'elle le sût. Quand elle l'eut mangé, Raymond se leva et dit à sa femme que ce qu'elle venait de manger était le cœur du seigneur Guillaume de Cabstaing, et lui montra la tête, et lui demanda si le cœur avait été bon à manger. Et elle entendit ce qu'il disait et vit et connut la tête du seigneur Guillaume. Elle lui répondit et dit que le cœur avait été si bon et si savoureux, que jamais autre manger ou autre boire ne lui ôterait de la bouche le goût que le cœur du seigneur Guillaume y avait laissé. Et Raymond lui courut sus avec une épée. Elle se prit à fuir, se jeta d'un balcon en bas et se cassa la tête.

« Cela fut su dans toute la Catalogne et dans toutes les terres du roi d'Aragon. Le roi Alphonse et tous les barons de ces contrées eurent grande douleur et grande tristesse de la mort du seigneur Guillaume et de la femme que Raymond avait aussi laidement mise à mort. Ils lui firent la guerre à feu et à sang. Le roi Alphonse d'Aragon ayant pris le château de Raymond, il fit placer Guillaume et sa dame dans un monument devant la porte de l'église d'un bourg nommé Perpignac. Tous les parfaits amants, toutes les parfaites amantes prièrent Dieu pour leurs âmes. Le roi d'Aragon prit Raymond, le fit mourir en prison et donna tous ses biens aux parents de Guillaume et aux parents de la femme qui mourut pour lui. »

Traduction de l'ancien français de Stendhal.

JACQUES DE VORAGINE
(v. 1218-1298)

La légende de Josaphat, prince indien converti au christianisme, et de son maître Barlaam a connu un extraordinaire succès dans la chrétienté orientale — qu'il s'agisse des traditions syriaque, arabe, éthiopienne, géorgienne ou encore arménienne — et, dans une moindre mesure, occidentale. Par une filiation saisissante, elle n'est rien de moins que la christianisation d'une des vies *de Bouddha (d'où provient sans doute, par déformation, le nom du héros), remontant au* V^e^ *siècle avant J.-C : reprise en sanskrit du bouddhisme mahāyāna, elle est intégrée dans les* Tantras, *traduite en pehlvi, puis en arabe à Bagdad au* VIIIe *siècle ; de là, elle se diffuse largement dans une version manichéenne,* Kitab Bilawhar wa-Yudasaf, *avant de passer au* X^e^ *siècle de l'arabe au géorgien puis au grec ; traduite en latin vers 1048 au mont Athos, elle est faussement attribuée à Jean de Damas et se propage en Occident à partir du* XIIe *siècle. Entre 1264 et 1267, elle est reprise par l'Italien Jacques de Voragine, éminent théologien, prédicateur talentueux et futur archevêque de Gênes dans la* Legenda aurea *ou* Légende dorée, *dans la lignée des légendiers dominicains, recueils de vies illustrés notamment au milieu du* XIII*e siècle par Barthélemy de Trente et Vincent de Beauvais. En 182 chapitres, cette encyclopédie monumentale propose à l'admiration des fidèles une compilation des actes saillants des saints, médiateurs par excellence avec le ciel ; l'ouvrage, chef-d'œuvre de « virtuosité didactique*[1] *», est le plus diffusé du Moyen Âge occidental après la Bible : un millier de manuscrits latins, d'innombrables adaptations et traductions.*

Avant même la fortune de La Légende dorée, *c'est émiettée en apologues frappants que la « Vie des saints Barlaam et Josaphat » s'est répandue en Occident : véritable boîte à outils apologétique, la dizaine de contes moraux qui en sont extraits reprennent et augmentent la série des épisodes bibliques (les histoires de Lazare, du festin de noces, les paraboles des talents, du fils prodigue, du bon pasteur, des vierges folles et des vierges sages). Dès le début du* XIII*e siècle, Jacques de Vitry en utilise le répertoire dans ses* exempla, *et l'on en retrouve des éléments, par exemple l'apologue des trois coffrets, chez Boccace et Shakespeare. Adaptée à la scène par Lope de Vega (*Barlaan y Josafat, *1611), l'histoire sert de matériau, vingt-quatre ans plus tard, à* La vie est un songe *de Calderón de la Barca : le thème, profondément bouddhiste, de la réalité conçue comme illusion vient alors servir la théâtralité baroque, et l'affirmation radicale du libre arbitre est mise à contribution par la Contre-Réforme. Mettant en scène l'arrachement de Josaphat à ses origines, son combat contre la « fausse délectation du monde », son dépassement spirituel de l'égotisme et*

1. Alain Boureau, *La Légende dorée : le système narratif de Jacques de Voragine*, préface de Jacques Le Goff, Paris, Éd. du Cerf, 1984, p. 60.

sa quête d'une paix intérieure, cette vie *faussement exotique vaut donc autant par ses paraboles et ses riches ingrédients romanesques que par le croisement de questionnements religieux occidentaux et orientaux qu'elle suscite.*

Voir JACQUES DE VORAGINE, *La Légende dorée*, préface de Jacques Le Goff, édition publiée sous la direction d'Alain Boureau, Paris, Gallimard, coll. « Bibliothèque de la Pléiade », 2004. — Sur *La Légende dorée* : Alain BOUREAU, *La Légende dorée : le système narratif de Jacques de Voragine*, préface de Jacques Le Goff, Paris, Éd. du Cerf, 1984. — Sur Barlaam et Josaphat : Paul PEETERS, « La première traduction latine de "Barlaam et Joasaph" et son original grec », *Analecta Bollandiana*, t. XLIX, 1931, p. 276-312 ; Paul DEVOS, « Les origines du "Barlaam et Ioasaph" grec », *Analecta Bollandiana*, t. LXXV, 1957, p. 83-104 ; Whitney French BOLTON, « Parable, Allegory and Romance in the Legend of Barlaam and Josaphat », *Traditio*, vol. 14, 1958, p. 259-366 ; *Barlaam e Josafat*, édition critique par John E. KELLER et Robert W. LINKER, Madrid, Consejo superior de investigaciones cientificas, Instituto Miguel de Cervantes, 1979 ; Rafael A. AUIRRE, *Barlaam y Josaphat en la narrativa medieval*, Madrid, Playor, 1988.

Vie des saints Barlaam et Josaphat

(*La Légende dorée*)

Barlaam, dont Jean Damascène[1] a compilé l'histoire avec un soin attentif, convertit à la foi le saint roi Josaphat avec l'aide de la grâce divine qui opérait en lui.

En effet, alors que l'Inde tout entière était remplie de chrétiens et de moines, se dressa un roi puissant, du nom d'Avenir, qui persécuta fort les chrétiens et surtout les moines. Mais il arriva qu'un ami du roi, qui tenait le premier rang à la cour, touché par la grâce, quitta la cour du roi et entra dans l'ordre monastique. Le roi l'apprit, en devint fou de rage et le fit rechercher dans tous les déserts. Dès qu'on l'eut trouvé, il se le fit amener. Il le vit couvert d'une pauvre tunique et consumé de faim, lui qui, jadis, était orné de vêtements splendides et avait coutume de jouir d'innombrables délices. Le roi lui dit : « Imbécile, esprit dérangé, pourquoi as-tu échangé les honneurs contre la honte et as-tu voulu devenir un objet de dérision pour les enfants ? » L'autre dit : « Si tu veux en connaître la raison, éloigne de toi tes ennemis ! » Au roi qui lui demandait qui étaient ses ennemis, il répondit : « La colère et l'avidité. Elles t'empêchent de voir la vérité. Que la prudence et l'équité, en revanche, t'assistent pour que tu puisses entendre ce qui doit t'être dit. » Le roi dit : « Qu'il en soit comme tu le veux ! » Et l'autre : « Les insensés méprisent les choses qui existent comme si elles n'existaient pas. Mais celles qui n'existent pas, ils essaient de les posséder comme si elles existaient. Et celui qui n'aura pas goûté la douceur des choses qui existent ne pourra connaître la vraie nature de celles qui n'existent pas. » Et il poursuivit avec de longs développements sur le mystère de l'Incarnation et de la foi. Le roi dit alors : « Si je ne t'avais, dès le début, promis de tenir la colère écartée de notre rencontre, je livrerais maintenant ta chair au feu. Lève-toi donc et fuis loin de mes yeux, que je ne te voie plus, de peur que je ne te mette à mal ! » L'homme de Dieu se retira, triste de n'avoir pas subi le martyre.

Sur ces entrefaites, au roi, qui n'avait pas encore d'enfants, naquit un fils, de très grande beauté, qui fut appelé Josaphat. Le roi réunit une foule immense afin de sacrifier aux dieux en l'honneur de la naissance de l'enfant. Il fit appeler cinquante-cinq astrologues, à qui il s'empressa de demander quel avenir était réservé à son fils. Tous répondirent qu'il serait grand par les richesses et le pouvoir ; mais l'un d'eux, plus instruit, lui dit : « Cet enfant qui t'est né, ô roi, n'appartiendra pas à ton royaume, mais à un autre incomparablement meilleur. En effet, il sera, à mon avis, un dévot de la religion chrétienne que tu persécutes. » Il prononça ses paroles non pas de son propre chef, mais sous l'inspiration de Dieu. Quand il entendit ces mots, le roi en fut fort effrayé, fit construire hors de la cité un très beau palais et y installa l'enfant pour qu'il y demeure. Il y logea en sa compagnie de très beaux jeunes gens, en leur ordonnant de ne mentionner devant lui ni la mort, ni la vieillesse, ni la maladie ni la pauvreté, non plus qu'aucun sujet qui pût apporter de la tristesse à l'enfant. Ils devaient en revanche lui présenter des objets plaisants, de façon que son esprit, occupé par les agréments, ne puisse jamais méditer sur l'avenir. Et s'il arrivait que l'un de ses serviteurs tombât malade, par ordre du roi il était éloigné, et un autre, en bonne santé, lui était substitué. Et le roi commanda qu'on ne fasse jamais mention du Christ devant lui.

En ce temps-là se trouvait, aux côtés du roi, un homme, qui, premier parmi les nobles princes du souverain, était très chrétien, mais en secret. Un jour qu'il était à la chasse avec le roi, il rencontra un pauvre homme qui, blessé au pied par un animal, gisant à terre, lui demanda de le secourir, car il pourrait sans doute lui être utile de quelque manière. Le chevalier lui dit : « Je vais te secourir, mais je ne vois pas en quoi tu pourras te rendre utile. » L'autre répondit : « Je suis un médecin des paroles. En effet, si quelqu'un a été blessé par des paroles, je sais trouver la cure appropriée. » Le chevalier n'attacha aucune importance à ces propos, mais, par égard pour Dieu, il le recueillit et lui prêta secours. Mais certains, jaloux et mauvais, voyant que ce prince jouissait d'une telle faveur auprès du roi, l'accusèrent non seulement de pencher pour la foi chrétienne, mais de chercher à s'emparer du royaume en flattant la foule et en se la conciliant. « Mais, dirent-ils, si tu veux savoir s'il en est bien ainsi, ô roi, convoque-le secrètement, rappelle-lui que cette vie doit rapidement s'achever, et affirme que tu désires donc abandonner la gloire du royaume et prendre l'habit de ces moines que tu as jusqu'ici persécutés par ignorance. Tu verras alors ce qu'il te répondra. » Le roi fit tout ce qu'ils lui avaient conseillé ; le prince, inconscient de la ruse, versa des larmes, loua le projet du roi et, lui rappelant la vanité du monde, lui donna des conseils pour accomplir ce projet au plus vite. Le roi, en entendant cela, crut à la vérité de ce qu'on lui avait dit ; il fut alors rempli de fureur, mais, pourtant, ne répondit rien. L'autre, de son côté, remarqua que le roi l'avait écouté avec beaucoup de gravité et s'éloigna en tremblant. Se rappelant qu'il avait près de lui un médecin des paroles, il lui raconta tout. Ce dernier lui dit : « Il faut que tu saches qu'en raison de tes paroles, le roi a le soupçon que tu veux t'emparer de son royaume. Va donc te faire tondre les cheveux, jette tes vêtements, revêts un cilice et, dès l'aube, parais devant le roi ! Et quand le roi te demandera ce que tu veux de lui, tu lui répondras : "Voilà, ô roi, je suis prêt à te suivre ! Car, bien que la voie que tu veux suivre soit difficile, il me sera facile de la suivre en ta compagnie. Tu m'as eu comme compagnon dans la prospérité ; de la même façon, je t'accompagnerai dans les difficultés. Me voilà donc prêt. Qu'attends-tu ?" » Le prince fit point par point ce qui lui avait été recommandé ; le roi en fut étonné, accusa ses informateurs de calomnie et combla de plus d'honneurs encore le prince.

Le fils du roi donc, élevé au palais, parvint à l'âge adulte, pleinement mûri en tout savoir. Il se demanda alors pourquoi son père l'avait ainsi reclus, il interrogea là-dessus, en secret, l'un de ses serviteurs les plus proches et lui dit qu'il éprouvait beaucoup de tristesse à ne pas avoir le droit de sortir, au point qu'il en perdait le goût de manger et de boire. Son père l'apprit et s'en attrista ; il fit préparer des chevaux de qualité, fit placer sur son chemin des cortèges pour l'applaudir et interdit strictement qu'on croisât quelque laideur. Le jeune homme se promena comme il était convenu, mais il lui arriva de rencontrer un lépreux et un aveugle. Il les vit et s'en étonna ; il demanda de qui il s'agissait et ce qu'ils avaient. Les serviteurs lui dirent : « Ce sont des malheurs qui arrivent aux hommes. » Le jeune homme demanda : « Et cela arrive à tous les hommes ? » Les serviteurs répondirent que non ; il dit alors : « Sait-on à qui ces choses peuvent arriver, ou se produisent-elles sans qu'on puisse les prévoir ? — Qui, entre les hommes, est en mesure de prévoir l'avenir ? » lui fut-il répondu. Il devint donc très anxieux de ce phénomène qui lui était inconnu. Une autre fois, il vit un homme très âgé au visage buriné, au dos voûté, à qui il manquait des dents et qui parlait en balbutiant. Stupéfié, il voulut comprendre le prodige de ce spectacle et, quand il apprit que l'homme était arrivé à cet état en raison du nombre de ses années, il dit : « Et comment cela se termine-t-il ? » Et on lui répondit : « Par la mort. » Il demanda : « La mort saisit-elle tout le monde ou quelques-uns seulement ? » Quand il apprit que tout le monde devait mourir, il demanda : « Et cela se produit au bout de combien d'années ? » On lui répondit : « La vieillesse arrive au bout de quatre-vingts ou cent années et ensuite vient la mort. » Alors le jeune homme, ne cessant de tourner et retourner tout cela dans son cœur, fut plongé dans une grande détresse, mais, devant son père, il feignait d'être heureux, tout en cherchant avec ardeur à se faire tout expliquer et enseigner en ce domaine.

Il arriva alors qu'un moine, parfait de vie et de réputation, qui habitait le désert de la terre de

Sennaar, nommé Barlaam, connut en esprit ce qui arrivait au fils du roi ; il prit alors un habit de marchand et se rendit à la ville. Il vint trouver le précepteur du fils du roi et lui parla ainsi : « Je suis un commerçant et j'ai en vente une pierre précieuse qui rend la vue aux aveugles, ouvre les oreilles des sourds, fait parler les muets, donne la sagesse aux fous. Conduis-moi donc tout de suite auprès du fils du roi et je la lui céderai. » L'autre lui dit : « Tu parais être un homme d'une mûre sagesse ; pourtant tes propos ne conviennent pas à cette sagesse. Mais, comme je possède la science des pierres, montre-moi cette pierre et, si elle s'avère telle que tu le prétends, tu obtiendras du fils du roi les plus grands honneurs. » Barlaam répondit : « Ma pierre a, en outre, cette propriété que celui qui n'a pas une bonne vue et qui n'observe pas une chasteté parfaite perd ses propres capacités visuelles s'il la regarde. Or moi qui m'y connais un peu dans l'art médical, je vois que tu n'as pas de bons yeux ; mais j'ai entendu dire que le fils du roi était chaste et qu'il avait de bons et très beaux yeux. » L'autre dit : « S'il en est ainsi, ne me la montre pas, parce que je n'ai pas de bons yeux et que je me salis dans le péché. » Il annonça alors la chose au fils du roi et l'introduisit aussitôt auprès de lui. Il fut donc introduit et le roi l'accueillit avec respect.

Barlaam dit alors : « Tu t'es bien comporté, ô roi, car tu n'as pas prêté attention à la petitesse apparente et extérieure. Or il y eut une fois un grand roi qui se promenait sur un char doré, quand il rencontra des hommes vêtus de guenilles et rongés de maigreur. Aussitôt, il sauta du char, se jeta à leurs pieds et les adora. Puis il se releva et les embrassa. La scène indisposa fort les grands de son royaume, mais, craignant de reprendre le roi sur ce point, ils rapportèrent à son frère comment le roi avait agi d'une façon indigne de la magnificence royale. Le frère du roi lui fit donc reproche. Le roi avait coutume, quand quelqu'un était condamné à mort, d'envoyer devant la porte du condamné un messager muni d'une trompette réservée à cet usage[1]. Le soir venu, il fit donc sonner de la trompette devant la porte de son frère. En l'entendant, il désespéra de son salut, passa toute la nuit sans sommeil et rédigea son testament. Le matin, vêtu d'habits noirs, il se rendit en pleurs aux portes du palais, en compagnie de sa femme et de ses enfants. Le roi le fit venir et lui dit : "Insensé, si tu as éprouvé une telle peur devant le messager de ton frère, à l'égard de qui tu sais n'avoir commis aucune faute, comment ne devrais-je pas craindre les envoyés de mon Seigneur, contre qui j'ai tant péché ? Ils m'annoncent la mort de façon plus bruyante que la trompette et me signalent la venue terrifiante du Juge." Puis il fit préparer quatre coffres[2], dont deux furent recouverts d'or de toutes parts et remplis d'ossements putrides de cadavres. Il fit remplir de gemmes et de perles précieuses les deux autres, qui avaient été badigeonnés de poix. Il convoqua les grands, dont il savait qu'ils s'étaient plaints auprès de son frère, posa ces coffres devant eux et leur demanda quels étaient les plus précieux. Ils firent savoir que les deux coffres dorés étaient de grand prix, tandis que les autres avaient peu de valeur. Le roi fit alors ouvrir les coffres dorés et aussitôt une puanteur insupportable s'en dégagea. Le roi leur dit : "Ces coffres sont pareils aux hommes qui sont parés de vêtements de gloire, mais qui, intérieurement, sont remplis de la souillure des vices." Puis il fit ouvrir les autres coffres et alors une odeur merveilleuse s'exhala. Le roi leur dit : "Ces coffres sont pareils à ces gens très pauvres que j'ai honorés et qui, bien que vêtus de vils habits, resplendissent pourtant intérieurement de l'éclat parfumé des vertus ; vous ne prêtez attention qu'à l'extérieur, sans considérer l'intérieur." C'est pourquoi tu as bien agi en m'accueillant. »

Barlaam commença alors à tisser un long discours sur la création du monde, sur le péché de l'homme et sur l'Incarnation, la Passion et la Résurrection du Fils de Dieu, parlant longuement du jour du Jugement, de la rétribution des bons et des mauvais, en jugeant très sévèrement ceux qui servaient les idoles et en racontant l'exemple suivant pour montrer leur folie : « Un archer avait capturé un petit oiseau que l'on nomme rossignol[1]. Il voulait le tuer. Mais une voix humaine fut accordée au rossignol, qui dit : "Eh, l'homme, à quoi te servira de me tuer ? Car tu ne pourras rassasier ton ventre avec moi. Mais, si tu me relâches, je te donnerai trois conseils et si tu les suis avec soin, tu pourras en tirer grand profit." L'autre, stupéfié de l'entendre ainsi parler, lui promit de le relâcher s'il lui donnait ces trois conseils. L'oiseau lui dit : "Ne cherche jamais à saisir une chose que tu ne peux saisir. Ne regrette jamais une chose perdue qu'il est impossible de récupérer. Ne crois jamais en des affirmations incroyables. Observe ces trois conseils et tu seras heureux." L'autre relâcha l'oiseau comme il l'avait promis et le rossignol, volant autour de lui, lui dit : "Dommage pour toi, l'homme : quel mauvais conseil tu as reçu et quel grand trésor tu as perdu aujourd'hui ! En effet, il y a dans mes entrailles une perle qui dépasse en taille un œuf d'autruche." Quand il entendit cela, l'archer fut fort attristé d'avoir relâché l'oiseau et il tenta de le reprendre en lui disant : "Viens dans ma demeure : je t'y manifesterai tout le respect possible et je te laisserai partir avec grand honneur." Le rossignol lui répondit : "Désormais, je suis sûr que tu es un sot. En effet, tu n'as tiré aucun profit de ce que je t'ai dit, car tu te plains de moi comme d'une chose perdue et irrécupérable, et tu as tenté de me reprendre, alors que tu ne peux suivre mon trajet et, en outre, tu as cru qu'une aussi grosse perle se trouvait dans mes entrailles, alors qu'en la totalité de mon être je ne peux atteindre la taille d'un œuf d'autruche !" C'est de ce genre de stupidité que font preuve ceux qui se fient aux idoles : ils adorent des êtres fabriqués par eux-mêmes et, ceux qu'ils protègent, ils les appellent leurs protecteurs. »

Il entreprit alors de s'en prendre longuement à la trompeuse délectation du monde et à sa vanité, et de rapporter de nombreux exemples à cette démonstration. Ainsi, il dit : « Ceux qui désirent les plaisirs corporels et laissent leurs âmes mourir de faim sont pareils à un homme qui, fuyant trop vite le regard d'une licorne pour ne point être dévoré par elle, tomba dans un grand précipice[1]. Durant sa chute, ses mains saisirent un arbuste et il appuya ses pieds sur une aspérité glissante et instable. Mais en regardant vers le haut, il vit deux souris, l'une blanche, l'autre noire, qui ne cessaient de ronger la racine de l'arbre qu'il avait saisi ; elles étaient déjà sur le point de la couper. Au fond du précipice, il vit un terrible dragon qui soufflait du feu et qui, la gueule ouverte, espérait le dévorer. Et, sur l'aspérité où il avait posé les pieds, il vit dépasser les têtes de quatre aspics. Levant les yeux, il vit aussi un peu de miel accroché aux branches de l'arbuste et, oubliant les périls qui l'entouraient de toutes parts, il s'abandonna tout entier à la douceur de ce peu de miel.

« La licorne représente ici la mort qui poursuit toujours l'homme et veut le saisir. Le précipice, c'est le monde rempli de tous les maux. L'arbuste, c'est la vie de chacun de nous, qui, sans cesse, est consommée par les heures du jour et de la nuit, comme par une souris blanche et une souris noire, et qui, bientôt, sera tranchée. L'aspérité aux quatre serpents, c'est le corps composé de quatre éléments : quand ils perdent leur équilibre, l'assemblage du corps se dissout. Le dragon terrible, c'est la gueule de l'enfer qui attend de dévorer tout le monde. La douceur qui vient de la branche de l'arbuste, c'est la trompeuse délectation du monde, à laquelle l'homme se laisse prendre au point de ne plus voir le danger qui le guette. »

Puis Barlaam ajouta : « Ceux qui chérissent le monde sont aussi pareils à cet homme qui avait trois amis[1]. Il aimait le premier plus que lui-même, le deuxième autant que lui-même, et le troisième moins que lui-même, comme s'il était quantité négligeable. Un jour donc, il se trouva en grand danger et fut convoqué devant le roi ; il accourut vers le premier ami en lui demandant son aide et en lui rappelant combien il l'avait toujours aimé. L'autre lui dit : "Je ne sais qui tu es, l'homme ! J'ai d'autres amis avec qui je dois aujourd'hui prendre du bon temps, et, ensuite, je les aurai toujours comme amis. Je te donne pourtant deux morceaux de sac pour que tu puisses t'en couvrir." Rempli de confusion, il alla alors trouver le deuxième ami et lui adressa la même demande d'aide. L'autre dit : "Je n'ai pas le temps de te suivre dans tes luttes, car j'ai beaucoup à faire. Mais je vais t'accompagner un peu, jusqu'à la porte du palais, et je rentrerai aussitôt chez moi pour vaquer à mes propres affaires." Triste et désespéré, il se rendit alors chez le troisième ami, et, la tête basse, lui dit : "Je ne sais comment te parler, puisque je ne t'ai pas aimé comme j'aurais dû, mais, plongé dans les épreuves et abandonné par mes amis, je te demande de me prêter ton aide et de me pardonner." Et l'autre lui dit avec un visage joyeux : "Je reconnais à coup sûr que tu es un ami très cher et je n'oublie pas le bienfait que tu m'as accordé, même s'il est modeste. Je vais te précéder et intervenir pour toi auprès du roi, afin qu'il ne te livre pas aux mains de tes ennemis." Le premier ami, c'est la possession des richesses, pour lesquelles l'homme se soumet à de nombreux périls. Mais, quand vient l'heure de la mort, il ne peut rien emporter de toutes ces richesses, sinon de pauvres étoffes pour l'ensevelir. Le deuxième ami représente l'épouse, les enfants et les parents qui ne l'accompagnent que jusqu'au tombeau et reviennent immédiatement pour vaquer à leurs soucis. Le troisième ami, c'est la foi, l'espérance et la charité, les aumônes et autres bonnes œuvres qui, au moment où nous quittons notre corps, peuvent nous précéder et intervenir pour nous auprès de Dieu et nous libérer de nos ennemis les démons. »

Barlaam ajouta encore ceci : « Dans une grande cité, c'était la coutume de choisir chaque année comme prince un homme étranger et inconnu[1]. Une fois que le pouvoir lui était conféré, il pouvait faire tout ce qu'il voulait et gouvernait sans la moindre constitution. Il se plongeait alors dans toutes les délices et pensait qu'il en serait toujours ainsi, quand, tout d'un coup, les citoyens s'insurgeaient contre lui, le traînaient nu à travers toute la cité et l'exilaient dans une île lointaine, où il ne trouvait ni nourriture ni vêtements et souffrait de faim et de froid. Mais il arriva un jour, finalement, que l'un de ceux qui étaient élevés sur le trône eut connaissance de la coutume de ces citoyens ; il envoya donc d'immenses trésors sur l'île où, après un an, il fut relégué en exil et où il jouit d'infinies délices, tandis que les autres périssaient de faim. Cette cité, c'est le monde ; ces citoyens, ce sont les princes des ténèbres, qui nous attirent avec la fausse délectation du monde. Puis la mort nous surprend à l'improviste et nous sommes plongés dans le lieu des ténèbres. Mais l'envoi des richesses vers le lieu éternel se fait par les mains des pauvres. »

Alors, une fois que Barlaam eut achevé d'instruire le fils du roi et que ce dernier eut exprimé son désir de le suivre en quittant son père, Barlaam lui dit : « Si tu agis ainsi, tu seras semblable à un jeune homme qui ne voulait pas épouser une dame noble, la refusa et s'enfuit ; arrivant quelque part, il vit une vierge, fille d'un pauvre vieillard, qui travaillait et chantait à pleine voix les louanges de Dieu. Il lui demanda : "Que fais-tu là, femme ? Alors que tu es pauvre, pourtant tu rends grâce à Dieu comme si tu en avais reçu de grands bienfaits !" Elle répondit : "De même qu'un modeste remède libère souvent d'une grande maladie, de même un remerciement pour de petits dons devient la cause de l'augmentation des dons. Les choses extérieures ne sont pas nôtres, mais les choses qui sont en nous sont nôtres. De Dieu, j'ai reçu de grandes choses, car il m'a faite à son image, m'a donné l'intellect, m'a appelée vers sa gloire et m'a déjà ouvert la porte de son royaume. Pour de si grands et si nombreux dons, il convient donc que je le loue." Le jeune homme, voyant sa sagesse, la demanda en mariage à son père. Mais ce dernier lui répondit : “Tu ne peux pas avoir ma fille comme épouse, parce que tu es fils de gens riches et nobles, et que je suis pauvre.” Et comme le jeune homme insistait auprès de lui, le vieillard dit : “Je ne peux te la donner à emmener dans la maison de ton père, car je n'ai qu'elle.” Le jeune homme répondit : “Je resterai auprès de vous et je me conformerai en tout à votre mode de vie.” Il déposa alors ses vêtements précieux, revêtit l'habit du vieillard, demeura près de lui et épousa sa fille. Mais le vieillard, après l'avoir mis à l'épreuve assez longtemps, le conduisit à la chambre nuptiale et lui montra une immense masse de richesses, comme il n'en avait jamais vues, et lui donna le tout. »

Josaphat dit alors : « Ton récit s'applique bien à moi et je pense que tu l'as dit à propos de moi ; mais, dis-moi, Père, quel âge as-tu et où vis-tu ? Car je ne veux jamais me séparer de toi. » L'autre dit : « J'ai quarante-cinq ans et je vis dans les déserts de la terre de Sennaar. » Josaphat répondit : « Mais, Père, tu parais avoir plus de soixante-dix ans ! » Barlaam rétorqua : « Si tu cherches à connaître les années écoulées depuis ma naissance, ton estimation est juste, mais dans la durée de ma vie, je compte pour rien les années passées dans la vanité du monde ; car j'étais alors mort à mon homme intérieur et je n'appellerai jamais années de vie ces années de mort. » Alors, comme Josaphat voulait le suivre dans le désert, Barlaam lui dit : « Si tu fais cela, je serai bientôt privé de ta compagnie et je me considérerai comme responsable de la persécution de mes frères. Mais quand tu verras que c'est le bon moment, tu viendras à moi. »

Alors Barlaam baptisa le fils du roi, l'instruisit

parfaitement en la foi, l'embrassa et retourna vers son lieu de séjour. Après avoir appris que son fils était devenu chrétien, le roi fut plongé dans une grande douleur. Mais un de ses amis, nommé Arachis, le consola en lui disant : « Ô roi, je connais un vieil ermite, qui appartient à notre religion et qui ressemble en tout à Barlaam. Se faisant donc passer pour Barlaam, il défendra d'abord la foi des chrétiens, puis il se laissera vaincre et rétractera tout ce qu'il aura enseigné. Et ainsi le fils du roi nous reviendra. » Ayant donc rassemblé une grande armée, le prince partit en quête de Barlaam et, capturant l'ermite, prétendit qu'il avait capturé Barlaam. Quand le fils du roi apprit que son maître avait été pris, il pleura amèrement, mais, ensuite, grâce à une révélation de Dieu, il sut qu'il ne s'agissait pas de lui.

Le père se rendit auprès de son fils et lui dit : « Mon fils, tu m'as plongé dans une grande tristesse, tu as déshonoré mes cheveux blancs et tu as ôté la lumière de mes yeux. Pourquoi as-tu fait cela, mon fils, et pourquoi as-tu abandonné le culte de mes dieux ? » Josaphat répondit : « Mon père, j'ai fui les ténèbres, j'ai couru vers la lumière, j'ai abandonné l'erreur et reconnu la vérité. Ne peine pas en vain, puisque tu ne pourras pas me faire renoncer au Christ : exactement comme il t'est impossible de toucher de la main le sommet du ciel ou d'assécher une mer profonde, de même mon renoncement au Christ est impossible, sache-le. » Le roi dit alors : « Et qui est responsable de tous mes maux, sinon moi-même qui ai fait pour toi des choses si magnifiques, telles que jamais aucun père n'en a faites pour son fils ? C'est donc ta volonté perverse et ton ambition effrénée qui t'ont enragé de délire contre ma vie ! C'est à juste titre que les astrologues, le jour de ta naissance, ont déclaré que tu serais arrogant et désobéissant envers tes parents. Mais désormais, si tu n'acquiesces pas à ma volonté, tu ne seras plus mon fils, et, de ton père, je me transformerai en ton ennemi ; je te ferai ce que je n'ai pas encore fait à mes ennemis. » Josaphat lui répondit : « Pourquoi, ô roi, t'attristes-tu de ce que désormais je participe à tant de biens ? Quel père s'est jamais montré triste devant la prospérité de son fils ? Je ne t'appellerai plus père et, au contraire, si tu t'opposes à moi, je te fuirai comme on fuit un serpent. »

Le roi le quitta alors en proie à la colère et rendit compte à son ami Arachis de la dureté de son fils. Son ami lui conseilla de ne pas user de paroles dures à son égard, parce que l'enfant se laisserait plutôt attirer par des paroles caressantes et douces. Le lendemain, le roi vint donc trouver son fils, l'enlaça et l'embrassa en lui disant : « Mon très cher fils, honore les cheveux blancs de ton père ; respecte ton père, mon fils. Ignores-tu combien il est bon d'obéir à son père et de lui apporter de la joie, et combien, en revanche, il est mal de l'irriter ? Tous ceux qui l'ont fait ont mal terminé. » Josaphat répondit : « *Il est un temps pour aimer et un temps pour haïr, un temps pour la paix et un temps pour la guerre*[1], car nous ne devons nullement obéir à ceux qui nous détournent de Dieu, qu'ils soient nos pères ou nos mères. » Son père, voyant sa constance, lui dit alors : « Comme je vois ton obstination et que tu ne veux pas m'obéir, viens au moins et croyons tous deux ensemble en la vérité. Car Barlaam, qui t'a entraîné dans l'erreur, est entre mes mains. Que les nôtres et les vôtres se réunissent avec Barlaam. Je ferai connaître par mon héraut que tous les

Galiléens peuvent venir sans crainte. La discussion s'engagera et, si votre Barlaam l'emporte, je croirai en vous. Mais si ce sont les nôtres qui l'emportent, vous nous suivrez. » Cette proposition plut au fils du roi. Les autres arrangèrent avec le faux Barlaam la façon dont il devait d'abord feindre de défendre la foi chrétienne, en s'engageant à se laisser ensuite dominer. Puis tous se rassemblèrent.

Josaphat dit alors à Nachor[1] : « Tu sais, Barlaam, comment tu m'as instruit. Si donc tu défends la foi que tu m'as enseignée, je resterai fidèle à ton enseignement jusqu'à la fin de ma vie. Mais si tu es vaincu, je me vengerai sur toi de cet affront que j'aurai subi ; arrachant de mes mains ton cœur et ta langue, je les donnerai aux chiens, afin que personne n'ait plus l'audace d'induire en erreur les fils de rois. » À ces paroles, Nachor fut en proie à la tristesse et à la terreur, en se voyant tomber dans la fosse qu'il avait creusée, et pris à son propre piège. Il réfléchit donc et décida qu'il était meilleur de passer du côté du fils du roi, afin d'échapper au danger pesant sur sa vie. Or le roi lui avait dit publiquement de défendre sa foi sans crainte. Un des rhéteurs se leva alors et dit : « Es-tu Barlaam qui a entraîné dans l'erreur le fils du roi ? » L'autre répondit : « Je suis Barlaam ; je n'ai pas entraîné le fils du roi dans l'erreur, mais je l'en ai libéré. » Le rhéteur continua : « Alors que des hommes remarquables et admirables ont adoré nos dieux, comment oses-tu t'élever contre eux ? » L'autre rétorqua : « Les Chaldéens, les Grecs et les Égyptiens ont erré en disant que des créatures étaient des dieux. En effet, les Chaldéens ont cru que des éléments étaient des dieux, alors qu'ils ont été créés à l'usage des hommes, pour être soumis à leur domination, et qu'ils sont passibles de nombreuses dégradations. Les Grecs, quant à eux, considèrent comme dieux des gens abominables, comme Saturne, dont ils disent qu'il a mangé ses enfants, qu'il s'est coupé les parties génitales pour les lancer dans la mer, d'où Vénus serait née ; ils disent aussi qu'il aurait été enchaîné par le soin de son fils Jupiter et jeté dans le Tartare. Jupiter, quant à lui, est présenté comme le roi des dieux, lui dont ils disent pourtant qu'il se métamorphosa souvent en animal pour commettre des adultères. Ils disent aussi que Vénus est une déesse adultère, car elle eut comme amant tantôt Mars, tantôt Adonis. Quant aux Égyptiens, ils ont adoré des animaux : la brebis, le veau, le porc et autres bêtes. Mais les chrétiens adorent le Fils du Très-Haut, qui est descendu du ciel et a pris chair. » Nachor entreprit alors de défendre la foi des chrétiens par l'évidence et de la soutenir par des arguments rationnels, au point que ces rhéteurs en devinrent muets et ne surent pas du tout comment répliquer. Josaphat s'en réjouit fort, d'autant que le Seigneur avait défendu la vérité grâce à l'ennemi de la vérité. Le roi, en revanche, était rempli d'une violente fureur. Il fit ajourner l'assemblée, comme s'il voulait reprendre ces questions le lendemain, et Josaphat dit à son père : « Permets à mon maître de demeurer avec moi cette nuit, afin que nous délibérions ensemble des réponses à apporter demain, tandis que toi tu prendras les tiens avec toi, et que tu conféreras avec eux. Ou bien laisse les tiens avec moi et accueille mon orateur. Sinon, tu auras exercé non pas la justice, mais la violence. » Le roi lui accorda donc Nachor, en gardant l'espoir qu'il le tromperait. Quand le fils du roi rentra au palais avec Nachor, il lui dit : « Ne crois pas que j'ignore qui tu es ; je sais que tu n'es pas Barlaam, mais l'astrologue Nachor. » Et Josaphat commença à lui prêcher la voie du salut, le convertit à la foi et, au matin, l'envoya dans le désert, où il reçut le baptême et mena une vie d'ermite.

Mais un magicien du nom de Théodas apprit ce qui se passait, vint trouver le roi et lui promit qu'il ramènerait son fils aux lois de son père. Le roi lui dit : « Si tu fais cela, je t'élèverai une statue d'or et je lui offrirai des sacrifices comme aux dieux. » L'autre poursuivit : « Écarte tous les gens de ton fils et fais entrer auprès de lui des femmes belles et parées, et veille à ce qu'elles soient toujours avec lui, le servent, vivent et séjournent avec lui. Et moi, j'enverrai vers lui un de mes esprits, qui l'enflammera de désir. Car rien ne peut séduire autant les jeunes gens que le visage des femmes. Ainsi, un roi venait d'avoir un fils et des médecins fort savants lui dirent que ce fils perdrait la vue s'il voyait le soleil ou la lune avant l'âge de dix ans[1]. Le roi fit donc creuser une caverne dans la roche et ordonna que son fils y demeure jusqu'à l'âge de dix ans. Quand ce temps fut écoulé, le roi fit apporter devant lui des exemplaires de toutes les choses, afin qu'il puisse avoir accès aux noms et à la connaissance de toutes choses. On apporta donc devant lui de l'or, de l'argent, des pierres précieuses, des vêtements splendides, des chevaux dignes des rois et des exemplaires de toutes choses. Et quand il demandait le nom de chacune de ces choses, les serviteurs le lui indiquaient. Et quand il demanda avec insistance à apprendre le nom des femmes, le porte-épée du roi lui dit en riant qu'elles étaient les démons qui trompent les hommes. Or, quand le roi demanda à son fils ce qu'il avait le plus aimé parmi tout ce qu'il avait vu, il dit : "Pourrait-ce être autre chose que 'les démons qui trompent les hommes' ? Mon âme ne s'est jamais autant enflammée devant un objet." Ne crois donc pas qu'il y ait d'autre moyen de vaincre ton fils. »

Le roi congédia donc tous les serviteurs et entoura son fils de belles jeunes filles qui l'excitaient sans cesse au plaisir, et il n'avait personne d'autre à voir, à qui parler ni avec qui prendre ses repas. Et un esprit malin, envoyé par le magicien, se rua sur le jeune homme et alluma en lui une grande fournaise ardente. De l'intérieur, l'esprit malin l'enflammait, tandis que, de l'extérieur, les jeunes filles excitaient en lui une ardeur irrésistible. Lui, en se sentant tourmenté aussi violemment, était troublé ; il se recommanda tout entier à Dieu et en reçut consolation. Et toute tentation disparut. Ensuite, son père lui envoya une jeune fille d'une très grande beauté, orpheline d'un roi. L'homme de Dieu entreprit de lui prêcher la foi, mais elle répondit : « Si tu veux me sauver du culte des idoles, unis-toi à moi par le lien du mariage. Car même les chrétiens n'ont pas horreur du mariage ; au contraire, ils le louent, puisque leurs patriarches, leurs prophètes et leur apôtre Pierre ont eu des épouses. » Josaphat lui répondit : « Il est inutile de poursuivre cette argumentation avec moi. Il est certes permis aux chrétiens de se marier, mais non pas à ceux qui ont promis au Christ de conserver leur virginité. » Elle répliqua : « Qu'il en soit comme tu veux, mais, si tu veux sauver mon âme, accorde-moi au moins une petite faveur : couche avec moi cette nuit seulement et je te promets que, dès l'aube, je me fais chrétienne. Car si, comme vous le dites, les anges au ciel se réjouissent pour un seul pécheur qui se repent, une grande récompense n'est-elle pas due à l'auteur d'une conversion ? Cède-moi donc une seule fois et ainsi tu me sauveras. » La jeune fille commençait donc à ébranler fortement le donjon de son âme, quand le démon, voyant la situation, dit à ses compagnes : « Vous voyez comment cette fille a pu atteindre ce que nous n'avons pu atteindre. Venez donc ; jetons-nous sur lui. Le moment est venu. » Le jeune saint, se voyant ainsi acculé, puisque, d'un côté, le désir le soulevait et que, de l'autre, à la suggestion du diable, le salut de la jeune fille l'émouvait, fondit en larmes et se livra à la prière. Il s'endormit durant cette prière et se vit emmener dans un pré orné de belles fleurs, où les feuilles des arbres, mues par une agréable brise, produisaient un son très doux, tandis que s'exhalait une admirable odeur. Les fruits étaient très beaux au regard, très alléchants. Il y avait des sièges faits d'or et de gemmes, des lits brillant d'ornements très précieux, des eaux très claires couraient partout. Puis on l'introduisit dans une cité dont les murs étaient d'or fin et qui resplendissait d'une admirable clarté : là, des troupes célestes chantaient un cantique qu'aucune oreille mortelle n'avait jamais entendu. On lui dit alors : « C'est le lieu des bienheureux. » Ses guides voulaient le ramener, mais il leur demandait de lui permettre de rester. Ils répondirent : « C'est au prix d'un grand labeur que tu arriveras ici, si toutefois tu peux te faire violence. » Puis ils le conduisirent en des lieux très affreux, pleins de toutes sortes d'immondices, et il lui fut dit : « Voici le lieu des injustes. » Et quand il se réveilla, la beauté de la jeune fille et des autres lui sembla plus repoussante que du fumier. Les esprits malins revinrent auprès de Théodas, qui leur fit force reproches. Mais ils dirent : « Avant qu'il se soit signé du signe de croix, nous nous sommes précipités sur lui et l'avons fortement troublé ; mais, dès qu'il s'est protégé du signe de croix, il nous a poursuivis avec courroux. »

Alors Théodas alla trouver Josaphat en compagnie du roi, en espérant le persuader. Mais le magicien fut pris par celui qu'il voulait prendre et, converti par lui, il reçut le baptême et mena dès lors une vie digne de louanges. Sur le conseil de ses amis, le roi, au désespoir, laissa à son fils la moitié de son royaume. Ce dernier, bien qu'il désirât de tout cœur le désert, accepta pourtant provisoirement le royaume pour assurer le développement de la foi. Dans ses cités, il fit construire des temples et des croix, et convertit tout son peuple au Christ. Son père, consentant enfin aux raisons et à la prédication de son fils, embrassa la foi du Christ, reçut le baptême ; il laissa la totalité du royaume à son fils, s'adonna aux œuvres de pénitence et acheva ensuite sa vie de façon louable.

Josaphat voulut à plusieurs reprises se retirer en nommant Barachias comme roi, mais, à chaque fois, son peuple le retrouva. Il réussit enfin : en se dirigeant vers le désert, il donna son habit royal à un pauvre et lui-même se revêtit bien pauvrement. Mais le diable ne cessait de lui tendre des pièges : quelquefois, en effet, il se précipitait sur lui avec un glaive dégainé, et menaçait de le frapper s'il ne renonçait pas. D'autres fois, il lui apparaissait sous forme de bête sauvage, en grinçant des dents et en poussant un affreux mugissement. L'autre disait alors : « *Le Seigneur est mon secours et je n'aurai pas peur de ce qu'un homme peut me faire*[1]. » Josaphat demeura deux ans à errer dans le désert et ne put trouver Barlaam. Enfin, il trouva une grotte et se tint debout à l'entrée en disant : « Donne ta bénédiction, Père, donne ta bénédiction ! » Barlaam, en entendant cette voix, sortit hors de la grotte ; ils s'embrassèrent et se serrèrent l'un contre l'autre en une fervente accolade, sans pouvoir s'en lasser. Josaphat raconta à Barlaam tout ce qui était arrivé et ce dernier adressa d'immenses actions de grâce à Dieu. Josaphat demeura là de nombreuses années, vivant dans une abstinence et une vertu admirables. Enfin, Barlaam parvint au terme de ses jours et reposa en paix vers l'an du Seigneur 380. Josaphat, qui avait quitté la royauté à l'âge de vingt-cinq ans, supporta le labeur érémitique pendant trente-cinq ans, et, alors, resplendissant de nombreuses vertus, reposa en paix et fut enseveli en compagnie de Barlaam. Après avoir appris cela, le roi Barachias arriva avec une grande armée, prit avec révérence leurs corps et les transporta dans sa cité ; de nombreux miracles se produisirent autour de leur tombeau.

Traduction du latin d'Alain Boureau, Monique Goullet et Laurence Moulinier.

SAINT ANTONIN DE FLORENCE
(1389-1459)

« Une des gloires de Flaubert sera d'avoir senti si vivement que la grande force de création vient de l'imagination obscure des peuples et que les chefs-d'œuvre naissent de la collaboration d'un génie avec une descendance d'anonymes », écrit Marcel Schwob, auteur du recueil des Vies imaginaires, *à propos de « La Légende de saint Julien l'Hospitalier », second des* Trois contes *de Gustave Flaubert. Dans l'immense bibliothèque constituée par la littérature hagiographique (qui comporte cinq Julien différents), la vie de Julien l'Hospitalier, patron des charpentiers, des hôteliers et des passeurs, rappelle profondément un conte populaire, autant par la présence du surnaturel que par celle de motifs folkloriques archétypaux (la chasse au cerf, le lépreux) que l'on retrouve notamment dans la légende de saint Eustache : « Le thème général du conte est absolument identique aux thèmes de l'histoire d'Œdipe, du prince Agib, du troisième calandar des* Mille et Une Nuits, *et de la* Belle au Bois dormant[1] », *faisait remarquer Schwob*

1. Marcel Schwob, « Saint Julien l'hospitalier », préface à *La Légende de saint Julien l'Hospitalier* de Gustave Flaubert

dans une étude qui n'a pas vieilli, avant de souligner la difficulté de rattacher la légende de saint Julien à quelque ancrage historique ou géographique que ce soit :

> La tradition religieuse ne nous donne rien de précis sur Julien l'Hospitalier. Ce n'est pas un saint martyr. Ce n'est pas un saint local, et nous ignorons près de quel fleuve dangereux il put construire son hôpital. Car l'invention de Ferrarius, où il suppose que peut-être Julien aurait vécu en Vénétie parmi les Carnes, est réfutée par les Bollandistes. Et si on l'a adoré en Belgique, en Istrie, en Sicile et en Catalogne, il ne paraît pas qu'aucun récit affirme sa présence en ces pays. Tantôt il est peint comme un chasseur, tantôt comme un passeur de rivière, tantôt avec le cerf qui lui annonça son crime. Il ne faut pas s'attacher davantage aux termes de *Chevalier*, de *Château fort* et de *Châtelaine*, qui nous fixent tout au plus la date approximative à laquelle son histoire fut rédigée[1].

De ce saint aux origines obscures, Flaubert a récrit la légende dans ce cycle hagiographique moderne que sont les Trois contes *(1877). La version faussement archaïque du romancier s'insère dans un triplet aux côtés d'*Un cœur simple, *biographie naturaliste d'une servante qui touche à la sainteté mystique par l'intensité de son sacrifice, dans la tradition populaire des* Fioretti *franciscains, et d'*Hérodias, *fiction historique en appelant à l'imagerie populaire comme à l'érudition savante pour relater l'histoire de Salomé et de Jean Baptiste. En choisissant un sujet des plus*

[1895], dans *Spicilège*, Paris, Société du Mercure de France, 1896, p. 157-163.

1. *Ibid.*, p. 163-164.

ambigus (puisque la légende de ce saint Œdipe mêle inextricablement parricide et vocation) et des plus archaïques (pensons à la figure du cerf parlant), en insistant sur la réticence de Julien devant sa destinée, en surenchérissant sur le caractère naïf et maladroit du conte, en se défaussant de la responsabilité du récit sur la représentation picturale (« Et voilà la légende de saint Julien l'Hospitalier, telle à peu près qu'on la trouve, sur un vitrail d'église, dans mon pays[1] *»), le romancier dénie à la légende son exemplarité religieuse — ou, du moins, il en interroge la portée métaphysique, évolution que l'on mesurera en regard du récit folklorique primitif.*

Nous reproduisons ici la version exhumée en 1893 par Marcel Schwob de cette légende première[2]*. Schwob traduit le récit d'Antonio Perozzi (1389-1459), archevêque de Florence qui aménagea légèrement les textes recueillis au* XIIIe *siècle par les dominicains Barthélemy de Trente et Jean de Beauvais.*

Voir Jacques de Voragine, *La Légende dorée*, *op. cit.* ; Gustave Flaubert, *La Légende de saint Julien l'Hospitalier*, dans *Trois Contes* [1877], repris dans *Œuvres*, t. II, Paris, Gallimard, coll. « Bibliothèque de la Pléiade », 1975, p. 623-648 ; Marcel Schwob, *Œuvres*, textes réunis et présentés par Alexandre Gefen, préface de Pierre Jourde et Patrick McGuinness, chronologie d'Alexandre Gefen et Bernard Gauthier, Paris,

1. Gustave Flaubert, *La Légende de saint Julien l'Hospitalier*, dans *Œuvres*, t. II, Paris, Gallimard, coll. « Bibliothèque de la Pléiade », 1975, p. 648.

2. Marcel Schwob, « Saint Julien l'Hospitalier », préface à Gustave Flaubert, *La Légende de saint Julien l'Hospitalier*, Paris, Ferroud, 1893 ; repris dans *Spicilège*, *op. cit.*

Les Belles Lettres, 2002, p. 598-607. — Sur la légende de saint Julien : Baudouin de Gaiffier, « La légende de saint Julien l'Hospitalier », *Analecta Bollandiana*, t. LXIII, 1945, p. 145-219, et « Notes complémentaires », *ibid.*, t. XCIV, 1976, p. 5-17.

Saint Julien l'Hospitalier

On ne connaît ni le pays de Julien ni le temps où il vivait. Jacques de Voragine fixe sa fête au 27 janvier, tandis que d'ordinaire on la célèbre le 20 ; mais en Italie, en Sicile et en Belgique, elle tombe le 12 février, près de Barcelone, le 28 août.

Ferrarius, dans le catalogue des saints d'Italie, affirme qu'on honore saint Julien dans le diocèse d'Aquilée, en Istrie ; Domeneccus, dans l'*Histoire des saints de Catalogne*, cite la vénération qu'on a pour lui au bourg de Del Fou, qui fait partie du diocèse de Barcelone ; en Belgique, les hôpitaux étaient placés sous son invocation, et on l'adorait pareillement à la bonne *Landgraefin* sainte Élisabeth ; enfin on a imaginé qu'il aurait pu vivre chez les Carnes, en Vénétie, parce que les fleuves y sont tumultueux et dangereux au passage.

Maurolycus rapporte qu'on le représentait en Sicile sous les vêtements et l'attirail d'un chasseur ; tandis qu'en Belgique, les peintres en faisaient un chevalier ou un seigneur, avec une petite barque à la main et un cerf à son côté ; on trouve enfin son histoire, « telle à peu près » que l'écrivit Flaubert, sur un vitrail de la cathédrale de Rouen.

La vie de Julien a été recueillie dans la Légende Dorée, par Jacques de Voragine, évêque de Gênes (mort en 1298), et c'est le même texte, sauf d'insignifiantes variations, qu'on pouvait lire dans saint Antonin et dans le *Speculum historiale* de Vincent de Beauvais (mort en 1264). Nous n'avons pas d'autres documents sur saint Julien ; et la diversité de ses insignes et de ses fêtes ne permet pas de conjectures sur sa patrie, sur le siècle où il vécut, sur la noblesse de sa race. La tradition religieuse, pour lui, est brève et obscure.

Voici la légende, telle qu'on la trouve dans saint Antonin :

VIE DE SAINT JULIEN L'HOSPITALIER TIRÉE DE SAINT ANTONIN

Un jour que Julien allait à la chasse, étant jeune homme et noble, il rencontra un cerf et se mit à le poursuivre.

Soudain, le cerf se retourna vers lui et lui dit :

— Pourquoi me poursuis-tu, toi qui seras le meurtrier de ton père et de ta mère ?

À ces paroles, Julien fut frappé de stupeur. Et afin qu'il ne lui arrivât pas ce que le cerf avait prédit, il s'enfuit et abandonna tout. Il alla vers une région très lointaine, où il s'attacha au service d'un prince. Là il se conduisit avec tant de vaillance à la guerre et au palais, que le prince le fit chevalier et lui donna pour femme une noble veuve châtelaine, qui lui apporta son château en dot.

Cependant les parents de Julien, éplorés d'amour pour leur fils, erraient, vagabonds, à sa recherche. Ils parvinrent enfin au château fort que commandait Julien. Mais Julien se trouvait absent. Sa femme les vit et leur demanda qui ils étaient. Et eux lui racontèrent ce qui était arrivé à leur fils et comment ils voyageaient pour le chercher. Alors elle comprit que c'étaient les parents de Julien, d'autant que son mari lui avait souvent dit les mêmes choses. Et elle les reçut avec honneur et leur donna sa propre couche pour s'y reposer, et se fit préparer un autre lit. Le matin venu, la châtelaine alla à l'église, laissant dormir dans son lit les parents de Julien, lassés. Cependant Julien, rentrant chez lui, et, pénétrant dans la chambre nuptiale afin de réveiller sa femme, y trouva ses parents qui dormaient. Mais il ne savait pas que c'étaient ses parents : et ayant soupçonné tout d'un coup que sa femme était couchée là avec un amant, il tira silencieusement son glaive et les égorgea tous deux.

Puis il sortit du château et rencontra sa femme qui revenait de l'église. Et il lui demanda qui étaient ces gens qu'il avait trouvés dans son lit. Elle lui dit que c'étaient ses parents qui très doucement le cherchaient et qu'elle avait avec grand honneur reçus dans sa propre chambre.

Alors Julien manqua de se pâmer et commença à pleurer très amèrement disant : « Malheur à moi, qui viens d'égorger mes très doux parents ! Que ferais-je ? Voici qu'elle est accomplie la parole du cerf ; et j'ai trouvé ici le drame dont la peur m'a fait fuir ma maison et ma patrie. Adieu donc, ma très douce sœur ; car je ne prendrai plus de repos que je ne sache si Dieu a agréé mon repentir. »

Et la femme de Julien lui dit : « Oh ! non, mon très doux frère, je ne t'abandonnerai pas ; mais puisque j'ai pris ma part de tes joies, je prendrai ma part de tes douleurs et de ta pénitence. »

Ils quittèrent le pays. Près d'un grand fleuve très

périlleux à traverser, ils construisirent un grand hôpital. Et là ils restèrent leur temps de pénitence et ils servaient de passeurs à ceux qui voulaient traverser le fleuve, et ils donnaient l'hospitalité aux pauvres.

Et beaucoup de temps après, une nuit que Julien, lassé, reposait (la gelée dehors était intense), il entendit une voix qui pleurait et se lamentait et criait : « Julien ! Fais-moi passer le fleuve ! » Julien, réveillé, se leva et trouva un homme qui déjà défaillait de froid. Il le porta dans sa maison, alluma du feu pour le réchauffer, et le fit coucher dans son lit, sous ses propres couvertures. Et un peu après, celui qui avait paru d'abord si faible et comme lépreux devint rayonnant et s'éleva vers le ciel. Et il dit à son hôte :

— Julien, le Seigneur m'a envoyé vers toi pour te montrer qu'il a accepté ta pénitence (c'était un ange du Seigneur) et dans peu de temps vous reposerez tous deux dans le Seigneur.

Et ainsi il disparut.

Et peu de temps après, Julien et sa femme, pleins d'aumônes et de bonnes œuvres, rendirent leurs âmes au Seigneur.

Telle est la vie de saint Julien, consacrée par la religion. Petrus, *De natalibus*, livre III, chapitre 116, ajoute :

« Et parce qu'il fut l'hôte des pauvres et des pèlerins, les voyageurs l'invoquent pour trouver bon gîte sous le nom de Julien l'Hospitalier ».

Et saint Antonin :

« On récite donc en son honneur le *Notre Père* ou une autre oraison quand on demande bon gîte et protection contre les périls. »

C'est l'oraison de saint Julien. On la récitait ordinairement au temps de Boccace, ainsi qu'il apparaît d'un conte équivoque du *Decamerone* que La Fontaine a imité.

[...]

Traduction de l'italien de Marcel Schwob.

LAURENTIUS SURIUS
(v. 1523-1578)

Le saint Genest que le lecteur français contemporain connaît n'est pas l'acteur décapité sous le règne de Dioclétien, mais plutôt son avatar moderne, le Saint Genet, comédien et martyr, *glose gigantesque et quelque peu écrasante que Jean-Paul Sartre consacra en 1952 à Jean Genet, où l'oppression petite-bourgeoise vient martyriser un poète condamné pour son homosexualité et sa liberté. Une telle récriture va au-delà du simple jeu de mot : pour Sartre, comme pour Genet, qui se pensait lui-même en victime sacrificielle de l'idéologie dominante et qui cultivait un mysticisme profondément pénétré des catégories chrétiennes, le modèle hagiographique informait encore nos représentations de la destinée artistique, conçue tel le combat d'une religion de la vérité contre la société. Même si l'œuvre sartrienne peut être lue comme un manifeste athée érigé à l'encontre de tout désir de transcendance, l'herméneutique tragique propre aux* vies de saints *est, dans un monde sécularisé, bien plus qu'une survivance. Mais si la mémoire culturelle de saint Genest parcourt au contraire toute la littérature, à travers ces relais que sont* Lo fingido verdadero (Il fait semblant et dit vrai) *de Lope de*

Vega (1620), Polyeucte *de Corneille (1643),* Le Martyre de saint Genest *de Desfontaines (1644) et surtout ce chef-d'œuvre de l'âge baroque qu'est* Le Véritable Saint Genest *de Jean de Rotrou (1645), c'est sans doute aussi à cause de la puissance expressive du motif du vrai-faux martyre. D'un « martyre factice et simulé » sur scène pour plaire à l'empereur, Genès « accède à une véritable et sincère profession de foi » : avec ce thème naît l'idée du théâtre comme médiation possible sur le chemin de la foi et de la sainteté, projet réconciliateur dont se souviendront durablement les dramaturges. C'est la version, économique et dense, du chartreux allemand Laurent Sauer (en latin Laurentius Surius), qui servira, avec celle du jésuite Louis Cellot, de source à Rotrou et que nous donnons ici. La légende de Genesius, martyr romain, fêté le 25 août, trouve sa source première dans le martyrologe historique d'Adon de Vienne (858), récit transmis par la médiation des* Historiae de vitis sanctorum *de Luigi Lippomani, évêque de Vérone (1551-1560). Essentiellement connu en tant qu'historien de l'Église, Surius retranche les légendes, les invraisemblances et les histoires apocryphes autant qu'il lui est possible, et abrège les banalités pieuses traditionnellement attachées à la tradition hagiographique. Avec le* Recueil des vies des saints distribuées par mois et par jours selon l'ordre du calendrier romain *(1570-1575), il publia une compilation dont le sérieux est resté une référence jusqu'à la parution des* Acta Sanctorum *bollandistes, à partir du siècle suivant.*

Voir sur l'hagiographie : René AIGRAIN, *L'Hagiographie : ses sources, ses méthodes, son histoire* [1953], Bruxelles, Société des Bollandistes, 2000. — Sur Laurentius Surius : Laurentius Surius, « De S. Genesio mimo » [v. 1570-1577], dans *Historiae seu Vitae sanctorum*, Turin, Marietti, 1877, t. VIII, p. 611-614 ; Jean-Pierre Nicéron, *Mémoires pour servir à l'histoire des hommes illustres dans la République des lettres, avec un catalogue raisonné de leurs ouvrages*, t. XXVIII, Paris, Briasson, 1734, p. 404-407 ; Stanislas Autore, « Surius », dans *Dictionnaire de théologique catholique*, t. XIV, Paris, Letouzey et Ané, 1939 ; Augustin Devaux, « Surius », dans *Dictionnaire de spiritualité ascétique et mystique*, t. XIV, Paris, Beauchesne, 1988.

Vie de saint Genès

Il y avait à Rome, sous le règne de Dioclétien, un comédien du nom de Genès. Comme il ne connaissait pas le vrai Dieu, il avait l'habitude de railler les chrétiens. Désireux d'employer son art à quelque action de ce genre, afin de plaire à l'empereur, il observait attentivement, auprès des chrétiens, les secrets du mystère divin ; et, lorsqu'il eut tout appris avec soin, il se rendit au théâtre. Il monta sur scène, salua les gens de sa troupe qui lui rendirent son salut, s'assit et leur dit : « Vous savez que les chrétiens sont tout particulièrement odieux à nos empereurs ? » Ses compagnons répondirent : « Ce fait est si connu de tous que l'on ne saurait trouver quelqu'un qui l'ignore. » Et Genès : « Eh bien, si vous en êtes d'accord, afin de plaire à notre tout puissant empereur, dévoilons en sa présence les mystères des chrétiens. » Ils approuvent de tout cœur son idée, et il leur apprend les rites sacrés, réglant avec diligence leurs gestes et leurs répliques.

Lorsque vient le jour de la représentation, Genès s'alite comme s'il était souffrant et dit à ses partenaires : « Ah, mes amis, j'ai le cœur gros ; j'aimerais tant être soulagé ! » Et ceux-ci de répondre : « De quelle manière veux-tu donc que nous te soulagions, toi qui as le cœur gros ? Nous prends-tu pour des menuisiers qui pourraient te dégrossir à l'aide d'un rabot ? »

Comme ils faisaient cette réplique et d'autres semblables qui provoquaient le rire du public, Genès, mû par une inspiration divine, leur dit : « Insensés ! Je veux mourir chrétien. » « Pourquoi cela ? » répondent les autres comédiens. « Afin qu'en ce jour, comme un fugitif, je me réfugie en Dieu », fait Genès. À ces mots, Dioclétien ne put réprimer son rire. Les acteurs alors, comme cela avait été convenu, jouent les personnages d'un exorciste et d'un prêtre qui font leur entrée et disent à Genès alité : « Pourquoi nous as-tu fait chercher, fils ? » Genès, qui désormais ne feignait plus, mais parlait selon son cœur, répond : « Je veux recevoir la grâce du Christ pour me sentir naître à nouveau et être tiré de l'abîme de mes crimes. »

Des acclamations s'élèvent du public ; des messagers accourent, apportant des présents au nom de l'empereur. Toute la cérémonie des mystères divins avait désormais été accomplie et Genès, tout de blanc vêtu, distribuait du pain et des pâtisseries, ainsi que des cierges. Voici bientôt que des soldats font irruption, comme s'ils avaient été envoyés par l'empereur. Ils se saisissent de lui et l'emmènent devant le magistrat. Mais alors qu'on l'entraîne pour lui faire subir un martyre factice et simulé, Genès accède à une véritable et sincère profession de foi : il gagne, dans ses vêtements blancs, le lieu où l'attendait l'empereur et, montant sur l'estrade où se trouvait une statue de Vénus, il s'adresse à tous en ces termes :

« Écoute, empereur, et vous tous qui avez quelque sagesse, écoutez. Jusqu'à présent, chaque fois que j'entendais dénoncer des chrétiens, enfoncé dans une intolérable erreur, je me joignais à ceux qui les traînaient en public et je les y traînais de même, et, ceux qui supportaient ces tourments avec constance, je les insultais et j'excitais contre eux la colère de la foule. J'avais, en vérité, une telle horreur des chrétiens que j'aurais quitté pour cette raison mes parents et mes proches, et que j'aurais plutôt enduré les souffrances de la maladie et de la pauvreté que de rester, ne serait-ce qu'un instant, dans ma patrie en leur présence. Ces derniers jours, j'ai eu l'idée d'observer attentivement leurs actions et leurs cérémonies, non pour embrasser leur foi, mais pour faire rire le public en les exposant aux yeux de tous. Mais dès que, déshabillé, j'ai été aspergé, sous votre regard, par l'eau du baptême et que, interrogé, j'ai répondu que je croyais à ce que l'on m'enseignait, j'ai vu au-dessus de moi une main tendue qui venait du ciel, ainsi que les anges de Dieu dont le visage était nimbé de feu. Ceux-ci, se tenant tout près de moi, lisaient dans un livre la liste des turpitudes dont je m'étais rendu coupable depuis mon plus jeune âge jusqu'à aujourd'hui, et me disaient : "Cette eau lave toutes les fautes que tu reconnais avoir commises." Et lorsque j'eus été plongé dans l'eau du baptême et que le livre aussi, en même temps, en eut été aspergé, il apparut plus blanc que neige, de sorte qu'aucune trace de ce qui s'y trouvait écrit auparavant n'était plus visible. Et les anges me dirent : "Sache que tu as été purifié de toute faute ; veille désormais à conserver la grâce que tu as reçue."

« Empereur, et vous tous, décidez maintenant de ce qu'il faut faire de moi. En cherchant à vous plaire à vous, maîtres terrestres, j'ai accédé à la grâce du Roi des cieux et, en essayant de faire rire les hommes, j'ai porté la joie chez les anges. Maintenant donc, à partir de cette heure, de même que vous n'avez, comme moi, accordé jusqu'ici aucun crédit à ces mystères divins, égarés que vous étiez par votre ignorance, embrassez avec moi la foi et ne vous moquez plus de ces mystères, puisque, comme je vous l'ai appris, j'ai vu le ciel s'ouvrir et une main en descendre et se poser sur moi au moment précis où j'étais aspergé par l'eau du baptême. J'ai vu les anges aussi et une lumière céleste, et tous mes péchés entièrement effacés ; j'ai entendu les exhortations des anges ; j'ai senti se graver dans mon cœur la gloire de Dieu. Elle m'a appris que notre Seigneur Jésus-Christ est le vrai Dieu, qu'il est la lumière, la vérité, la bonté, le salut de tous ceux qui, par le baptême, ont obtenu sa grâce. Écoutez-moi, je vous en prie, nobles gens et hommes de bien, et soyez sensibles à mon amour pour vous en reconnaissant, instruits que vous êtes par mon désir de vous procurer le salut, que notre Seigneur Jésus-Christ est le vrai Dieu. Vous ne pouvez, cependant, recevoir cette foi que si vous êtes aspergés par cette eau que le Père et le Fils et le Saint-Esprit ont consacrée à l'invocation divine. »

Ce discours emplit Dioclétien d'une fureur extrême. Il ordonne que soient amenés devant lui tous ceux qui s'étaient associés à Genès comme partenaires de jeu et qu'ils soient fouettés avec la dernière rigueur, car il pensait qu'eux aussi étaient croyants. Mais ceux-ci, blasphémant le Nom sacré :

« Empereur, notre maître, disent-ils, nous sommes, nous, dans de tout autres dispositions. C'est cet homme qui, pris de folie, au mépris du plaisir et de la joie qu'il se devait à lui-même et qu'il te devait à toi ainsi qu'à tout le public, embrasse le deuil des chrétiens. Ce dont il s'est seul rendu coupable, qu'il soit seul à le payer. » Il s'en fallut alors de peu que l'empereur, emporté par une fureur sans nom à l'encontre de Genès, ne bût son sang — seule l'horreur de la chose l'en empêcha. Suivant l'inclination de son âme cruelle, il ordonne qu'il soit battu aux yeux du public. Le jour suivant, il enjoint au préfet Plutianus de le torturer jusqu'à ce qu'il soit prêt à sacrifier aux images des dieux.

Tandis qu'il était sur le chevalet de torture, Plutianus lui dit : « Pauvre malheureux, insensé, sacrifie aux dieux, afin de pouvoir rentrer en grâce auprès de nos maîtres. » À quoi Genès répond : « Qu'ils recherchent la grâce et l'amitié de nos rois d'ici bas, ceux qui ne craignent pas le Roi que j'ai vu, que j'ai adoré et que j'adore. Car c'est lui le véritable roi, celui que j'ai vu lorsque les cieux se sont ouverts, et qui a bien voulu m'accorder sa miséricorde et m'éclairer par son intervention sacrée, moi, l'indigne, le railleur, l'incrédule, pour que je voie, moi qui étais complètement aveugle, la véritable lumière et que je connaisse sa vérité. Aussi, si je m'estime malheureux, c'est seulement parce que j'ai, jusqu'ici, erré avec vous et que j'ai eu en horreur le Nom sacré en la personne des chrétiens. Pour ce crime, j'estime avoir mérité tous les supplices. Car ce n'est que bien tardivement que j'en suis venu à adorer le véritable roi. » « Quel peut être ce roi, si ce n'est le nôtre ? » demande Plutianus. Genès répondit : « Le roi dont tu parles est un homme mortel ; celui que j'adore est Dieu. Ton roi commande sur terre pour un temps donné ; le Christ, lui, commande aux cieux, sur terre et sur mer. Ton roi dispose d'un laps de temps déterminé d'avance et le terme de sa vie est fixé, tandis que le Christ vit toujours glorieux et règne dans les cieux. »

Après avoir ainsi été longtemps sur le chevalet de torture, déchiré par les ongles, brûlé par les torches, il n'en persévérait pas moins dans sa profession de foi, l'âme invaincue, et disait au magistrat : « Quand bien même tu me ferais subir des peines cent fois plus nombreuses, quand même tu me brûlerais mille fois, tu ne pourras pas ôter le Christ de mon cœur. » Plutianus fit porter les procès-verbaux à Dioclétien dans son palais pour qu'ils lui soient lus. Quand il en eut pris connaissance, Dioclétien ordonna que Genès fût mis à mort. La sentence fut accueillie avec joie par le bienheureux martyr, qui mourut au nom de notre Seigneur Jésus-Christ à qui appartiennent, avec Dieu le Père, la gloire, la puissance et le pouvoir dans les siècles des siècles, Amen.

Traduction du latin de Frédérique Fleck.

HONORAT DE BUEIL, SIRE DE RACAN

(1589-1670)

Rédigée vers 1649 par son disciple, le poète et académicien Honorat de Bueil, sire de Racan, en hommage à celui que le siècle classique considérait comme le grand réformateur de la langue française au sortir de l'âge baroque, la Vie de Mr de Malherbe *s'appuie sur plusieurs traditions littéraires : la rhétorique de l'éloge funèbre et du tombeau érigé à la mémoire du maître ; la biographie plutarquienne, faisant se succéder récit de la vie sociale et liste de hauts faits qui permettent l'analyse du caractère (en l'occurrence, s'agissant d'un poète, sa guerre pour une purification de la langue française) ; le modèle anecdotique des* historiettes *à la Tallemant des Réaux, qui croquent avec délices les travers des grands hommes dans un style bref et incisif ; enfin, la compilation de témoignages (ici celui de Guez de Balzac, qui vient clore le récit). Comme l'écrit Stéphane Macé, cette liberté de forme se fait « l'écrin d'une liberté de ton*[1] *» : après les* vies *de saints, de gueux, de criminels, de peintres,*

1. Honorat de Bueil, sire de Racan, *Œuvres complètes*, édition critique par Stéphane Macé, Paris, Honoré Champion, 2009, p. 897.

Racan invente un genre, celui de la vie *d'écrivain. Refusant à la fois la technicité de l'histoire littéraire comme la glorification marmoréenne d'un tombeau, l'héroïsation épique d'un récit continu comme la réduction d'une existence à une liste de biographèmes — ou pour prendre un terme d'époque, d'*ana *—, Racan improvise une forme assurément instable et fragmentaire, mais aussi passionnante d'un point de vue historiographique, sociologique et psychologique. « Ces deux rivaux d'Horace, héritiers de sa lyre, / Disciples d'Apollon, nos maîtres pour mieux dire*[1] *», écrit La Fontaine de Malherbe et de Racan : ce qui se joue dans cet hommage où l'on décèle ce qu'Harold Bloom nommait l'« anxiété de l'influence*[2] *», c'est d'abord le désir de Racan de trouver une place à côté des œuvres de son maître, et de n'être pas simplement celui que M*[lle] *de Gournay surnommait cruellement le « singe de Malherbe*[3] *». Face au censeur génial mais misanthrope, face au personnage autoritaire et acariâtre qu'avait sans doute sciemment construit Malherbe, Racan compose avec la nécessité de la filiation, mais aussi avec celle de la distance, dans une confrontation maître-disciple où se mêlent secrètement tendresse et ironie.*

Les extraits que nous donnons s'appuient sur le

1. Jean de La Fontaine, « Le Meunier, son Fils et l'Âne », dans *Fables, contes et nouvelles*, édition présentée et annotée par Jean-Pierre Collinet, Paris, Gallimard, coll. « Bibliothèque de la Pléiade », 1991, p. 105.

2. Harold Bloom, *The Anxiety of Influence ; A Theory of Poetry*, New York, Oxford University Press, 1973.

3. Tallemant des Réaux, *Les Historiettes de Tallemant des Réaux : mémoires pour servir à l'histoire du* XVIIe *siècle*, éd. Monmerqué, Paris, A. Levavasseur, 1834, t. II, « Racan et autres rêveurs », p. 129, note.

manuscrit original de Racan que possède la Bibliothèque nationale de France.

Voir François de Malherbe, *Œuvres de Malherbe*, recueillies et annotées par M. Ludovic Lalanne, nouvelle édition, Paris, L. Hachette, 1862-1869, 5 vol. ; *id.*, *Œuvres poétiques*, texte établi et présenté par René Fromilhague et Raymond Lebègue, Paris, Les Belles Lettres, 1968, 2 vol. ; *id.*, *Œuvres*, édition présentée, établie et annotée par Antoine Adam, Paris, Gallimard, coll. « Bibliothèque de la Pléiade », 1971 ; Honorat de Bueil, sire de Racan, *Œuvres complètes*, édition critique par Stéphane Macé, Paris, Honoré Champion, 2009 ; Jean-Louis Guez de Balzac, *Les Entretiens : 1657*, édition critique par Bernard Beugnot, Paris, M. Didier, 1972, p. 412-420 (entretien XXXI) et 483-488 (entretien XXXVII). — Sur les *ana* : Philippe Hourcade, « Problématique de l'anecdote dans l'historiographie à l'âge classique », *Littératures classiques*, n° 30, 1997, p. 75-82 ; Daniel Madelénat, « L'anecdote dans les "Vies quotidiennes" », dans Alain Montandon (dir.), *L'Anecdote*, Clermont-Ferrand, Faculté des lettres, 1990, p. 59-67 ; Richard Maber, « L'anecdote littéraire aux XVIIe et XVIIIe siècles : les *ana* », *ibid.*, p. 99-108 ; Francine Wild, *Naissance du genre des « ana » : 1574-1712*, Paris, Honoré Champion, 2001.

Vie de Mr de Malherbe

Mre François de Malherbe naquit à Caen en Normandie environ l'an 1555. Il était de l'Illustre maison de Malherbe St Aignan, qui a porté les armes en Angleterre sous un Duc Robert de Normandie ; et s'était rendue plus illustre en Angleterre qu'au lieu de son origine, où elle s'était tellement rabaissée que le père dudit sieur de Malherbe n'était qu'assesseur[1] à Caen. Il se fit de la religion un peu avant que de mourir. Son fils dont nous parlons, en reçut un si grand déplaisir, qu'il se résolut de quitter son pays, et s'alla habituer en Provence à la suite de M^{r} le grand Prieur[2] qui en était gouverneur ; alors il entra en sa maison à l'âge de 17 ans et le servit jusques à ce qu'il fut assassiné par Artivity. Pendant son séjour en Provence, il s'insinua aux bonnes grâces de la Veuve d'un Conseiller et fille d'un président dont je ne sais point les noms, qu'il épousa depuis[3], et en eut plusieurs enfants qui sont tous morts avant lui. Les plus remarquables sont une fille, qui mourut de la peste à l'âge de cinq ou six ans, laquelle il assista jusques à la mort, et un fils qui fut tué malheureusement à l'âge de 19 ans par Mr de Piles[4]. Les actions les plus remarquables de sa vie, et dont je me puis souvenir sont que pendant la Ligue, lui et un nommé La Roque[1], qui faisait joliment des vers, et qui est mort à la suite de la Reine Marguerite[2], poussèrent Mr de Sully deux ou trois lieues si vertement, qu'il en a toujours gardé du ressentiment contre le sieur de Malherbe, et c'était la cause à ce qu'il disait, qu'il n'avait jamais su avoir de bienfaits du Roy Henry IV pendant que le sieur de Sully a été dans les finances[3]. Je lui ai aussi ouï conter plusieurs fois qu'en un partage de fourrage ou butin qu'il avait fait, il y eut un Capitaine d'Infanterie assez fâcheux qui le maltraita d'abord jusques à lui ôter son épée, ce qui fut cause que ce Capitaine eut pour un temps les rieurs de son côté, mais enfin ayant fait en sorte de r'avoir son épée, il obligea ce Capitaine insolent d'en venir aux mains avec lui et d'abord lui donna un coup d'épée au travers du corps, qui le mit hors de combat et fit tourner la chance, et tous ceux qui l'avaient méprisé retournèrent de son côté. Il m'a encore dit plusieurs fois, qu'étant habitué à Aix depuis la mort de Mr le grand Prieur son maître, il fut commandé de mener deux cents hommes de pied devant la ville de Martigues, qui était infectée de Contagion, et que les Espagnols assiégeaient par mer, et les Provençaux par terre pour empêcher que ses habitants ne communiquassent le mauvais air, et qui la tinrent assiégée par lignes de communication si étroitement, qu'ils réduisirent le dernier vivant à mettre le drapeau noir sur la Ville devant que de lever le siège[4]. Voilà ce que je lui ai ouï dire de plus remarquable en sa vie avant notre connaissance. Son nom et son mérite furent connus de Henry le Grand par le rapport avantageux que lui en fit Mr le Cardinal du Perron[5]. Un jour le Roi lui demanda s'il ne faisait plus de vers, il lui dit que depuis qu'il lui avait fait l'honneur de l'employer en ses affaires, il avait tout à fait quitté cet exercice, et qu'il ne fallait point que personne s'en mêlât après Mr de Malherbe gentilhomme de Normandie habitué en Provence ; qu'il avait porté la poésie française à un si haut point, que personne n'en pourrait jamais approcher. Le Roi se ressouvint de ce nom de Malherbe, il en parlait souvent à M^r^ des Yveteaux[1] qui était alors précepteur de Mr de Vendôme. Le dit sieur des Yveteaux toutes les fois qu'il lui en parlait, lui offrait de le faire venir de Provence, mais le Roi qui était ménager, craignait que le faisant venir de si loin, il serait obligé de lui donner récompense, du moins de la dépense de son voyage, ce qui fut cause que Mr de Malherbe n'eut l'honneur de faire la révérence au Roi que trois ou quatre ans après que M. le cardinal du Perron lui en eut parlé ; et par occasion étant venu à Paris pour ses affaires particulières, M^r^ des Yveteaux prit son temps pour donner avis au Roi de sa venue, et aussitôt il l'envoya quérir. C'était en l'an 1605 comme il était sur son partement pour aller en Limousin. Il lui commanda de faire des vers sur son voyage, ce qu'il fit, et les lui présenta à son retour. C'est cette excellente pièce qui commence

Ô Dieu dont les bontés de nos larmes touchées[2].

Le Roi trouva ces vers si admirables qu'il désira de le retenir à son service et commanda à Mr de Bellegarde[3] de le garder jusqu'à ce qu'il l'eût mis sur l'état de ses pensionnaires. Mr de Bellegarde lui donna sa table et l'entretint d'un homme et d'un cheval, et mille livres d'appointement. Ce fut où Racan, qui était lors Page de la Chambre sous Mr de Bellegarde et qui commençait à rimailler de méchants vers, eut la connaissance de Mr de Malherbe, de qui il a appris ce qu'il a témoigné depuis savoir de la Poésie française, ainsi qu'il l'a dit plus amplement dans une lettre qu'il a écrite à M. Conrart[1]. Cette connaissance et l'amitié qu'il contracta avec Mr de Malherbe dura jusques à sa mort arrivée en 1628 quatre ou cinq jours avant la prise de la Rochelle, comme nous dirons ci-après.

À la mort de Henry le Grand arrivée en 1610 la Reine Marie de Médicis donna cinq cents écus de pension à Mr de Malherbe ; ce qui lui donna moyen de n'être plus à charge à Monsieur de Bellegarde. Depuis la mort d'Henry le Grand il a fort peu travaillé, et je ne sache que les odes qu'il a faites pour la Reine mère, quelques vers de Ballet, quelques Sonnets au Roi, à Monsieur[2], et à des particuliers, et la dernière pièce qu'il fit avant que de mourir, qui commence

Donc un nouveau labeur, etc.[3].

Pour parler de sa personne et de ses mœurs, sa constitution était si excellente que je me suis laissé dire à ceux qui l'ont connu en sa jeunesse que ses sueurs avaient quelque chose d'agréable, comme celles d'Alexandre.

Sa conversation était brusque, il parlait peu mais il ne disait mot qui ne portât, en voici quelques-uns.

Pendant la prison de M^r le Prince[4], le lendemain que Madame la Princesse sa femme fut accouchée de deux enfants morts pour avoir été incommodée de la fumée qu'il faisait en sa chambre au bois de Vincennes, il trouva un Conseiller de Provence de ses amis en une grande tristesse chez M^r le Garde des Sceaux du Vair[5] ; il lui demanda la cause de son affliction, le Conseiller lui répondit que les gens de bien ne pouvaient avoir de joie après le malheur qui venait d'arriver de la perte de deux Princes du sang par les mauvaises couches de Madame la Princesse, Mr de Malherbe lui repartit ces propres mots, « Monsieur, Monsieur, cela ne vous doit point affliger, ne vous souciez que de bien servir ; vous ne manquerez jamais de Maître. »

Une autre fois, un de ses neveux l'était venu voir au retour du Collège où il avait été neuf ans ; après lui avoir demandé s'il était bien savant, il lui ouvrit un Ovide et convia son neveu de lui en expliquer quelques vers, à quoi son neveu se trouvant empêché, après l'avoir laissé tâtonner un quart d'heure avant que de pouvoir expliquer un mot de latin, Mr de Malherbe ne lui dit rien, sinon, « Mon neveu croyez-moi, soyez vaillant, vous ne valez rien à autre chose. »

Un jour, dans le Cercle, quelque homme prude en l'abordant lui fit un grand éloge de Madame la Marquise de Guercheville[1], qui était lors présente comme dame d'honneur de la Reine, et après lui avoir conté toute sa vie, et la constance qu'elle avait eue aux poursuites amoureuses du feu Roi Henry le Grand, il conclut son panégyrique par ces mots en la montrant à Mr de Malherbe, « Voilà ce qu'a fait la Vertu » ; Monsieur de Malherbe, sans hésiter lui montra de la même sorte la Connétable de Lesdiguières qui avait son placet[2] auprès de la Reine, et lui dit, « Voilà ce qu'a fait le Vice. »

Un Gentilhomme de ses parents faisait tous les ans des enfants à sa femme, dont Mr de Malherbe se plaignait en lui disant, qu'il craignait que cela n'apportât de l'incommodité à ses affaires et qu'il n'eût pas le moyen de les élever selon leur condition ; à quoi ce parent lui répondit qu'il ne pouvait avoir trop d'enfants, pourvu qu'ils fussent gens de bien, M. de Malherbe lui dit fort sèchement qu'il n'était point de cet avis, et qu'il aimait mieux manger un chapon avec un voleur qu'avec trente Capucins.

Quand son fils fut assassiné par Monsieur de Piles[1], il alla exprès au siège de La Rochelle en demander justice au Roi, de qui n'ayant pas eu toute la satisfaction qu'il espérait, il disait tout haut dans la Cour d'Estrée, qui était alors le logis du Roi, qu'il voulait demander le combat contre Mr de Piles. Des Capitaines des Gardes et autres gens de guerre qui étaient là se souriaient de le voir à cet âge parler d'aller sur le Pré et le sieur de Racan comme son ami le voulut tirer à part, pour lui donner avis qu'il se faisait moquer de lui, et qu'il était ridicule à l'âge de 73 ans qu'il avait, de se battre contre un homme de 25 ans ; sans attendre qu'il achevât sa remontrance, il lui répliqua brusquement, « C'est pour cela que je le fais, je hasarde un sol contre une pistole[2]. »

Une année que la chandeleur avait été un vendredi, ayant gardé quelque reste de gigot du mouton du jeudi, dont il faisait une grillade le samedi matin sur les sept à huit heures, et comme après la chandeleur l'Église ne permet plus de manger de viande le samedi, le Sieur de Racan entrant dans sa chambre à l'heure qu'il faisait ce repas extraordinaire, lui dit, « Quoi Monsieur, vous mangez de la viande ! Notre Dame n'est plus en couches », Mr de Malherbe se contenta de lui répondre assez brusquement à son ordinaire, que leurs dames ne se levaient pas si matin.

Sa façon de corriger son Valet était assez plaisante ; il lui donnait dix sols par jour, qui était honnêtement en ce temps-là, pour sa vie, et vingt écus de gages. Et quand son valet l'avait fâché il lui faisait une remontrance en ces termes, « Mon ami, quand on a offensé son maître, on offense Dieu, et quand on offense Dieu, il faut pour avoir absolution de son péché, jeûner et donner l'aumône, c'est pourquoi je retiendrai cinq sols de votre dépense, que je donnerai aux pauvres à votre intention pour l'expiation de vos péchés. »

Étant allé visiter Madame de Bellegarde au matin, un peu après la mort du Maréchal d'Ancre[1], comme on lui dit qu'elle était allée à la messe, il demanda si elle avait encore quelque chose à demander à Dieu, après qu'il avait délivré la France du Maréchal d'Ancre.

Un jour que M. de Méziriac[2], avec deux ou trois de ses amis, lui apporta un Livre d'Arithmétique d'un auteur grec nommé Diophante, que M. de Méziriac avait commenté, et ses amis lui louant extraordinairement ce Livre, comme un travail fort utile au public, Mr de Malherbe leur demanda s'il ferait amender le pain et le vin.

Il fit presque une même réponse à un gentilhomme de la Religion qui l'importunait de controverse, lui demandant pour toute réplique, si on boirait de meilleur vin, et si on vivrait de meilleur blé à la Rochelle qu'à Paris.

Il n'estimait aucun des anciens poètes français, qu'un peu Bertaut[3] ; encore disait-il que les Stances était *nichil au dos*[4] et que pour trouver une pointe à la fin, il faisait les trois premiers vers insupportables. Il avait été ami de Régnier le Satirique[5] et l'estimait en son genre à l'égal des Latins, mais la cause de leur divorce arriva de ce qu'étant allés dîner ensemble chez M. Desportes[6], oncle de Régnier, ils trouvèrent que l'on avait déjà servi les potages.

M. Desportes reçut M. de Malherbe avec grande civilité, et offrant de lui donner un exemplaire de ses Psaumes qu'il avait nouvellement faits, il se mit en devoir de monter en sa chambre pour l'aller quérir, Mr de Malherbe lui dit qu'il les avait déjà vus, que cela ne méritait pas qu'il prît la peine de remonter et que son potage valait mieux que ses psaumes. Il ne laissa pas de dîner avec M. Desportes sans se dire mot et aussitôt qu'ils furent sortis de table, ils se séparèrent et ne se sont jamais vus depuis. Cela donna lieu à Régnier de faire la Satire contre Malherbe qui commence

Rapin le favori, etc.[1]

Il n'estimait point du tout les Grecs et particulièrement il s'était déclaré ennemi du galimatias de Pindare.

Pour les Latins, celui qu'il estimait le plus était Stace, qui a fait la *Thébaïde*, et après lui Sénèque le Tragique, Horace, Juvénal, Ovide, Martial.

Il estimait fort peu les Italiens et disait que tous les Sonnets de Pétrarque étaient à la grecque, aussi bien que les Épigrammes de Melle de Gournay[2].

Il se faisait presque tous les jours sur le soir quelque petite Conférence, où assistaient particulièrement Colomby, Maynard, Racan, du Monstier[3] et quelques autres, dont les noms n'ont pas été connus dans le monde ; et un habitant d'Aurillac, où Maynard était alors Président, vint heurter à la porte, en demandant, « Monsieur le Président est-il point ici ? » cela obligea Mr de Malherbe à se lever brusquement pour courir répondre à cet habitant, « Quel président demandez-vous, apprenez qu'il n'y a point ici d'autre Président que moi. »

Quelqu'un lui disant que M. Gaumin[1] avait trouvé le secret d'entendre le sens de la langue punique, et qu'il y avait fait le *Pater noster,* il dit à l'heure même assez brusquement à son ordinaire, « Je m'en vais tout à l'heure y faire le *Credo* », et à l'instant il prononça une douzaine de mots qui n'étaient d'aucune langue en disant, « Je vous soutiens que voilà le *Credo* en Langue punique, qui est-ce qui me pourra dire le contraire ? »

Il s'opiniâtra fort longtemps avec un nommé M. de la Loy[2] à faire des Sonnets licencieux[3] ; Colomby n'en voulut jamais faire et ne les pouvait approuver, Racan en fit un ou deux, mais ce fut le premier qui s'en ennuya, et comme il en voulait divertir Mr de Malherbe en lui disant que ce n'était pas un sonnet, si l'on n'observait les règles ordinaires de rimer les deux premiers quatrains, Mr de Malherbe lui disait, « Hé bien, Monsieur, si ce n'est un Sonnet, c'est une sonnette. » Toutefois, à la fin il s'en ennuya, et n'y a eu que Maynard de tous ses écoliers, qui a continué à en faire jusques à la mort, M. de Malherbe les quitta lui-même lorsque Colomby, ni Racan ne l'en persécutaient plus. C'était son ordinaire de s'aheurter[4] d'abord contre le conseil de ses amis, ne voulant pas être pressé, pour y revenir après que l'on ne l'en pressait plus.

Il avait aversion contre les fictions poétiques, et en lisant une Élégie de Régnier à Henry le Grand qui commence,

Il était presque jour, et le Ciel souriant[5]

et où il feint que la France s'enleva en l'air pour parler à Jupiter, et se plaindre du misérable état où elle était pendant la Ligue, il demandait à Régnier, en quel temps cela était arrivé, et disait qu'il avait toujours demeuré en France depuis 50 ans, et qu'il ne s'était point aperçu qu'elle se fût enlevée hors de sa place.

Il avait un frère aîné[1] avec lequel il a toujours été en procès, et comme un de ses amis se plaignait de cette mauvaise intelligence, et que c'était un malheur assez ordinaire d'avoir un procès avec ses proches, Mr de Malherbe lui dit, qu'il ne pouvait pas en avoir avec les Turcs et les Moscovites avec qui il n'avait rien à partager.

Il perdit sa mère environ l'an 1615 qu'il était âge de plus de 60 ans, et comme la Reine Mère envoya un gentilhomme pour le consoler, il dit à ce gentilhomme, qu'il ne pouvait se revancher de l'honneur que lui faisait la Reine, qu'en priant Dieu que le Roi son fils pleurât sa mort aussi vieux qu'il pleurait celle de sa mère.

Il ne pouvait souffrir que les pauvres en demandant l'aumône, dissent, « noble gentilhomme », et disait que cela était superflu, et que s'il était gentilhomme il était noble.

Quand les pauvres lui disaient qu'ils prieraient Dieu pour lui, il leur répondait qu'il ne croyait pas qu'ils eussent grand crédit envers Dieu, vu le mauvais état auquel il les laissait en ce monde, et qu'il eût mieux aimé que Mr de Luynes[2], ou quelque autre favori, lui eût fait la même promesse.

Un jour que Mr de Termes[3] reprenait Racan d'un vers qu'il a changé depuis, où il y avait, parlant d'un homme champêtre

Le labeur de ses bras rend sa maison prospère[4]

Racan lui répondit que Mr de Malherbe avait usé de ce mot prospère de la même sorte en ce vers

Ô que la fortune prospère[1]

Mr de Malherbe qui était présent lui dit assez brusquement, « Hé bien ! mort D[ieu]. Si je fais un pet en voulez-vous faire un autre ? »

Quand on lui montrait quelques vers où il y avait des mots superflus, et qui ne servaient qu'à la mesure ou à la rime, il disait que c'était une bride de cheval attachée avec une aiguillette.

Un homme de robe longue[2], de condition, lui apporta des vers assez mal polis, qu'il avait faits à la louange d'une dame, et lui dit avant que de les lui montrer que des considérations l'avaient obligé à faire ces vers.

Mr de Malherbe les lut avec mépris, et lui demanda, après qu'il eut achevé, s'il avait été condamné à être pendu, ou à faire ces vers-là, parce qu'à moins de cela, il ne devait point exposer sa réputation en produisant des ouvrages si ridicules[3].

Un jour, Maynard, qui était logé fort proche de lui, et qui travaillait alors à quelque Épigramme d'ordure, vint en sa chambre sans manteau, et lui demanda d'abord encore tout hors d'haleine, si *F* était long ou court ; M. de Malherbe après y avoir pensé quelque temps, comme s'il eût voulu lui donner quelque bonne résolution, lui dit brusquement, « Voyez-vous Monsieur, quand j'étais jeune je le faisais court, à présent je le fais long. »

S'étant vêtu un jour extraordinairement, à cause du grand froid qu'il faisait, il avait encore étendu sur sa fenêtre trois ou quatre aunes de frise[4] verte, et comme on lui demanda ce qu'il voulait faire de cette frise, il répondit brusquement à son ordinaire, « Je pense qu'il est avis à ce froid qu'il n'y a plus de frise dans Paris, je lui montrerai bien que si. »

En ce même temps, ayant mis à ses jambes une si grande quantité de bas presque tous noirs, qu'il ne se pouvait chausser également qu'avec des jetons[1] ; Racan arriva en sa chambre comme il était en cet état-là, et lui conseilla pour se délivrer de la peine de se servir de jetons de mettre à chacun de ses bas un ruban de quelque couleur, ou une marque de soie, qui commençât par une lettre de l'alphabet, comme au premier un ruban, ou une lettre de soie Amarante, au 2 un bleu, au 3me. un cramoisi, et ainsi des autres ; M. de Malherbe approuva ce conseil, et l'exécuta à l'heure même, et le lendemain venant dîner chez M. de Bellegarde, en voyant Racan, il lui dit, au lieu de bonjour, « J'en ai jusques à l'L » ; de quoi tout le monde fut fort surpris, et Racan même eut de la peine à comprendre d'abord ce qu'il voulait dire, ne se souvenant pas alors du conseil qu'il lui avait donné, pour expliquer cette Énigme.

Il disait aussi à ce propos, que Dieu n'avait fait le froid que pour les pauvres, et pour les sots, et que ceux qui avaient le moyen de se bien chauffer et bien habiller ne devaient point souffrir de froid.

[...]

Il avait aussi un grand mépris pour tous les hommes en général, et après avoir fait le récit du péché de Caïn et de la mort d'Abel son frère, il disait après, « Voilà un beau début, ils n'étaient que trois ou quatre au monde, et il y en a un qui a tué son frère. Que pouvait espérer Dieu des hommes après cela pour se donner tant de peine de les conserver ? N'eût-il pas mieux fait d'en éteindre dès l'heure l'engeance pour jamais ? »

C'étaient les discours ordinaires qu'il avait avec ses plus familiers amis, mais ils ne se peuvent exprimer avec la grâce qu'il les prononçait, parce qu'ils tiraient leur plus grand ornement de son geste et du ton de sa voix.

M. l'Archevêque de Rouen, l'ayant prié de dîner chez lui pour entendre le sermon qu'il devait faire en une église proche de son logis, aussitôt que Mr de Malherbe eut dîné, il s'endormit dans une chaise, et comme Mr de Rouen le pensa réveiller pour le mener au Sermon, il le pria de l'en dispenser en lui disant qu'il dormirait bien sans cela.

Il parlait fort ingénument de toutes choses, et avait un grand mépris pour les sciences, particulièrement pour celles qui ne servent que pour le plaisir des yeux, et des oreilles, comme la peinture, la musique, et même la poésie encore qu'il y fût excellent, et un jour comme Bordier[1] se plaignait à lui, qu'il n'y avait des récompenses que pour ceux qui servaient le Roi dans les armées et dans les affaires d'importance, et qu'on [l'on] était trop ingrat à ceux qui excellaient dans les belles-Lettres, M. de Malherbe lui répondit que c'était faire fort prudemment, et que c'était sottise de faire des vers pour en espérer autre récompense que son divertissement, et qu'un bon poète n'était pas plus utile à l'État qu'un bon joueur de quilles.

Un jour qu'il se retirait fort tard de chez Mr de Bellegarde avec un flambeau allumé devant lui, il rencontra M^{r} de St Paul[2] gentilhomme de condition, parent de Mr de Bellegarde, qui le voulait entretenir de quelques nouvelles de peu d'importance. Il lui coupa court, en lui disant, « Adieu, adieu, vous me faites ici brûler pour cinq sols de flambeau, et tout ce que vous me dites ne vaut pas six blancs. »

Dans ses Heures, il avait effacé des Litanies des Saints tous les noms particuliers, et disait qu'il était superflu de les nommer tous les uns après les autres, et qu'il suffisait de les nommer en général.

Omnes sancti et sanctæ Dei, orate pro nobis[1].

Il avait aussi effacé plus de la moitié de son Ronsard et en cotait à la marge les raisons. Un jour Yvrande, Racan, Colomby et autres de ses amis le feuilletaient sur sa table, et Racan lui demanda s'il approuvait ce qu'il n'avait point effacé ? « Pas plus que le reste », dit-il. Cela donna sujet à la Compagnie, et entre autres à Colomby, de lui dire, que si l'on trouvait ce Livre après sa mort, on croirait qu'il aurait trouvé bon ce qu'il n'aurait point effacé ; sur quoi il lui dit qu'il disait vrai et tout à l'heure acheva d'effacer tout le reste.

Il était assez mal meublé, logeant ordinairement en chambre garnie, et n'avait que sept ou huit chaises de paille. Et comme il était fort visité de ceux qui aimaient les belles Lettres, quand les chaises étaient toutes remplies, il fermait sa porte par dedans, et si quelqu'un y venait heurter, il lui criait, « Attendez, il n'y a plus de chaises », et disait qu'il valait mieux ne les point recevoir que de leur donner l'incommodité d'être debout.

Il se vantait avec autant de vanité d'avoir sué 3 fois la vérole, que s'il eût gagné trois batailles, et faisait le récit assez plaisamment, du voyage qu'il fit à Nantes, pour trouver un homme qui avait la réputation d'être expert en cette cure de maladie vénérienne ; c'était la raison pourquoi on l'appelait chez Mr de Bellegarde, le père Luxure.

Il a toujours été fort adonné aux femmes et se

vantait en sa conversation ordinaire de ses bonnes fortunes et des merveilles qu'il y avait faites.

Un jour, en entrant dans l'Hôtel de Sens, il trouva dans la salle deux hommes qui jouaient au tric-trac et qui disputant d'un coup se donnaient tous deux au diable qu'ils avaient gagné. Au lieu de les saluer il ne fit que dire, « Viens, Diable, viens, tu ne saurais faillir, il y en a l'un ou l'autre à toi. »

[...]

Ses amis familiers qui voyaient de quelle sorte il travaillait, disent avoir remarqué trois sortes de styles dans sa Prose.

Le Premier, était en ses lettres familières, qu'il écrivait à ses amis, sans aucune préméditation ; qui, quoique fort négligées, avaient toujours quelque chose d'agréable, qui sentait son honnête homme.

Le second, était en celles qu'il ne travaillait qu'à demi, où l'on croit avoir remarqué beaucoup de dureté, et de pensées indigestes, qui n'avaient aucun agrément.

Le troisième, était dans les choses que par un long travail, il mettait en leur perfection, où sans doute, il s'élevait beaucoup au-dessus de tous les Écrivains de son temps.

Ces 3 divers Styles se peuvent remarquer en ses Lettres familières, à Racan, et à ses autres amis, pour le premier ; pour le second, en ses Lettres d'amour, qui n'ont jamais été fort estimées ; et pour le troisième, en la Consolation à la Princesse de Conty, qui est presque le seul Ouvrage de prose qu'il ait achevé[1].

Il se moquait de ceux qui disaient que la Prose avait ses nombres, et il s'était si bien mis dans l'esprit, que de faire des périodes nombreuses, c'était faire des vers en Prose, que plusieurs par cette seule considération ont cru que les Épîtres de Sénèque[1] n'étaient point de lui ; parce que les nombres et l'harmonie sont observés dans leurs périodes.

Celle pour qui il a fait des vers sous le nom de Calliste, était la Vicomtesse d'Auchy[2], dont le bel esprit a paru jusques à sa mort ; et sa Rodante était Madame la Marquise de Rambouillet[3] : voici la raison pour laquelle il lui donna ce nom-là.

Racan et lui s'entretenaient un jour de leurs Amours ; c'est-à-dire du dessein qu'ils avaient de choisir quelque Dame de mérite et de qualité, pour être le sujet de leurs vers. Malherbe lui nomma Madame de Rambouillet, et Racan Madame de Termes[4], qui était alors veuve ; il se trouva que toutes deux avaient nom Catherine ; savoir, la première, qu'avait choisie Malherbe, Catherine de Vivonne, et celle de Racan, Catherine Chabot : le plaisir que prit Malherbe dans cette conversation lui fit promettre d'en faire une Églogue, sous les noms de Mélibée, pour lui, et d'Arcas pour Racan ; et je suis étonné qu'il ne s'en est trouvé quelque commencement dans ses manuscrits ; car je lui en ai ouï réciter près de quarante vers.

Prévoyant donc que ce même nom de Catherine, servant à tous deux, ferait de la confusion dans cette Églogue, qu'il se promettait de faire, il passa tout le reste de l'après-dînée avec Racan, à chercher des Anagrammes sur ce nom, qui eussent assez de douceur pour pouvoir entrer dans des vers ; ils n'en trouvèrent que trois, Arthénice, Éracinthe, et Charinthée ; le premier fut jugé plus beau ; mais Racan s'en étant servi dans sa Pastorale, qu'il fit incontinent après, Malherbe méprisa les deux autres et se détermina à Rodante, ne se souciant plus de prendre un nom qui fût Anagramme.

Malherbe était alors marié et fort avancé en âge ; c'est pourquoi son amour ne produisit que quelque peu de vers, entre autres ceux qui commencent,

Chère beauté, que mon âme ravie, etc.[1]

Et ces autres, que Boisset[2] mit en air :

Ils s'en vont ces Rois de ma vie[3].

Il fit aussi quelques lettres sur le nom de Rodante ; mais Racan, qui avait trente-quatre ans moins que lui, et qui était alors garçon, changea son amour Poétique en un amour véritable et légitime, et fit quelques voyages en Bourgogne pour cet effet : c'est ce qui donna lieu à Malherbe de lui écrire une Lettre, où il y a des vers pour le divertir de cette passion, sur ce qu'il avait appris que Madame de Termesse laissait cajoler par Monsieur Vignier, qui l'a épousée depuis ; comme aussi d'autre côté quand il sut que Racan était résolu de se marier en son pays, il le manda aussitôt à Madame de Termes en une Lettre qui est imprimée[4].

Il disait, quand on lui parlait de l'Enfer et du Paradis, « J'ai vécu comme les autres. Je veux mourir comme les autres ; et aller où vont les autres. »

Il mourut à Paris, vers la fin du siège de la Rochelle, où Racan commandait la compagnie de M. d'Effiat[5] ; ce qui fut cause qu'il n'assista point à sa mort, et qu'il n'en a su que ce qu'il en a ouï dire à Monsieur de Porchères-d'Arbault[6] ; il ne lui a point celé, que pendant sa maladie, il n'eût eu beaucoup de difficulté à le faire résoudre de se confesser, lui disant qu'il n'avait accoutumé de le faire qu'à Pâques. Il était pourtant fort soumis aux Commandements de l'Église ; quoiqu'il fût fort avancé en âge, il ne mangeait pas volontiers de la viande aux jours défendus sans permission ; il allait à la Messe toutes les Fêtes et tous les Dimanches, et ne manquait point à se Confesser et Communier à Pâques à sa Paroisse ; il parlait toujours de Dieu et des choses Saintes avec grand respect ; et un de ses amis lui fit un jour avouer devant Racan, qu'il avait une fois fait vœu d'aller d'Aix à la Sainte-Baume, tête nue, pour la maladie de sa femme ; néanmoins il lui échappait de dire, que la religion des honnêtes gens était celle de leur Prince ; c'est pourquoi Racan s'enquit fort soigneusement de quelle sorte il était mort. Il apprit que celui qui l'acheva de résoudre à se confesser fut Yvrande, Gentilhomme, qui avait été nourri Page de la Grande Écurie, et qui était son Écolier en Poésie, aussi bien que Racan. Ce qu'il lui dit, pour le persuader de recevoir les Sacrements, fut qu'ayant toujours fait profession de vivre comme les autres hommes, il fallait aussi mourir comme eux ; et Malherbe lui demandant ce que cela voulait dire, Yvrande lui dit, que quand les autres mouraient, ils se Confessaient, Communiaient, et recevaient les autres Sacrements de l'Église ; Malherbe avoua qu'il avait raison, et envoya quérir le Vicaire de saint Germain, qui l'assista jusques à la mort. Il avait souvent ces mots à la bouche, à l'exemple de M. Coëffeteau, *Bonus animus, Bonus Deus Cultus*[1].

On dit qu'une heure avant que de mourir, après avoir été deux heures à l'agonie, il se réveilla comme en sursaut, pour reprendre son hôtesse, qui lui servait de garde, d'un mot qui n'était pas bien Français à son gré, et comme son Confesseur lui en fit réprimande, il lui dit, qu'il ne pouvait s'en empêcher, et qu'il voulait défendre jusques à la mort la pureté de la langue Française.

Honorat de Bueil, sire de Racan.

ROBERT ARNAULD D'ANDILLY
(1589-1674)
d'après
Théodoret de Cyr
(v. 393-v. 458)

Frère aîné de la mère Angélique Arnauld, refondatrice de Port-Royal-des-Champs, Robert Arnauld d'Andilly, conseiller d'État et homme de salons, gagne l'abbaye en 1648, après la mort de sa femme, pour s'y retirer avec les religieuses en compagnie d'autres « solitaires ». Il s'y consacre à l'horticulture et à la traduction, publiant près d'une vingtaine d'œuvres majeures, dont celles de Flavius Josèphe, saint Augustin et sainte Thérèse d'Avila. Ses Vies des saints Pères des déserts *(1653) sont une contribution importante au travail de diffusion et d'interprétation du legs patristique mené par les jansénistes, dont Port-Royal a constitué un très important atelier de traduction et d'adaptation. « Car il faut nourrir l'âme d'une doctrine solide, et après l'Écriture je n'en sais point de plus solide que celle des saints Pères de l'Église*[1] *», préconisait son maître Saint-Cyran : Arnauld d'Andilly obéit à un objectif pédagogique, tourné notamment en direction des femmes, comme*

1. Jean Duverger de Hauranne, abbé de Saint-Cyran, *Lettres chrétiennes et spirituelles*, Lyon, J.-B. Bourlier et L. Aubin, 1674, t. I, p. 7.

à un objectif théologique de retour aux sources premières du christianisme. Ce faisant, il suit la théorie de la traduction élaborée à Port-Royal, qui privilégie le sens et l'« âme du discours », contre la lettre[1]*, mais qui prescrit également la recherche de la beauté comme instrument de conviction : il s'agit de « tâcher de rendre beauté pour beauté, figure pour figure, d'imiter le style de l'auteur et de s'en approcher le plus près que l'on pourra », comme le précise Arnauld dans ses* Remarques sur la traduction française. *En donnant en français les vies « toutes célestes et toutes miraculeuses des anciens Solitaires », Arnauld a voulu « rendre ces édifiantes histoires accessibles tant aux religieuses de Port-Royal qu'aux personnes du monde », commente Sainte-Beuve, qui souligne dans* Port-Royal *l'importance de ces textes à « l'ascétisme charmant » : « tout ce monde de M. de La Rochefoucauld, de M*[me] *de Sablé, de M*[me] *de La Fayette dut en être particulièrement frappé*[2] *». Parmi « ces légendes où la crédulité mêle, à tout moment, ses gracieux crépuscules aux lumières supérieures de la foi*[3] *», pour citer encore Sainte-Beuve, celle de Siméon Stylite a particulièrement frappé l'imagination par la* performance *mystique qu'elle met en scène. Les trente-neuf années passées par Siméon sur des piliers hauts de plusieurs mètres firent en effet dès l'Antiquité l'objet d'une vénération mêlée de curiosité : envoyés de l'empereur, délégués*

1. Voir Jean-Louis Quantin, *Le Catholicisme et les Pères de l'Église : un retour aux sources (1669-1713)*, Paris, Institut d'études augustiniennes, 1999, p. 387.
2. Sainte-Beuve, *Port-Royal*, 3e éd., Paris, Hachette, 1867, t. II, p. 283, 287.
3. *Ibid.*, p. 283.

de l'Église et foule de spectateurs se succédèrent aux pieds du Stylite.

Rédigé en 444, avant la mort du saint survenue en 459, et moins riche en prodiges que les vies *postérieures de saint Siméon, le récit de Théodoret — historien des moines syriens —, l'*Histoire Philothée, *suit le plan de l'éloge traditionnel, avec des développements impersonnels et rhétoriques qui font songer au sermon délivré aux pèlerins venus voir Siméon, tout en se fondant sur le témoignage* de visu *de l'hagiographe, garant des faits rapportés. Objet de plaisanteries autant que de fascination, jusqu'au film irrévérencieux de Luis Buñuel,* Simon du désert *(1965), et si naïf soit-il, ce récit spectaculaire d'anachorétisme vertical participe assurément autant de la quête janséniste de retrait et d'austérité que de la volonté d'émulation par l'exemple qui anima les Messieurs de Port-Royal.*

Voir sur Théodoret : THÉODORET DE CYR, *Histoire des moines de Syrie*, t. II : *Histoire Philothée, XIV-XXX*, introduction, texte critique, traduction, notes, index par Pierre Canivet et Alice Leroy-Molinghen, Paris, Éd. du Cerf, coll. « Sources chrétiennes », 1979 (*Vie de saint Siméon*, t. II, p. 159-214). — Sur Port-Royal et Arnauld d'Andilly : Robert ARNAULD D'ANDILLY, *Mémoires (1610-1656), suivis des Mémoires d'Antoine Arnauld, dit l'abbé Arnauld*, édition présentée et annotée par Régine Pouzet, Paris, Honoré Champion, 2008 ; *id.*, *Les Vies des saints Pères des déserts, et de quelques saintes, écrites par des Pères de l'Église, & autres anciens auteurs ecclésiastiques, traduites en français par Mr Arnauld d'Andilly* [1653], nouvelle édition, Bruxelles, chez Eugène Henry Fricx, 1694 ; André HALLAYS, *Les Solitaires de Port-Royal*, Paris, Plon, 1927 ; Luigi DE NARDIS (éd.), *Regole della traduzione : testi inediti di Port-Royal e del « Cercle » di Miramion (metà del*

XVII secolo), Naples, Bibliopolis, 1991 ; Louis Marin, « Les plaisirs du désert-en-peinture », dans *Philippe de Champaigne ou La présence cachée*, Paris, Hazan, 1995, p. 29-75 ; Jean Lesaulnier et Anthony McKenna (dir.), *Dictionnaire de Port-Royal*, Paris, Honoré Champion, 2004, 2 vol.

Nous avons modernisé l'orthographe.

La Vie de saint Siméon Stylite

(*Les Vies des saints Pères des déserts*)

Quoique dans la première partie de cet ouvrage j'aie déjà mis la vie de cet admirable saint écrite par Antoine son disciple, j'ai estimé néanmoins être obligé de traduire encore celle-ci, afin de fortifier par le témoignage d'un des Pères de l'Église grecque et d'une des plus grandes lumières de son siècle, tel qu'est le bienheureux Théodoret qui n'écrit que ce qu'il a vu de ses propres yeux, la foi que plusieurs auraient peine d'ajouter à cette vie si miraculeuse et qui passe si fort au-delà des bornes de la nature, si elle n'était approuvée par des preuves dont on ne saurait douter à moins que d'accuser ce grand Évêque, et avec lui tout l'Histoire ecclésiastique, d'avoir voulu faire passer des fables pour des vérités.

CHAPITRE I

Pays et naissance du Saint ; et de quelle sorte Dieu l'appela à son service

Tous ceux qui sont sous la domination de l'Empire des Romains connaissent l'illustre Siméon, qu'on peut nommer avec sujet le grand miracle de l'Univers. Les Perses, les Mèdes, et les Éthiopiens en ont aussi connaissance, et la réputation de ses innombrables travaux et de ses vertus toutes divines a même passé jusques aux Scythes et aux Nomades. Mais encore que j'aie pour témoins de ses combats, qui vont si fort au-delà de toutes paroles, presque autant d'hommes comme il y en a sur la terre, j'appréhende de les écrire, de crainte qu'étant si incroyables, la vérité ne passe dans la suite des temps pour une fable. Car les hommes ayant accoutumé de mesurer tout selon le cours ordinaire des choses du monde, et de tenir pour faux ce qui va au-delà des bornes de la nature, il n'y a que ceux qui ont connaissance des secrets de Dieu dans son adorable conduite, et de la grâce que son saint Esprit répand dans les âmes qui ne refusent point d'y ajouter foi. Et d'autant que par sa miséricorde il y en a plusieurs de cet heureux nombre répandus dans tous les endroits de la terre qui donneront une entière créance à mes paroles, cette considération me rassurant, j'entreprendrai ce discours avec non moins de confiance que de joie, et commencerai par rapporter quelle fut la première vocation de ce grand Saint.

Il naquit dans un bourg nommé Sisa[1] qui est situé

sur les confins de notre Province et de celle de Cilicie, et la première chose que son père lui apprit fut de mener paître ses brebis ; en quoi il y a du rapport entre lui et ces admirables Saints tant Patriarches que Législateurs, Rois, et Prophètes, Jacob, Joseph, Moïse, David, Michée, et autres.

Étant tombé une si grande quantité de neige qu'il ne pouvait mener son troupeau aux champs, il choisit ce temps pour s'en aller à l'Église avec son père et sa mère, et j'ai appris de sa propre bouche si véritable et si sainte, que là ayant entendu ces paroles de l'Église qu'on lisait devant le peuple : *Bienheureux sont ceux qui pleurent, et malheureux sont ceux qui rient. Bienheureux sont ceux qui ont le cœur pur*, et ce qui suit[1], il demanda à l'un de ceux qui étaient présents ce qu'il fallait faire pour vivre selon ces instructions, lequel lui avait répondu que la vie retirée et solitaire était la plus propre pour cela, et la plus capable de nous établir dans une solide vertu. Que cette divine semence s'étant répandue dans le plus profond de son âme, il s'en était allé dans une Église des Saints Martyrs proche de là, où ayant mis les genoux et le visage contre terre, il avait prié celui qui veut que tous les hommes soient sauvés de le conduire dans la voie d'une parfaite piété. Qu'ayant demeuré assez longtemps en cet état il était tombé dans un doux et agréable sommeil, dans lequel il avait eu cette vision : « Il me semblait, disait-il, que je creusais le fondement d'une maison, et que j'entendais un homme qui me disait de le creuser encore davantage ; ce qu'ayant fait et me voulant reposer, il me commanda derechef de le creuser. Et la même chose étant arrivée quatre fois de suite, il me dit enfin que ce fondement était assez creux, et que je bâtisse désormais tout à mon aise, comme si je n'eusse dû avoir aucune peine dans tout le reste de l'ouvrage. »

CHAPITRE II

Le Saint s'en va dans un Monastère, d'où on le prie de se retirer à cause de ses incroyables austérités. Puis on retourne le quérir

Les suites ont bien fait voir que cette prédiction était véritable, puisque les actions de ce grand Saint sont si fort élevées au-dessus de la nature. Au sortir de cette Église il alla dans un Monastère de Solitaires qui en était proche, et après avoir demeuré deux ans avec eux, le désir d'embrasser une vie encore plus parfaite le fit aller trouver dans le bourg de Télède, dont nous avons parlé ci-dessus, ces divins hommes Amien et Eusèbe, non pas dans la maison qu'ils avaient premièrement établie pour y pratiquer tous les exercices de la plus haute piété, mais dans une autre maison qui en avait tiré son origine, et qu'Eusebonne et Abibe après avoir été pleinement instruits par le grand Eusèbe avaient bâtie[1]. Ces deux saints personnages passèrent toute leur vie dans une telle union et dans une conformité de mœurs si parfaite, qu'il semblait qu'une seule âme les animât ; ils avaient été cause que plusieurs à leur imitation étaient entrés dans le désir de vivre de la même sorte. Ayant glorieusement achevé leur course, Héliodore[2] prit la conduite de frères. C'était un homme admirable, et qui de soixante et cinq ans qu'il vécut en passa soixante et deux dans cette maison, y ayant été reçu à l'âge de trois ans, et avant que d'avoir aucune connaissance des choses du siècle ; ce qui lui faisait dire quelquefois qu'il ne savait comment un coq, un pourceau, et les autres animaux étaient faits. J'ai vu très souvent ce grand serviteur de Dieu, non sans admirer son extrême simplicité et la pureté de son âme.

Ce vaillant soldat de JÉSUS-CHRIST dont j'écris la vie combattit dix ans sous ses enseignes, et ayant quatre-vingts compagnons de ses combats il les surpassa tous infiniment. Car les autres ne mangeant que de deux jours l'un, lui seul ne mangeait qu'une fois en chaque semaine. Ses supérieurs le trouvaient mauvais et l'en reprenaient souvent, disant qu'il y avait de l'excès ; mais ils ne le pouvaient faire résoudre à modérer une austérité qui lui était si agréable ; et j'ai entendu raconter à celui-là même qui gouverne maintenant ce saint troupeau, que ce Saint ayant fait avec des feuilles de palmier une corde si rude qu'à peine la pouvait-on manier avec les mains, il s'en ceignit les reins non en la mettant au-dehors par-dessus son habit, mais au-dedans sur sa peau, et la serra si fort qu'elle lui entra tout à l'entour dans la chair ; en sorte qu'ayant passé ainsi dix jours entiers, le sang en sortait à grosses gouttes ; ce qu'un des frères ayant aperçu il lui en demanda la cause. Le Saint lui répondant qu'il ne ressentait aucune incommodité, il y porta la main malgré lui, et ayant découvert ce que c'était le dit au Supérieur, qui condamnant une austérité si cruelle, et joignant ses prières à ses répréhensions, eut toutes les peines du monde à lui arracher cette corde, et ne put jamais lui persuader de rien faire pour se guérir.

Cette rencontre et autres semblables fit que toute

la maison ordonna au Saint d'en sortir, afin de ne point nuire à ceux qui ne pouvant pas supporter de si grandes austérités voudraient à son imitation en entreprendre qui seraient au-dessus de leurs forces. Étant allé dans le lieu le plus désert de la montagne[1], et y ayant trouvé un puits sec qui n'était pas fort profond il y descendit ; et là il chantait les louanges de Dieu. Cinq jours après les principaux du Monastère ayant regret de l'avoir chassé, envoyèrent deux frères pour le chercher et le ramener. Ceux-ci ayant fait le tour de la montagne sans le trouver, demandèrent à des bergers s'ils n'avaient point vu un homme d'une telle taille et vêtu d'une telle sorte ; ils leur montrèrent le puits, où ils furent aussitôt l'appeler à haute voix, et avec une corde qu'on leur apporta ils l'en retirèrent avec grande peine, d'autant qu'il était beaucoup plus difficile d'en remonter que d'y descendre.

CHAPITRE III

Le Saint demeure reclus durant trois ans. Et passe ensuite plusieurs Carêmes entiers sans manger

L'ayant ramené au Monastère il y séjourna fort peu, et s'en alla dans un bourg nommé Télanisse[2] qui est au bas de la montagne, où il demeure maintenant. Là ayant rencontré une petite maisonnette il y fut reclus trois ans, durant lesquels il travaillait sans cesse à s'enrichir de plus en plus de vertus célestes. Désirant de passer quarante jours sans manger ainsi qu'avaient fait autrefois Moïse et Élie, il pria ce grand serviteur de Dieu Basse[1], qui faisait alors sa visite dans plusieurs bourgs dont les Prêtres étaient soumis à sa conduite, de ne laisser quoi que ce fût dans sa cellule, et d'en murer la porte avec de la terre. Sur quoi ce bon homme lui ayant représenté que c'était une entreprise trop difficile, et qu'il ne devait pas se persuader qu'il y eût de la vertu à se donner la mort à soi-même, puisqu'au contraire c'était le plus grand de tous les crimes, il lui répondit : « Mon père, laissez-moi donc s'il vous plaît dix pains et une cruche pleine d'eau pour m'en servir si j'en ai besoin. » Cela ayant été fait, et la porte ayant été bouchée comme il l'avait désiré, lorsque les quarante jours furent passés Basse la déboucha, et étant entré il trouva tous les pains et toute l'eau qu'il y avait mis, et le Saint couché par terre sans parole et sans mouvement, comme s'il eût été privé de vie. Ayant demandé une éponge et l'ayant trempée dans de l'eau, il lui en arrosa et lava la bouche, et puis lui donna le Corps et le Sang de JÉSUS-CHRIST. Ce qui l'ayant fortifié il se leva et prit un peu de nourriture en suçant des laitues, de la chicorée et quelques autres légumes. Basse rempli d'un extrême étonnement s'en retourna vers les siens, et raconta ce grand miracle à ses disciples et à ses frères, dont le nombre étant de plus de deux cents, il ne leur permet d'avoir, ni chevaux, ni moulin, ni de recevoir de l'argent de qui que ce soit, ni de sortir même pour acheter ce qui leur est nécessaire, ou pour visiter leurs amis ; mais il leur ordonne de demeurer toujours dans la maison pour y recevoir la nourriture qu'il plaira à Dieu de leur envoyer ; ce qu'ils observent encore aujourd'hui, quoique leur nombre soit plus grand qu'il n'était alors.

Or pour revenir à l'admirable Siméon, depuis

vingt-huit ans qu'il y a que ce que je viens dire arriva[1], il a passé tous les Carêmes sans manger ; à quoi il a maintenant moins de peine, parce qu'il y est plus accoutumé. Car du commencement il passait les premiers jours tout debout à louer Dieu ; les jours suivants, son corps affaibli par le jeûne n'ayant plus la force de se tenir en cet état, il demeurait assis et lisait ainsi son office ; et les derniers jours, ses forces étant entièrement abattues et se trouvant comme à demi mort, il était contraint de se coucher par terre. Lorsqu'il commença à demeurer debout sur une colonne on ne put le faire résoudre à descendre durant le Carême ; et il s'avisa pour n'en bouger de se faire attacher durant tout ce temps à une poutre qu'on lia à la colonne. Depuis Dieu ayant répandu du ciel dans son âme une grâce encore plus abondante, il n'a pas même eu besoin de ce secours ; mais étant fortifié par la puissance de sa grâce il passe tous ces quarante jours avec une gaieté nonpareille, sans manger quoi que ce puisse être.

CHAPITRE IV

Le Saint va sur une montagne où il se fait attacher, puis détacher par obéissance. Fait plusieurs miracles. On venait de tous les côtés du monde pour le voir

Le Saint ayant donc, comme j'ai dit, demeuré trois ans dans cette cellule il s'en alla sur le sommet de cette célèbre montagne, lequel il fit environner d'une muraille bâtie seulement à pierre sèche, et ayant fait faire une chaîne de fer de vingt coudées de longueur, il s'en fit attacher un bout au pied droit, et l'autre à une grosse pierre, afin de ne pouvoir même quand il le voudrait, sortir hors de ces limites. Et là sans que la chaîne dont il était ainsi attaché pût empêcher son esprit de s'envoler dans le ciel, il s'occupait sans cesse à contempler des yeux de la foi et de la pensée les choses qui sont au-dessus du ciel. Sur quoi Mélesse, ce grand personnage qui était alors Patriarche d'Antioche[1] et que sa prudence et son esprit rendaient si célèbre, lui ayant représenté que la volonté conduite par la raison étant assez forte par elle-même pour tenir le corps dans ses liens, cette chaîne était inutile, il obéit sans contester, et envoya quérir un serrurier pour la rompre. Or d'autant que pour empêcher qu'elle n'entrât dans sa chair on avait mis un morceau de cuir entre-deux, il fallut aussi le déchirer, et en l'ôtant on trouva plus de vingt gros vers qui étaient cachés dessous ; ce que Mélesse assurait avoir vu de ses propres yeux, et j'ai cru le devoir rapporter ici pour faire connaître l'extrême patience du Saint, qui pouvant facilement écraser ces vers endurait si constamment leurs fâcheuses et importunes piqûres, afin de s'accoutumer par ces petites souffrances à en supporter de plus grandes.

Sa réputation se répandant partout, non seulement les habitants des environs, mais ceux qui en étaient éloignés de plusieurs journées venaient de tous côtés vers lui. Les uns lui amenaient des Paralytiques ; les autres des malades de diverses maladies pour les guérir, et les autres le conjuraient de demander pour eux des enfants à Dieu, et d'obtenir de sa bonté par ses prières ce que la nature leur refusait. Ceux d'entre eux dont les désirs étaient exaucés s'en retournant avec joie et publiant les grâces qu'ils avaient reçues, étaient cause que d'autres en plus grand nombre venaient pour en recevoir de semblables. Ainsi chacun y abordant de toutes parts, on voit en ce lieu une si grande multitude de personnes, qu'il semble que ce soit une mer qui reçoit par tant de divers chemins ainsi que par autant de fleuves ce nombre infini de peuples qui y vient de tous côtés. Car on n'y voit pas seulement des habitants de notre Province, mais aussi des Ismaélites[1], des Perses, des Arméniens, des Ibères, des Éthiopiens et d'autres peuples plus éloignés encore que ceux-là. Il en vient aussi des endroits d'Occident des plus reculés, comme des Espagnols, des Anglais, des Français[2] et des autres Provinces qui leur sont voisines. Quant à l'Italie il serait inutile d'en parler, puisqu'on assure que ce Saint est si célèbre dans Rome, qu'ils mettent de petites images de lui à l'entrée de leurs boutiques, comme pour chercher de l'assurance et de l'appui dans sa protection et dans son secours.

CHAPITRE V

Raisons qui obligent le Saint de passer le reste de sa vie sur une colonne. Conversions merveilleuses qui s'y faisaient ; et du respect incroyable que les plus barbares avaient pour lui

Or d'autant que le nombre de ceux qui venaient vers lui était innombrable, et que chacun s'efforçait de le toucher dans la créance que ces peaux dont il était revêtu portaient quelque bénédiction ; ces extrêmes honneurs qu'on lui rendait lui semblant non seulement excessifs, mais extravagants, et ne pouvant davantage souffrir une chose qui lui était si importune, il s'avisa de demeurer sur une colonne[1], et en fit faire d'abord une de six coudées de haut, puis de douze, puis de vingt-deux ; et celle sur laquelle il est maintenant est de trente-six coudées, le désir qu'il a de s'envoler dans le Ciel faisant qu'il s'éloigne toujours de plus en plus de la terre. Quant à moi j'estime qu'une chose si extraordinaire n'est point arrivée sans une conduite particulière de Dieu ; et je prie ceux qui prennent plaisir de trouver à redire à tout, de donner un frein à leur langue, et de considérer que Dieu fait souvent des choses semblables pour réveiller et pour exciter ceux qui s'endorment dans la négligence et dans la paresse. Ainsi il commanda à Isaïe d'aller non seulement nus pieds mais tout nu ; à Jérémie de ceindre ses reins pour annoncer ainsi ses Prophéties aux incrédules, et quelquefois même de mettre à son cou des chaînes de bois et de fer ; à Osée de prendre une femme de mauvaise vie, et puis de reprendre et d'aimer la sienne, quoique méchante et adultère ; et à Ézéchiel de dormir durant quarante jours sur le côté droit, et durant cent cinquante jours sur le côté gauche ; puis de faire un trou dans la muraille et de s'enfuir par là, pour figurer en sa personne la captivité dont le peuple était menacé. Il lui a aussi commandé en d'autres rencontres d'aiguiser la pointe d'une épée, de raser sa tête, et de diviser ses cheveux en quatre parties dont il en jetterait deux d'un côté et deux de l'autre, et autres choses semblables qui seraient trop longues à rapporter. Toutes lesquelles choses ce souverain arbitre de l'univers a ordonnées de la sorte, afin que ceux qui refusaient d'obéir à sa parole et d'écouter les prophéties qu'il leur faisait annoncer, fussent portés à les entendre par l'étonnement que leur donnerait un spectacle si nouveau et si extraordinaire. Car qui pourrait n'être point surpris de voir un homme si saint marcher tout nu, et ne point désirer d'en savoir la cause ? Et qui pourrait ne point s'enquérir des raisons qui auraient pu obliger un Prophète à prendre pour femme une personne de mauvaise vie ? Ainsi donc que Dieu a commandé autrefois toutes ces choses pour l'utilité de ceux qui n'avaient pas le courage de le servir, il a de même été l'auteur d'une action si admirable et si extraordinaire, afin que chacun étant poussé du désir de voir un miracle si nouveau, vînt pour en être spectateur, et fût porté par là à ajouter foi aux avis que le Saint leur donnerait pour leur salut. Car des prodiges si inouïs sont comme une préparation qui nous engage à recevoir les instructions que l'on nous donne. Et comme les Rois changent de temps en temps les figures de leurs monnaies, tantôt en y faisant mettre l'image d'un lion, tantôt celle d'une étoile, et tantôt celle d'un Ange, pour ajouter encore quelque chose au prix de l'or par ce changement, ainsi le Roi de tout l'univers ajoutant à la piété ordinaire de ses Saints des manières de vie si nouvelles, ils excitent non seulement les fidèles, mais les incrédules même à célébrer ses louanges, dont il ne faut point d'autre preuve que ce qui est arrivé en cette rencontre, puisque le séjour de ce Saint sur cette colonne a porté la lumière dans l'âme d'un si grand nombre d'Ismaélites qui étaient auparavant ensevelis dans les ténèbres du paganisme. Car cette lampe si éclatante étant exposée de la sorte sur un chandelier fort élevé, et jetant ainsi qu'un soleil des rayons de toutes parts, on voit comme j'ai dit des Ibériens[1], des Arméniens et des Perses recevoir le saint baptême. Et quant aux Ismaélites qui y viennent par de grandes troupes de deux cents et de trois cents et de mille quelquefois, ils abjurent en criant à haute voix l'idolâtrie de leur pays ; ils foulent aux pieds en présence de cette brillante lumière du Christianisme les images de ces fausses divinités qu'ils avaient auparavant adorées ; ils détestent avec horreur les cérémonies abominables qu'ils faisaient en l'honneur de leur Vénus ; ils embrassent avec révérence les divins mystères de notre foi, et ils renoncent aux coutumes et aux mœurs de leurs pays, pour recevoir de la bouche sacrée de ce grand Saint les lois qu'ils doivent observer à l'avenir.

J'ai été témoin de tout ce que je viens de dire, et je l'ai vu une fois entre autres avec un extrême péril. Car le Saint leur ayant commandé de venir à moi pour recevoir la bénédiction épiscopale, en les assurant qu'elle leur serait très utile, ils se jetèrent en foule sur moi avec une impétuosité de barbares, les uns me tirant par le devant, les autres par derrière, et les autres par les côtés ; ils m'arrachaient la barbe et déchiraient mes habits ; en sorte que je crois en vérité qu'ils m'auraient étouffé si le Saint le leur eût crié de se retirer ; à quoi ils obéirent tout à l'heure même, tant cette colonne, dont les railleurs font gloire de se moquer, produisait d'effets admirables, et tant elle lançait de rayons de la connaissance de Dieu dans les esprits de ces barbares ; dont voici encore une autre remarque que j'ai faite. Une Communauté d'entre eux priant ce divin homme d'envoyer sa bénédiction à leur Gouverneur ; et une autre Communauté s'y opposant et disant qu'il devait plutôt l'envoyer au leur, d'autant qu'il aimait la justice et que l'autre était très injuste ; après une longue contestation ils s'échauffèrent si fort dans leur dispute qu'enfin ils en vinrent aux mains. Je leur dis tout ce dont je pus aviser pour les apaiser, et leur représentai que le Saint pouvait envoyer sa bénédiction à l'un et à l'autre de ces Gouverneurs. Mais les uns soutenant que le premier dont j'ai parlé ne méritait pas de la recevoir ; et les autres s'efforçant d'empêcher que l'autre Gouverneur ne l'eût aussi, le Saint fut contraint de les menacer et de leur parler rudement pour apaiser cette dispute, comme il fit enfin, mais non sans peine. Ce que j'ai rapporté pour faire voir qu'elle était l'opinion qu'ils avaient de sa sainteté, puisqu'ils ne se fussent pas ainsi emportés de fureur les uns contre les autres s'ils n'eussent cru que sa bénédiction eût été très puissante et très efficace.

CHAPITRE VI

Miracles et prédictions du Saint

Je lui ai aussi vu faire un miracle fort célèbre. Un Gouverneur d'une autre Communauté de Sarrasins étant venu le prier de vouloir guérir un homme qui était devenu paralytique dans un grand château nommé Calinique[1], et l'ayant fait apporter devant lui en présence de tout le monde, le Saint lui commanda de renoncer à l'impiété de ses pères ; ce qu'ayant fait de très bon cœur, il lui demanda s'il croyait au Père, au Fils, et au saint Esprit ; à quoi ayant répondu que oui, il lui dit : Je vous commande donc en leur nom de vous lever. Il se leva à ces paroles ; et ensuite le Saint lui commanda de porter sur ses épaules jusque dans son lit le Gouverneur qui était un fort grand homme ; à quoi il obéit aussi à l'heure même. Tous ceux qui se trouvèrent présents louèrent Dieu d'un si grand miracle, dans lequel le Saint imita notre Seigneur lorsqu'il commanda à un paralytique d'emporter son lit, dont personne ne doit s'étonner, puisqu'il a dit de sa propre bouche : *Celui qui croit en moi, fera les mêmes choses que je fais, et de plus grandes encore.* Ce que les effets ont confirmé. Car son ombre n'ayant jamais fait de miracles, celle de saint Pierre a guéri les malades, délivré les possédés et ressuscité les morts ; mais c'était toujours le Seigneur qui faisait ces miracles par ses serviteurs ; et le divin Siméon en fait encore maintenant infinis semblables en son nom, entre lesquels en voici un qui ne cède point à l'autre.

Un Ismaélite, qui était homme de condition et du nombre de ceux qui avaient embrassé la foi salutaire de JÉSUS-CHRIST, ayant promis à Dieu en présence du Saint de ne jamais manger rien qui eût vie, je ne sais comment il arriva qu'il osa tuer une poule et en manger. Sur quoi Dieu voulant lui faire connaître sa faute par un miracle manifeste, et honorer en même temps son serviteur qui avait été témoin de son vœu, il changea en pierre le reste de la chair de cette poule, en sorte que quand il l'aurait voulu il lui aurait été impossible d'en plus manger ; ce qui l'ayant effrayé il vint en grande hâte trouver le Saint, auquel il découvrit son péché en présence de tout le monde, en demanda pardon à Dieu, et implora le secours de son serviteur pour en recevoir l'absolution par l'assistance de ses prières, auxquelles rien n'était impossible. Plusieurs virent ce miracle et touchèrent de leurs propres mains l'estomac de cette poule, dont une partie était d'os et l'autre de pierre.

Quant à moi, non seulement j'ai vu ce prodige, mais je lui ai aussi entendu prédire ce qui devait advenir. Car il me prédit deux ans avant qu'elle arrivât, cette extrême sécheresse qui produisit une si grande stérilité, laquelle fut suivie de la famine, et la famine de la peste, en m'assurant qu'il avait vu un bâton dont Dieu menaçait les hommes, et qui signifiait les maux par lesquels il les voulait châtier.

Une autre fois il prédit qu'il viendrait une grande multitude de chenilles ; mais qu'elles ne feraient pas beaucoup de mal, d'autant que Dieu par sa bonté ferait bientôt cesser ce châtiment. Trente jours après nous vîmes venir tant de chenilles que l'air en était tout obscurci ; mais elles ne touchèrent ni aux grains, ni à rien de ce qui peut servir à la nourriture des hommes, et ravagèrent seulement toutes celles des animaux. Un certain homme me persécutant, il me prédit aussi que quinze jours après il me laisserait en repos, et l'effet confirma sa prédiction.

Je pourrais rapporter plusieurs exemples semblables que la crainte d'être trop long me fait omettre, puisque ceux-ci me suffisent assez pour faire connaître combien son esprit était clairvoyant dans les choses spirituelles.

CHAPITRE VII

De la révérence que le Roi de Perse et toute sa Cour avaient pour le Saint. La Reine des Ismaélites obtient un fils par ses prières. Persévérance du Saint dans la prière. Nombre incroyable de ses adorations. D'un ulcère qu'il avait à la cuisse

Le Saint fut aussi en très grande vénération dans l'esprit du Roi de Perse ; qui comme le racontaient ceux qui étaient venus de sa part vers lui, disaient qu'il s'enquérait très particulièrement de sa manière de vie et de ses miracles, et que la Reine sa femme avait demandé et reçu comme un fort grand présent de l'huile qu'il avait bénie. Ils assuraient aussi que nonobstant les calomnies de leurs Mages contre le Saint, toutes les personnes de la Cour de ce Prince s'informaient avec grand soin de ses actions, et disaient après les avoir entendues, que c'était un homme tout divin.

La Reine des Ismaélites étant stérile et désirant avec passion d'avoir des enfants, elle envoya des principaux de sa Cour pour le conjurer de lui en obtenir de Dieu par ses prières. Son souhait ayant été exaucé et étant accouchée d'un fils, elle mena ce petit Roi à l'homme de Dieu, et d'autant que les femmes ne le voyaient point, elle le lui envoya pour recevoir sa bénédiction, et lui manda ces paroles : « Voici un fruit qui vous appartient ; je n'ai contribué pour le produire que mes larmes et mes prières, mais les vôtres en attirant comme une douce rosée la grâce de Dieu, lui ont donné sa perfection, et l'ont rendu tel qu'il est maintenant. »

Mais m'efforcerai-je ainsi toujours de sonder la profondeur de la mer la plus profonde, sans considérer que si cela est impossible, il ne l'est pas moins d'égaler par des paroles la grandeur des actions d'un homme si extraordinaire ? J'avoue que ce que j'admire le plus en lui est son incroyable persévérance. Car n'y ayant point de portes au lieu où il est, et une grande partie du mur qui pourrait le couvrir étant abattue, il demeure jour et nuit exposé à la vue de tout le monde, comme un spectacle si nouveau et si merveilleux qu'il remplit les esprits d'étonnement, tantôt demeurant debout durant un très long temps, et tantôt se baissant pour adorer Dieu. Le nombre de ses adorations est si grand qu'il y en a plusieurs qui les comptent ; et l'un de ceux qui m'accompagnaient en ayant compté un jour jusques à douze cent quarante-quatre, enfin il se lassa de les compter. Sur quoi il faut remarquer qu'il ne se baisse jamais pour faire ces adorations, qu'il ne touche de son front les doigts de ses pieds, parce que ne mangeant qu'une seule fois en une semaine, il a le ventre si plat qu'il n'a nulle peine à se courber.

À force de se tenir debout il lui est venu un ulcère au pied gauche d'où il sort continuellement du sang corrompu, sans que rien de tout cela puisse ébranler sa confiance ; mais il supporte avec un courage et une gaieté nonpareille, et les travaux auxquels il s'est engagé volontairement et ceux qui lui arrivent sans qu'il les recherche. Or je veux rapporter ici par quelle rencontre il fut contraint de découvrir cet ulcère. Un homme qui était venu sur la montagne lui ayant dit : « Je vous conjure par celui qui est la vérité même, qui convertit les hommes à lui, de me dire si vous êtes comme nous revêtu d'un corps, ou si vous n'êtes qu'un pur esprit. » Ceux qui se trouvaient présents supportant avec peine une semblable demande, le Saint les pria de se taire, et en s'adressant à cet homme, il lui demanda pourquoi il lui faisait cette requête. À quoi lui ayant répondu : « c'était à cause qu'il avait entendu dire à plusieurs qu'il ne mangeait et ne dormait point, quoique ces deux choses soient si propres et si naturelles aux hommes qu'ils ne sauraient vivre sans manger et sans dormir », il commanda qu'on apportât une échelle, et l'ayant fait monter auprès de lui, il lui montra ses deux mains ; et puis lui dit de mettre les siennes sous sa robe qui était de cuir, et de regarder non seulement ses pieds, mais aussi cet étrange ulcère dont la grandeur ayant étonné cet homme, et ayant su du saint qu'il prenait de temps en temps de la nourriture, il descendit et me raconta tout ce que je viens de dire.

CHAPITRE VIII

De la modération, de la modestie, de la douceur, et de la science infuse du Saint. Du soin qu'il prenait de l'Église, et conclusion de tout ce discours

Il donne aussi dans les Fêtes publiques et solennelles une autre preuve de son incroyable patience. Car depuis que le soleil se couche jusques à ce qu'il se lève le lendemain, il demeure durant toute la nuit les mains élevées vers le ciel sans jamais fermer les paupières, ni sans chercher le moindre repos. Et au milieu de tant de travaux, de tant d'actions si extraordinaires et si éclatantes, et d'une telle multitude de miracles, il demeure toujours dans une aussi grande modération d'esprit que s'il était le moindre de tous les hommes. Mais si sa modestie est extrême, sa douceur ne l'est pas moins ; et il ne se peut rien ajouter à la bonté avec laquelle il répond aux pauvres, aux artisans, aux paysans, et généralement à tous ceux qui vont lui parler.

Dieu qui lui est si libéral en toutes choses, lui a aussi accordé le don de science, comme il paraît par les exhortations qu'il fait deux fois chaque jour, dans lesquelles il discourt avec un jugement et une sagesse admirables, et répand dans l'esprit de ses auditeurs par l'assistance du saint Esprit, des instructions toutes saintes, pour les porter à ne regarder que le ciel, à voler sur les ailes de leurs désirs, à renoncer à la terre, à se représenter incessamment le Royaume que nous espérons de posséder, à trembler au bruit des menaces des supplices éternels, à mépriser les choses présentes, et à espérer les futures.

On voit aussi ce grand Saint faisant la fonction de juge, rendre des jugements très justes et très équitables, et il s'emploie à cette occupation et autres semblables après Nonne. Car il est continuellement en prière durant toute la nuit et tout le jour, jusques à cette heure-là. Mais sitôt qu'elle est venue il fait au peuple des exhortations toutes divines, il écoute leurs demandes, il accorde leurs différends, et guérit diverses maladies ; puis quand le soleil se couche il commence à s'entretenir avec Dieu.

Mais parmi toutes ces occupations il ne néglige pas ce qui concerne l'Église ; tantôt en combattant l'impiété des idolâtres ; tantôt en terrassant la résistance opiniâtre des Juifs ; et tantôt en dissipant les factions des hérétiques. Quelquefois aussi il écrit à l'Empereur sur de semblables sujets ; il réveille quelquefois le zèle des Magistrats en ce qui regarde le service de Dieu ; quelquefois il exhorte même les Prélats d'avoir davantage de soin des âmes qui leur sont commises.

En comparant toutes les actions de ce grand Saint jointes ensemble à une pluie qui tombe du ciel, tout ce que je viens d'en écrire, n'en est qu'une goutte : en les comparant à une ruche de miel, je n'ai fait autre chose que d'en prendre un peu au bout du doigt pour en faire goûter l'extrême douceur à ceux qui liront ceci ; et ce que chacun en publie, va extrêmement au-delà de ce que j'en ai rapporté. Aussi n'ai-je pas entrepris d'en faire une relation entière ; mais seulement de montrer par un petit échantillon de chaque partie de sa vie, combien admirable elle est en son tout. Je ne doute point que d'autres n'en écrivent beaucoup davantage, puisque si Dieu prolonge ses jours, il sera possible encore de plus grands miracles que ceux que nous avons déjà vus. Je souhaite et demande à Dieu de tout mon cœur, que comme cet homme admirable est la gloire et l'ornement de notre sainte religion, il obtienne de sa bonté et par la continuation de ses prières, de persévérer jusques à la fin dans de si saints et de si louables travaux, et qu'il me fasse la grâce de régler ma vie selon les préceptes de son Évangile.

JEAN DE LA FONTAINE
(1621-1695)

Avec « La Vie d'Ésope le Phrygien », que Jean de La Fontaine place en prologue à l'édition de 1668 de ses Fables, *l'écrivain s'adonne aux délices d'une sorte de fable biographique. Il traduit en l'agrémentant un texte déjà souvent mis en latin, la* Vie d'Ésope *due au moine byzantin Maxime Planude (v. 1260-v. 1310),* vie *dont l'érudition moderne a pu prouver qu'elle mêlait à des sources grecques anciennes des épisodes issus d'un roman araméen du* VI*e siècle, l'*Histoire d'Ahiqar. *Singulièrement, bien que ses contemporains eussent déjà pris conscience du caractère fantaisiste du texte de Planude (dans sa* Vie d'Ésope *de 1646, Claude-Gaspard Bachet de Méziriac parle de « contes faits à plaisir », de « badineries que Planude a inventées pour amuser les petits enfants[1] »), La Fontaine défend le biographe grec contre ceux qui affirment le caractère « fabuleux » de sa* vie. *Dans la préface des* Fables, *il rejette l'accusation de « niaiserie » et*

1. Claude-Gaspard Bachet de Méziriac, « La vie d'Ésope » [1632], dans *Commentaires sur les Épîtres d'Ovide…, avec plusieurs autres ouvrages du même auteur*, La Haye, H. du Sauzet, 1716, t. I, p. 62.

l'argument selon lequel Planude « a voulu donner à son héros un caractère et des aventures qui répondissent à ses fables[1] *». Peu heureux dans l'emphase néo-hagiographique, si l'on pense à son « Poème de la captivité de saint Malc » inspiré de la* Vie de saint Malch *par saint Jérôme (1673), La Fontaine parvient ici à faire du sens de l'humour une vertu héroïque : « Toute la vie de Socrate n'a pas été sérieuse », justifie l'écrivain. Plutarque, partout crédible, explique La Fontaine, ne met-il pas en scène dans* Le Banquet des sept sages *ce même Ésope, « homme subtil et qui ne laisse rien passer » ? Se fier à la tradition vaut de toute façon mieux que de proposer « un tissu de mes conjectures, lequel j'intitulerai :* Vie d'Ésope *», conclut l'auteur des* Fables.

Cette vie *est donc à la fois une rêverie poétique sur une vie antérieure et un discours de justification théorique : réunissant par un court-circuit poétique l'Antiquité et le* XVII*e siècle, la morale grecque de l'ingéniosité et le moralisme classique, l'écrivain se projette dans Ésope avec une grande liberté, au prix d'un désordre chronologique que relevait déjà Sainte-Beuve. C'est que « La Fontaine aime assez la "croyance" des anciens pour raconter comme une vie antérieure, en préface aux* Fables, *la vie d'un poète débarrassé de la lyre et des oripeaux de l'Olympe », comme le résume Gérard Macé dans une autre* vie *d'Ésope, intitulée « L'invention de la mémoire*[2] *». En sorte que, par exemple, il accentue délibérément*

1. Jean de La Fontaine, *Fables, contes et nouvelles*, édition présentée et annotée par Jean-Pierre Collinet, Paris, Gallimard, coll. « Bibliothèque de la Pléiade », 1991, Préface, p. 10, ainsi que les citations qui suivent.

2. Dans *Vies antérieures*, Gallimard, 1991.

le trait légendaire qu'est la laideur de l'auteur grec, mais élimine des realia *disconvenants (Ésope « pissait en marchant », nous disent ainsi les autres versions de la légende). Dans la défaillance de l'Histoire où se développe le récit, naît un discours de justification d'un genre littéraire, la fable, inopportun dans les typologies traditionnelles et encore en attente de ses lettres de noblesse dans le champ littéraire français : La Fontaine « chante les héros dont Ésope est le père », comme l'affirme la dédicace au Dauphin, et invente, avec un auteur ancien, un genre nouveau.*

Voir Jean DE LA FONTAINE, *Fables, contes et nouvelles*, édition présentée et annotée par Jean-Pierre Collinet, Paris, Gallimard, coll. « Bibliothèque de la Pléiade », 1991, p. 11-26 ; la version retenue est la dernière parue du vivant de La Fontaine : *Fables choisies et mises en vers*, Paris, Denys Thierry et Claude Barbin, 1692. Sur Ésope : Jean-Marie SCHAEFFER, « *Aesopus auctor inventus.* Naissance d'un genre : la fable ésopique », *Poétique*, nº 63, 1985, p. 345-364 ; Anne DUPRAT, « La fable et le discours critique : l'invention des *Vies* d'Ésope », dans Sandrine DUBEL et Sophie RABAU (dir.), *Fictions d'auteur ? Le discours biographique sur l'auteur de l'Antiquité à nos jours*, Paris, Honoré Champion, 2002, p. 117-126.

La Vie d'Ésope le Phrygien

Nous n'avons rien d'assuré touchant la naissance d'Homère et d'Ésope. À peine même sait-on ce qui leur est arrivé de plus remarquable. C'est de quoi il y a lieu de s'étonner, vu que l'histoire ne rejette pas des choses moins agréables et moins nécessaires que celle-là. Tant de destructeurs de nations, tant de princes sans mérite, ont trouvé des gens qui nous ont appris jusqu'aux moindres particularités de leur vie, et nous ignorons les plus importantes de celles d'Ésope et d'Homère, c'est-à-dire des deux personnages qui ont le mieux mérité des siècles suivants. Car Homère n'est pas seulement le père des dieux, c'est aussi celui des bons poètes. Quant à Ésope, il me semble qu'on le devait mettre au nombre des sages dont la Grèce s'est vantée, lui qui enseignait la véritable sagesse, et qui l'enseignait avec bien plus d'art que ceux qui en donnent des définitions et des règles. On a véritablement recueilli les vies de ces deux grands hommes ; mais la plupart des savants les tiennent toutes deux fabuleuses, particulièrement celle que Planude a écrite. Pour moi je n'ai pas voulu m'engager dans cette critique. Comme Planude vivait dans un siècle où la mémoire des choses arrivées à Ésope ne devait pas être encore éteinte, j'ai cru qu'il savait par tradition ce qu'il a laissé. Dans cette croyance, je l'ai suivi, sans retrancher de ce qu'il a dit d'Ésope que ce qui m'a semblé trop puéril, ou qui s'écartait en quelque façon de la bienséance.

Ésope était phrygien, d'un bourg appelé Amorium. Il naquit vers la cinquante-septième olympiade, quelque deux cents ans après la fondation de Rome. On ne saurait dire s'il eut sujet de remercier la nature, ou bien de se plaindre d'elle : car en le douant d'un très bel esprit, elle le fit naître difforme et laid de visage, ayant à peine figure d'homme, jusqu'à lui refuser presque entièrement l'usage de la parole. Avec ces défauts, quand il n'aurait pas été de condition à être esclave, il ne pouvait manquer de le devenir. Au reste, son âme se maintint toujours libre et indépendante de la fortune.

Le premier maître qu'il eut l'envoya aux champs labourer la terre ; soit qu'il le jugeât incapable de toute autre chose, soit pour s'ôter de devant les yeux un objet si désagréable. Or il arriva que ce maître étant allé voir sa maison des champs, un paysan lui donna des figues : il les trouva belles, et les fit serrer fort soigneusement, donnant ordre à son sommelier, appelé Agathopus, de les lui apporter au sortir du bain. Le hasard voulut qu'Ésope eut affaire dans le logis. Aussitôt qu'il y fut entré, Agathopus se servit de l'occasion, et mangea les figues avec quelques-uns de ses camarades ; puis ils rejetèrent cette friponnerie sur Ésope, ne croyant pas qu'il se pût jamais justifier, tant il était bègue, et paraissait idiot. Les châtiments dont les Anciens usaient envers leurs esclaves étaient fort cruels, et cette faute très punissable. Le pauvre Ésope se jeta aux pieds de son maître ; et se faisant entendre du mieux qu'il put, il témoigna qu'il demandait pour toute grâce qu'on sursît de quelques moments sa punition. Cette grâce lui ayant été accordée, il alla quérir de l'eau tiède, la but en présence de son seigneur, se mit les doigts dans la bouche, et ce qui s'ensuit, sans rendre autre chose que cette eau seule. Après s'être ainsi justifié, il fit signe qu'on obligeât les autres d'en faire autant. Chacun demeura surpris : on n'aurait pas cru qu'une telle invention pût partir d'Ésope. Agathopus et ses camarades ne parurent point étonnés. Ils burent de l'eau comme le Phrygien avait fait, et se mirent les doigts dans la bouche ; mais ils se gardèrent bien de les enfoncer trop avant. L'eau ne laissa pas d'agir, et de mettre en évidence les figues toutes crues encore et toutes vermeilles. Par ce moyen Ésope se garantit ; ses accusateurs furent punis doublement, pour leur gourmandise et pour leur méchanceté.

Le lendemain, après que leur maître fut parti, et le Phrygien étant à son travail ordinaire, quelques voyageurs égarés (aucuns disent que c'étaient des prêtres de Diane) le prièrent au nom de Jupiter Hospitalier qu'il leur enseignât le chemin qui conduisait à la ville. Ésope les obligea premièrement de se reposer à l'ombre ; puis leur ayant présenté une légère collation, il voulut être leur guide, et ne les quitta qu'après qu'il les eut remis dans leur chemin. Les bonnes gens levèrent les mains au ciel, et prièrent Jupiter de ne pas laisser cette action charitable sans récompense. À peine Ésope les eut quittés, que le chaud et la lassitude le contraignirent de s'endormir. Pendant son sommeil il s'imagina que la Fortune était debout devant lui, qui lui déliait la langue, et par même moyen lui faisait présent de cet art dont on peut dire qu'il est l'auteur. Réjoui de cette aventure, il s'éveilla en sursaut ; et en s'éveillant : « Qu'est ceci ? dit-il ; ma voix est devenue libre ; je prononce bien un râteau, une charrue, tout ce que je veux. »

Cette merveille fut cause qu'il changea de maître. Car comme un certain Zénas, qui était là en qualité d'économe et qui avait l'œil sur les esclaves, en eut battu un outrageusement pour une faute qui ne le méritait pas, Ésope ne put s'empêcher de le reprendre, et le menaça que ses mauvais traitements seraient sus. Zénas, pour le prévenir, et pour se venger de lui, alla dire au maître qu'il était arrivé un prodige dans sa maison ; que le Phrygien avait recouvré la parole ; mais que le méchant ne s'en servait qu'à blasphémer, et à médire de leur seigneur. Le maître le crut, et passa bien plus avant ; car il lui donna Ésope, avec liberté d'en faire ce qu'il voudrait. Zénas de retour aux champs, un marchand l'alla trouver, et lui demanda si pour de l'argent il le voulait accommoder de quelque bête de somme. « Non pas cela, dit Zénas : je n'en ai pas le pouvoir ; mais je te vendrai, si tu veux, un de nos esclaves. » Là-dessus ayant fait venir Ésope, le marchand dit : « Est-ce afin de te moquer que tu me proposes l'achat de ce personnage ? On le prendrait pour une outre. » Dès que le marchand eut ainsi parlé, il prit congé d'eux partie murmurant, partie riant de ce bel objet. Ésope le rappela, et lui dit : « Achète-moi hardiment ; je ne te serai pas inutile. Si tu as des enfants qui crient et qui soient méchants, ma mine les fera taire : on les menacera de moi comme de la bête. » Cette raillerie plut au marchand. Il acheta notre Phrygien trois oboles, et dit en riant : « Les Dieux soient loués ! je n'ai pas fait grande acquisition, à la vérité ; aussi n'ai-je pas déboursé grand argent. »

Entre autres denrées, ce marchand trafiquait d'esclaves ; si bien qu'allant à Éphèse pour se défaire de ceux qu'il avait, ce que chacun d'eux devait porter pour la commodité du voyage fut départi selon leur emploi et selon leurs forces. Ésope pria que l'on eût égard à sa taille ; qu'il était nouveau venu, et devait être traité doucement. « Tu ne porteras rien, si tu veux », lui répartirent ses camarades. Ésope se piqua d'honneur, et voulut avoir sa charge comme les autres. On le laissa donc choisir. Il prit le panier au pain : c'était le fardeau le plus pesant. Chacun crut qu'il l'avait fait par bêtise ; mais dès la dînée, le panier fut entamé, et le Phrygien déchargé d'autant ; ainsi le soir, et de même le lendemain : de façon qu'au bout de deux jours, il marchait à vide. Le bon sens et le raisonnement du personnage furent admirés.

Quant au marchand, il se défit de tous ses esclaves, à la réserve d'un grammairien, d'un chantre et d'Ésope, lesquels il alla exposer en vente à Samos. Avant que de les mener sur la place, il fit habiller les deux premiers le plus proprement qu'il put, comme chacun farde sa marchandise. Ésope, au contraire, ne fut vêtu que d'un sac, et placé entre ses deux compagnons, afin de leur donner le lustre. Quelques acheteurs se présentèrent, entre autres un philosophe appelé Xantus. Il demanda au grammairien et au chantre ce qu'ils savaient faire : « Tout », reprirent-ils. Cela fit rire le Phrygien, on peut s'imaginer de quel air. Planude rapporte qu'il s'en fallut peu qu'on ne prît la fuite, tant il fit une effroyable grimace. Le marchand fit son chantre mille oboles, son grammairien trois mille ; et en cas que l'on achetât l'un des deux, il devait donner Ésope par-dessus le marché. La cherté du grammairien et du chantre dégoûta Xantus, mais pour ne pas retourner chez soi sans avoir fait quelque emplette, ses disciples lui conseillèrent d'acheter ce petit bout d'homme qui avait ri de si bonne grâce : on en ferait un épouvantail ; il divertirait les gens par sa mine. Xantus se laissa persuader, et fit prix d'Ésope à soixante oboles. Il lui demanda devant que de l'acheter, à quoi il lui serait propre, comme il l'avait demandé à ses camarades. Ésope répondit : « À rien » puisque les deux autres avaient tout retenu pour eux. Les commis de la douane remirent généreusement à Xantus le sou pour livre, et lui en donnèrent quittance sans rien payer.

Xantus avait une femme de goût assez délicat, et à qui toutes sortes de gens ne plaisaient pas ; si bien que de lui aller présenter sérieusement son nouvel esclave, il n'y avait pas d'apparence, à moins qu'il ne la voulût mettre en colère et se faire moquer de lui. Il jugea plus à propos d'en faire un sujet de plaisanterie, et alla dire au logis qu'il venait d'acheter un jeune esclave le plus beau du monde et le mieux fait. Sur cette nouvelle, les filles qui servaient sa femme se pensèrent battre à qui l'aurait pour son serviteur ; mais elles furent bien étonnées quand le personnage parut. L'une se mit la main devant les yeux ; l'autre s'enfuit ; l'autre fit un cri. La maîtresse du logis dit que c'était pour la chasser qu'on lui amenait un tel monstre ; qu'il y avait longtemps que le philosophe se lassait d'elle. De parole en parole, le différend s'échauffa jusqu'à tel point que la femme demanda son bien, et voulut se retirer chez ses parents. Xantus fit tant par sa patience, et Ésope par son esprit, que les choses s'accommodèrent. On ne parla plus de s'en aller ; et peut-être que l'accoutumance effaça à la fin une partie de la laideur du nouvel esclave.

Je laisserai beaucoup de petites choses où il fit paraître la vivacité de son esprit : car quoiqu'on puisse juger par là de son caractère, elles sont de trop peu de conséquence pour en informer la postérité. Voici seulement un échantillon de son bon sens et de l'ignorance de son maître. Celui-ci alla chez un jardinier se choisir lui-même une salade. Les herbes cueillies, le jardinier le pria de lui satisfaire l'esprit sur une difficulté qui regardait la philosophie aussi bien que le jardinage. C'est que les herbes qu'il plantait et qu'il cultivait avec un grand soin ne profitaient point, tout au contraire de celles que la terre produisait d'elle-même, sans culture ni amendement. Xantus rapporta le tout à la Providence, comme on a coutume de faire quand on est court. Ésope se mit à rire ; et ayant tiré son maître à part, il lui conseilla de dire à ce jardinier qu'il lui avait fait une réponse ainsi générale, parce que la question n'était pas digne de lui : il le laissait donc avec son garçon, qui assurément le satisferait. Xantus s'étant allé promener d'un autre côté du jardin, Ésope compara la terre à une femme qui, ayant des enfants d'un premier mari, en épouserait un second qui aurait aussi des enfants d'une autre femme ; sa nouvelle épouse ne manquerait pas de concevoir de l'aversion pour ceux-ci, et leur ôterait la nourriture, afin que les siens en profitassent. Il en était ainsi de la terre, qui n'adoptait qu'avec peine les productions du travail et de la culture, et qui réservait toute sa tendresse et tous ses bienfaits pour les siennes seules : elle était marâtre des unes, et mère passionnée des autres. Le jardinier parut si content de cette raison, qu'il offrit à Ésope tout ce qui était dans son jardin.

Il arriva quelque temps après un grand différend

entre le philosophe et sa femme. Le philosophe, étant de festin, mit à part quelques friandises, et dit à Ésope : « Va porter ceci à ma bonne amie. » Ésope l'alla donner à une petite chienne qui était les délices de son maître. Xantus, de retour, ne manqua pas de demander des nouvelles de son présent, et si on l'avait trouvé bon. Sa femme ne comprenait rien à ce langage : on fit venir Ésope pour l'éclaircir. Xantus, qui ne cherchait qu'un prétexte pour le faire battre, lui demanda s'il ne lui avait pas dit expressément « Va-t'en porter de ma part ces friandises à ma bonne amie. » Ésope répondait là-dessus que la bonne amie n'était pas la femme, qui, pour la moindre parole, menaçait de faire un divorce : c'était la chienne, qui endurait tout, et qui revenait faire caresses après qu'on l'avait battue. Le philosophe demeura court ; mais sa femme entra dans une telle colère qu'elle se retira d'avec lui. Il n'y eut parent ni ami par qui Xantus ne lui fît parler, sans que les raisons ni les prières y gagnassent rien. Ésope s'avisa d'un stratagème. Il acheta force gibier comme pour une noce considérable, et fit tant qu'il fut rencontré par un des domestiques de sa maîtresse. Celui-ci lui demanda pourquoi tant d'apprêts. Ésope lui dit que son maître ne pouvant obliger sa femme de revenir, en allait épouser une autre. Aussitôt que la dame sut cette nouvelle, elle retourna chez son mari, par esprit de contradiction ou par jalousie. Ce ne fut pas sans la garder bonne à Ésope, qui tous les jours faisait de nouvelles pièces à son maître, et tous les jours se sauvait du châtiment par quelque trait de subtilité. Il n'était pas possible au philosophe de le confondre.

Un certain jour de marché, Xantus, qui avait dessein de régaler quelques-uns de ses amis, lui commanda d'acheter ce qu'il y aurait de meilleur, et rien autre chose. « Je t'apprendrai, dit en soi-même le Phrygien, à spécifier ce que tu souhaites, sans t'en remettre à la discrétion d'un esclave. » Il n'acheta que des langues, lesquelles il fit accommoder à toutes les sauces : l'entrée, le second, l'entremets, tout ne fut que langues. Les conviés louèrent d'abord le choix de ce mets ; à la fin ils s'en dégoûtèrent. « Ne t'ai-je pas commandé, dit Xantus, d'acheter ce qu'il y aurait de meilleur ? — Et qu'y a-t-il de meilleur que la langue ? reprit Ésope. C'est le lien de la vie civile, la clef des sciences, l'organe de la vérité et de la raison : par elle on bâtit les villes et on les police ; on instruit, on persuade, on règne dans les assemblées ; on s'acquitte du premier de tous les devoirs, qui est de louer les Dieux. — Eh bien ! dit Xantus qui prétendait l'attraper, achète-moi demain ce qui est de pire : ces mêmes personnes viendront chez moi ; et je veux diversifier. » Le lendemain Ésope ne fit encore servir que le même mets, disant que la langue est la pire chose qui soit au monde. » C'est la mère de tous débats, la nourrice des procès, la source des divisions et des guerres. Si on dit qu'elle est l'organe de la vérité, c'est aussi celui de l'erreur, et qui pis est, de la calomnie. Par elle on détruit les villes, on persuade de méchantes choses. Si d'un côté elle loue les Dieux, de l'autre elle profère des blasphèmes contre leur puissance. » Quelqu'un de la compagnie dit à Xantus que véritablement ce valet lui était fort nécessaire ; car il savait le mieux du monde exercer la patience d'un philosophe. « De quoi vous mettez-vous en peine ? » reprit Ésope. « Et trouve-moi, dit Xantus, un homme qui ne se mette en peine de rien. »

Ésope alla le lendemain sur la place, et voyant

un paysan qui regardait toutes choses avec la froideur et l'indifférence d'une statue, il amena ce paysan au logis : « Voilà, dit-il à Xantus, l'homme sans souci que vous demandez. » Xantus commanda à sa femme de faire chauffer de l'eau, de la mettre dans un bassin, puis de laver elle-même les pieds de son nouvel hôte. Le paysan la laissa faire, quoiqu'il sût fort bien qu'il ne méritait pas cet honneur ; mais il disait en lui-même : « C'est peut-être la coutume d'en user ainsi. » On le fit asseoir au haut bout ; il prit sa place sans cérémonie. Pendant le repas, Xantus ne fit autre chose que blâmer son cuisinier ; rien ne lui plaisait ; ce qui était doux, il le trouvait trop salé ; et ce qui était trop salé, il le trouvait doux. L'homme sans souci le laissait dire, et mangeait de toutes ses dents. Au dessert on mit sur la table un gâteau que la femme du philosophe avait fait ; Xantus le trouva mauvais, quoiqu'il fût très bon : « Voilà, dit-il, la pâtisserie la plus méchante que j'aie jamais mangée ; il faut brûler l'ouvrière, car elle ne fera de sa vie rien qui vaille : qu'on apporte des fagots. — Attendez, dit le paysan ; je m'en vais quérir ma femme : on ne fera qu'un bûcher pour toutes les deux. » Ce dernier trait désarçonna le philosophe, et lui ôta l'espérance de jamais attraper le Phrygien.

Or ce n'était pas seulement avec son maître qu'Ésope trouvait occasion de rire et de dire de bons mots. Xantus l'avait envoyé en certain endroit : il rencontra en chemin le magistrat, qui lui demanda où il allait. Soit qu'Ésope fut distrait, ou pour une autre raison, il répondit qu'il n'en savait rien. Le magistrat, tenant à mépris et irrévérence cette réponse, le fit mener en prison. Comme les huissiers le conduisaient : « Ne voyez-vous pas, dit-il, que j'ai très bien répondu ? Savais-je qu'on me ferait aller où je vas ? » Le magistrat le fit relâcher, et trouva Xantus heureux d'avoir un esclave si plein d'esprit.

Xantus, de sa part, voyait par là de quelle importance il lui était de ne point affranchir Ésope, et combien la possession d'un tel esclave lui faisait d'honneur. Même un jour, faisant la débauche avec ses disciples, Ésope, qui les servait, vit que les fumées leur échauffaient déjà la cervelle, aussi bien au maître qu'aux écoliers. « La débauche de vin, leur dit-il, a trois degrés : le premier, de volupté ; le second, d'ivrognerie ; le troisième, de fureur. » On se moqua de son observation, et on continua de vider les pots. Xantus s'en donna jusqu'à perdre la raison, et à se vanter qu'il boirait la mer. Cela fit rire la compagnie. Xantus soutint ce qu'il avait dit, gagea sa maison qu'il boirait la mer toute entière ; et pour assurance de la gageure, il déposa l'anneau qu'il avait au doigt. Le jour suivant, que les vapeurs de Bacchus furent dissipées, Xantus fut extrêmement surpris de ne plus trouver son anneau, lequel il tenait fort cher. Ésope lui dit qu'il était perdu, et que sa maison l'était aussi par la gageure qu'il avait faite. Voilà le philosophe bien alarmé : il pria Ésope de lui enseigner une défaite. Ésope s'avisa de celle-ci.

Quand le jour que l'on avait pris pour l'exécution de la gageure fut arrivé, tout le peuple de Samos accourut au rivage de la mer pour être témoin de la honte du philosophe. Celui de ses disciples qui avait gagé contre lui triomphait déjà. Xantus dit à l'assemblée : « Messieurs, j'ai gagé véritablement que je boirais toute la mer, mais non pas les fleuves qui entrent dedans ; c'est pourquoi, que celui qui a gagé contre moi détourne leurs cours, et puis je ferai ce que je me suis vanté de faire. » Chacun admira l'expédient que Xantus avait trouvé pour sortir à son honneur d'un si mauvais pas. Le disciple confessa qu'il était vaincu, et demanda pardon à son maître. Xantus fut reconduit jusqu'en son logis avec acclamations.

Pour récompense, Ésope lui demanda la liberté. Xantus la lui refusa, et dit que le temps de l'affranchir n'était pas encore venu : si toutefois les Dieux l'ordonnaient ainsi, il y consentait ; partant, qu'il prît garde au premier présage qu'il aurait étant sorti du logis : s'il était heureux, et que, par exemple, deux corneilles se présentassent à sa vue, la liberté lui serait donnée ; s'il n'en voyait qu'une, qu'il ne se lassât point d'être esclave. Ésope sortit aussitôt. Son maître était logé à l'écart, et apparemment vers un lieu couvert de grands arbres. À peine notre Phrygien fut hors, qu'il aperçut deux corneilles qui s'abattirent sur le plus haut. Il en alla avertir son maître, qui voulut voir lui-même s'il disait vrai. Tandis que Xantus venait, l'une des corneilles s'envola. « Me tromperas-tu toujours ? dit-il à Ésope : qu'on lui donne les étrivières. » L'ordre fut exécuté. Pendant le supplice du pauvre Ésope, on vint inviter Xantus à un repas : il promit qu'il s'y trouverait. « Hélas ! s'écria Ésope, les présages sont bien menteurs. Moi, qui ai vu deux corneilles, je suis battu ; mon maître, qui n'en a vu qu'une, est prié de noces. » Ce mot plut tellement à Xantus, qu'il commanda qu'on cessât de fouetter Ésope ; mais quant à la liberté, il ne se pouvait résoudre à la lui donner, encore qu'il la lui promît en diverses occasions.

Un jour ils se promenaient tous deux parmi de vieux monuments, considérant avec beaucoup de plaisir les inscriptions qu'on y avait mises. Xantus en aperçut une qu'il ne put entendre, quoiqu'il demeurât longtemps à en chercher l'explication. Elle était composée des premières lettres de certains mots. Le philosophe avoua ingénument que cela passait son esprit. « Si je vous fais trouver un trésor par le moyen de ces lettres, lui dit Ésope, quelle récompense aurai-je ? » Xantus lui promit la liberté, et la moitié du trésor. « Elles signifient, poursuivit Ésope, qu'à quatre pas de cette colonne nous en rencontrerons un. » En effet, ils le trouvèrent, après avoir creusé quelque peu dans la terre. Le philosophe fut sommé de tenir parole ; mais il reculait toujours. « Les Dieux me gardent de t'affranchir, dit-il à Ésope, que tu ne m'aies donné avant cela l'intelligence de ces lettres ! ce me sera un autre trésor plus précieux que celui lequel nous avons trouvé. — On les a ici gravées, poursuivit Ésope, comme étant les premières lettres de ces mots : Ἀποβὰς βήματα, etc. : c'est-à-dire : *Si vous reculez quatre pas, et que vous creusiez, vous trouverez un trésor*. — Puisque tu es si subtil, repartit Xantus, j'aurais tort de me défaire de toi : n'espère donc pas que je t'affranchisse. — Et moi, répliqua Ésope, je vous dénoncerai au roi Denys ; car c'est à lui que le trésor appartient, et ces mêmes lettres commencent d'autres mots qui le signifient. » Le philosophe intimidé dit au Phrygien qu'il prît sa part de l'argent, et qu'il n'en dît mot ; de quoi Ésope déclara ne lui avoir aucune obligation, ces lettres ayant été choisies de telle manière qu'elles enfermaient un triple sens, et signifiaient encore : « En vous en allant, vous partagerez le trésor que vous aurez rencontré. » Dès qu'ils furent de retour, Xantus commanda que l'on enfermât le Phrygien, et que l'on lui mît les fers aux pieds, de crainte qu'il n'allât publier cette aventure. « Hélas ! s'écria Ésope, est-ce ainsi que les philosophes s'acquittent de leurs promesses ? Mais faites ce que vous voudrez, il faudra que vous m'affranchissiez malgré vous. » Sa prédiction se trouva vraie.

Il arriva un prodige qui mit fort en peine les Samiens. Un aigle enleva l'anneau public (c'était apparemment quelque sceau que l'on apposait aux délibérations du conseil), et le fit tomber au sein d'un esclave. Le philosophe fut consulté là-dessus, et comme étant philosophe, et comme étant un des premiers de la république. Il demanda temps, et eut recours à son oracle ordinaire : c'était Ésope. Celui-ci lui conseilla de le produire en public, parce que, s'il rencontrait bien, l'honneur en serait toujours à son maître, sinon il n'y aurait que l'esclave de blâmé. Xantus approuva la chose, et le fit monter à la tribune aux harangues. Dès qu'on le vit, chacun s'éclata de rire : personne ne s'imagina qu'il pût rien partir de raisonnable d'un homme fait de cette manière. Ésope leur dit qu'il ne fallait pas considérer la forme du vase, mais la liqueur qui y était enfermée. Les Samiens lui crièrent qu'il dît donc sans crainte ce qu'il jugerait de ce prodige. Ésope s'en excusa sur ce qu'il n'osait le faire. « La Fortune, disait-il, avait mis un débat de gloire entre le maître et l'esclave : si l'esclave disait mal, il serait battu ; s'il disait mieux que le maître, il serait battu encore. » Aussitôt on pressa Xantus de l'affranchir. Le philosophe résista longtemps. À la fin le prévôt de ville le menaça de le faire de son office, et en vertu du pouvoir qu'il en avait comme magistrat : de façon que le philosophe fut obligé de donner les mains. Cela fait, Ésope dit que les Samiens étaient menacés de servitude par ce prodige ; et que l'aigle enlevant leur sceau ne signifiait autre chose qu'un roi puissant qui voulait les assujettir.

Peu de temps après, Crésus, roi des Lydiens, fit dénoncer à ceux de Samos qu'ils eussent à se rendre ses tributaires : sinon, qu'il les y forcerait par les armes. La plupart étaient d'avis qu'on lui obéît. Ésope leur dit que la Fortune présentait deux chemins aux hommes : l'un, de liberté, rude et épineux au commencement, mais dans la suite très agréable ; l'autre, d'esclavage, dont les commencements étoilent plus aises, mais la suite laborieuse. C'était conseiller assez intelligiblement aux Samiens de défendre leur liberté. Ils renvoyèrent l'ambassadeur de Crésus avec peu de satisfaction. Crésus se mit en état de les attaquer. L'ambassadeur lui dit que, tant qu'ils auraient Ésope avec eux il aurait peine à les réduire à ses volontés, vu la confiance qu'ils avoient au bon sens du personnage. Crésus le leur envoya demander, avec la promesse de leur laisser la liberté s'ils le lui livraient. Les principaux de la ville trouvèrent ces conditions avantageuses, et ne crurent pas que leur repos leur coûtât trop cher quand ils l'achèteraient aux dépens d'Ésope. Le Phrygien leur fit changer de sentiment en leur contant que les loups et les brebis ayant fait un traité de paix, celles-ci donnèrent leurs chiens pour otages. Quand elles n'eurent plus de défenseurs, les loups les étranglèrent avec moins de peine qu'ils ne faisaient. Cet apologue fit son effet : les Samiens prirent une délibération toute contraire à celle qu'ils avaient prise. Ésope voulut toutefois aller vers Crésus, et dit qu'il les servirait plus utilement étant près du Roi, que s'il demeurait à Samos. Quand Crésus le vit, il s'étonna qu'une si chétive créature lui eût été un si grand obstacle. « Quoi ? voilà celui qui fait qu'on s'oppose à mes volontés ! » s'écria-t-il. Ésope se prosterna à ses pieds. « Un homme prenait des sauterelles, dit-il ; une cigale lui tomba aussi sous la main : il s'en allait la tuer comme il avait fait les sauterelles. "Que vous ai-je fait ? dit-elle à cet homme : je ne ronge point vos blés, je ne vous procure aucun dommage ; vous ne trouverez en moi que la voix, dont je me sers fort innocemment." Grand Roi, je ressemble à cette cigale : je n'ai que la voix et ne m'en suis point servi pour vous offenser. » Crésus, touché d'admiration et de pitié, non seulement lui pardonna, mais il laissa en repos les Samiens à sa considération.

En ce temps-là, le Phrygien composa ses fables, lesquelles il laissa au roi de Lydie, et fut envoyé par lui vers les Samiens, qui décernèrent à Ésope de grands honneurs. Il lui prit aussi envie de voyager et d'aller par le monde, s'entretenant de diverses choses avec ceux que l'on appelait philosophes. Enfin il se mit en grand crédit près de Lycérus, roi de Babylone. Les rois d'alors s'envoyaient les uns aux autres des problèmes à soudre[a] sur toutes sortes de matières, à condition de se payer une espèce de tribut ou d'amende, selon qu'ils répondraient bien ou mal aux questions proposées : en quoi Lycérus, assisté d'Ésope, avait toujours l'avantage, et se rendait illustre parmi les autres, soit à résoudre, soit à proposer.

Cependant notre Phrygien se maria ; et, ne pouvant avoir d'enfants, il adopta un jeune homme d'extraction noble, appelé Ennus. Celui-ci le paya d'ingratitude, et fut si méchant que d'oser souiller le lit de son bienfaiteur. Cela étant venu à la connaissance d'Ésope, il le chassa. L'autre, afin de s'en venger, contrefit des lettres par lesquelles il semblait

a *Soudre* : résoudre.

qu'Ésope eut intelligence avec les rois qui étaient émules de Lycérus. Lycérus, persuadé par le cachet et par la signature de ces lettres, commanda à un de ses officiers, nommé Hermippus, que sans chercher de plus grandes preuves, il fît mourir promptement le traître Ésope. Cet Hermippus, étant ami du Phrygien, lui sauva la vie ; et à l'insu de tout le monde, le nourrit longtemps dans un sépulcre, jusqu'à ce que Nectenabo, roi d'Égypte, sur le bruit de la mort d'Ésope, crût à l'avenir rendre Lycérus son tributaire. Il osa le provoquer, et le défia de lui envoyer des architectes qui sussent bâtir une tour en l'air, et par même moyen, un homme prêt à répondre à toutes sortes de questions. Lycérus ayant lu les lettres et les ayant communiquées aux plus habiles de son État, chacun d'eux demeura court, ce qui fit que le Roi regretta Ésope, quand Hermippus lui dit qu'il n'était pas mort, et le fit venir. Le Phrygien fut très bien reçu, se justifia, et pardonna à Ennus. Quant à la lettre du roi d'Égypte, il n'en fit que rire, et manda qu'il enverrait au printemps les architectes et le répondant à toutes sortes de questions.

Lycérus remit Ésope en possession de tous ses biens, et lui fit livrer Ennus pour en faire ce qu'il voudrait. Ésope le reçut comme un enfant ; et pour toute punition, lui recommanda d'honorer les Dieux et son prince ; se rendre terrible à ses ennemis, facile et commode aux autres ; bien traiter sa femme, sans pourtant lui confier son secret ; parler peu, et chasser de chez soi les babillards ; ne se point laisser abattre aux malheurs ; avoir soin du lendemain, car il vaut mieux enrichir ses ennemis par sa mort que d'être importun à ses amis pendant son vivant ; surtout n'être point envieux du bonheur ni de la vertu d'autrui, d'autant que c'est se faire du mal à soi-même. Ennus, touché de ces avertissements et de la bonté d'Ésope, comme d'un trait qui lui aurait pénétré le cœur, mourut peu de temps après.

Pour revenir au défi de Nectenabo, Ésope choisit des aiglons, et les fit instruire (chose difficile à croire), il les fit, dis-je, instruire à porter en l'air chacun un panier, dans lequel était un jeune enfant. Le printemps venu, il s'en alla en Égypte avec tout cet équipage, non sans tenir en grande admiration et en attente de son dessein les peuples chez qui il passait. Nectenabo, qui sur le bruit de sa mort avait envoyé l'énigme, fut extrêmement surpris de son arrivée. Il ne s'y attendait pas, et ne se fût jamais engagé dans un tel défi contre Lycérus, s'il eût cru Ésope vivant. Il lui demanda s'il avait amené les architectes et le répondant. Ésope dit que le répondant était lui-même et qu'il ferait voir les architectes quand il serait sur le lieu. On sortit en pleine campagne, où les aigles enlevèrent les paniers avec les petits enfants, qui criaient qu'on leur donnât du mortier, des pierres, et du bois. « Vous voyez, dit Ésope à Nectenabo, je vous ai trouvé les ouvriers ; fournissez-leur des matériaux. » Nectenabo avoua que Lycérus l'emportait. Il proposa toutefois ceci à Ésope : « J'ai des cavales en Égypte qui conçoivent sur le seul hénnissement des chevaux qui sont devers Babylone. Qu'avez-vous à répondre là-dessus ? » Le Phrygien remit sa réponse au lendemain, et retourné qu'il fut au logis, il commanda à des enfants de prendre un chat, et de le mener fouettant par les rues. Les Égyptiens, qui adorent cet animal se trouvèrent extrêmement scandalisés du traitement que l'on lui faisait. Ils l'arrachèrent des mains des enfants, et allèrent se plaindre au Roi. On fit venir en sa présence le Phrygien. « Ne savez-vous pas, lui dit le Roi, que cet animal est un de nos dieux ? Pourquoi donc le faites-vous traiter de la sorte ? — C'est pour l'offense qu'il a commise envers Lycérus, reprit Ésope, car, la nuit dernière, il lui a étranglé un coq extrêmement courageux, et qui chantait à toutes les heures. — Vous êtes un menteur, repartit le Roi : comment serait-il possible que ce chat eût fait en si peu de temps un si long voyage ? — Et comment est-il possible, reprit Ésope, que vos juments entendent de si loin nos chevaux hennir, et conçoivent pour les entendre ? »

En suite de cela, le Roi fit venir d'Héliopolis certains personnages d'esprit subtil, et savants en questions énigmatiques. Il leur fit un grand régal, où le Phrygien fut invité. Pendant le repas, ils proposèrent à Ésope diverses choses, celle-ci entre autres : « Il y a un grand temple qui est appuyé sur une colonne entourée de douze villes, chacune desquelles a trente arcboutants ; et autour de ces arcboutants se promènent, l'une après l'autre, deux femmes, l'une blanche, l'autre noire. — Il faut renvoyer, dit Ésope, cette question aux petits enfants de notre pays. Le temple est le monde ; la colonne, l'an ; les villes, ce sont les mois ; et les arcboutants, les jours, autour desquels se promènent alternativement le jour et la nuit. »

Le lendemain, Nectenabo assembla tous ses amis. « Souffrirez-vous, leur dit-il, qu'une moitié d'homme, qu'un avorton soit la cause que Lycérus remporte le prix, et que j'aie la confusion pour mon partage ? » Un d'eux s'avisa de demander à Ésope qu'il leur fît des questions de choses dont ils n'eussent jamais entendu parler. Ésope écrivit une cédule par laquelle Nectenabo confessait devoir deux mille talents à Lycérus. La cédule fut mise entre les mains de Nectenabo toute cachetée. Avant qu'on l'ouvrît, les amis du Prince soutinrent que la chose contenue dans cet écrit était de leur connaissance. Quand on l'eut ouverte, Nectenabo s'écria : « Voilà la plus grande fausseté du monde ; je vous en prends à témoin tous tant que vous êtes. — Il est vrai, repartirent-ils, que nous n'en avons jamais entendu parler. — J'ai donc satisfait à votre demande », reprit Ésope.

Nectenabo le renvoya comblé de présents, tant pour lui que pour son maître. Le séjour qu'il fit en Égypte est peut-être cause que quelques-uns ont écrit qu'il fut esclave avec Rhodopé, celle-là qui des libéralités de ses amants, fit élever une des trois pyramides qui subsistent encore, et qu'on voit avec admiration : c'est la plus petite, mais celle qui est bâtie avec le plus d'art.

Ésope, à son retour dans Babylone, fut reçu de Lycérus avec de grandes démonstrations de joie et de bienveillance. Ce roi lui fit ériger une statue. L'envie de voir et d'apprendre le fit renoncer à tous ces honneurs. Il quitta la cour de Lycérus, où il avait tous les avantages qu'on peut souhaiter, et prit congé de ce prince pour voir la Grèce encore une fois. Lycérus ne le laissa point partir sans embrassements et sans larmes, et sans le faire promettre sur les autels qu'il reviendrait achever ses jours auprès de lui.

Entre les villes où il s'arrêta, Delphes fut une des principales. Les Delphiens l'écoutèrent fort volontiers ; mais ils ne lui rendirent point d'honneurs. Ésope, piqué de ce mépris, les compara aux bâtons qui flottent sur l'onde : on s'imagine de loin que c'est quelque chose de considérable ; de près, on trouve que ce n'est rien. La comparaison lui coûta cher. Les Delphiens en conçurent une telle haine et un si violent désir de vengeance (outre qu'ils craignaient d'être décriés par lui), qu'ils résolurent de l'ôter du monde. Pour y parvenir, ils cachèrent parmi ses hardes un de leurs vases sacrés, prétendant que par ce moyen ils convaincraient Ésope de vol et de sacrilège, et qu'ils le condamneraient à la mort. Comme il fut sorti de Delphes et qu'il eut pris le chemin de la Phocide, les Delphiens accoururent comme gens qui étaient en peine. Ils l'accusèrent d'avoir dérobé leur vase ; Ésope le nia avec des serments : on chercha dans son équipage, et il fut trouvé. Tout ce qu'Ésope put dire n'empêcha point qu'on ne le traitât comme un criminel infâme. Il fut ramené à Delphes chargé de fers, mis dans les cachots, puis condamné à être précipité. Rien ne lui servit de se défendre avec ses armes ordinaires, et de raconter des apologues : les Delphiens s'en moquèrent. « La Grenouille, leur dit-il, avait invité le Rat à la venir voir. Afin de lui faire traverser l'onde, elle l'attacha à son pied. Dès qu'il fut sur l'eau, elle voulut le tirer au fond, dans le dessein de le noyer et d'en faire ensuite un repas. Le malheureux Rat résista quelque peu de temps. Pendant qu'il se débattait sur l'eau, un oiseau de proie l'aperçut, fondit sur lui ; et l'ayant enlevé avec la Grenouille, qui ne se put détacher, il se reput de l'un et de l'autre. C'est ainsi, Delphiens abominables, qu'un plus puissant que nous me vengera : je périrai ; mais vous périrez aussi. » Comme on le conduisait au supplice, il trouva moyen de s'échapper, et entra dans une petite chapelle dédiée à Apollon. Les Delphiens l'en arrachèrent. « Vous violez cet asile, leur dit-il, parce que ce n'est qu'une petite chapelle, mais un jour viendra que votre méchanceté ne trouvera point de retraite sûre, non pas même dedans les temples. Il vous arrivera la même chose qu'à l'Aigle, laquelle, nonobstant les prières de l'Escarbot, enleva un lièvre qui s'était réfugié chez lui : la génération de l'Aigle en fut punie jusque dans le giron de Jupiter. » Les Delphiens, peu touchés de tous ces exemples, le précipitèrent.

Peu de temps après sa mort, une peste très violente exerça sur eux ses ravages. Ils demandèrent à l'oracle par quels moyens ils pourraient apaiser le courroux des Dieux. L'oracle leur répondit qu'il n'y en avait point d'autre que d'expier leur forfait, et satisfaire aux mânes d'Ésope. Aussitôt une pyramide fut élevée. Les Dieux ne témoignèrent pas seuls combien ce crime leur déplaisait : les hommes vengèrent aussi la mort de leur sage. La Grèce envoya des commissaires pour en informer, et en fit une punition rigoureuse.

ANONYME

(XVIIe siècle)

La légende de Robert le Diable trouve ses origines au XIIIe *siècle, dans un récit en vers dont l'original, perdu, est connu par deux versions (*Le Roman *et* La Vie de Robert le Diable*) ; celles-ci connaissent plusieurs récritures à l'époque médiévale, dont une version abrégée du* XIVe *siècle, le* Dit de Robert le Diable, *elle-même mise en prose et imprimée en 1496 sous le titre de* Vie du terrible Robert le Diable. *La légende se propage encore, sous une forme remaniée et simplifiée, à partir du* XVIIe *siècle dans la « Bibliothèque bleue », série de brefs livrets anonymes, imprimés à très grand tirage (à son sommet, en 1732, sa diffusion annuelle atteint peut-être le million d'exemplaires), d'abord à Troyes puis ailleurs. Le support grossier, recouvert d'un papier gris-bleu, donne son nom à la collection. Ces éditions semi-clandestines, diffusées par les colporteurs, reprennent la trame des romans de chevalerie médiévaux, les assortissent de commentaires édifiants et touchent un public modeste : petits bourgeois, artisans typographes, paysans aisés. La version simplifiée de la légende diffusée par la Bibliothèque bleue n'est pas sans aménagements, qui se font au profit d'une vision moins* *manichéenne de la vie de Robert que dans le texte médiéval (au lieu de mourir ermite, le héros épouse la fille de l'empereur et devient duc de Normandie). Elle est sans doute lue, au sein du peuple des villes et des campagnes, comme un livre d'histoire relatant un lointain passé mythique aux protagonistes teintés de romanesque. Au* XVIIIe *siècle, des éditions retranscrites d'après les incunables feront leur entrée dans la* Bibliothèque universelle des romans *de Paulmy et Tressan, compilation de la culture populaire destinée à un lectorat cultivé, bourgeois et aristocratique. À l'heure du médiévalisme, le récit sera très librement transposé par Eugène Scribe et Germain Delavigne, qui emprunteront largement au roman gothique pour donner le livret d'un opéra de Meyerbeer,* Robert le Diable *(1832), extraordinaire succès qui fit la fortune de l'opéra de Paris et influença Wagner autant que Verdi. C'est peut-être que la légende allie deux paradigmes du genre biographique : la vie de criminel et sa thématique satanique — genre auquel emprunte tout le début du récit, ouverture quasi fantastique — et la vie chevaleresque, aux soubassements théologico-politiques mais à la thématique héroïque, qui débute après la pénitence imposée à Robert. Ces motifs se combinent en un diptyque transgression / rédemption qui renvoie en profondeur à la structure binaire des représentations de l'existence terrestre dans le monde chrétien : « Naturellement [Robert] était enclin à tous vices et délits : mais toutefois à la fin il se corrigea et se convertit si bien qu'il paya une amende salutaire de ses forfaits à Dieu, et à la fin fut sauvé, comme le témoigne assez amplement l'histoire de sa vie. » Ce schéma augustinien est celui d'une morale devenue spectacle ; son substrat entremêle les deux ordres de plaisirs propres au récit de vie, dont notre « désir de savoir » n'est souvent que le prétexte superficiel : d'une part, notre appétence pour les vies de gueux, de malfrats, de bandits, notre immense fascination pour la représentation du mal et de la chute, où la curiosité malsaine le dispute aux velléités d'explication historique et de démarcation morale ; d'autre part, notre besoin de modèles héroïques dont l'éducation morale s'apparente à une puissante forme d'évasion au-delà de nous-mêmes. Ce que nous montre la* Vie de Robert le Diable, *c'est peut-être que la diffusion progressive vers le bas de l'échelle sociale du modèle des vies de grands hommes n'explique pas, à elle seule, la prédilection moderne et démocratique pour le récit biographique. Notre goût ambigu pour la biographie criminelle, bien avant que l'Histoire, la sociologie et la criminologie ne s'en soient emparé, la laïcisation du modèle hagiographique en une biographie héroïque où survivent les thèmes du remords et du pardon, et le motif d'une réversion miraculeuse des malédictions de la naissance, constituent, sur la longue durée, des éléments forts du romanesque biographique. On ne regrettera donc pas que, de cette légende populaire, nous reste aujourd'hui la « Complainte de Robert le Diable*[1] *» d'Aragon, admirable poème mis en musique par Jean Ferrat, dédié à un autre Robert, Desnos, personnage sulfureux jusqu'au scandale, mort en martyr au camp de Theresienstadt, ultime avatar de l'histoire sublime et troublante d'un chevalier maudit et rédimé par la foi.*

1. Louis Aragon, « Complainte de Robert le Diable », dans *Les Poètes* [1960], repris dans *Œuvres poétiques complètes*, édition publiée sous la direction d'Olivier Barbarant, Paris, Gallimard, coll. « Bibliothèque de la Pléiade », 2007, t. II, p. 407-408.

Voir sur *Robert le Diable* : Élisabeth GAUCHER, *Robert le Diable : histoire d'une légende*, Paris, Honoré Champion, 2003. — Sur la Bibliothèque bleue : Lise ANDRIES, « La Bibliothèque bleue : les réécritures de *Robert le Diable* », *Littérature*, 30, mai 1978, p. 51-66 ; *id.*, *La Bibliothèque bleue au dix-huitième siècle : une tradition éditoriale*, Oxford, Voltaire Foundation, 1989 ; *id.* et Geneviève BOLLÈME (éd.), *La Bibliothèque bleue : littérature de colportage*, Paris, Robert Laffont, coll. « Bouquins », 2003.

Nous reprenons l'édition parue à Troyes, chez Garnier, en 1738. Nous en avons modernisé l'orthographe.

La Terrible et Merveilleuse Vie de Robert le Diable, Lequel après fut Homme de bien

Déclaration du nom de Robert le Diable

Dans la Ville de Rouen au pays de Normandie, naquit un Enfant, lequel fut nommé Robert le Diable, qui est un nom fort épouvantable ; mais la cause pourquoi il fut ainsi nommé, je le vais présentement déclarer.

En ce temps il y avait un Duc en Normandie, vaillant et valeureux, doux et courtois, lequel craignait Dieu, et faisait faire bonne Justice à chacun, pieux, plaisant à Dieu et au monde, était appelé Hubert. De ces geste, et vaillance il fut fait mention en plusieurs chroniques anciennes, tant il y avait de biens et de vertus en lui, qu'il serait presque impossible à raconter. Or vint un jour de Noël que le Duc tint sa Cour à Vernon-sur-Seine, à laquelle vinrent tous les Barons et Chevaliers de Normandie, et parce que le Duc n'était pas encore marié, les Barons tous le prièrent de songer au mariage, afin d'augmenter sa lignée, et afin d'avoir aussi des Successeurs après lui.

Lors le Duc voulut obtempérer à la prière de ses

Barons et leur répondit qu'il ferait ce qu'il leur plairait ; mais qu'il ne pouvait trouver femme selon ce qu'il lui appartenait[a] ; « car il ne convient pas d'épouser une femme de plus haut lieu[b] que je ne suis, ni aussi de m'abaisser pour ne point déshonorer ma famille, c'est pourquoi il me semble qu'il vaut mieux demeurer que de prendre chose qui ne m'appartient pas et dont je pourrais me repentir ».

Les Barons qui étaient présents ayant entendu ces choses, le plus sage et le plus ancien de la compagnie se leva et dit : « Seigneur Duc, vous avez sagement parlé, mais si vous voulez me croire, je vous dirai quelque chose qui vous rendra joyeux. Le Duc de Bourgogne a une belle fille, sage et honnête qui est une chose conforme à votre état, au moyen de ce vous pourrez connaître votre honneur[c], puissance et alliance à plusieurs hauts et puissants hommes, si votre plaisir était de la faire demander, je suis certain que vous n'en aurez pas le refus. » Lors le Duc répondit que cela lui plaisait, et que c'était sagement parler. À cet effet il fit demander ladite Demoiselle, laquelle fut octroyée par son père. On fit aussitôt les noces triomphantes et belles.

a *Ce qu'il lui appartenait* : ce qui lui convenait.
b *Lieu* : rang.
c *Honneur* : la dignité d'une charge ou d'un statut, et les privilèges qui s'y attachent.

Comme après que le Duc de Normandie eut épousé la fille du Duc de Bourgogne, il retourna à Rouen

Le Duc ayant épousé ladite Demoiselle, il l'emmena en très grand honneur en la Cité de Rouen, accompagnée de plusieurs Barons, Chevaliers, Dames et Demoiselles, tant du pays de Bourgogne que d'ailleurs ; il fut reçu avec beaucoup d'honneur et de magnificence, et les Bourguignons firent chère entière avec les Normands qui étaient là assemblés, quant à présent je passe sous silence toutes ces choses pour continuer ma principale matière.

Le Duc et la Duchesse vécurent ensemble, sans pouvoir engendrer aucun enfant jusqu'à quarante ans, ou par leur faute, ou parce qu'il ne plaisait pas à Dieu : car toutefois c'est grand profit à l'homme et à la femme de n'en avoir jamais crainte que par faute de doctrine et d'enseignements, les parents et les enfants ne soient damnés ; c'est pourquoi, homme ne doit demander à Dieu, sinon ce qui lui plaît et qui est nécessaire pour le salut de l'âme. Le Duc et la Duchesse étaient gens de bien, craignant et aimant Dieu, se confessant souvent de leurs péchés, faisant aumônes et oraisons, se montrant doux et humains à tout le monde, de sorte que tout le bien et les vertus abondaient en eux. Le Duc priait Dieu de lui donner des enfants, par lesquels il pût être servi et honoré, et lui d'y prendre plaisir ; mais malgré ses prières continuelles, il ne pouvait avoir des enfants.

Comme le Duc venant de l'ébat, se plaignait à la Duchesse de ce qu'ils n'avaient nul enfant

Il advint un jour que le Duc et la Duchesse venaient de l'ébat. Et le Duc lui dit : « Ma mie, nous ne pouvons avoir nul enfant ; si vous eussiez été mariée à un autre, je crois que vous auriez été féconde, et moi si j'eusse eu une autre femme, je crois que j'aurais eu des enfants : cependant je n'aurai point de ma vie, aucun commerce charnel avec les femmes sinon avec vous. » Quand la Duchesse eut ouï ce que le Duc avait dit, elle répondit : « Sire, il nous le faut prendre de bon cœur, puisqu'il plaît à Dieu, et avoir patience en toutes choses. »

Comme Robert le Diable fut engendré, et comme sa Mère le donna au Diable dès son commencement

Peu de temps après le Duc alla à la chasse fort courroucé, troublé en soi-même se complaignait et disait : « Je vois des Dames de qualité qui ont plusieurs beaux enfants où elles prennent plaisir : je reconnais bien maintenant que Dieu me hait. » Mais le Diable qui est toujours prêt à décevoir le genre humain, tenta le Duc et lui troubla l'entendement, tellement que quand il fut retourné au Palais, il alla trouver la Duchesse, et après avoir passé quelque temps avec elle, il pria Dieu de lui donner lignée ; mais la Dame qui était en colère, dit follement : « Si je conçois aujourd'hui un enfant, qu'il soit la proie du Diable, dès à présent je lui donne de bonne volonté. »

Lors le Duc engendra un enfant qui fit plusieurs maux en sa vie, comme vous le verrez ci-après : car naturellement il était enclin à tous vices et délits : mais toutefois à la fin il se corrigea et se convertit si bien qu'il paya une amende salutaire de ses forfaits à Dieu, et à la fin fut sauvé, comme le témoigne assez amplement l'histoire de sa vie.

Comme Robert le Diable fut né, et de la grande douleur qu'eut sa mère en son enfantement

La Duchesse devint grosse d'enfant, elle le porta comme les femmes ont coutume de porter leurs enfants en grande peine et douleur, combien de fois ne l'avait-elle pas déjà donné au Diable. À cet effet la Duchesse mit au monde son enfant avec beaucoup de peine et douleur ; car elle demeura en travail plus d'un mois, et si ce n'eût été les prières, jeûnes et aumônes que faisait chaque jour le Duc, pour le secours de la Duchesse qu'il voyait endurer tant de douleur ; et tant qu'elle n'a point été délivrée de son enfant, il craignait pour sa vie dans son enfantement. Plusieurs Demoiselles qui étaient venues à l'enfantement de la Duchesse pour lui offrir leurs services, étaient étonnées de la peine et travail qu'elles lui voyaient endurer ; car elles croyaient qu'elle était au dernier jour de sa vie.

Des terribles signes qui furent vus à la Nativité de Robert le Diable

Peu après que l'enfant fut né, il se forma une nuée si obscure qu'il semblait que la nuit dût arriver, et commença à tonner si merveilleusement et éclairer tellement, qu'il semblait que le Ciel fût ouvert, et le feu par toute la maison.

Les quatre vents furent aussi émus de telle manière que la maison tremblait, tant qu'il y tomba une grande partie de la terre. Lors les Seigneurs et Dames qui étaient là pensaient tous prendre fin, vu les terribles tempêtes qui couraient alors ; mais à la fin Dieu voulut que le temps s'apaisât et fût doux et serein.

Aussitôt on porta baptiser l'enfant qui fut nommé Robert, et tous ceux qui le voyaient s'émerveillaient de ce qu'il était si grand car à le voir on eût jugé qu'il eût eu un an ; il était nourri presqu'à demi, et en le portant et rapportant de l'Église, ne cessait de pleurer et gémir ; incontinent les dents lui vinrent, desquelles il mordait les nourrices qui l'allaitaient tellement que nulle femme ne le pouvait plus allaiter, et on fut obligé de lui donner à boire dans un cornet qu'on lui mettait dans la bouche ; après qu'il eut un an, il parlait aussi bien que font les autres enfants à cinq ; plus il croissait et devenait grand, plus il se délectait à mal faire ; depuis qu'il put aller tout seul, il n'était homme ni femme qui le pût tenir, et quand il trouvait les autres petits enfants, il les battait et leur jetait des pierres, et les frappait de gros bâtons ; en quelque part que ce fût, il ne cessait de mal faire : il commença bien jeune à mener mauvaise vie ; il rompait les bras à l'un et les jambes à l'autre.

Les Barons qui le voyaient, disaient que c'était un feu de jeunesse, et prenaient plaisir à ce que l'enfant faisait, dont après se repentirent.

Comme tous les enfants d'un accord le nommèrent Robert le Diable

Bientôt après l'enfant vint en corsage[a] grandet mauvais en courage[b], car on dit communément que la mauvaise herbe croît toujours. Toujours il allait par les rues, heurtant et frappant ce qu'il rencontrait, comme s'il fût enragé ; nul n'osait se trouver devant lui.

Quelquefois les enfants s'assemblaient contre lui, et le battaient : et quand ils le voyaient venir, les uns disaient : voici le diable, et s'enfuyaient de devant lui, comme des brebis devant le Loup ; et parce qu'il était mauvais, les enfants qui conféraient avec lui, le nommèrent d'un accord Robert le Diable tellement qu'il fut divulgué par tout le pays, que le nom ne lui fut changé, ni jamais ne le sera tant que le monde durera. Quand l'enfant eut sept ans, le Duc voyant ses mauvaises manières, le fit venir pour lui remontrer et dit : « Mon fils, il est temps que vous ayez un maître pour vous apprendre et instruire, et pour vous mener à l'école, car vous êtes assez grand pour apprendre les honneurs, et vivre en bonnes mœurs et apprendre à lire et écrire » :

a *Corsage* : taille, corpulence.
b *Courage* : ensemble des passions qu'on rapporte au cœur.

et lui donna un maître, afin de le nourrir[a] et de le gouverner.

Comme Robert le Diable tua son Maître d'école d'un coup de couteau

On trouva un jour le maître qui voulait corriger Robert pour le punir de plusieurs fautes qu'il faisait, Robert tira son couteau et en frappa son maître, tellement qu'il en mourut.

Robert en colère dit à son maître, en lui jetant son livre par dépit : « Maître, voilà votre science, jamais Prêtre ni Clerc ne sera mon maître, je vous l'ai assez fait connaître » ; et depuis nul maître ne fut assez hardi pour oser entreprendre de l'instruire et châtier en aucune manière que ce fût ; mais le Duc fut obligé de le laisser vivre à sa fantaisie. Il ne se plaisait qu'à mal faire et n'avait aucun respect pour Dieu ni l'Église, et ne gardait ni raison ni mesure ; était enclin à tous les vices, car quand il allait à l'Église, et qu'il voyait que les Clercs et les Prêtres voulaient chanter, il avait des poudres[b] et autres ordures qu'il jetait par grande dérision ; si quelqu'un priait Dieu à l'Église, il les frappait par derrière ; chacun le maudissait pour les grands maux qu'il faisait, et le Duc voyant que son fils était si mauvais et si mal morigéné[c], il en était si courroucé, qu'il aurait voulu qu'il eût été mort. La Duchesse aussi en était si angoisseuse que c'était merveille ; un jour elle dit au Duc : « L'enfant a beaucoup d'âge et est

a *Nourrir* : élever.
b *Poudres* : poussières.
c *Mal morigéné* : de mauvaises mœurs.

assez grand, il me semble qu'il serait bon de le faire Chevalier, et par-là il pourra peut-être changer ses conditions[a] et manières. » Le Duc dit à la Duchesse qu'il en était content, et pour lors Robert n'avait que dix-sept ans.

Comme Robert fut fait Chevalier

Une fête de Pentecôte, le Duc manda par tout son pays que les principaux de ses Barons s'assemblassent, en présence desquels il appela Robert et lui dit après avoir eu l'avis de tous les assistants : « Mon fils, entendez ce que je veux dire par le conseil de vos Barons, vous serez Chevalier, afin que ci-après vous fréquentiez les autres Chevaliers et prudents hommes, et changiez vos conditions et ayez de meilleures manières que vous n'aviez auparavant qui sont déplaisantes à tout le monde ; mais soyez doux et courtois, humble et bon, ainsi que sont les autres Chevaliers, car les honneurs changent les mœurs. » Lors Robert répondit à son père : « Je ferai ce qu'il vous plaira : quant à moi ne m'importe que je sois haut ou bas, je suis délibéré de faire entièrement ce qu'en mon courage je pense, et ainsi que mon courage me conduira, je ne suis pas délibéré de mieux faire que par le passé. » La veille de la Pentecôte fut bien veillée, mais cette nuit Robert ne cessa de frapper l'un et heurter l'autre et ne pouvait demeurer en lieu, car il ne se souciait guère de prier Dieu. Le lendemain jour de la Pentecôte, Robert fut fait Chevalier, le Duc fit crier une joute à laquelle fut Robert, et il ne craignait homme tant hardi fût-il.

a *Conditions* : comportement.

Il attaquait un chacun qui était là. Les joutes commencèrent, et l'on ne voyait que Chevaliers tomber à terre ; car Robert qui était plein de cruauté, n'épargnait personne : tous ceux qui étaient devant lui, il les faisait tomber de cheval à terre, à l'un il rompait le col, à l'autre la cuisse. Il attendait tout homme qui venait jouter contre lui ; mais tant y en avait que nul n'échappait de ses mains qu'il n'en portât la marque ou aux reins, ou aux cuisses, tous étaient marqués en quelque part que ce fût. Il tua dix chevaux aux joutes. Les nouvelles en furent portées au Duc qui en fut fâché : il y alla et voulut faire cesser les joutes ; mais Robert qui semblait être enragé et hors de sens, ne voulut point obéir au Duc son Père, et commença à frapper de côté et d'autre, et abattre chevaux et chevaliers, tellement qu'en ce jour il tua trois des plus vaillants Chevaliers. Tous ceux qui étaient là lui demandèrent quartier ; mais c'était pour néant, et nul n'osait se trouver devant lui tant il était fort, et parce qu'il était si inhumain, chacun le haïssait. On lui disait : « Pour Dieu, Robert, laissez la joute, car Monseigneur votre père a fait dire que chacun cesse, parce que plusieurs personnes de qualité ont perdu la vie, dont il est courroucé », mais Robert qui était échauffé et presque hors de sens, ne tenait compte de chose qu'on lui disait, mais il faisait de pis en pis, tuait tous ceux qu'il rencontrait. Robert fit tant que le peuple s'émut et vint vers le Duc, disant : « Seigneur Duc, c'est grande folie de souffrir à votre fils Robert de faire ce qu'il fait ; pour Dieu veuillez-y mettre remède. »

Comme Robert allait par le Pays de Normandie dérobant et prenant tout, forçant les filles et les femmes

Quand Robert vit qu'il n'y avait plus personne aux joutes, il s'en fut par le pays à son avenue[a], il commença à faire de grands maux, plus encore qu'auparavant ; car il força les Femmes et viola les filles sans nombre, et tua tant de gens que c'était pitié, et il n'y avait nul homme en Normandie qui par lui ne fût outragé ; il pillait même les Églises et leur faisait la guerre incessamment ; il n'y avait aucune Abbaye qu'il ne fît piller et détruire.

Les nouvelles en furent portées au Duc ; tous ceux qu'il avait battus, détruits et dérobés se venaient plaindre et lui racontaient le désordre que faisait Robert par tout le pays de Normandie : l'un disait : « Monseigneur, votre fils a forcé ma femme » ; l'autre disait : « Il a violé ma fille » ; l'autre disait : « Il m'a dérobé et pillé » ; l'autre disait : « Il m'a battu et navré ». C'était pauvre chose à raconter les maux qu'il faisait à chacun sans épargner personne.

Le Duc qui entendait dire ces choses de son fils se prit à pleurer et dit : « J'ai une si grande joie d'avoir un fils, mais j'en ai un qui me fait tant de douleur, que je ne sais ce que je dois faire. »

a *Son avenue* : sa venue.

Comme le Duc de Normandie envoya des gens pour prendre son fils Robert, auxquels il creva les yeux

Un Chevalier qui était là, voyant le Duc en cette grande douleur, lui dit : « Monseigneur, je vous conseille de demander Robert et le faire venir devant vous en la présence de toute votre Cour, et lui défendre de faire mal à personne, ou autrement vous le ferez emprisonner et ferez faire justice de lui. » Alors le Duc accorda, et dit que le Chevalier avait sagement parlé : il envoya incontinent des gens par le pays pour chercher Robert, et leur commanda de l'amener devant lui.

Lors Robert qui était sur les champs[a], sut les nouvelles que le peuple s'était plaint à son père, et comme il avait commandé qu'il fût pris et mené devant lui. Et tous ceux que Robert rencontrait, même les Messagers du Duc, il leur crevait les yeux par dépit de son père qui les avait envoyés. Et quand il les eut ainsi aveuglés, il leur disait par moquerie : « Galants, vous en dormirez mieux ; allez dire à mon père que je ne le méprise[b] guère, et en dépit de lui et de ce qu'il me mande, je vous ai crevé les yeux et ainsi le devez croire » ; parquoi[c] Robert était haï de Dieu et des hommes. Les Messagers qui avaient été envoyés pour amener Robert, retournèrent pleurant auprès du Duc, et lui dirent : « Voyez, Seigneur, comme votre fils nous a aveuglés et mal accommodés. » Le Duc fut fort fâché des nouvelles qu'il avait ouïes par ses Messagers et

a *Sur les champs* : dans la campagne.
b *Méprise* : prise.
c *Parquoi* : c'est pourquoi.

commença penser ce qu'il voulait faire et comme il pourrait venir à bout.

Comme le Duc de Normandie fit faire commandement par tout son pays, que Robert fût pris et mené en prison, lui et ses compagnons

Alors il se leva de son Conseil et dit : « Seigneurs, ne pensez plus à cela, car je vous assure, vu la grande rébellion de Robert, et de ce qu'il a fait aux Messagers, et que jamais ne reviendra vers nous, nous le trouverons-nous écrit aux Lois et Droits, aussi la raison le veut et le doit faire par bon conseil » ; il envoya incontinent par toutes les villes du Duché, crier et publier, et faire commandement de son ordre à tous Sergents, Justiciers et Officiers qu'ils fassent diligence de prendre Robert et l'enfermer ensemble tous ceux qui sont avec lui, et qui à mal faire lui tiennent compagnie. Cet édit fait et publié par le Duc, vint à la connaissance de Robert le Diable, et peu s'en fallut qu'il ne fût hors de sens, et semblablement les meurtriers, lesquels étaient en sa compagnie, et furent fort épouvantés de la criée que le Duc avait faite. Robert presque tout enragé et hors de sens, grinçait les dents, et jura qu'il ferait la guerre au Duc son père, et qu'il détruirait son lignage, car le Diable l'exhortait à ce fait.

Comme Robert le Diable fit une maison dans un bois ténébreux et obscur, et là il fit des maux sans nombre

Robert ayant ouï ces choses dont il est parlé ci-dessus, fit faire une maison forte dans un grand bois, dans un lieu fort obscur et ténébreux : et là Robert le Diable y alla faire sa résidence, et en ce lieu était presqu'inhabitable, merveilleux et si périlleux qu'on ne le saurait dire : Robert fit assembler avec lui tous les mauvais garçons du pays, et les retint pour le servir, car il y en avait de mauvais et de diverse sorte, comme larrons, meurtriers, gens pervers et mauvais, épieurs de chemins, brigands de bois et gens bannis, gens excommuniés, désireux de mal faire, gens gloutons et orgueilleux, et les plus terribles de dessous les Cieux ; de telles gens Robert fit une grande assemblée, et en était Capitaine.

En ce bois, Robert et ses compagnons faisaient des maux innombrables et sans honte. Ils coupaient gorges et détruisaient[a] les marchands, nul n'osait aller sur les champs, parce qu'on le craignait : chacun avait peur, tout le pays était dérobé et pillé par Robert et ses compagnons ; nul n'osait sortir de son Hôtel, qu'il ne fût pris et ravi incontinent par eux : aussi les pauvres Pèlerins qui passaient par le pays étaient pris et meurtris par ces vagabonds.

Tout le peuple le craignait et le redoutait comme les brebis craignent les loups, car à la vérité ils étaient tous loups ravissant et dévorant tout ce qu'ils pouvaient rencontrer. Robert le Diable mena

a *Détruire* : tourmenter.

en ce lieu une très mauvaise vie avec ses compagnons ; à toute heure il voulait manger et gourmander, et jamais ne jeûna tant fut grande Vigile ni Quarantaine, ni les Quatre-Temps[a], tous les jours il mangeait de la chair, aussi bien le Vendredi que le Dimanche : mais après que lui et tous ses gens eurent fait plusieurs maux, il souffrit beaucoup en cela, comme vous verrez ci-après.

Comme Robert le Diable tua sept ermites en un bois

Or durant le temps que Robert le Diable était en ce bois avec ses meurtriers et pilleurs d'Églises pires que dragons, loups et larrons, en mal il n'avait son pareil au monde, car il ne craignait ni Dieu ni Diable. Un jour il avait grande volonté de mal faire. Il sortit de sa maison pour chercher quelque male aventure ; ou quelqu'un à qui il pût mal faire comme il avait coutume. Et comme il fut dans le bois, il rencontra sept ermites qu'il tua à coup d'épée, ils ne lui voulurent faire aucune résistance ; mais ils souffrirent et endurèrent pour l'amour de Dieu tout ce qu'il leur voulut faire ; puis quand il eut tout tué, il se dit en riant d'eux : « J'ai trouvé une belle nichée, laquelle j'ai bien prévu d'où elle devait venir. » Là fit Robert le Diable grand meurtre en dépit de Dieu et de la Sainte Église, il voulut mettre tout le monde en sa sujétion. Après qu'il eut fait cette méchanceté, il sortit de la forêt comme un diable forcené, et pire

a *Grande Vigile* : la veillée pascale ; *Quarantaine* : le carême ; *Quatre-Temps* : semaine de jeûne au début de chacune des quatre saisons.

qu'un enragé ; et ses vêtements étaient tout rouges et teints du sang de ceux qu'il avait tués.

Comme Robert s'en alla au Château d'Arques, vers sa Mère qui y était venue dîner

Si alla tant Robert qu'il fut auprès du Château d'Arques, mais en chemin il tua un Berger, lequel lui avait dit que la Duchesse sa mère devait venir dans le Château ; parquoi Robert y fut ; mais quand il approcha du Château, les hommes, les femmes et les petits enfants s'enfuyaient devant lui, les uns s'enfermaient dans leurs maisons, et les autres se retiraient dans l'Église. Alors Robert voyant que chacun fuyait devant lui, commença à penser en lui-même, et dit en pleurant : « Mon Dieu, d'où vient donc que chacun s'enfuit ainsi devant moi ? je suis bien malheureux et le plus infortuné homme du monde ; il semble que je sois un Loup. Hélas ! je conçois bien maintenant que je suis le plus mauvais de tous les hommes. Je dois bien maudire ma vie ; car je crois que je suis haï de Dieu et du monde. » Dans ces sentiments Robert vint jusqu'à la porte du Château, descendit de son cheval ; mais il n'y avait homme qui osât approcher de lui pour le prendre, n'avait de Page que pour le servir en ses affaires. Il laissa le cheval à la porte du Château, et s'en alla à la Salle où était sa mère, et quand elle vit son fils dont elle savait la cruauté, elle fut tout épouvantée et voulait s'enfuir. Lors lui qui avait vu comme les gens s'en étaient enfuis devant lui, en avait grande douleur, et s'écria effroyablement à sa mère : « Madame, n'ayez peur de moi, et ne bougez jusqu'à ce que je vous aie parlé » : il approcha d'elle et lui dit en cette manière : « Madame, je vous supplie qu'il vous plaise me dire d'où vient que je suis terrible et cruel, car il faut que cela procède de vous ou de mon Père, ainsi je vous prie de m'en dire la vérité. »

La Duchesse fut étonnée d'ouïr ainsi parler Robert, et reconnaissant son fils, elle se jeta à ses pieds et lui dit en pleurant : « Mon fils, je veux que vous me coupiez la tête » ; car elle savait bien que c'était par elle que Robert était si méchant, par les paroles qu'elle dit en sa conception. Alors Robert lui répondit : « Hélas ! Madame, pourquoi vous occirais-je, moi qui ai fait tant de maux ? je ferai pis que jamais et pour tous les biens du monde je ne le ferais pas. » Lors la Duchesse lui récita comment cela lui était arrivé, et qu'avant qu'il fût conçu elle l'avait donné au Diable et qu'elle se croyait la plus malheureuse de toutes les femmes ; et que peu s'en fallût qu'elle se désespérât. Quand Robert entendit ce que sa Mère lui disait, la douleur que ce récit lui causa le fit évanouir, puis il revint [à lui], pleurant amèrement, et dit : « Les Diables ont grande envie d'avoir mon corps et mon âme ; mais dès à présent je veux cesser de faire mal, renonçant à toutes les œuvres du diable » ; puis il dit à sa Mère : « Ma très honorée Dame et Mère, je vous supplie humblement de vouloir bien me recommander à mon Père, car je veux aller à Rome pour me confesser des péchés que j'ai faits ; car jamais je ne dormirai en repos jusqu'à ce que j'y aie été ; mon Père m'a fait bannir de tout son pays, et toujours m'a mené grande guerre ; mais je me soucie peu de cela : car je n'ai jamais voulu amasser des richesses, et je suis délibéré du tout à faire pour le salut de mon âme, et avant cela je veux employer mon temps et mon entendement. »

Comment Robert quitta sa Mère, qui en mena grand deuil

Robert monta à cheval, et retourna vers ses gens qu'il avait laissés dans la Forêt, et la Duchesse demeura en son Hôtel, et faisait grand deuil pour l'amour de son fils qui avait pris congé d'elle : souvent s'écriait à haute voix : « Hélas ! que j'ai de douleur ! que ferai-je ? mon fils Robert n'a pas tort s'il n'accuse que moi, car il me hait et me veut du mal parce que je suis la cause de tant de maux qu'il a faits. » Tandis que la Duchesse menait grand deuil, le Duc arriva et quand il fut auprès d'elle, elle lui raconta tristement ce que Robert avait fait ; le Duc lui demanda si son fils se repentait du mal qu'il avait fait. « Oui », dit la Duchesse ; lors le Duc soupira et dit : « C'est pour néant ce que Robert fait ; car il ne pourra jamais réparer les plus grands dommages qu'il a faits par le pays, et toutefois je prie Dieu de le vouloir conduire de telle façon qu'il puisse venir à bonne fin ; car je ne crois pas que jamais il puisse revenir s'il se met en chemin d'aller à Rome, et qu'il mourra si Dieu n'a pitié de lui. »

Depuis que Robert partit d'Arques d'avec sa mère, il chemina tant qu'il arriva dans le bois où il avait laissé ses compagnons, qui étaient tous à table et dînaient : quand ils virent Robert, ils se levèrent tous pour lui faire honneur, mais Robert commença à leur remontrer leur vie perverse et mauvaise, en les voulant corriger des maux qu'auparavant ils avaient faits, et leur dit : « Pour l'amour de Dieu, compagnons, entendez bien ce que je veux vous dire ; vous savez et connaissez la détestable vie que nous avons menée le temps passé, vie dangereuse pour nos corps et nos âmes, vous savez combien d'Églises nous avons détruites et ruinées, tant de bons Marchands volés et tués, tant de gens d'Église et plusieurs vaillants hommes par nous ont été mis à mort, et desquels le nombre est infini, parquoi nous sommes tous en danger d'être damnés, si Dieu n'a pitié de nous, mais je vous supplie pour l'amour de Dieu que ce soit votre plaisir de laisser ce dangereux train[a], et que nous fassions pénitence des péchés que nous avons commis ; car quant à moi je suis délibéré[b] d'aller à Rome pour confesser mes péchés, espérant obtenir pardon, et ferai pénitence de tous les péchés que j'ai commis. »

Alors un des larrons se leva comme un fouet tout hors de sens il dit à ses compagnons : « Avisez le Renard, il deviendra Ermite, Robert se moque bien de nous, il est notre Capitaine et notre maître, et c'est lui qui fait pire que nous autres, et qui nous montre le train ; que vous semble de ceci ? durera-t-il dans cette résolution ? — Seigneurs, dit Robert, je vous supplie de bon cœur de ne point dire ces choses ; mais pensez au salut de vos âmes et de vos corps ; demandez pardon à Dieu tout-puissant, il aura pitié de vous, ce serait une grande erreur de demeurer en cet état, et employez vos œuvres à honorer et servir Dieu, afin de le fléchir et de changer de vie. »

Quand Robert eut dit ceci un des larrons lui dit : « Notre Maître, laissez ces choses ; car vous parlez en vain ; quoi que vous puissiez dire et faire, nous

a *Train* : manière de faire.
b *Délibéré* : décidé.

n'en ferons jamais autre chose, et soyez assuré que telle est notre intention, à cela nous sommes obstinés ; nous ne demeurerons jamais en paix, ne cesserons de mal faire ; car nous ne changerons jamais. » Tous les autres qui étaient là dirent d'un commun accord : « Il est vrai, car pour vie ni pour mort, nous ne changerons point, nous l'avons ainsi conclu entre nous, car c'est ce notre volonté. »

Comme Robert le Diable assomma ses compagnons

Robert ayant entendu ce que les larrons disaient en fut fort courroucé, et dit : « Si ces Ribauds demeuraient en telle opinion, ils feraient encore beaucoup de mal. » Il se retira vers la porte de la maison ; la ferma, prit une grosse massue, en frappa un des vagabonds de telle sorte qu'il tomba mort, seulement que sur les différentes raisons, il les assomma tous, l'un après l'autre.

Quand Robert eut ainsi assommé ses gens, il dit en lui-même : « Galants, je vous ai bien guerdonnés[a], parce que vous m'avez bien servi ; qui bon Maître sert bon loyer en attend. » Robert pensait qu'il mettrait le feu à la maison ; et s'il n'eût vu qu'il y avait tant de bien que le feu gâterait et ne ferait jamais profit à personne, il aurait mis le feu en toute la maison ; il ferma la porte et emporta la clef avec lui.

a *Guerdonnés* : récompensés.

Comme Robert s'en alla à Rome pour avoir le pardon de ses péchés

Robert s'en alla à Rome pour parvenir à son propos, et chemina tant par ses journées, qu'il y arriva le Jeudi Saint, qui était un bon jour pour se confesser et mettre en bon état. Je vous prie de vouloir entendre ce qui suit, et vous entendrez merveilles de l'extrême pénitence que fit Robert, ainsi qu'il plut au Saint-Père lui enjoindre pour ses péchés. Robert arrivé à Rome changea tout son courage[a], tellement qu'il fut fort prud'homme, et, pour la grande bonté qui était en lui, l'Empereur de Rome qui y était alors, lui donna sa fille pour femme et l'emmena au pays de Normandie ; mais avant il fit pénitence l'espace de sept ans, comme vous le verrez ci-après.

Comme Robert arriva à Rome

Quand Robert fut arrivé à Rome, le Pape était en l'Église de Saint-Pierre, faisait le service divin comme il est accoutumé de faire en ce jour, [Robert] s'efforça d'approcher auprès de lui : les Ministres et plus proches du Pape étaient tous courroucés de ce que Robert voulait s'ingérer, s'approchèrent de lui et plusieurs de ceux qui le voyaient frappaient sur lui. Mais plus ils frappaient, plus il avançait, et fit tant qu'il arriva où était le Pape, il se jeta à genoux à ses pieds, en criant à haute voix : « Saint-Père, ayez pitié de moi » ; ce qu'il répéta plusieurs fois, et

a *Son courage* : les dispositions de son cœur.

ceux qui étaient auprès du Pape étaient fort courroucés de ce qu'il faisait si grand bruit, et le voulaient chasser, mais le Saint-Père voyant son ardent désir, en eut pitié et dit à ses gens : « Laissez-le entrer : car à ce que je vois il a grande dévotion », et commanda de faire silence afin qu'il pût mieux entendre ce qu'il voulait dire. Lors Robert parla au Pape, et lui dit : « Saint-Père, je suis le plus grand pécheur du monde » : le Pape le prit par la main et le fit lever, puis lui demanda : « Que voulez-vous ? pourquoi pleurez-vous ainsi ? — Ah ! Saint-Père, dit Robert, je vous prie qu'il vous plaise de m'ouïr en confession, car si je n'ai absolution de vous de tous les péchés que j'ai faits, je suis éternellement damné ainsi qu'on me l'a dit, et si j'ai grand peur en moi que le Diable ne m'emporte, vu les terribles et énormes péchés dont je suis rempli, plus que nul homme du monde, et pour ce que vous êtes celui qui avez la puissance de donner confort et aide à ceux qui en ont besoin, je vous supplie très humblement en l'honneur de la Sainte Passion de Dieu, qu'il vous plaise me purger et nettoyer de mes maux, et des péchés que ma conscience me reproche, et par lesquels je suis tant vil et abominable, plus que l'est un Diable. » Quand le Pape l'ouït ainsi parler, il se douta que c'était Robert le Diable, et lui dit : « Beau fils, ne t'appelles-tu pas Robert, duquel j'ai tant ouï parler ? — Oui », dit Robert.

Alors le Pape dit : « Tu auras l'absolution mais je te conjure par le Dieu vivant ; que tu ne fasses mal ni dommage à personne » ; le Pape et ceux qui étaient là furent épouvantés de le voir. Aussitôt Robert s'agenouilla devant le Pape en grande humilité, contrition et repentir de ses péchés, et dit : « À Dieu ne plaise que je fasse mal ni dommage à personne qui sont ici ni ailleurs, tant que je peux m'en tenir. »

Le Pape se retira à part, et fit venir Robert devant lui, lequel se confessa humblement, lui déclara comme à sa conception, sa Mère étant courroucée l'avait donné au Diable, disant qu'il en avait une grande douleur et une grande crainte.

Comme le Pape envoya Robert à trois lieues de Rome vers un Saint Ermite pour avoir pénitence de ses péchés

Et quand le Pape l'entendit ainsi parler, il s'en émerveilla, et fit le signe de la Croix sur lui, puis lui dit : « Il faut que tu t'en ailles à trois lieues d'ici : auquel lieu tu trouveras un Prêtre qui est confesseur, et à lui tu te confesseras de tous tes péchés que tu as faits, et tu lui diras qu'il te donne pénitence, selon que tu as péché, celui que je te dis est le plus prud'homme et plus Saint qui soit aujourd'hui sur la terre. Je suis sûr qu'il vous confessera et absoudra. » Robert répondit au Pape : « Je le ferai volontiers » ; puis prit congé de lui, disant : « Dieu veuille que je puisse faire le salut de mon âme. » Ce jour passa et Robert demeura à Rome parce qu'il était presque nuit.

Le lendemain au matin il se leva, et se mit à cheminer pour aller vers l'Ermitage auquel le Pape l'envoyait vers lui pour le confesser.

Alors l'Ermite lui dit : « Soyez-vous le bien venu », et quand ils eurent un peu demeuré ensemble, Robert commença à lui conter l'état de sa vie, et lui déclara ses péchés. Premièrement, lui conta comme par courroux, sa mère l'avait donné au Diable, en sa conception, dont il avait grand peur, et comme après qu'il fut grand il battait les autres enfants, comme il cassait la tête à l'un, les bras ou les jambes à l'autre, comme il avait tué son Maître d'école, parce qu'il voulait le corriger et châtier ; comme par sa malice il n'y eut depuis Maître si hardi qui l'osât prendre en gouvernement, de quoi il faisait grande conscience parce qu'il avait ainsi mal employé son temps sans rien apprendre, et après son Père l'ayant fait Chevalier, [il] tua plusieurs vaillants Chevaliers en la joute par sa grande cruauté ; après comme il s'en était allé par le pays, détruisant les Églises, forçant les femmes mariées et violant les filles, comme il tua sept Ermites et pour abréger conta toute sa vie à l'Ermite, depuis le jour qu'il fut né jusqu'à cette heure, de quoi l'Ermite s'en émerveilla fort. Et néanmoins était joyeux de la grande contrition qu'avait Robert de ses péchés : et quand ils eurent longtemps parlé ensemble, l'Ermite dit à Robert : « Mon fils, demeurez aujourd'hui ici avec moi, et demain matin au plaisir de Dieu je vous conseillerai ce que vous avez à faire. » Robert qui avait été le plus terrible qui fut jamais sur terre, plus fier et orgueilleux qu'un Lion, était alors plus doux et plus débonnaire que l'on eût jamais vu, le plus plaisant en tous ses faits ; il avait aussi belle contenance que jamais eut Prince. Il était tant las et matré[a] de peine et de travail qu'il avait enduré, qu'il ne pouvait ni boire ni manger ; puis se mit à genoux pour faire son Oraison, et commença à prier Dieu dévotement, que par sa grande miséricorde le voulût garder de l'ennemi d'enfer, qu'il lui plût lui donner victoire sur

a *Matré* : abattu.

lui. Quand il fut nuit, l'Ermite fit coucher Robert en une petite chapelle près de cet ermitage gentil et plaisant : l'Ermite ne cessa toute la nuit de prier Dieu pour Robert, auquel il voyait si grande repentance, et l'Ermite fut si long en son Oraison qu'il s'endormit.

Comme l'Ange de Dieu annonça à l'Ermite la pénitence qu'il devait donner à Robert le Diable

Tout incontinent qu'il fut endormi par la volonté de Dieu, il songea, et lui fut avis qu'il ouït un Ange qui était envoyé de Dieu, et lui disait : « Homme, Dieu te mande par moi, si Robert veut avoir et obtenir pardon de ses péchés, il faut qu'il contrefasse le fou et le muet, qu'il ne mange sinon ce qu'il pourra ôter aux chiens : et il faut qu'il soit en tel état sans manger tant qu'il plaira à Dieu de lui révéler, et qu'il aura fait pénitence de ses péchés », de telle manière se contiendra Robert sans parler ni manger comme il est dit.

Lors l'Ermite s'éveilla tout effrayé, pensa longuement sur son songe et quand il eut beaucoup pensé, il commença à louer et remercier Dieu de ce qu'il avait pris pitié de son pécheur, puis se mit en oraison en attendant le jour ; et quand il fut venu, il fut ému d'ardent amour envers Robert, l'appela et lui dit : « Mon ami, venez vers moi » ; et incontinent Robert s'approcha du Saint Ermite en grande contrition et repentir de tous ses péchés, se confessa : et après qu'il fut humblement confessé, l'Ermite lui dit : « Mon fils j'ai pensé à la pénitence qu'il vous convient de faire et d'accomplir, afin que vous puissiez obtenir grâce et pardon envers Dieu de tous les péchés que vous avez faits. Vous contreferez le fou, et ne mangerez rien, sinon ce que vous pourrez ôter aux chiens quand on leur aura donné à manger, et vous garderez de parler comme un muet ; ainsi a été votre pénitence ordonnée à moi de par Dieu, et durant le temps de votre pénitence, vous ne ferez aucun mal à personne qui soit au monde vivant, et vivrez en cet état jusqu'à ce qu'il plaise à Dieu vous faire savoir qu'il suffit. Et ces choses je vous recommande et enjoint de les faire [et] accomplir expressément ; car quand vous aurez fait votre pénitence il vous sera mandé de par Dieu que vous cessiez. »

Quand Robert eut entendu ces choses, il fut fort joyeux, remercia Dieu de ce qu'il était quitte et absous pour si peu. Il prit congé de l'Ermite, et s'en alla en grande humilité et dévotion, commençant son âpre pénitence, laquelle lui avait enjointe l'Ermite : il lui semblait qu'elle était trop petite [vu ce] qu'il avait commis du temps de sa jeunesse. Dieu montra alors un beau miracle, et de sa grande bonté, quand un homme a été plus orgueilleux qu'un Paon, plus féroce qu'un Tigre, de tous maux et péchés plus rempli que tout homme ne fut, par sa grande miséricorde, en fait un innocent, humble, gracieux, doux et bénin comme un agneau. Toutes les conditions et mœurs changent de mal en bien.

Comme Robert prit congé de l'Ermite, et s'en retourna à Rome faire sa pénitence

Aussitôt Robert quitta l'Ermite ; que Dieu par sa grâce le veuille conduire si bien qu'il puisse faire et accomplir sa pénitence en profit et salvation de son âme. Il marcha tant qu'il vint à Rome, y étant arrivé il se mit à parcourir toute la Ville, contrefaisant le fou, mais dans le peu de chemin qu'il fit, plusieurs enfants qui croyaient qu'il était fou, tous ensemble aboyaient, couraient après en se moquant de lui, en lui jetant des vieux souliers, et allaient criant après faisant grand bruit par les rues. Les gens de Rome qui le voyaient s'en moquaient et criaient ; car c'est la coutume de rire plutôt d'une grande folie que d'une grande sagesse. Robert voyait plus de gens autour de lui, que s'il était bien sage.

Quand il eut un peu marché par la Cité de Rome, il arriva qu'un jour il se trouva auprès de la maison de l'Empereur, parce que la porte était ouverte, il entra dedans et se promena par la Salle, tantôt allait fort et tantôt doucement, puis courait et s'arrêtait tout à coup, car il ne demeurait guère en place. L'Empereur qui était là prit garde, vit les manières de Robert : puis il dit à un des Écuyers, en parlant de Robert : « Voyez le plus bel Écuyer que j'aie jamais vu, car il a beau corps et bien formé, faites-lui donner à manger, appelez-le, faites-le bien servir. » L'Écuyer l'appela, mais Robert ne répondit mot : on le fit asseoir à table, et ne voulut ni boire ni manger, combien qu'on lui en présentât assez ; tous ceux qui étaient présents s'émerveillaient de ce qu'il faisait si mauvaise chère, et ne voulait rien manger durant qu'il était à table. L'Empereur avisa un chien qui était à table, et qui était blessé d'un autre chien qui l'avait mordu, lequel se mit à ronger un os.

Quand Robert vit le chien tenir l'os, incontinent il sortit de la table où il était assis, et courut vers lui, et fit tant qu'il prit l'os ; le chien voulut se revancher ; mais là vous eussiez vu beaucoup de déduit[a] ; car Robert et le chien tiraient chacun par un côté ; et Robert était couché par terre, mangeant à un bout et le chien à l'autre.

Il ne faut pas demander si l'Empereur et tous ceux qui là étaient présents étaient aises de voir le déduit de Robert envers le chien ; mais toutefois Robert fit tant qu'il ôta l'os de la gueule du chien et commença à manger, car il avait grande faim, parce qu'il avait été longtemps sans manger. L'Empereur qui regardait toutes ces choses, connaissant que Robert avait faim, jeta à un autre chien un pain entier : mais incontinent Robert lui ôta, puis le rompit, et en donna au chien ; cela était par droit de raison ; car le chien avait eu le pain. L'Empereur commença à rire quand il vit cela, puis il dit à ses gens : « Nous avons céans le plus nouveau fou et le plus vaillant que je vis jamais de ma vie, qui ôte ainsi le pain aux chiens pour le manger, c'est pourquoi on peut bien connaître sa folie, je crois qu'il ne prend ni ne mange rien que par le moyen des chiens », et afin que Robert pût manger son saoul, tous ceux de la maison de l'Empereur donnaient à manger en grande abondance aux chiens, et on leur donna tant à manger que Robert en fut saoul, puis après il commença à se promener par la Salle, tenant son bâton en main, avec lequel il frappait contre les bancs et

a *Déduit* : agrément, divertissement.

murailles comme s'il fût fou. Et en se promenant par la Salle, il trouva une porte qui donnait sur un beau verger, où il y avait une fontaine qui traversait ledit verger, Robert qui avait une très grande soif, y fut étancher sa vive altération.

Quand la nuit s'approcha, Robert se tint auprès d'un chien qu'il suivait partout où il allait : le chien qui avait coutume de coucher sous un degré[a] y retourna coucher : Robert qui ne savait où il devait reposer fut se coucher auprès du chien pour y passer la nuit. L'Empereur qui examinait tout, eut pitié de Robert, et commanda de lui apporter un lit et de le bien coucher. Alors deux serviteurs apportèrent incontinent un lit ; mais Robert ne voulut pas que le lit demeurât, mais il fit signe qu'on le reportât, aimant mieux coucher sur la terre que sur le lit qui était mol, et fit signe à ceux qui étaient là de s'en retourner, ce qui étonna beaucoup l'Empereur, et derechef commanda qu'on apportât du foin à grand' foison, pour mettre sous Robert qui, étant las et rompu, se coucha pour dormir et se reposer.

Pensez et considérez quelle vertu de patience il y avait en Robert ; car celui qui auparavant avait coutume de coucher en un lit mol, bien enveloppé de beaux linceuils[b] fins, en chambre bien parée ou tapissée, de boire d'excellents vins et breuvages délicats, mangeant viande exquise comme son état appartenait, était changé, tant qu'il lui fallait boire et manger, coucher et lever avec les chiens, comme vous avez ouï. Chacun le voulait appeler Monseigneur, et lui faire honneur, comme le plus redoutable qui fût sur la terre. Alors chacun l'appelait fol,

a *Degré* : escalier.
b *Linceuils* : draps.

et se moquait de lui, et n'en tenait point compte. Hélas ! quelle douleur pouvait avoir Robert, quand il était contraint de souffrir et endurer de telles choses, mais à un homme patient, on ne peut lui faire injure ni honte, car qui est rempli de vertu ne peut être déçu[a] : c'est un mérite à l'homme de souffrir et porter en patience les Injures et les opprobres qu'on lui fait injustement en ce monde, car en l'autre il obtient la grâce et l'amour de Dieu, et bien souvent accroissent en lui les vertus, honneurs et richesses.

Robert vécut longtemps en cet état. Et le chien qui connaissait que pour l'amour de Robert on lui donnait plus à manger qu'à l'ordinaire et qu'en sa faveur on ne lui faisait point de mal, fut épris aussitôt d'amitié pour lui, et à toute heure du jour, il lui faisait fête et le caressait.

Comme le Sénéchal[b] de l'Empereur assembla grand nombre de Sarrasins pour faire la guerre à l'Empereur de Rome, parce qu'il ne voulait pas lui donner sa fille en mariage

Durant le temps que Robert était à Rome, faisant sa pénitence, laquelle étant achevée comme il plut à Dieu, lequel prend pitié du pécheur quand de bon cœur il retourne à lui en lui demandant pardon de ses péchés : Robert qui était purgé de tous ses vices et énormes péchés, et au lieu d'iceux était orné de

a *Déçu* : trompé.

b *Sénéchal* : le premier officier du royaume, chef de l'armée.

belles vertus, et avait demeuré à Rome l'espace de sept ans ou environ, contrefaisant le fou et le muet en la maison de l'Empereur qui avait une fille qui était muette, et jamais n'avait parlé.

Et nonobstant cela le Sénéchal de l'Empereur, qui était puissant homme, l'avait souvent fait demander et la voulait avoir à femme ; mais l'Empereur connaissait qu'il aurait fait honte à son lignage, parquoi il n'y voulut consentir, dont le Sénéchal fut malcontent contre l'Empereur, et eut grand deuil, songeant en lui-même qu'il lui ferait la guerre et commença le Sénéchal à assembler grande puissance pour faire la guerre à l'Empereur car il lui semblait bien que par la force il aurait bientôt toute la terre de l'Empereur ; il fit grand amas de Sarrasins, et avec toute sa compagnie, vint auprès de la Ville de Rome et voulut l'assiéger, ce qui étonna beaucoup l'Empereur. Et alors il appela tous les Barons de son Conseil, et toute la Chevalerie, et prit Conseil avec eux, disant : « Seigneurs, avisons ce que nous pouvons faire contre ces misérables Sarrasins qui nous viennent assiéger et faire outrage, dont j'ai grande douleur, car ils tiennent déjà tout le pays en leur sujétion, et nous détruiront tous si Dieu par sa grâce et miséricorde ne nous aide. Je vous prie d'inventer quelque moyen pour les détruire, et qu'avec force et puissance nous les allions assaillir et réveiller, afin que nous puissions les garder de séjourner plus longuement. »

Alors les Barons et Chevaliers qui étaient tous consentants, dirent : « Sire, vous avez sagement parlé, nous sommes tous d'accord et prêts de défendre tous vos droits, et nous ferons tant qu'au plaisir de Dieu, nous les ferons tous mourir de male mort et maudiront l'heure qu'ils entrèrent dans cette Terre. »

L'Empereur fut joyeux de la réponse des Barons et incontinent fit crier par la Cité de Rome, que tous les hommes qui pourraient porter armes, s'armassent pour se mettre en point[a], afin d'assaillir les Sarrasins, et les faire tous mourir. Et incontinent après les clameurs, chacun fut auprès de l'Empereur pour l'accompagner ; étant ensemble en belle ordonnance furent assaillir les Sarrasins, et l'Empereur y était en personne. Et quoique la puissance des Romains fût grande, ils auraient été défaits, si Dieu ne leur eût envoyé Robert pour les secourir.

Comme Dieu envoya un Cheval par un Ange, et des armes blanches à Robert pour aller secourir les Romains

Quand le jour fut venu que l'Empereur et les Romains devaient avoir journée[b] avec les Sarrasins, gens du Sénéchal, ainsi que Robert alla à la Fontaine ; comme il avait accoutumé pour boire : vint une voix du Ciel qui parlait doucement, disant : « Robert, Dieu te mande qu'incontinent tu t'armes de ces armes blanches, que tu montes sur ce cheval que je t'amène, et que tu ailles secourir l'Empereur. » Robert ne put contredire au commandement que l'Ange lui fit ; incontinent il s'arma d'armes blanches que l'Ange lui avait apportées ; et monta sur son cheval. La fille de l'Empereur, de qui vous avez ouï parler, était aux fenêtres par lesquelles on pouvait voir dans le Jardin où est la Fontaine, elle vit comme Robert s'était déguisé, si elle eût pu par-

a *Se mettre en point* : se préparer.
b *Journée* : bataille.

ler elle n'aurait pas manqué de le révéler, mais elle était muette. Robert ainsi armé et monté, s'en fut en l'ost[a] de l'Empereur que les Sarrasins tenaient de bien près ; car Dieu et Robert n'y eussent ouvré, mais quand Robert y fut, il se mit en la plus grande mêlée de Sarrasins, et commença à frapper à droite et à gauche sur les ennemis. Là vous eussiez vu trancher têtes, couper bras, et faire tomber gens et chevaux par terre. Il ne perdit pas un coup, qu'il ne mît à mort de ces Sarrasins. Ainsi Robert tellement travailla, que le champ de bataille demeura à l'Empereur.

Comme après que Robert eut défait les Sarrasins, il s'en retourna à la Fontaine

Lorsque le champ et l'honneur de la journée furent ainsi demeurés à l'Empereur à l'aide de Robert, il retourna tout armé sur son cheval à la fontaine et se désarma, puis mit ses armes sur son cheval, incontinent il s'évanouit et demeura seul. La fille de l'Empereur qui voyait ceci, s'émerveillait, et l'eût volontiers dit, mais elle ne savait dire mot, et n'avait jamais parlé.

Robert avait le visage tout égratigné des coups qu'il avait reçus à la bataille, et autre mal n'en avait apporté. L'Empereur fut joyeux, et remercia Dieu de ce qu'il lui avait donné la victoire contre ses ennemis, retourna en son Palais, et quand il fut l'heure du souper, Robert se présenta à l'Empereur ainsi qu'il avait accoutumé, contrefaisant le fou et le

a *Ost* : armée.

muet ; l'Empereur qui volontiers regardait Robert, connut qu'il était blessé, et voyant son visage ainsi tourné, il croyait que ce fût aucun des serviteurs, et tout courroucé, dit : « Il y a céans des mauvaises gens ; car tandis qu'avons été à la guerre, ils ont battu ce pauvre homme et ont fait grands péchés, car ne dit ni fait mal à personne du monde, mais il est débonnaire et de bonne affaire autant qu'homme pourrait, et crois qu'il doit être fort. » Lors un Chevalier dit : « Tandis que nous avons été en bataille, les gens qui sont ici demeurés lui ont fait cela » ; alors l'Empereur défendit à tous ses gens qu'ils ne fussent si hardis de le toucher, puis interrogea les Chevaliers, s'il n'y avait nul qui sût qui était le Chevalier par lequel ils avaient été secourus ; et sans lequel ils étaient perdus. « Je ne sais, dirent-ils, qui il peut être ; mais si ce n'eût été lui nous étions tous déshonorés ; c'est le plus vaillant et hardi Chevalier que jamais on vit : tel qu'il soit, il a en lui grande hardiesse. » Lors la fille qui entendait, s'approcha de son père, lui fit signe que par Robert ils avaient eu du secours. L'Empereur n'entendait pas le patois de sa fille, ni ce qu'elle voulait dire, parce qu'elle ne pouvait ni parler ni articuler ses paroles, sinon par signes ; il fit venir la Maîtresse de sa fille devant lui, pour savoir ce qu'elle voulait dire. La Maîtresse entendit ce que sa fille disait, et l'expliqua à l'Empereur en cette sorte : « La fille veut dire que ce fou a tant fait, que si ce n'eût été lui, vous eussiez été vaincus, et vous eussiez perdu la bataille et que par lui avez eu victoire contre vos ennemis, et qu'en telle façon il a combattu, qu'il a gagné la victoire. » Alors l'Empereur se prit à rire, et se moqua de ce que la Maîtresse disait, et de cela se courrouça, en lui disant : « Vous la dussiez bien enseigner en bonnes mœurs, mais vous la gâtez, et si vous ne pensez autrement, je vous ferai dolente[a], car ce serait grand abus de penser que ce fou qui est innocent, eût ce fait avec une telle vigilance, vu qu'il n'a ni force ni puissance. » Et quand la Pucelle entendit ainsi parler son père, elle se retira et s'en fut, quoiqu'elle sût bien comme la chose était arrivée ; et aussi la Maîtresse qui eut grande peur des paroles de l'Empereur. Et pourtant cette chose demeura ainsi jusqu'à une autre fois que le Sénéchal ayant été une fois déconfit, eût fait grand amas de ses gens et vint derechef assiéger Rome et de fait il eût défait les Romains, si ce n'eût été le Chevalier qui autrefois les avait secourus, lequel vint secourir l'Empereur par le commandement de l'Ange, comme la première fois il avait fait et si vaillamment qu'il battit tous les Sarrasins, car il n'y avait si hardi qui l'osât attendre, menant tous les ennemis devant lui comme un loup fait à un troupeau de brebis, dont le monde s'ébahissait, car il frappait cette canaille comme un Diable, et les détranchait comme le boucher fait la chair à la boucherie ; car nul n'échappait à ses mains, tant fût-il hardi ; chacun des gens de l'Empereur prenait garde à ce Chevalier : mais quand la bataille fut finie, nul ne put dire ce que le Chevalier devint ; hors seulement la fille de l'Empereur, qui vit comme Robert se désarma ainsi que l'autre fois, et tint le secret jusqu'à la tierce fois.

a *Je vous ferai dolente* : je vous ferai souffrir.

Comme Robert gagna la troisième bataille où tous les Sarrasins furent tués

Peu de temps après, l'ost des Sarrasins retourna à plus grande puissance que jamais devant la Cité de Rome, dont le malheur en prit, car ils y demeurèrent tous par Robert, mais devant que l'Empereur les allât combattre, il manda ses Chevaliers et les pria que si le Chevalier blanc revenait, ils missent peine de le prendre, et qui sût de quelle nation il était ; alors les Chevaliers dirent qu'ils le feraient.

Et quand la journée fut venue, grand nombre des meilleurs Chevaliers de l'Empereur s'en allèrent en un bois en embuscade pour essayer de prendre le Chevalier blanc ; mais ils perdirent leurs peines, car ils ne purent savoir d'où il était ; mais quand ils le virent batailler, tous sortirent du bois, et là eussiez vu grands coups donner, harnois reluire, trompettes et clairons sonner pour épouvanter les Sarrasins, et lances rompre, et tuer gens et chevaux, c'était plaisir à les regarder. Robert qui était venu là sur son cheval blanc et armes blanches, se mit au plus fort de la mêlée comme celui qui ne doutait[a] rien, car depuis qu'il fut arrivé, nul, tant fût hardi, n'osait l'attendre à cause des grands coups qu'il donnait, car il frappait d'estoc et de taille, et ne perdait pas un coup, car à chaque coup qu'il donnait, vous eussiez vu aller un de ses ennemis par terre : à l'un il rompait la tête et à l'autre les reins, et là demeuraient tous morts.

Car avec cela il frappait sur eux et donnait cou-

a *Doutait* : redoutait.

rage aux Romains, toujours les ralliait ensemble. De la grande joie que les Romains avaient de voir ainsi besogner Robert contre cette canaille, la force leur croissait tellement qu'avec Robert, tous les Sarrasins furent défaits, de quoi on mena grande joie parmi la Cité de Rome.

Comme un des Chevaliers de l'Empereur mit un fer de lance dans la cuisse de Robert

Quand la journée fut passée et la bataille gagnée, chacun s'en retourna en son Hôtel, et Robert s'en voulut retourner à la Fontaine du Verger pour se désarmer, comme il avait accoutumé de faire, mais les chevaliers qui étaient retournés en embuscade au bois dessus dit, sortirent tous ensemble, disant : « Seigneur Chevalier, parlez à nous, s'il vous plaît, qui êtes-vous ? et de quel pays et contrée ? » Quand Robert les ouït parler, il fut tout ébahi, et se prit à piquer son cheval, courir et fuir pour ne point être connu, et fit tant qu'il échappa desdits Chevaliers, et nul d'eux ne savait ce que devint Robert, hors un, lequel le suivit de fort près, tenant une grande lance en sa main, de laquelle il le frappa tellement en la cuisse que le fer demeura en la plaie ; mais pourtant ne pouvait-il savoir qui était le Chevalier aux armes blanches : ainsi lui échappa Robert qui vint à la Fontaine et se désarma ; il mit les armes sur son Cheval ainsi qu'il avait accoutumé, et incontinent il ne sut ce que devint le Cheval ni sa lance, mais demeura seul navré de la lance, dont il sentait grande douleur, il tira lui-même le fer de sa cuisse et le cacha entre deux pierres à la Fontaine ; il ne savait où aller pour adoubler[a] sa plaie, de peur d'être connu, si se prit lui-même à l'adoubler, et prit l'herbe et la mit dessus, puis amassa grande quantité de mousse, de laquelle il enveloppa sa plaie tout autour afin que l'air n'entrât dedans : la fille de l'Empereur qui était aux fenêtres, voyant tout cela bien le retint, et comme elle connaissait Robert qui était beau et vaillant Chevalier, elle le mit en son cœur, tant que ce fut merveille, et commença à l'aimer ; on ne savait homme vivant qui était le Chevalier aux armes blanches. Quand Robert eut bien adoublé sa plaie, il vint à la Cour pour avoir à souper, mais il clochait fort pour le coup qu'il avait reçu, nonobstant qu'il se gardait de clocher le plus qu'il pouvait : tantôt après le Chevalier qui avait blessé Robert arriva, lequel raconta à l'Empereur comme le Chevalier leur était échappé, et comme il l'avait blessé, dont il était tout courroucé, et dit : « Je crois que c'était chose spirituelle et non pas mortelle, car il ne dit mot, et ne m'a pas voulu répondre : je prie Dieu qu'il ne se réconforte là où il soit, car il était fort blessé, mais Sire, voici ce que vous ferez : si vous me voulez croire, et si vous voulez savoir au temps bref, qui est le Chevalier aux armes blanches, c'est que vous fassiez crier par toutes vos Villes, Cités et Châteaux, que s'il y a un Chevalier qui ait armes blanches et cheval blanc, qu'il vienne vers vous et qu'il apporte le fer de la lance dont il a été blessé en la cuisse et qu'il montre sa plaie, que vous lui donnerez la moitié de votre Empire. » Quand l'Empereur entendit ainsi parler le Chevalier, il fut joyeux et dit qu'il avait sage-

a *Adoubler* : panser.

ment parlé, et incontinent il fit publier par tout son Empire ce que ce Chevalier avait dit.

Comme le Sénéchal se mit un fer en la cuisse pour avoir la fille de l'Empereur

Les criées faites et publiées vinrent en la connaissance du traître Sénéchal, qui aimait tant la fille de l'Empereur, qu'il ne pouvait avoir par sa trop grande outrecuidance, et pour l'amour d'elle avait [fait] de folles entreprises, desquelles toujours il se trouvait déçu et marri : après qu'il eut ainsi ouï les criées, il s'avisa d'une fort grande malice qui lui tourna depuis à grand déshonneur ; car incontinent il fit chercher un cheval blanc, lance et armes blanches, et il prit un fer de lance qu'il mit dans sa cuisse en grande douleur et angoisses, mais pour parvenir à être Empereur il endura patiemment ce mal, et aussi pour avoir la fille de l'Empereur, dont il était amoureux, et où il avait fait grande folie, car il n'avait garde de l'avoir, ainsi c'est mal fait à ceux qui veulent maintenir pendant leur vie leurs folles amours : car à la fin, mal, douleur et honte en vient. Après cela, le Sénéchal fit armer tous ses gens, et les fit mettre sur les champs pour l'accompagner, et tant chevaucha qu'il arriva à Rome en grand triomphe : il était bel homme, grand et puissant ; mais il était si fier et si orgueilleux qu'au monde n'y avait son pareil.

En cet état vint le traître Sénéchal à Rome sans séjourner, se montrer à l'Empereur en lui disant : « Je suis celui qui vous a si vaillamment trois fois secouru, et qui tant de gens ai fait mourir pour l'amour de vous. » Alors l'Empereur qui ne pensait pas à la trahison, répondit : « Vous êtes bon prudhomme et hardi ; mais j'eusse bien pensé le contraire, car on vous tient pour un Couard. » Alors le Sénéchal tout courroucé dit : « Sire, ne soyez pas ébahi de cela, car je n'ai pas encore le cœur si failli qu'on croit. » Et en disant ces paroles, il tenait un fer de lance, qu'il montra à l'Empereur, puis il découvrait la plaie qu'il s'était faite lui-même en la cuisse. Le Chevalier qui avait blessé Robert était là présent : quand il vit le fer que le Sénéchal montrait, il se prit sur-le-champ à sourire, car il connaissait bien que ce n'était pas son fer, toutefois de peur d'avoir éclat, il ne dit mot.

Comme la fille de l'Empereur commença à parler

Et quand l'Empereur et sa noble Baronnie qui était assemblée, furent à l'Église où le Sénéchal devait épouser la fille de l'Empereur, qui n'avait jamais parlé, Dieu montra un beau miracle pour exaucer le sage et prudhomme Robert duquel on ne tenait compte. Ainsi que le Prêtre voulait commencer le Divin service pour épouser la Pucelle au Sénéchal, par la grâce de Dieu, la fille commença à parler et dit à son père : « Vous êtes bien simple de croire cet orgueilleux ; car tout ce qu'il dit n'est que mensonge ; céans il y a un homme saint et dévot, qui par sa bonté et son mérite, Dieu m'a rendu la parole, dont je suis grandement tenue à lui ; car il y a longtemps que j'ai connu les grands biens qui sont en lui, et toutefois jamais nul ne m'en a voulu croire pour signes que j'aie faits. »

Et quand l'Empereur ouït ainsi parler sa fille, qui n'avait jamais parlé, il fut tout ravi, et reconnut toute la tromperie, et qu'il n'était pas vrai ce que le Sénéchal lui avait dit, et se courrouça, disant qu'il l'avait trahi. Le Sénéchal monta à cheval et s'enfuit tout honteux et tout hors de sens. Le Pape qui était là, demanda à la fille qui était celui duquel elle parlait. Lors elle mena le Pape et l'Empereur son père à la Fontaine à laquelle Robert s'armait et désarmait : elle chercha entre deux pierres où Robert avait caché le fer de ladite lance, car le fer était bien proprement joint au bois, et le bois au fer, aussi bien que si jamais n'eût été brisé ; puis la fille dit au Pape : « Encore y a-t-il une chose, car en ce propre lieu a été trois fois armé celui par lequel nous avons été trois fois secourus et délivrés des mains de nos ennemis ; car j'ai vu trois fois son cheval et ses armes ; par trois fois je l'ai vu armer et désarmer, mais je ne saurais bonnement dire où le Chevalier allait, ni d'où il venait, ni qui lui donnait armes et harnois, mais je sais bien qu'incontinent il s'en venait avec ses chiens ; tout ce que je vous raconte est pure vérité, et ainsi le démontrais par signes, mais on ne voulait pas me croire » ; et alors la fille retourna son langage vers l'Empereur, disant : « C'est celui qui a si bien gardé et vaillamment défendu votre honneur, parquoi il est raisonnable que par vous il soit récompensé, et s'il vous plaît, nous irons lui parler. » Lors le Pape, l'Empereur et sa fille, avec la Baronnie vinrent vers Robert lequel ils trouvèrent couché au lit des chiens, et tous ensemble le saluèrent, mais Robert ne leur répondit rien.

Comme l'Ermite trouva Robert auquel il commanda de parler, et lui dit que sa pénitence était accomplie

L'Empereur donc commença à parler à Robert et lui dit : « Viens çà, mon ami, je te prie, montre-moi ta cuisse, car je la veux voir. »

Et quand Robert l'entendit ainsi parler, il sut bien pourquoi il disait cela ; il faisait semblant de ne point l'entendre, puis prit une paille et commença à la rompre entre ses mains comme par moquerie en pleurant. Alors il fit maintes folies pour faire rire le Pape et l'Empereur, et aussi maints ébattements pour les faire parler, et dire quelque chose nouvelle. Alors il lui parla, le conjura, et lui dit : « Je te commande si tu as puissance de parler, que tu parles à nous », mais Robert se leva en contrefaisant le fou et en faisant cela il regarda derrière lui, et vit venir l'Ermite auquel il s'était confessé ; aussitôt que l'Ermite l'aperçut, il lui dit à si haute voix que chacun pouvait l'entendre : « Mon ami, entendez-moi. Je sais bien que vous êtes Robert, lequel se nommait le Diable, vous êtes maintenant agréable à Dieu, car au lieu de Diable, vous aurez nom homme de Dieu, vous êtes celui par lequel cette contrée est délivrée des mains des Sarrasins ; je vous prie qu'ainsi que vous avez accoutumé d'honorer et prier Dieu, lequel m'a ici envoyé et vous mande par moi que désormais, sans contrefaire le fou, car ainsi est son plaisir, il vous a pardonné et remis tous vos péchés, parce que vous avez fait une pénitence suffisante » : aussitôt Robert se mit à genoux humblement et leva les mains vers le Ciel, disant : « Souverain Roi des Cieux, puisqu'il vous a plu me pardonner mes péchés, soyez loué, honoré et béni. » Quand la fille et tous ceux qui étaient là présents entendirent le beau langage de Robert, ils furent tous émerveillés, car il leur sembla si beau, si doux et si précieux d'esprit et de corps, que c'était chose merveilleuse. Lors l'Empereur lui voulut donner sa fille en mariage par les grands biens et vertus qu'il connaissait en lui : l'Ermite qui était là n'y voulut jamais consentir, parquoi tous se divisèrent, et s'enfuyant chacun dans leur Hôtel.

Comme Robert revint à Rome pour épouser la fille de l'Empereur

Après que Robert eut obtenu pardon de ses péchés, et qu'il s'en fut allé hors de Rome, Dieu lui fit trois fois annoncer par son Ange qu'il retournât, qu'il épousât la fille de l'Empereur et qu'il en descendrait une noble lignée par qui la Foi serait exaltée. Alors Robert fut à Rome et épousa la fille de l'Empereur en grand triomphe ; il y eut honorable et puissante assemblée, car tous demeuraient grande joie à la fête, nul ne se pouvait soûler[a] de regarder Robert, ils disaient tous : « Par lui nous sommes hors des mains de nos ennemis. » La Fête fut si grande qu'elle dura quinze jours, et après qu'elle fut passée, Robert avec sa femme voulut retourner en Normandie pour visiter son père et sa mère, demanda congé à l'Empereur, lequel lui donna des gens pour l'accompagner, et lui donna de beaux et riches dons en or, argent et pierres précieuses.

a *Soûler* : lasser.

Lors Robert et sa femme prirent congé de l'Empereur et de ceux de Rome, et se mirent en chemin pour aller en Normandie ; tant cheminèrent, qu'ils arrivèrent en la Ville de Rouen, où ils furent reçus en grand triomphe ; car les Normands étaient en grand déconfort[a], parce que le Duc, père de Robert était mort, et étaient demeurés sans Seigneur, dont ils étaient dolents, car c'était un Prince sage et de grand renom. Quand Robert et sa mère furent assemblés, il leur conta comme il s'était gouverné à Rome, et comme il avait enduré beaucoup de maux en faisant pénitence, et puis comme l'Empereur lui avait donné sa fille en mariage, et fait contre tout son gouvernement. Quand la Duchesse eut entendu ce que son fils lui avait dit, elle commença à pleurer des peines et tourments que son enfant avait soufferts.

Comme un Messager arriva devant le Duc Robert, et lui dit que l'Empereur lui mandait qu'il l'allât secourir contre le Sénéchal

Cependant, comme le Duc Robert était à Rouen avec sa mère et sa femme, racontant ses aventures, il vint un jour qu'il arriva un Messager, que l'Empereur envoyait à Robert. Le Messager étant descendu vint saluer le Duc, et lui dit : « Seigneur, l'Empereur m'a envoyé à vous, et vous prie de le venir secourir contre le Sénéchal, lequel s'est rebellé contre lui et vous. » Quand Robert ouït ces paroles il fut

a *Déconfort* : découragement.

malcontent, et incontinent fit amasser plusieurs gens d'armes les plus vaillants qu'il put trouver en Normandie, le plus tôt qu'il put se mit en chemin, lui et ses gens arrivèrent à Rome, et sans arrêter [alla] où était le Sénéchal qui tenait déjà le Trône en sa sujétion. Et quand Robert aperçut le Sénéchal, il commença à s'écrier hautement, en lui disant : « Traître, tu n'échapperas pas, puisque tu es venu, car jamais tu ne t'en retourneras » ; puis lui dit : « Tu mis le fer de lance dans ta cuisse par tricherie ; or défends ta vie, puisque tu as tué mon Seigneur l'Empereur par trahison ; de tous faits il faut que je te récompense selon le démérite », et disant ces paroles par grande colère, il serra les dents et vint courant contre le Sénéchal, et lui donna un si grand coup [sur] son heaume, qu'il se rompit, et lui fendit la tête jusqu'aux dents, puis abattit sa visière, tellement que la cervelle lui tomba par terre. Le traître Sénéchal tomba mort sur la place. Robert le fit mettre en un lieu propre pour l'écorcher, afin qu'il fût mieux vengé de lui, et le fit faire devant ceux de Rome, et ainsi le fit mourir de male mort, c'est pourquoi chacun connaîtra que c'est grande folie de désirer chose qui n'appartient avoir, car si le Sénéchal n'eût désiré la fille de l'Empereur, il ne fût pas mort ainsi, mais au contraire il fût toujours demeuré ami de l'Empereur.

Comme après que Robert eut fait écorcher le Sénéchal, le Duc retourna en Normandie

Quand Robert eut fait écorcher le Sénéchal et mis en paix les Romains, il s'en retourna à Rouen avec sa compagnie, où il trouva sa mère et sa femme, laquelle mena grand deuil quand elle sut que l'Empereur était mort ainsi par le traître Sénéchal : mais la Duchesse, mère de Robert, la réconfortait, lui faisant tous les plaisirs qu'elle pouvait penser pour lui procurer de la joie. Pour mettre fin à ce présent Livre, nous laisserons le deuil de la jeune Duchesse, et parlerons de Robert, lequel en sa jeunesse fut tout pervers, mauvais et enclin à tous les vices, que c'était un prodige de malice, depuis il fut comme un homme sauvage, sans parler, comme une bête, ensuite exhaussé en noblesse et honneur, comme ci-devant avez ouï. Il vécut longuement et saintement avec sa femme, et en bonne renommée. Il eut d'elle un beau fils nommé Richard qui fit avec l'Empereur Charlemagne plusieurs grandes prouesses, et aida à accroître et exalter la Foi Chrétienne ; sans cesse il menait guerre aux Sarrasins, et les détruisait. Il vécut en grand honneur dans son pays comme son père Robert, car tous deux vécurent saintement jusqu'à la fin de leurs jours. Dieu par sa puissance nous veuille faire la grâce qu'à la fin des nôtres, nos âmes puissent voler avec eux dans la gloire éternelle, avec tous les Saints et Saintes du Paradis !

FIN

VOLTAIRE
(1694-1778)

Destinée à introduire une luxueuse édition des œuvres de Molière, faisant suite à un projet dont Jean-Jacques Rousseau aurait été le corédacteur, la Vie de Molière *de Voltaire fut abandonnée par ses commanditaires et parut en 1739 chez Laurent-François Prault, sans l'accord explicite de l'auteur. Cet échec déposséda Voltaire de la mission qu'il s'était assignée : régler son compte à la biographie de Grimarest (1705) — dont Boileau avait déjà regretté le caractère fautif et dont les erreurs font aujourd'hui encore le lit des théories les plus délirantes*[1] *— et, surtout, s'ériger comme arbitre du goût et instigateur d'un canon, d'une* pléiade *(Corneille, Molière, Racine) où le siècle du classicisme français toucherait à la grandeur du*

1. Celle, notamment, qui prête à Pierre Corneille principalement, et accessoirement à quelques contemporains (Quinault, d'Assoucy, Boursault, etc.), la paternité des pièces de Molière. Soutenue d'abord par Pierre Louÿs, qui s'en fit le champion dès 1919, cette thèse a connu un récent regain. Pour un point et une réfutation, voir le site « Molière, auteur des œuvres de Molière » (2011), initié par Georges Forestier et l'université Paris-Sorbonne ; URL : http://www.moliere-corneille.paris-sorbonne.fr/.

théâtre antique. Ainsi peut-on expliquer que Voltaire cherche à « anoblir » Molière et le genre comique, en gommant systématiquement les anecdotes non corroborées ou les matériaux biographiques qui abaisseraient le ton du récit : loin d'être un dangereux libertin ayant épousé sa propre fille, comme certaines légendes l'affirmaient, Molière est un génie, l'orgueil de la France, dont il a assuré la réputation en cet âge louis-quatorzien où domina, par opposition au lamentable règne de Louis XV, « l'esprit des hommes dans le siècle le plus éclairé qui fût jamais[1] *». Loin de s'appuyer sur la farce et la* commedia dell'arte, *Molière a inventé un « haut comique*[2] *» fondé sur « la société et la galanterie, seules sources du bon comique*[3] *». Il est « le premier qui fit sentir le vrai, et par conséquent le beau », laissant derrière lui « le faux, le bas, le gigantesque*[4]*», propres à la tradition dégradée de la comédie vulgaire. Si Voltaire lui reconnaît une dimension provocatrice, c'est bien celle que l'auteur de* Candide *peut reprendre à son compte : le Molière « tolérant » du sermon de Cléante contre la dévotion dans* Tartuffe *ou celui, « humaniste », faisant donner l'aumône à Dom Juan « pour l'amour de l'humanité ».*

Nous ne nous reconnaissons sans doute pas dans ce Molière héraut d'un « bon goût » policé, défendu

1. Voltaire, *Le Siècle de Louis XIV* [1751], édition établie, présentée et annotée par Jacqueline Hellegouarc'h et Sylvain Menant, Paris, Le Livre de Poche, coll. « Classiques », 2005, p. 120.

2. *Id.*, « *Le Misanthrope* », dans *Vie de Molière avec de petits sommaires de ses pièces* [1739], texte établi et annoté par Hugues Pradier, Paris, Gallimard / Le Promeneur, coll. « Le cabinet des lettrés », 1992, p. 46.

3. *Id.*, « *L'Étourdi, ou Les Contretemps* », *ibid.*, p. 26.

4. *Id.*, « *Les Fâcheux* », *ibid.*, p. 37.

ici avec tant de vigueur. Mais peu d'écrivains français ont suscité autant de polémiques et de fascination que l'auteur du Malade imaginaire, *engendrant des récits qui vont du délire hagiographique, à finalité scolaire ou idéologique, au négationnisme absurde attribuant la paternité des œuvres de Molière à Corneille. Le récit de Voltaire, en ce sens, vaut comme une entreprise d'histoire littéraire menée avec sérieux et méthode : quoiqu'il ne s'appuie sur aucun document de première main et qu'il démarque des travaux antérieurs, ses scrupules et sa prudence sont un tournant historiographique. Cette première* vie *de l'histoire moderne rayonne autant par le triomphe de la raison que par sa nostalgie douce-amère d'un âge d'or perdu du théâtre, dans un contexte historique où l'heure était plutôt au déclin de la mode moliéresque.*

Voir VOLTAIRE, *La Vie de Molière* [1739], édition critique par Samuel S. B. Taylor, dans *Œuvres de 1732-1733* (*Œuvres complètes*, 9), Oxford, Voltaire Foundation, 1999 ; *id.*, *Vie de Molière avec de petits sommaires de ses pièces*, texte établi et annoté par Hugues Pradier, Paris, Gallimard / Le Promeneur, coll. « Le cabinet des lettrés », 1992 ; Georges MONGRÉDIEN, « Les biographes de Molière au XVIIIe siècle », *Revue d'histoire littéraire de la France*, vol. 56, 1956, p. 342-354.

Vie de Molière

Le goût de bien des lecteurs pour les choses frivoles, et l'envie de faire un volume de ce qui ne devrait remplir que peu de pages, sont cause que l'histoire des hommes célèbres est presque toujours gâtée par des détails inutiles et des contes populaires aussi faux qu'insipides. On y ajoute souvent des critiques injustes de leurs ouvrages. C'est ce qui est arrivé dans l'édition de Racine faite à Paris en [1728]. On tâchera d'éviter cet écueil dans cette courte histoire de la vie de Molière ; on ne dira de sa propre personne que ce qu'on a cru vrai et digne d'être rapporté, et on ne hasardera sur ses ouvrages rien qui soit contraire aux sentiments du public éclairé.

Jean-Baptiste Poquelin naquit à Paris en 1620, dans une maison qui subsiste encore sous les piliers des Halles. Son père, Jean-Baptiste Poquelin, valet de chambre tapissier chez le roi, marchand fripier, et Anne Boutet, sa mère, lui donnèrent une éducation trop conforme à leur état, auquel ils le destinaient : il resta jusqu'à quatorze ans dans leur boutique, n'ayant rien appris, outre son métier, qu'un peu à lire et à écrire. Ses parents obtinrent pour lui la survivance de leur charge chez le roi ; mais son génie l'appelait ailleurs. On a remarqué que presque tous ceux qui se sont fait un nom dans les beaux-arts les ont cultivés malgré leurs parents, et que la nature a toujours été en eux plus forte que l'éducation.

Poquelin avait un grand-père qui aimait la comédie, et qui le menait quelquefois à l'Hôtel de Bourgogne. Le jeune homme sentit bientôt une aversion invincible pour sa profession. Son goût pour l'étude se développa ; il pressa son grand-père d'obtenir qu'on le mît au collège, et il arracha enfin le consentement de son père, qui le mit dans une pension, et l'envoya externe aux jésuites, avec la répugnance d'un bourgeois qui croyait la fortune de son fils perdue s'il étudiait.

Le jeune Poquelin fit au collège les progrès qu'on devait attendre de son empressement à y entrer. Il y étudia cinq années ; il y suivit le cours des classes d'Armand de Bourbon, premier prince de Conti, qui depuis fut le protecteur des lettres et de Molière.

Il y avait alors dans ce collège deux enfants qui eurent depuis beaucoup de réputation dans le monde. C'étaient Chapelle et Bernier : celui-ci, connu par ses voyages aux Indes, et l'autre, célèbre par quelques vers naturels et aisés, qui lui ont fait d'autant plus de réputation qu'il ne rechercha pas celle d'auteur.

L'Huillier, homme de fortune, prenait un soin singulier de l'éducation du jeune Chapelle, son fils naturel ; et pour lui donner de l'émulation, il faisait étudier avec lui le jeune Bernier, dont les parents étaient mal à leur aise. Au lieu même de donner à son fils naturel un précepteur ordinaire et pris au hasard, comme tant de pères en usent avec un fils légitime qui doit porter leur nom, il engagea le célèbre Gassendi à se charger de l'instruire.

Gassendi, ayant démêlé de bonne heure le génie de Poquelin, l'associa aux études de Chapelle et de Bernier. Jamais plus illustre maître n'eut de plus dignes disciples. Il leur enseigna sa philosophie d'Épicure, qui, quoique aussi fausse que les autres, avait au moins plus de méthode et plus de vraisemblance que celle de l'école, et n'en avait pas la barbarie.

Poquelin continua de s'instruire sous Gassendi. Au sortir du collège, il reçut de ce philosophe les principes d'une morale plus utile que sa physique, et il s'écarta rarement de ces principes dans le cours de sa vie.

Son père étant devenu infirme et incapable de servir, il fut obligé d'exercer les fonctions de son emploi auprès du roi. Il suivit Louis XIII dans Paris. Sa passion pour la comédie, qui l'avait déterminé à faire ses études, se réveilla avec force.

Le théâtre commençait à fleurir alors : cette partie des belles-lettres, si méprisée quand elle est médiocre, contribue à la gloire d'un État quand elle est perfectionnée.

Avant l'année 1625, il n'y avait point de comédiens fixes à Paris. Quelques farceurs allaient, comme en Italie, de ville en ville : ils jouaient les pièces de Hardy, de Monchrestien, ou de Balthazar Baro. Ces auteurs leur vendaient leurs ouvrages dix écus pièce.

Pierre Corneille tira le théâtre de la barbarie et de l'avilissement, vers l'année 1630. Ses premières comédies, qui étaient aussi bonnes pour son siècle qu'elles sont mauvaises pour le nôtre, furent cause qu'une troupe de comédiens s'établit à Paris. Bientôt après, la passion du cardinal de Richelieu pour les spectacles mit le goût de la comédie à la mode, et il y avait plus de sociétés particulières qui représentaient alors, que nous n'en voyons aujourd'hui.

Poquelin s'associa avec quelques jeunes gens qui avaient du talent pour la déclamation ; ils jouaient au faubourg Saint-Germain et au quartier Saint-Paul. Cette société éclipsa bientôt toutes les autres ; on l'appela l'*Illustre Théâtre*. On voit par une tragédie de ce temps-là, intitulée *Artaxerce*, d'un nommé Magnon, et imprimée en 1645, qu'elle fut représentée sur l'Illustre Théâtre.

Ce fut alors que Poquelin, sentant son génie, se résolut de s'y livrer tout entier, d'être à la fois comédien et auteur, et de tirer de ses talents de l'utilité et de la gloire.

On sait que chez les Athéniens les auteurs jouaient souvent dans leurs pièces, et qu'ils n'étaient point déshonorés pour parler avec grâce en public devant leurs concitoyens. Il fut plus encouragé par cette idée que retenu par les préjugés de son siècle. Il prit le nom de Molière, et il ne fit en changeant de nom que suivre l'exemple des comédiens d'Italie et de ceux de l'Hôtel de Bourgogne. L'un, dont le nom de famille était Le Grand, s'appelait Belleville dans la tragédie, et Turlupin dans la farce, d'où vient le mot de *turlupinade*. Hugues Guéret était connu, dans les pièces sérieuses, sous le nom de Fléchelles ; dans la farce, il jouait toujours un certain rôle qu'on appelait Gautier-Garguille : de même, Arlequin et Scaramouche n'étaient connus que sous ce nom de théâtre. Il y avait déjà eu un comédien appelé Molière, auteur de la tragédie de *Polyxène*.

Le nouveau Molière fut ignoré pendant tout le temps que durèrent les guerres civiles en France ; il employa ces années à cultiver son talent, et à préparer quelques pièces. Il avait fait un recueil de scènes italiennes, dont il faisait de petites comédies pour les provinces. Ces premiers essais très informes tenaient plus du mauvais théâtre italien, où il les avait pris, que de son génie, qui n'avait pas eu encore l'occasion de se développer tout entier. Le génie s'étend et se resserre par tout ce qui nous environne. Il fit donc pour la province *Le Docteur amoureux, Les Trois Docteurs rivaux, Le Maître d'école* : ouvrages dont il ne reste que le titre. Quelques curieux ont conservé deux pièces de Molière dans ce genre : l'une est *Le Médecin volant*, et l'autre, *La Jalousie de Barbouille*. Elles sont en prose et écrites en entier. Il y a quelques phrases et quelques incidents de la première qui nous sont conservés dans *Le Médecin malgré lui*, et on trouve dans *La Jalousie de Barbouille* un canevas, quoique informe, du troisième acte de *George Dandin*.

La première pièce régulière en cinq actes qu'il composa fut *L'Étourdi*. Il représenta cette comédie à Lyon en 1653. Il y avait dans cette ville une troupe de comédiens de campagne, qui fut abandonnée dès que celle de Molière parut.

Quelques acteurs de cette ancienne troupe se joignirent à Molière, et il partit de Lyon pour les états de Languedoc avec une troupe assez complète, composée principalement de deux frères nommés Gros-René, de Duparc, d'un pâtissier de la rue Saint-Honoré, de la Duparc, de la Béjart, et de la Debrie.

Le prince de Conti, qui tenait les états de Languedoc à Béziers, se souvint de Molière, qu'il avait vu au collège ; il lui donna une protection distinguée. [Molière] joua devant lui *L'Étourdi*, *Le Dépit amoureux*, et *Les Précieuses ridicules*.

Cette petite pièce des *Précieuses*, faite en province, prouve assez que son auteur n'avait eu en vue que les ridicules des provinciales ; mais il se trouva depuis que l'ouvrage pouvait corriger et la cour et la ville.

Molière avait alors trente-quatre ans : c'est l'âge où Corneille fit *Le Cid*. Il est bien difficile de réussir avant cet âge dans le genre dramatique, qui exige la connaissance du monde et du cœur humain.

On prétend que le prince de Conti voulut alors faire Molière son secrétaire, et qu'heureusement pour la gloire du théâtre français, Molière eut le courage de préférer son talent à un poste honorable. Si ce fait est vrai, il fait également honneur au prince et au comédien.

Après avoir couru quelque temps toutes les provinces, et avoir joué à Grenoble, à Lyon, à Rouen, il vint enfin à Paris en 1658. Le prince de Conti lui donna accès auprès de Monsieur, frère unique du roi Louis XIV ; Monsieur le présenta au roi et à la reine mère. Sa troupe et lui représentèrent la même année, devant Leurs Majestés, la tragédie de *Nicomède*, sur un théâtre élevé par ordre du roi dans la salle des gardes du vieux Louvre.

Il y avait depuis quelque temps des comédiens établis à l'Hôtel de Bourgogne. Ces comédiens assistèrent au début de la nouvelle troupe. Molière, après la représentation de *Nicomède*, s'avança sur le bord du théâtre, et prit la liberté de faire au roi un discours par lequel il remerciait Sa Majesté de son indulgence, et louait adroitement les comédiens de l'Hôtel de Bourgogne, dont il devait craindre la jalousie : il finit en demandant la permission de donner une pièce d'un acte qu'il avait jouée en province.

La mode de représenter ces petites farces après de grandes pièces était perdue à l'Hôtel de Bourgogne. Le roi agréa l'offre de Molière, et l'on joua dans l'instant *Le Docteur amoureux*. Depuis ce temps, l'usage a toujours continué de donner de ces pièces d'un acte ou de trois après les pièces de cinq.

On permit à la troupe de Molière de s'établir à Paris ; ils s'y fixèrent, et partagèrent le théâtre du Petit-Bourbon avec les comédiens italiens, qui en étaient en possession depuis quelques années.

La troupe de Molière jouait sur ce théâtre les mardis, les jeudis, et les samedis ; et les Italiens, les autres jours.

La troupe de l'Hôtel de Bourgogne ne jouait aussi que trois fois la semaine, excepté lorsqu'il y avait des pièces nouvelles.

Dès lors la troupe de Molière prit le titre de *la troupe de Monsieur*, qui était son protecteur. Deux ans après, en 1660, il leur accorda la salle du Palais-Royal. Le cardinal de Richelieu l'avait fait bâtir pour la représentation de *Mirame*, tragédie dans laquelle ce ministre avait composé plus de cinq cents vers. Cette salle est aussi mal construite que la pièce pour laquelle elle fut bâtie, et je suis obligé de remarquer à cette occasion que nous n'avons aujourd'hui aucun théâtre supportable : c'est une barbarie gothique que les Italiens nous reprochent avec raison. Les bonnes pièces sont en France, et les belles salles en Italie.

La troupe de Molière eut la jouissance de cette salle jusqu'à la mort de son chef. Elle fut alors accordée à ceux qui eurent le privilège de l'opéra, quoique ce vaisseau soit moins propre encore pour le chant que pour la déclamation.

Depuis l'an 1658 jusqu'à 1673, c'est-à-dire en quinze années de temps, il donna toutes ses pièces, qui sont au nombre de trente. Il voulut jouer dans le tragique ; mais il n'y réussit pas : il avait une volubilité dans la voix, et une espèce de hoquet qui ne pouvait convenir au genre sérieux, mais qui rendait son jeu comique plus plaisant. La femme d'un des meilleurs comédiens que nous ayons eus a donné ce portrait-ci de Molière :

« Il n'était ni trop gras ni trop maigre ; il avait la taille plus grande que petite, le port noble, la jambe belle : il marchait gravement ; avait l'air très sérieux, le nez gros, la bouche grande, les lèvres épaisses, le teint brun, les sourcils noirs et forts ; et les divers mouvements qu'il leur donnait lui rendaient la physionomie extrêmement comique. À l'égard de son caractère, il était doux, complaisant, généreux ; il aimait fort à haranguer, et quand il lisait ses pièces aux comédiens, il voulait qu'ils y amenassent leurs enfants, pour tirer des conjectures de leur mouvement naturel. »

Molière se fit dans Paris un très grand nombre de partisans et presque autant d'ennemis. Il accoutuma le public, en lui faisant connaître la bonne comédie, à le juger lui-même très sévèrement. Les mêmes spectateurs qui applaudissaient aux pièces médiocres des autres auteurs relevaient les moindres défauts de Molière avec aigreur. Les hommes jugent de nous par l'attente qu'ils en ont conçue ; et le moindre défaut d'un auteur célèbre, joint avec les malignités du public, suffit pour faire tomber un bon ouvrage. Voilà pourquoi *Britannicus* et *Les Plaideurs* de M. Racine furent si mal reçus ; voilà pourquoi *L'Avare, Le Misanthrope, Les Femmes savantes, L'École des femmes,* n'eurent d'abord aucun succès.

Louis XIV, qui avait un goût naturel et l'esprit très juste, sans l'avoir cultivé, ramena souvent, par son approbation, la cour et la ville aux pièces de Molière. Il eût été plus honorable pour la nation de n'avoir pas besoin des décisions de son maître pour bien juger. Molière eut des ennemis cruels, surtout les mauvais auteurs du temps, leurs protecteurs et leurs cabales : ils suscitèrent contre lui les dévots ; on lui imputa des livres scandaleux ; on l'accusa d'avoir joué des hommes puissants, tandis qu'il n'avait joué que les vices en général ; et il eût succombé sous ces accusations si ce même roi, qui encouragea et qui soutint Racine et Despréaux, n'eût pas aussi protégé Molière.

Il n'eut à la vérité qu'une pension de mille livres, et sa troupe n'en eut qu'une de sept. La fortune qu'il fit par le succès de ses ouvrages le mit en état de n'avoir rien de plus à souhaiter ; ce qu'il retirait du théâtre avec ce qu'il avait placé allait à trente mille livres de rente, somme qui, en ce temps-là, faisait presque le double de la valeur réelle de pareille somme d'aujourd'hui.

Le crédit qu'il avait auprès du roi paraît assez par le canonicat qu'il obtint pour le fils de son médecin. Ce médecin s'appelait Mauvilain. Tout le monde sait qu'étant un jour au dîner du roi : « Vous avez un médecin, dit le roi à Molière, que vous fait-il ? — Sire, répondit Molière, nous causons ensemble ; il m'ordonne des remèdes, je ne les fais point, et je guéris. »

Il faisait de son bien un usage noble et sage ; il recevait chez lui des hommes de la meilleure compagnie, les Chapelle, les Jonsac, les Desbarreaux, etc., qui joignaient la volupté et la philosophie. Il avait une maison de campagne à Auteuil, où il se délassait souvent avec eux des fatigues de sa profession, qui sont bien plus grandes qu'on ne pense. Le maréchal de Vivonne, connu par son esprit et par son amitié pour Despréaux, allait souvent chez Molière, et vivait avec lui comme Lélius avec Térence. Le grand Condé exigeait de lui qu'il le vînt voir souvent, et disait qu'il trouvait toujours à apprendre dans sa conversation.

Molière employait une partie de son revenu en libéralités, qui allaient beaucoup plus loin que ce qu'on appelle dans d'autres hommes *des charités*. Il encourageait souvent par des présents considérables de jeunes auteurs qui marquaient du talent : c'est peut-être à Molière que la France doit Racine. Il engagea le jeune Racine, qui sortait de Port-Royal, à travailler pour le théâtre dès l'âge de dix-neuf ans. Il lui fit composer la tragédie de *Théagène et Chariclée* ; et quoique cette pièce fût trop faible pour être jouée, il fit présent au jeune auteur de cent louis, et lui donna le plan des *Frères ennemis*.

Il n'est peut-être pas inutile de dire qu'environ dans le même temps, c'est-à-dire en 1661, Racine ayant fait une ode sur le mariage de Louis XIV, M. Colbert lui envoya cent louis au nom du roi.

Il est très triste pour l'honneur des lettres que Molière et Racine aient été brouillés depuis ; de si grands génies, dont l'un avait été le bienfaiteur de l'autre, devaient être toujours amis.

Il éleva et il forma un autre homme qui, par la supériorité de ses talents et par les dons singuliers qu'il avait reçus de la nature, mérite d'être connu de la postérité. C'était le comédien Baron, qui a été unique dans la tragédie et dans la comédie. Molière en prit soin comme de son propre fils.

Un jour, Baron vint lui annoncer qu'un comédien de campagne, que la pauvreté empêchait de se présenter, lui demandait quelques légers secours pour aller joindre sa troupe. Molière ayant su que c'était un nommé Mondorge, qui avait été son camarade, demanda à Baron combien il croyait qu'il fallait lui donner. Celui-ci répondit au hasard : « Quatre pistoles. — Donnez-lui quatre pistoles pour moi, lui dit Molière ; en voilà vingt qu'il faut que vous lui donniez pour vous » ; et il joignit à ce présent celui d'un habit magnifique. Ce sont de petits faits ; mais ils peignent le caractère.

Un autre trait mérite plus d'être rapporté. Il venait de donner l'aumône à un pauvre ; un instant après le pauvre court après lui, et lui dit : « Monsieur, vous n'aviez peut-être pas dessein de me donner un louis d'or, je viens vous le rendre. — Tiens, mon ami, dit Molière, en voilà un autre » ; et il s'écria : « Où la vertu va-t-elle se nicher ! » Exclamation qui peut faire voir qu'il réfléchissait sur tout ce qui se présentait à lui, et qu'il étudiait partout la nature en homme qui la voulait peindre.

Molière, heureux par ses succès et par ses protecteurs, par ses amis et par sa fortune, ne le fut pas dans sa maison. Il avait épousé, en 1661, une jeune fille née de la Béjart et d'un gentilhomme nommé Modène. On disait que Molière en était le père : le soin avec lequel on avait répandu cette calomnie fit que plusieurs personnes prirent celui de la réfuter. On prouva que Molière n'avait connu la mère qu'après la naissance de cette fille. La disproportion d'âge, et les dangers auxquels une comédienne jeune et belle est exposée, rendirent ce mariage malheureux ; et Molière, tout philosophe qu'il était d'ailleurs, essuya dans son domestique les dégoûts, les amertumes, et quelquefois les ridicules qu'il avait si souvent joués sur le théâtre. Tant il est vrai que les hommes qui sont au-dessus des autres par les talents, s'en rapprochent presque toujours par les faiblesses : car pourquoi les talents nous mettraient-ils au-dessus de l'humanité ?

La dernière pièce qu'il composa fut *Le Malade imaginaire*. Il y avait quelque temps que sa poitrine était attaquée, et qu'il crachait quelquefois du sang.

Le jour de la troisième représentation il se sentit plus incommodé qu'auparavant : on lui conseilla de ne point jouer ; mais il voulut faire un effort sur lui-même, et cet effort lui coûta la vie.

Il lui prit une convulsion en prononçant *Juro*, dans le divertissement de la réception du malade imaginaire. On le rapporta mourant chez lui, rue de Richelieu. Il fut assisté quelques moments par deux de ces sœurs religieuses qui viennent quêter à Paris pendant le carême, et qu'il logeait chez lui. Il mourut entre leurs bras, étouffé par le sang qui lui sortait de la bouche, le 17 février 1673, âgé de cinquante-trois ans. Il ne laissa qu'une fille, qui avait beaucoup d'esprit. Sa veuve épousa un comédien nommé Guérin.

Le malheur qu'il avait eu de ne pouvoir mourir avec les secours de la religion, et la prévention contre la comédie, déterminèrent Harlay de Chanvalon, archevêque de Paris, si connu par ses intrigues galantes, à refuser la sépulture à Molière. Le roi le regrettait, et ce monarque, dont il avait été le domestique et le pensionnaire, eut la bonté de prier l'archevêque de Paris de le faire inhumer dans une église. Le curé de Saint-Eustache, sa paroisse, ne voulut pas s'en charger. La populace, qui ne connaissait dans Molière que le comédien, et qui ignorait qu'il avait été un excellent auteur, un philosophe, un grand homme en son genre, s'attroupa en foule à la porte de sa maison le jour du convoi : sa veuve fut obligée de jeter de l'argent par les fenêtres, et ces misérables, qui auraient, sans savoir pourquoi, troublé l'enterrement, accompagnèrent le corps avec respect.

La difficulté qu'on fit de lui donner la sépulture, et les injustices qu'il avait essuyées pendant sa vie, engagèrent le fameux P. Bouhours à composer cette espèce d'épitaphe, qui, de toutes celles qu'on fit pour Molière, est la seule qui mérite d'être rapportée et la seule qui ne soit pas dans cette fausse et mauvaise histoire qu'on a mise jusqu'ici au-devant de ses ouvrages :

Tu réformas et la ville et la cour ;
Mais quelle en fut la récompense !
Les Français rougiront un jour
De leur peu de reconnaissance.
Il leur fallut un comédien
Qui mît à les polir sa gloire et son élude ;
Mais, Molière, à ta gloire il ne manquerait rien
Si, parmi les défauts que tu peignais si bien,
Tu les avais repris de leur ingratitude.

Non seulement j'ai omis dans cette *Vie de Molière* les contes populaires touchant Chapelle et ses amis ; mais je suis obligé de dire que ces contes, adoptés par Grimarest, sont très faux. Le feu duc de Sully, le dernier prince de Vendôme, l'abbé de Chaulieu, qui avaient beaucoup vécu avec Chapelle, m'ont assuré que toutes ces historiettes ne méritaient aucune créance.

DENIS DIDEROT

(1713-1784)

Dans un siècle où abondent les nécrologues impersonnels et les romans biographiques, les recueils de notices ou d'anecdotes, et où les vies d'auteurs et de philosophes empruntent la forme d'éloges maîtrisés, si ce n'est académiques, l'« Abrégé de la Vie de La Fontaine » par Diderot étonne par sa brièveté, par son alternance entre lyrisme et violence critique (« je déchirerai une fable »), par sa forme, celle d'une sorte de poème en prose. Écrit en 1762 pour l'édition dite des « Fermiers généraux » des Fables, *le texte n'a comme équivalent que la courte* Vie de Molière *par Voltaire (voir p. 289). Le choix d'un genre, le tombeau poétique, déjà considéré comme daté par ses contemporains, la licence romanesque (par exemple l'interprétation faite du mariage du fabuliste), les erreurs et approximations (Diderot s'appuie sur une source secondaire, l'*Histoire de l'Académie de France *par l'abbé d'Olivet), l'énonciation qui laisse entendre la voix du narrateur et sa projection affective, les ellipses énigmatiques et la disposition presque strophique du récit, rendent singulier et émouvant cet étrange abrégé d'une existence, inscrite à la fois dans la fragilité des détours du quotidien et dans l'immortalité* *d'un panthéon classique en train de se construire. La Fontaine rendait hommage à Ésope, dont il rêvait la vie à son image pour en récupérer l'antique dignité (voir* p. 214*) ; Diderot révère le pouvoir des écrivains en immortalisant un La Fontaine humaniste (et en passant sous silence sa conversion tardive, qui ne pouvait que lui déplaire), mais un humaniste exilé et solitaire, comme né d'un roman de Jean-Jacques Rousseau. Les pages du culte des morts tournent, mais,* mutatis mutandis, *ce sont les idées modernes de la littérature comme religion et de la sacralité de l'écrivain qui naissent à travers ces* vies.

Voir Denis Diderot, *Œuvres complètes*, t. XIII : *Arts et lettres (1739-1766). Critique I*, édition critique par Jean Varloot, Paris, Hermann, 1980, p. 288-290 ; Pierre-Joseph Thoulier, abbé d'Olivet, *Histoire de l'Académie françoise, tome second*, 3e éd., Paris, J.-B. Coignard, 1743 ; Raymond Trousson et Roland Mortier (éd.), *Dictionnaire de Diderot*, Paris, Honoré Champion, 1999 ; Raymond Trousson, *Denis Diderot ou le Vrai Prométhée*, Paris, Tallandier, 2005.

Abrégé de la Vie de La Fontaine

JEAN DE LA FONTAINE naquit le 8 juillet 1621, à Château-Thierry.

Sa famille y tenait un rang honnête.

Son éducation fut négligée ; mais il avait reçu le génie qui répare tout. Jeune encore, l'ennui du monde le conduisit dans la retraite. Le goût de l'indépendance l'en tira.

Il avait atteint l'âge de vingt-deux ans, lorsque quelques sons de la lyre de Malherbe, entendus par hasard, éveillèrent en lui la muse qui sommeillait. Bientôt il connut les meilleurs modèles ; Phèdre, Virgile, Horace et Térence, parmi les Latins : Plutarque, Homère et Platon, parmi les Grecs : Rabelais, Marot et d'Urfé, parmi les Français : le Tasse, Arioste et Boccace, parmi les Italiens.

Il fut marié, parce qu'on le voulut, à une femme belle, spirituelle et sage qui le désespéra.

Tout ce qu'il y eut d'hommes distingués dans les lettres, le recherchèrent et le chérirent. Mais ce furent deux femmes qui l'empêchèrent de sentir l'indigence.

La Fontaine, s'il reste quelque chose de toi, et s'il t'est permis de planer un moment au-dessus des temps : vois les noms de La Sablière et d'Hervard passer avec le tien aux siècles à venir !

La vie de La Fontaine ne fut, pour ainsi dire, qu'une distraction continuelle. Au milieu de la société, il en était absent. Presqu'imbécile pour la foule, l'auteur ingénieux, l'homme aimable ne se laissait apercevoir que par intervalle et à des amis.

Il eut peu de livres et peu d'amis.

Entre un grand nombre d'ouvrages qu'il a laissés, il n'y a personne qui ne connaisse ses fables et ses contes ; et les particularités de sa vie sont écrites en cent endroits.

Il mourut le 16 mars 1695.

Gardons le silence sur ses derniers instants, et craignons d'irriter ceux qui ne pardonnent point.

Ses concitoyens l'honorent encore aujourd'hui dans sa postérité.

Longtemps après sa mort, les étrangers allaient visiter la chambre qu'il avait occupée.

Une fois chaque année, j'irai visiter sa tombe.

Ce jour-là, je déchirerai une fable de La Mothe, un conte de Vergier, ou quelques-unes des meilleures pages de Grécourt.

Il fut inhumé dans le cimetière de S. Joseph, à côté de Molière.

Ce lieu sera toujours sacré pour les poètes et pour les gens de goût.

HONORÉ DE BALZAC

(1799-1850)

Œuvre du jeune Balzac, alors découragé de l'écriture et décidé à se faire imprimeur, la « Notice sur la vie de La Fontaine » (1826) devait constituer la préface d'une édition compacte des Œuvres complètes, *formule originale mais qui s'avéra — concurrence oblige — un échec commercial. Qu'elle soit le premier texte signé de son nom (sans particule) n'est pas sans signification : chez Balzac, cette entité transcendantale qu'est la littérature ne s'affirme qu'à travers l'identité individuelle du génie artistique, théorie qui accorde une place prééminente à la biographie, genre nécessaire pour que le projet littéraire se fonde et s'examine. Avec le « La Fontaine », vie d'un auteur qu'il admirait profondément pour l'extraordinaire pouvoir de ses fables à croquer caractères et situations, l'auteur de* La Comédie humaine *affirme les droits et les pouvoirs de l'artiste, créateur de ses propres richesses, ainsi qu'une conception (reprise à Diderot) du génie comme singularité et de la singularité comme forme de génie. « Ne touchez pas la hache ! » clame le cicérone de Westminster, montrant l'instrument dont se servit le bourreau pour décoller Charles Ier d'Angleterre — une formule que Balzac reprendra comme premier titre de* La Duchesse de Langeais *: la vie des grands esprits ne saurait être réduite à la banalité des petits faits biographiques et des anecdotes pour touristes littéraires. Afin de développer, pour la première fois, les thématiques qui deviendront familières, le biographe élague son récit en écartant les anecdotes trop connues, il passe sous silence l'épicurisme du poète, en faisant un être à deux faces : d'un côté, l'inoffensif rêveur, de l'autre, le profond penseur, capable d'une admirable puissance de synthèse sous son apparente insouciance. Selon une théorie romantique que l'on retrouvera notamment chez Hugo, le geste artistique consiste à synthétiser dramatiquement le jeu des forces actives de l'univers, à faire de son esprit un « miroir concentrique » du monde, expression que Balzac emprunte à Leibniz et utilise à de nombreuses reprises, notamment dans* La Peau de chagrin. *Au tombeau apaisé quoique mélancolique de La Fontaine proposé par Diderot répond donc une vision énergétique de l'action artistique. Le génie, être prédestiné, est aux prises avec ses propres forces autant qu'avec la société : sa vocation lui enjoint de porter sur ses épaules plus qu'une œuvre, un savoir absolu. Même s'il reste incompris par ceux qui assimilent à la paresse ses contemplations, et même s'il finit envahi par sa propre imagination, après avoir épuisé la peau de chagrin qu'est son génie, la vie de La Fontaine est aux antipodes des autres destinées d'intellectuels mises en scène dans* La Comédie humaine *(pensons au destin tragique de Louis Lambert dans le roman biographique éponyme, où la « pensée tu[e] le penseur[1] »). Il n'a, rappelle la fin de la* Notice, *« point expié le don de son génie par le malheur » : de tous les*

1. Félix Davin, « Introduction » aux *Études philosophiques*

miroirs et de tous les mythes personnels que Balzac s'est donnés, cette vie *est le plus heureux.*

Voir Honoré DE BALZAC, *Œuvres diverses*, t. II, édition publiée sous la direction de Pierre-Georges Castex, par Roland Chollet et René Guise avec la collaboration de Christiane Guise, Paris, Gallimard, coll. « Bibliothèque de la Pléiade », 1990, p. 141-146 ; Pierre LAUBRIET, *L'Intelligence de l'art : d'une esthétique balzacienne*, Paris, Didier, 1961 ; Geneviève DELATTRE, *Les Opinions littéraires de Balzac*, Paris, PUF, 1961.

[1834], dans *La Comédie humaine*, t. X, Paris, Gallimard, coll. « Bibliothèque de la Pléiade », 1979, p. 215.

Notice
sur la vie de La Fontaine

Jean de La Fontaine est né à Château-Thierry, le 8 juillet 1621.

Son père, Jean de La Fontaine, maître des eaux et forêts à Château-Thierry, avait épousé Françoise Pidoux, fille du bailli de Coulommiers.

La jeunesse du plus grand de nos poètes est enveloppée d'un voile presque impénétrable : le siècle, dont il est un des plus beaux ornements, lui a marqué trop d'indifférence, pour avoir su recueillir des détails chers à la postérité.

Si La Fontaine étudia, ce fut sous des maîtres de campagne ; quant aux grands enseignements, ils vinrent de la nature. Toute sa vie, il ignora le grec ; lorsqu'une connaissance intime d'un beau passage de l'*Iliade* lui devenait nécessaire, il avait recours à Racine ; grâce à l'habileté du célèbre interprète, La Fontaine, semblable aux aveugles auxquels la nature accorde presque un sens de plus pour comprendre les œuvres du Créateur, parvenait à saisir toutes les beautés d'un langage qui lui était inconnu : enfin, l'avis qu'un de ses parents nommé *Pintrel*[1] lui donna, bien tard pour tout autre, de consulter les anciens et de les prendre pour modèles, accuse la profonde insouciance de sa jeunesse pour les travaux répugnants de l'école.

À dix-neuf ans, la fantaisie lui prit d'entrer à l'Oratoire[1], sans doute à cause du *farniente* qu'il crut apercevoir dans la vie monastique ; peut-être aussi la liberté dont on jouissait dans cette congrégation le séduisit-elle ; mais effrayé aussitôt qu'il sentit un lien, il n'y resta que dix-huit mois. S'il faut en croire un auteur, c'est là qu'on aurait surpris La Fontaine, jetant son bonnet carré d'un étage élevé, et s'amusant à l'aller chercher pour le laisser tomber encore.

Ce seul fait révèle toute une existence, prédit tout un avenir : il suffit aux âmes amies de la poésie, de cette poésie qui se glisse dans la vie, dans les sentiments, dans les actions, comme elle entre dans le marbre, comme elle anime les vers, comme elle glorifie les siècles, pour deviner les secrets et les pensées d'une jeunesse oisive, vagabonde, ignorante même : puis, si l'on vient à rassembler en un seul tableau les peintures si gracieuses de l'enfance, éparses dans les *Fables* de La Fontaine, peut-être comprendra-t-on, de cœur et tout à coup, son jeune âge, fainéant pour le vulgaire[2], mais avide de sensations, les recueillant avec ivresse, les amassant sans savoir qu'un jour le souvenir les rapportera fidèlement au poète. C'est en un mot la création magique de la mine d'or, dont la nature dérobe le long travail à l'homme étonné.

Si la dernière moitié de la vie de La Fontaine ne justifiait pas entièrement cette histoire présumée de son enfance, il est une anecdote qui la rendrait sincère à un vrai poète ; c'est le récit fait par un contemporain du jour d'avènement au temple de Mémoire, le jour de la nativité poétique de La Fontaine. Il avait vingt-deux ans ; un jeune officier en quartier d'hiver à Château-Thierry lut devant lui et avec emphase l'ode de Malherbe :

Le croirez-vous, races futures, etc.[1]

« Il écouta, dit-on, avec des transports mécaniques de joie, d'admiration et d'étonnement[2]. » Là, ses lèvres furent touchées, comme celles du prophète, par un charbon ardent, et son génie s'éveilla.

Le père de La Fontaine avait ardemment souhaité un fils auteur ; aussi les premiers essais du jeune homme lui causèrent-ils une joie incroyable. Il est peut-être le seul de nos grands hommes dont la vocation ait été en harmonie avec les vœux paternels.

La Fontaine fut revêtu de la charge de son père ; mais il en remplit les fonctions avec si peu de goût, qu'après trente ans d'exercice, il ignorait, au dire de Furetière, la plupart des termes de son métier[3].

Il épousa par complaisance pour sa famille la fille d'un lieutenant au baillage royal de La Ferté-Milon, nommée Marie Héricart[4]. Elle était assez jolie et spirituelle ; mais on prétend qu'elle fut l'original de Mme Honesta, du conte de *Belphégor*[5]. La Fontaine en eut un fils et vécut peu de temps avec elle. On voit qu'il ne fut pas plus ravi du mariage, qu'à dix-neuf ans de l'Oratoire.

Le poète demeurait au sein du monde idéal de ses créations et ne pensait pas à quitter sa ville natale, où il vivait obscur, lorsque la duchesse de Bouillon[6], nièce de Mazarin, y fut exilée ; on lui présenta La Fontaine : la protectrice de Pradon[7] sut deviner les grâces naïves de la jeune muse provinciale ; et, rappelée de son exil, elle amena La Fontaine à Paris.

Il trouva dans cette ville un de ses oncles nommé Jannart. Cet oncle était le favori de Fouquet[8] ; il présenta son neveu au surintendant ; le poète en reçut une pension ; et au jour de la disgrâce, La Fontaine lui en témoigna une reconnaissance digne des temps antiques. Il y a quelque chose d'attendrissant dans la visite qu'il fit à Amboise, pour voir seulement la prison où son bienfaiteur avait gémi, *et se faire conter la manière dont il était gardé*. « Sans la nuit, dit-il, on n'aurait jamais pu m'arracher de cet endroit[1]. »

La Fontaine adopta le séjour de Paris, et ne retourna plus à Château-Thierry que pour y vendre son bien, pièce à pièce, lorsque la nécessité l'y poussait, ainsi qu'il le dit lui-même dans son épitaphe :

Mangeant son fonds avec le revenu[2].

Vivant parmi les personnages les plus célèbres du siècle, Racine, Chaulieu, Lafare, Boileau, Molière, Chapelle, Mignard, furent ses amis, et les princes de Condé, de Conti, le duc et le grand prieur de Vendôme, le duc de Bourgogne, ses protecteurs.

La Fontaine, nommé gentilhomme ordinaire de Madame Henriette d'Angleterre, première femme de Monsieur[3], perdit cette place à la mort soudaine de cette princesse. Alors, ayant vendu une grande partie de son bien, et ne sachant guère tirer parti de ses ouvrages, il resta, seul de tant de grands hommes, oublié d'un monarque dont les fastueuses largesses allaient chercher le mérite en pays étrangers ; mais aussi, deux femmes célèbres, d'abord Mme de La Sablière, et à sa mort, Mme Hervart, prirent soin de La Fontaine comme d'un enfant[4].

Il trouva pour commensal, chez Mme de La Sablière, le célèbre Bernier[5], auquel il dut les principes des philosophies d'Épicure, de Lucrèce et de

Descartes, qui grossirent le trésor de ses magnifiques images et de ses idées sublimes.

Bien que les *Contes* aient été publiés dans un temps où Louis XIV, entouré de maîtresses et légitimant leurs enfants, ne songeait guère à se faire dévot, les *Contes*, ces chefs-d'œuvre inimitables de grâce, le désespoir des poètes, servirent de prétexte à Louis XIV pour ajourner pendant six mois l'élection de La Fontaine à l'Académie[1].

Ce fut dans le laps de temps compris entre l'année 1645 et l'année 1680, c'est-à-dire dans un espace de trente années environ, que La Fontaine fit paraître les chefs-d'œuvre qui l'ont immortalisé. Leurs diverses publications jetèrent peu d'éclat ; comme toutes les poésies profondément pensées, elles demandaient aux contemporains et des méditations courageuses et le long abandon que réclame une belle poésie pour être entièrement comprise : Molière seul vit la brillante apothéose que l'avenir préparait au *Bonhomme*[2] ; mais une cour plongée dans le délire des fêtes, mais une nation tout entière à la galanterie, enivrées d'une gloire qui se glissait, comme une lumière, dans les moindres actions du souverain, pouvaient-elles se recueillir et entendre de tels chants, au milieu des rumeurs de la paix et de la guerre ? Si Molière, Racine et Corneille virent naître leur renommée, ils le durent à l'éclat des triomphes de la scène ; Bossuet arrêta l'attention, parce qu'il prophétisait sur des tombes ; Bayle, La Bruyère, La Fontaine, Fénelon, penseurs profonds[3], livrant leurs œuvres aux hasards des préoccupations contemporaines, attendirent leurs couronnes de la postérité.

Les œuvres de La Fontaine ont été analysées par une foule d'écrivains ; il leur est arrivé, comme à tous les commentateurs, de parler froidement à des cœurs émus. À Westminster, le cicérone qui montre la hache dont un inconnu se servit pour décoller Charles Ier, dit aux curieux : « Ne touchez pas la hache ! » Il existe si peu d'ouvrages qui, semblables aux œuvres du Créateur, n'aient besoin que des yeux pour exciter l'enthousiasme, qu'on devrait se garder, comme d'un sacrilège, de les confondre avec le reste, par des éloges de gazette.

Aussi avons-nous cru élever le seul monument digne de La Fontaine, en publiant ses *Œuvres complètes*, ornées de tout le luxe de la typographie, contenues dans un volume facile à transporter et d'un prix qui les rend accessibles à toutes les fortunes, malgré la beauté des vignettes et du papier. Là est l'éloge, parce que le poète y est tout entier ; là est sa vie, parce que là sont toutes ses pensées.

En 1692, La Fontaine tomba dangereusement malade, et alors, d'après les représentations de ses amis, il fit venir un confesseur : c'est à cette époque qu'il faut rapporter les anecdotes si originales, qui peignent le caractère de La Fontaine ; sa candeur y paraît sublime : elles sont tellement connues, que nous avons négligé de les raconter. Comme sainte Thérèse, il ne pouvait croire à l'éternité des peines, et le Bonhomme espérait que les damnés finiraient par se trouver en enfer *comme des poissons dans l'eau*.

Deux ans après, le 13 mars 1695, La Fontaine mourut âgé de soixante-quatorze ans[1]. Il fut inhumé auprès de Molière, qui l'avait précédé de vingt-deux ans. Aujourd'hui, les restes de ces deux génies, les plus beaux dont la France s'honore, ont été transportés au cimetière du Père-Lachaise, et leurs tombes sont placées sous le même ombrage[2].

Tels sont les événements les plus marquants de la vie de La Fontaine. Les anecdotes, dont les notices faites jusqu'à ce jour sont remplies, donnent bien, à la vérité, une idée du caractère de La Fontaine et de sa manière de vivre ; mais, outre qu'elles sont devenues populaires, et qu'il est maintenant superflu de les répéter, nous ne pensons pas qu'elles suffisent pour comprendre la prodigieuse organisation[1] et la vie intellectuelle de ce grand poète. Il faut être poète soi-même[2], ou avoir l'âme grande, noble, élevée, pour sentir le charme de cette vie exempte des tourments imposés par la jalousie, l'approche de la gloire ou les enfantements de la pensée. La Fontaine est le seul qui n'ait point expié le don de son génie par le malheur ; mais aussi sut-il cultiver la Muse pour la Muse elle-même[3] ; et loin d'escompter avidement ses inspirations en applaudissements fugitifs, en richesses, en honneurs, il se crut assez payé par les délices de l'inspiration, et il en trouva l'extase trop voluptueuse pour la quitter[4] et se jeter dans les embarras de la vie : il abusa même de cette précieuse faculté que la nature accorde aux poètes d'échapper à tout ce que le monde offre de hideux, et de monter vers un monde céleste et pur. La Fontaine s'était créé un factice univers comme une jeune imagination se crée une maîtresse, et il abandonnait rarement les êtres fantastiques dont il était entouré : aussi les contemporains nous l'ont-ils représenté « ayant un sourire niais, les yeux éteints, une habitude de corps ignoble[5] » ; indices frappants de cette profonde extase qui fit le bonheur de sa vie. Cependant le long usage de cette puissance concentrique de notre âme[6] usa l'âme elle-même ; et pendant les dernières années de sa vie, si sa raison ne fut pas altérée, il est constant que le poète avait disparu.

CHARLES-AUGUSTIN SAINTE-BEUVE

(1804-1869)

Malgré le vœu de Proust, qui préconisait d'en sauver au moins les vers, l'œuvre proprement littéraire de Sainte-Beuve s'est vue emportée par l'anathème porté contre l'académisme prétendu de l'auteur des Lundis. *Par un ironique retour des critères de jugement beuviens, fondés sur l'explication de l'œuvre par la biographie de l'auteur, l'entreprise de jeunesse que constitue* Vie, poésies et pensées de Joseph Delorme *(1829) a été ainsi jugée insincère et faussement autobiographique. Malgré sa formule originale, cette œuvre « totale » attribuée à un auteur imaginaire, composée d'un court roman biographique, d'un long recueil poétique et de quelques pensées prétendument retrouvées, fut lue comme la parodie affadie des poncifs du premier Romantisme (la vie malheureuse d'un jeune poète, qui finit par se suicider) et la compilation d'influences multiples et hétérogènes (Lamartine, les poètes lakistes anglais, etc.).*

Il faut pourtant reconnaître à cette supercherie oubliée au moins une vertu : elle constitue, quelques années avant Louis Lambert *de Balzac (1832) et* Élie Mariaker *d'Évariste Boulay-Paty (1834), l'un des plus beaux exemples d'auteur « supposé » de la littérature française*[1]*. Si l'habitude s'était constituée depuis l'Empire de faire précéder les œuvres d'un poète d'une courte biographie sentimentale, procédé qui donna lieu à diverses plaisanteries romantiques*[2]*, c'est en effet dans les années 1830 qu'a fleuri la première vague de biographies explicitement et délibérément fictionnelles, puisque Sainte-Beuve ne fit pas mystère de sa supercherie. Ces livres, vite considérés par leurs contemporains comme appartenant à une même mode, ont en commun un projet : détourner de sa fonction informative le genre de la notice biographique pour tracer le modèle de l'artiste romantique, défini, conformément au vœu d'Alfred de Vigny — « Aimez ce que jamais on ne verra deux fois »* (La Maison du Berger) —*, comme un être exceptionnel, suspendu par le hasard entre la gloire et l'oubli, et dont l'excentricité est indissociable du discours de fascination qu'elle engendre. Ils correspondent d'évidence à un moment de basculement du Romantisme à la fin de la monarchie de Juillet : la haine des écri-*

1. Charles Nodier avait traité de la « supposition d'auteur » dans ses *Questions de littérature légale* (Paris, Barba, 1812), rééditées en 1828 : « toutes les littératures en présentent à l'envi des exemples, depuis les livres de Seth et d'Énoch, jusqu'aux œuvres posthumes du plus obscur de nos contemporains » (p. 34). Nodier lui-même s'adonna à la supercherie avec un recueil de *Poésies inédites* prêtées à Clotilde de Surville, poétesse du XVe siècle.

2. Citons le *Théâtre de Clara Gazul* (1825), « comédienne espagnole » et « nièce de l'inquisiteur de Grenade », précédée d'une notice très informée, signée Prosper l'Estrange, *alias* Prosper Mérimée ; *La Guzla* (1827), prétendu choix de poésies illyriques dues au même Mérimée, avec préface, notice et notes folkloriques ; les *Poésies inédites de Clotilde de Surville, poëte français du XVe siècle* (1827), préface par Charles Nodier et Guillaume de Roujoux.

vains pour le pouvoir se conjugue avec une vague de pessimisme qui frappe les enfants du siècle. Sainte-Beuve en est le sismographe : cessant d'être une créature abstraite, le héros romantique s'humanise brusquement en se confrontant à sa propre impuissance. Joseph Delorme, comme Louis Lambert et Élie Mariaker, est un génie sans œuvre.

Ainsi, l'« hypothèse d'auteur[1] *» Joseph Delorme permet de produire un martyrologe moderne en élevant des statues « aux grands hommes qui n'ont pas brillé, aux amants qui n'ont pas aimé »* (Volupté[2]). *Elle impose une vision pessimiste, si ce n'est larmoyante et pathologique, de la condition littéraire, qui ne cessera de peser sur notre conscience de la littérature. Mais l'intérêt de cette fiction est aussi de nous permettre, par le moyen de l'écriture biographique, de réfléchir sur la vie intime de l'artiste et son conflit avec les normes sociales et les codes de représentation.*

Voir SAINTE-BEUVE, *Vie, poésies et pensées de Joseph Delorme*, édition établie par Jean-Pierre Bertrand et Anthony Glinoer, Paris, Bartillat, 2004 ; Jean-François JEANDILLOU, « Joseph Delorme », dans *Supercheries littéraires : la vie et l'œuvre des auteurs supposés*, nouvelle édition revue et augmentée, Genève, Droz, coll. « Titre courant », 2001, p. 116-139 ; Wolf LEPENIES, *Sainte-Beuve : au seuil de la modernité*, traduction de l'allemand par Jeanne Éthoré et Bernard Lortholary, Paris, Gallimard, coll. « Bibliothèque des idées », 2002.

1. Pour reprendre une formule d'Umberto Eco dans *Lector in fabula*, trad. de l'italien par Myriam Bouzaher, Paris, Grasset, 3.6 : « L'auteur comme hypothèse interprétative ».
2. Sainte-Beuve, *Volupté*, Bruxelles, J.-P. Meline, 1834, t. I, p. 234.

Vie de Joseph Delorme

(Vie, poésies et pensées de Joseph Delorme)

L'ami dont nous publions en ce moment les œuvres nous a été enlevé bien jeune, il y a environ cinq mois. Peu d'heures avant de mourir, il a légué à nos soins un journal où sont consignées les principales circonstances de sa vie, et quelques pièces de vers consacrées presque toutes à l'expression de douleurs individuelles. En parcourant ces pages mélancoliques, dont la plupart nous étaient inconnues (car notre pauvre ami observait même avec nous la pudeur discrète qui sied à l'infortune), en suivant avec une curiosité mêlée d'émotion les épanchements de chaque jour dans lesquels s'en allait obscurément une sensibilité si vive et si tendre, il nous a semblé que nous devions à la mémoire de notre ami de ne pas laisser périr tout à fait ces soupirs de découragement, ces cris de détresse, qui étaient devenus des chants de poète ; ces consolations pleines de larmes, qui s'étaient passées dans la solitude, entre la Muse et lui. Et comme les poésies seules, sans l'histoire des sentiments auxquels elles se rattachent, n'eussent été qu'une énigme à demi comprise, nous avons essayé de tracer une description fidèle de cette vie tout intérieure à laquelle nous avions assisté durant le cours d'une liaison bien chère, et dont nous-même avions surveillé les crises avec tant de sollicitude et d'angoisses. Dans ce travail délicat, le journal est resté constamment sous nos yeux, et nous n'avons fait souvent que le transcrire. À toute époque, et à la nôtre en particulier, une publication de cette nature ne s'adresse, nous le savons, qu'à une classe déterminée de lecteurs, qu'un goût invincible pour la rêverie, et d'ordinaire une conformité douloureuse d'existence, intéressent aux peines de cœur harmonieusement déplorées. Mais si ce petit nombre perdu dans la foule ne reste pas insensible aux accents de notre ami, si ces pages empreintes de tristesse vont soulager dans leur retraite quelques-unes des âmes, malades comme la sienne, qu'un génie importun dévore, que la pauvreté comprime, que le désappointement a brisées, ce sera pour lui plus de bonheur et de gloire qu'il n'en eût osé espérer durant sa vie, et pour nous ce sera la plus douce récompense de notre mission pieuse.

Joseph Delorme naquit, vers le commencement du siècle, dans un gros bourg voisin d'Amiens. Fils unique, il perdit son père en bas âge, et fut élevé avec beaucoup de soin par sa mère et une tante du côté paternel. Sa condition était des plus médiocres par la fortune, quoique honnête par la naissance. De bonne heure imbu de préceptes moraux, et formé aux habitudes laborieuses, il se fit remarquer par son application à l'étude et par des succès soutenus. Mais déjà en secret sa jeune imagination allumait la flamme qui devait lui être si fatale un jour. Lui-même aimait à nous raconter et à nous peindre ses premières rêveries, fraîches, riantes et dorées, comme un poète les a dans l'enfance. Élevé au bruit des miracles de l'Empire, amoureux de la splendeur militaire, combien de longues heures il passait à l'écart, loin des jeux de son âge, le long d'un petit sentier, dans des monologues imaginaires, se créant à plaisir mille aventures périlleuses, séditions, batailles et sièges, dont il était le héros. Au fond de la scène, après bien des prouesses, une idée vague de femme et de beauté se glissait quelquefois, et prenait à ses yeux un corps. Il lui semblait, au milieu de ses triomphes, que sur un balcon pavoisé, derrière une jalousie entr'ouverte, quelque forme ravissante de jeune fille à demi voilée, quelque longue et gracieuse figure en blanc, se penchait d'en haut pour saluer le vainqueur au passage et pour lui sourire. C'était aux champs surtout que les dispositions romanesques de Joseph se développaient avec le plus de liberté et de charme. Il allait tous les ans passer deux mois de vacances au château d'un vieil ami de son père. Une jeune fille du voisinage, blonde, timide, et rougissant chaque année à son retour, entretenait en lui des mouvements inconnus qu'il réprimait aux yeux de tous, mais auxquels il s'abandonnait avec délices durant ses promenades aux bois. Là, il s'asseyait contre un arbre, les coudes sur les genoux et le front dans les mains, tout entier à ses pensers, à ses souvenirs, et aux innombrables voix intérieures, plaintes sourdes et confuses, vagissements mystérieux d'une âme qui s'éveille à la vie ; on aurait dit le sauvage couché sur le sable, prêtant l'oreille tout le jour au murmure immense et incompréhensible des mers ; — et, quand on le cherchait le soir, à l'heure du repas (car il l'oubliait souvent), on le trouvait immobile à la même place qu'au matin, et le visage noyé de pleurs. Vers ce temps, une piété fervente qui s'était emparée de lui mêlait quelque chose de grave et d'innocent à ces émotions précoces, et empêchait ce cœur enfant de se laisser trop vite amollir aux tendresses humaines. Joseph, en effet, consacra bientôt aux offices de l'église presque toutes ses heures de loisir, et il s'imposait soir et matin de longues prières qui le rendaient calme et fort.

Il demeura dans ces dispositions heureuses jusqu'à l'âge de quatorze ans environ. C'est alors qu'il vint à Paris pour y achever ses études. Ses succès furent rapides et brillants comme à l'ordinaire ; mais de grands changements se passèrent en lui, qui décidèrent de son avenir. Si, au sortir du collège, plus insouciant et moins raisonneur, il se fût sans remords livré à ses penchants littéraires et poétiques, nul doute, selon nous, qu'il n'eût réussi à souhait, et qu'après quelques obstacles vivement franchis, quelques amertumes bien vite épuisées, il n'eût trouvé dans son âme vierge assez d'énergie pour suffire à tout : ce nom si obscur se rattacherait aujourd'hui à plus d'une œuvre. Il en arriva tout autrement. La raison de Joseph, fortifiée dès l'enfance par des habitudes sérieuses, et soutenue d'une immense curiosité scientifique, s'éleva d'elle-même contre les inclinations du poète pour les dompter. Elle lui parla l'austère langage d'un père, lui représenta les illusions de la gloire, les vanités de l'imagination, sa propre condition, si médiocre et si précaire, l'incertitude des temps, et de toutes parts, autour de lui, des menaces de révolutions nouvelles. Que faire d'une lyre en ces jours d'orages ? la lyre fut brisée. Joseph ne conserva même aucunes poésies de cette première époque. Sa vocation pour la philosophie et pour les sciences semblait se prononcer de plus en plus ; il s'y poussait avec toute l'ardeur d'un converti de la veille et tout l'orgueil d'un sage de dix-huit ans. Abjurant les simples croyances de son éducation chrétienne, il s'était épris de l'impiété audacieuse du dernier siècle, ou plutôt de cette adoration sombre et mystique de la nature qui, chez Diderot et d'Holbach, ressemble presque à une religion. La morale bienveillante de d'Alembert réglait sa vie. Il se serait fait scrupule de mettre le pied dans une église, et, en rentrant le dimanche soir, il aurait marché une lieue pour jeter dans le chapeau d'un pauvre le produit des épargnes de la semaine. Un amour infini pour la portion souffrante de l'humanité, et une haine implacable contre les puissants de ce monde, partageaient son cœur : l'injustice le suffoquait, et faisait bouillir son sang. Voici quelques lignes d'un écrit daté de 1817, où il se rend compte à lui-même de ses motifs dans le choix d'une profession utile. On excusera le ton un peu solennel du morceau ; c'est l'accent vrai d'une jeune conviction.

« ... Éloigné par la médiocrité de ma condition et de ma fortune de cette carrière politique qui embrasse l'avenir comme le présent, prépare le bonheur de la postérité dans celui des contemporains, et d'où l'individu répand de vastes bienfaits sur les masses, je me suis tourné vers ces deux professions indépendantes et inviolables, auxquelles les hommes remettent le soin de ce qu'ils ont de plus cher, la santé, ou l'honneur et la fortune. Entre ces deux carrières, il m'a fallu opter. L'une d'abord, celle du barreau, me parut plus brillante et non moins utile que l'autre. Il est vrai que je venais d'admirer le *Manouri* dont Diderot parle dans sa *Religieuse*, et que j'étais plein de ses vertus. Mais je compris bientôt que ces occasions bienheureuses de rendre de grands services à la faiblesse et à l'innocence se présentent rarement, et sont comme étouffées par les épineuses chicanes qui dessèchent et déchirent. Je compris aussi que les hautes questions de droit naturel, de droit public, appartiennent au philosophe et au législateur bien plus qu'à l'avocat, et que le domaine de celui-ci se borne souvent aux champs stériles du droit civil, droit barbare, local, arbitraire.

« Ces inconvénients ne se rencontraient pas dans la médecine ; je me décidai pour elle. Elle est de tous les temps et de tous les lieux. Véritablement utile aux hommes, lorsqu'on l'exerce avec zèle et intelligence, souvent elle leur donne plus que la santé, elle leur rend le bonheur ; car tant de maladies viennent de l'âme, et la consolation morale en est le meilleur remède. L'argent d'ailleurs qu'on gagne auprès des riches permet non seulement de n'en pas exiger des pauvres, mais de partager le sien avec eux ; de recevoir des uns pour rendre aux autres ; d'être un lien actif entre les conditions les plus opposées, et de réparer, en quelque sorte, cette inégalité que la société consacre et que désavoue la nature… »

Joseph se mit en devoir de tenir les promesses qu'il s'était faites à lui-même, et, dans ce but, les sacrifices d'aucun genre ne lui coûtèrent. Il cessa brusquement de visiter une jeune personne charmante avec laquelle il pouvait espérer, au bout de quelques années, une union assortie. Mais sa philanthropie un peu farouche craignait de s'emprisonner à tout jamais dans des affections trop étroites, et, comme on l'a dit, dans un *égoïsme en deux personnes*. D'ailleurs il s'était créé en perspective je ne sais quel idéal de mariage, dans lequel le sacrement n'entrait pour rien ; il lui fallait une mademoiselle La Chaux, une mademoiselle de Lespinasse ou une Lodoïska. Son premier amour pour la poésie se convertit alors en une aversion profonde. Il se sevrait rigoureusement de toute lecture enivrante pour être plus certain de tuer en lui son inclination rebelle. Il en voulait misérablement aux Byron, aux Lamartine, comme Pascal à Montaigne, comme Malebranche à l'imagination, parce que ces grands poètes l'attaquaient par son côté faible. Mille fois nous avons gémi de ces accès d'aigreur, qui décelaient dans les résolutions de notre ami moins de calme et de sécurité qu'il ne s'efforçait d'en faire paraître ; mais les conseils eussent été inutiles, et Joseph n'en demandait jamais.

Ce qu'il souffrit pendant deux ou trois années d'épreuve continuelle et de lutte journalière avec lui-même ; quel démon secret s'acharnait à lui et corrompait ses études présentes en lui retraçant les anciennes ; quel tressaillement douloureux il ressentait à chaque triomphe nouveau de ses jeunes contemporains, et cette conscience de sa force qui lui retombait sur le cœur comme un rocher éternel, et ses nuits sans sommeil, et ses veilles sans travail, et son livre ou son chevet trempé de pleurs : c'est ce que lui seul a pu savoir, et ce que nous révèle en partie le journal auquel sa mélancolie croissante le ramenait plus souvent. Presque toutes les pages en sont datées de nuit, comme les prières du docteur Johnson et les poésies du malheureux Kirke White. On y apprend que la santé de Joseph s'était assez profondément altérée, et que ses facultés sans expansion avaient engendré à la longue, dans ses principaux organes, un malaise inexprimable. L'idée d'une infirmité mortelle se joignait donc à ses autres peines pour l'accabler. À part les besoins de ses études, il sortait peu, ne voyait intimement personne, et, à la rencontre, ses amis prenaient pour un sourire de paix et de contentement ce qui n'était que le sourire doux et gracieux de la douleur.

Un jour, c'était un dimanche, le soleil luisait avec cet éclat et cette chaleur de printemps qui épanouissent la nature et toutes les âmes vivantes. Au réveil, Joseph sentit pénétrer jusqu'à lui un rayon de l'allégresse universelle, et naître en son cœur comme une envie d'être heureux ce jour-là. Il s'habilla promptement, et sortit seul pour aller s'ébattre et rêver sous les ombrages de Meudon. Mais, au détour de la première rue, il rencontra deux amants du voisinage qui sortaient également pour jouir de la campagne, et qui, tout en regardant le ciel, se souriaient l'un à l'autre avec bonheur. Cette vue navra Joseph. Il n'avait personne, lui, à qui il pût dire que le printemps était beau, et que la promenade, en avril, était délicieuse. Vainement il essaya de secouer cette idée, et de continuer quelque temps sa marche : le charme avait disparu ; il revint à la hâte sur ses pas, et se renferma tout le jour.

Les seules distractions de Joseph, à cette époque, étaient quelques promenades, à la nuit tombante, sur un boulevard extérieur près duquel il demeurait. Ces longs murs noirs, ennuyeux à l'œil, ceinture sinistre du vaste cimetière qu'on appelle une grande ville ; ces haies mal closes laissant voir, par des trouées, l'ignoble verdure des jardins potagers ; ces tristes allées monotones, ces ormes gris de poussière, et, au-dessous, quelque vieille accroupie avec des enfants au bord d'un fossé ; quelque invalide attardé regagnant d'un pied chancelant la caserne ; parfois, de l'autre côté du chemin, les éclats joyeux d'une noce d'artisans, cela suffisait, durant la semaine, aux consolations chétives de notre ami ; depuis, il nous a peint lui-même ses soirées du dimanche dans la pièce des *Rayons jaunes*. Sur ce boulevard, pendant des heures entières, il cheminait à pas lents, *voûté comme un aïeul*, perdu en de vagues souvenirs, et s'affaissant de plus en plus dans le sentiment indéfinissable de son existence manquée. Si quelque méditation suivie l'occupait, c'était, d'ordinaire, un problème bien abstrus d'idéologie condillacienne ; car, privé de livres qu'il ne pouvait acheter, sevré du commerce des hommes, d'où il ne rapportait que trouble et regret, Joseph avait cherché un refuge dans cette science des esprits taciturnes et pensifs. Son intelligence avide, faute d'aliment extérieur, s'attaquait à elle-même, et vivait de sa propre substance comme le malheureux affamé qui se dévore.

Cependant, au milieu de ces tourments intérieurs, Joseph poursuivait avec constance les études relatives à sa profession. Quelques hommes influents le remarquèrent enfin, et parlèrent de le protéger. On lui conseilla trois ou quatre années de service pratique dans l'un des hôpitaux de la capitale, après quoi on répondait de son avenir. Joseph crut alors toucher à une condition meilleure ; c'était l'instant critique ; il rassembla les forces de sa raison et se résigna aux dernières épreuves. S'il parvenait à les surmonter, et si, au sortir de là, comme on le lui faisait entendre, un patronage honorable et bienveillant l'introduisait dans le monde, sa destinée était sauve désormais ; des habitudes nouvelles commençaient pour lui et l'enchaînaient dans un cercle que son imagination était impuissante à franchir ; une vie toute de devoir et d'activité, en le saisissant à chaque point du temps, en l'étreignant de mille liens à la fois, étouffait en son âme jusqu'aux velléités de rêveries oisives ; l'âge arrivait d'ailleurs pour l'en guérir, et peut-être un jour, parvenu à une vieillesse pleine d'honneur, entouré d'une postérité nombreuse et de la considération universelle, peut-être, il se serait rappelé avec charme ces mêmes années si sombres ; et, les revoyant dans sa mémoire à travers un nuage d'oubli, les retrouvant humbles, obscures et vides d'événements, il en aurait parlé à sa jeune famille attentive, comme des années les plus heureuses de sa vie. Mais la fatalité qui poursuivait Joseph tournait tout à mal. À peine eut-il accepté la charge d'une fonction subalterne, et se fut-il placé, à l'égard de ses protecteurs, dans une position dépendante, qu'il ne tarda pas à pénétrer les motifs d'une bienveillance trop attentive pour être désintéressée. Il avait compté être protégé, mais non exploité par eux ; son caractère noble se révolta à cette dernière idée. Pourtant des raisons de convenance l'empêchaient de rompre à l'instant même et de se dégager brusquement de la fausse route où il s'était avancé. Il jugea donc à propos de temporiser trois ou quatre mois, souffrant en silence et se ménageant une occasion de retraite.

Ces trois ou quatre mois furent sa ruine. Le désappointement moral, la fatigue de dissimuler, des fonctions pénibles et rebutantes, la disette de livres, un isolement absolu, et, pourquoi ne pas l'avouer, une vie misérable, un galetas au cinquième et l'hiver, tout se réunissait cette fois contre notre pauvre ami, qui, par caractère encore, n'était que trop disposé à s'exagérer sa situation. C'est lui-même, au reste, qu'il faut entendre gémir. Le morceau suivant, que nous tirons de son journal, est d'un ton déchirant. Quand son imagination malade se serait un peu grossi les traits du tableau, faudrait-il moins compatir à tant de souffrances ?

Ce vendredi 14 mars 1820, 10 heures et demie du matin.

« Si l'on vous disait : Il est un jeune homme, heureusement doué par la nature et formé par l'éducation ; il a ce qu'on appelle du talent, avec la facilité pour le produire et le réaliser ; il a l'amour de l'étude, le goût des choses honnêtes et utiles, point de vices, et, au besoin, il se sent capable de déployer de fortes vertus. Ce jeune homme est sans ambition, sans préjugés. Quoique d'un caractère inflexible et d'airain, il est, si on ne l'atteint pas au fond, doux, tolérant, facile à vivre, surtout inoffensif ; ceux qui le connaissent veulent bien l'aimer, ou, du moins, s'intéresser à lui ; tout ce qu'ils lui peuvent reprocher, c'est d'être excessivement timide, peu parleur et triste. Il entre aisément dans les idées de tout le monde, et pourtant il a des idées à lui, auxquelles il tient et avec raison. Ce jeune homme a toujours, depuis qu'il se connaît, reçu des éloges et des espérances : enfant, il a grandi au milieu d'encouragements flatteurs et de succès mérités ; depuis, il n'a jamais dérogé à sa conduite première, et il est resté irréprochable. Sa pureté est même austère par moments, quoique pleine d'indulgence envers autrui. Ce jeune homme a gardé son cœur, et il a près de vingt ans, et ce cœur est sensible, aimant ; c'est le cœur d'un poète. Il respecte les femmes ; il les adore quand elles lui paraissent estimables ; il ne demande au ciel qu'une jeune et fidèle amie avec laquelle il s'unisse saintement jusqu'au tombeau. Ce jeune homme a de modestes besoins ; le froid, la fatigue, la faim même, l'ont déjà éprouvé, et le plus étroit bien-être lui suffit. Il méprise l'opinion ou plutôt la néglige, et sait surtout que le bonheur vient du dedans. Il a une mère tendre, enfin. Que lui manque-t-il ? Et si l'on ajoutait : Ce jeune homme est le plus malheureux des êtres. Depuis bien des jours, il se demande s'il est une seule minute où l'un de ses goûts ait été satisfait, et il ne la trouve pas. Il est pauvre, et, jusqu'aux livres de son étude, il s'en passe, faute de quoi. Il est lancé dans une carrière qui l'éloigne du but de ses vœux, et, dans cette carrière même, il s'égare plutôt qu'il n'avance, dénué qu'il est de ressources et de soutien. Sa mère, pour lui, s'épuise, et ne peut faire davantage. Lui, travaille, mais travaille à peu de lucre, à peu de profit intellectuel, à nul agrément. Ses forces portent à vide ; la matière leur manque ; elles se consument et le rongent. Les encouragements superficiels du dehors le replongent dans l'idée de sa fausse situation et le navrent. La vue de jeunes et brillants talents qui s'épanouissent lui inspire, non pas de l'envie, il n'en eut jamais ! mais une tristesse resserrante. S'il va un jour dans ce monde qui lui sourit, mais où il sent qu'il ne peut se faire une place, il est en pleurs le lendemain ; et, s'il se résigne car il le faut bien, c'est la douleur dans l'âme, et en baissant la tête. Qu'on ne lui parle pas de protecteurs. Ils se ressemblent tous, plus ou moins ; ils ne donnent que pour qu'on leur rende, ou, s'ils donnent gratuitement, c'est qu'il ne leur en coûte nulle peine ; leur indifférence n'irait pas jusque-là. Sa fierté, à lui, honorable et vertueuse, s'accommoderait mal de ces transactions coupables ou de ces méprisantes légèretés. Ô qui ne le plaindrait ce jeune et malheureux cœur, si on y lisait ce qu'il souffre ! qui ne plaindrait cet homme de vingt ans (car on est homme à vingt ans quand on est resté pur), en le voyant, sous la tuile, mendier dans l'étude une vaine et chétive distraction ; non pas dans une étude profonde, suivie, attachante, mais dans une étude rompue, par haillons et par miettes, comme la lui fait le denier de la pauvreté ! Qui ne le plaindrait de cette cruelle impuissance où il est d'atteindre à sa destinée ! et quel être heureux, s'il n'avait souffert lui-même, ne sourirait de pitié à ces petites joies que l'infortuné se fait en consolation d'une journée d'ennui et de marasme ; joies niaises à qui n'a point passé par là, et que dédaignerait même un enfant : *prendre dans la rue le côté du soleil ; s'arrêter à quatre heures sur le pont du canal, et, durant quelques minutes, regarder couler l'eau, etc., etc.* Quant à ce besoin d'aimer qu'on éprouve à vingt ans… Mais moi, qui écris ceci, je me sens défaillir ; mes yeux se voilent de larmes, et l'excès de mon malheur m'ôte la force nécessaire pour achever de le décrire… *miserere !* »

On voit, par quelques mots de cette méditation, que la vieille colère de Joseph contre la poésie s'était déjà beaucoup apaisée ; il s'y glorifie d'avoir un *cœur de poète* ; et, en effet, durant ses heures d'agonie, la Muse était revenue le visiter. Un soir qu'il avait par hasard entendu un opéra à Feydeau, et qu'il s'en retournait lentement vers son réduit à la clarté d'une belle lune de mars, la fraîcheur de l'air, la sérénité du ciel, la teinte frémissante des objets, et les derniers échos d'harmonie, qui vibraient à son oreille, agirent ensemble sur son âme, et il se surprit murmurant des plaintes cadencées qui ressemblaient à des vers. Ce fut pour lui comme un rayon de lumière saisi au passage, à travers des barreaux. Dans ses longs tête-à-tête avec lui-même, sa morgue philosophique était bien tombée. Il avait compris que tout ce qui est humain a droit au respect de l'homme, et que tout ce qui console est bon au malheureux. Il avait relu avec candeur et simplicité ces mélodieuses lamentations poétiques dont il avait autrefois persiflé l'accent. L'idée de s'associer aux êtres élus qui chantent ici-bas leurs peines, et de gémir harmonieusement à leur exemple, lui sourit au fond de sa misère et le releva un peu. L'art, sans doute, n'entrait pour rien dans ces premiers essais. Joseph ne voulait que se dire fidèlement ses souffrances, et se les dire en vers. Mais il y a dans la poésie, même la plus humble, pourvu qu'elle soit vraie, quelque chose de si décevant, qu'il fut, par degrés, entraîné beaucoup plus loin qu'il n'avait cru d'abord. Pour le moment, son importante affaire était de recouvrer sa liberté ; après quatre mois de silence, il n'hésita plus ; un mot la lui rendit. Cela fait, incapable de rien poursuivre, renonçant à tout but, s'enveloppant de sa pauvreté comme d'un manteau, il ne pensa qu'à vivre chaque jour en condamné de la veille qui doit mourir le lendemain, et à se bercer de chants monotones pour endormir la mort.

Il reprit un logement dans son ancien quartier, et s'y confina plus étroitement que jamais, n'en sortant qu'à la nuit close. Là, commença de propos délibéré, et se poursuivit sans relâche, son lent et profond suicide ; rien que des défaillances et des frénésies, d'où s'échappaient de temps à autre des cris ou des soupirs ; plus d'études suivies et sérieuses ; parfois, seulement, de ces lectures vives et courtes qui fondent l'âme ou la brûlent ; tous les romans de la famille de *Werther* et de *Delphine* ; *Le Peintre de Salzbourg*, *Adolphe*, *René*, *Édouard*, *Adèle*, *Thérèse Aubert* et *Valérie* ; Sénancour, Lamartine et Ballanche ; Ossian, Cowper et Kirke White.

À cette heure, la raison avait irrévocablement

perdu tout empire sur l'âme du malheureux Joseph. Pour nous servir des propres expressions de son journal : « Le roc aride, auquel il s'était si longtemps cramponné, avait fui comme une eau sous sa prise, et l'avait laissé battu de la vague sur un sable mouvant. » Nul précepte de vie, nul principe de morale, ne restait debout dans cette âme, hormis quelques débris épars çà et là qui achevaient de crouler à mesure qu'il y portait la main. Du moins, si, en se retirant de lui, la raison l'eût sans retour livré en proie aux égarements d'une sensibilité délirante, il eût pu s'étourdir dans ce mouvement insensé, et l'enivrement du vertige lui eût sauvé les brisures de la chute. Mais il semblait qu'un bourreau capricieux eût attaché au corps de la victime un lien qui la retenait par moments, pour qu'elle tombât avec une sorte de mesure. La Raison morte rôdait autour de lui comme un fantôme, et l'accompagnait à l'abîme qu'elle éclairait d'une lueur sombre. C'est ce qu'il appelait avec une effrayante énergie « se noyer la lanterne au cou ». En un mot, l'âme de Joseph ne nous offre plus désormais qu'un inconcevable chaos, où de monstrueuses imaginations, de fraîches réminiscences, des fantaisies criminelles, de grandes pensées avortées, de sages prévoyances suivies d'actions folles, des élans pieux après des blasphèmes, jouent et s'agitent confusément sur un fond de désespoir.

Mais le désespoir lui-même, pour peu qu'il se prolonge, devient une sorte d'asile dans lequel on peut s'asseoir et reposer. L'oiseau de mer, dont l'aile est brisée par l'orage, se laisse quelque temps bercer au penchant de la lame qui finit par l'engloutir. Joseph trouva bientôt ainsi des intervalles de calme pendant lesquels son mal allait plus lentement, et qui lui rendirent tolérables ses dernières années. Lorsque toute illusion s'est évanouie, et que, le premier assaut une fois essuyé, on a pris son parti avec le malheur, il en résulte dans l'âme, du moins à la surface, un grand apaisement. La faculté de jouir, que glaçait l'inquiétude, se relève et reverdit pour un jour. On sait qu'on mourra demain, ce soir peut-être ; mais, en attendant, on se fait porter à midi, au soleil, sur le banc tapissé de chèvrefeuilles, ou sous le pommier en fleurs. Joseph ne vivait plus aussi que de chaleur et de soleil, d'effets de lumière au soir sur les nuages groupés au couchant, et des mille aspects d'un vert feuillage clairsemé dans un horizon bleu. Plusieurs amis, que le ciel lui envoya vers cette époque, amis simples et bons, cultivant les arts avec honneur, et quelques-uns avec gloire, l'arrachèrent souvent à une solitude qui lui était mauvaise, et, par un admirable instinct familier aux nobles âmes, le consolèrent, sans presque savoir qu'il souffrait. Joseph ne mourait pas moins à chaque instant, atteint d'une plaie incurable ; mais il mourait plus doucement, et il y avait des chants autour de lui aux abords de la tombe. Sa lyre, à lui-même, grâce à de précieux secours, s'était montée plus complète et plus harmonieuse ; ses plaintes y résonnaient avec plus d'abondance et d'accent. Nous l'avons beaucoup vu en ces derniers temps ; il était, en apparence, fort paisible, assez insouciant aux choses de ce monde, et, par moments, d'une gaieté fine qu'on aurait crue sincère. Sa mélancolie ne transpirait guère que dans ses confidences poétiques ; et, encore, à sa manière courante de réciter ses vers entre amis, on aurait dit qu'il ne les prenait pas au sérieux ; quelque sombre que fût l'idée, il ne disait jamais les derniers mots de la pièce qu'en souriant ; plus d'une fois il nous arriva de le plaisanter là-dessus. Joseph avait pour principe de ne pas *étaler son ulcère*, et, sans le journal qu'il a laissé, nous n'en aurions jamais soupçonné tout le ravage. Quoi qu'il en soit, ses poésies suffisent pour faire comprendre les sentiments actifs qui le rongeaient alors. Nous y renvoyons le lecteur, n'empruntant ici du journal qu'un court passage qui jette un dernier jour sur le cœur de notre ami. Ce passage paraît avoir été écrit seulement peu de semaines avant sa mort, et ne se rattache à rien de ce qui précède. Nous n'avons pu nous procurer aucun renseignement qui le complétât.

Lundi 2 heures du matin.

« Que faire ? à quoi me résoudre ? faut-il donc la laisser épouser à un autre ? — En vérité, je crois qu'elle me préfère. Comme elle rougissait à chaque instant, et me regardait avec une langueur de vierge amoureuse, quand sa mère me parlait de l'épouseur qui s'était présenté et tâchait de me faire expliquer moi-même ! Comme son regard semblait se plaindre et me dire : Ô vous que j'attendais, me laisserez-vous donc ravir à vos yeux, lorsqu'un mot de votre bouche peut m'obtenir ! — Aussi, qu'allais-je y faire durant de si longs soirs, depuis tant d'années ? Pourquoi ces mille familiarités de frère à sœur, chaque parure nouvelle étalée par elle avec une vanité enfantine, admirée de moi avec une minutieuse complaisance, ces gants, ces anneaux essayés et rendus, et ces lectures d'hiver, au coin du feu, en tête-à-tête avec elle, près de sa mère sommeillante ? C'était un enfant d'abord ; mais elle a grandi : je la trouvais peu belle, quoique gracieuse, et pourtant j'y revenais toujours. Ce n'était de ma part, je l'imaginais du moins, que vieille amitié, désœuvrement, habitude. Mais les quinze ans lui sont venus, et voilà que mon cœur saigne à se séparer d'elle. — Et qui m'empêcherait de l'épouser ? Suis-je ruiné, corps et âme, sans espoir ? Son jeune sang, peut-être, rafraîchirait le mien ; ses étreintes aimantes m'enchaîneraient à la terre ; je recommencerais mon existence ; je travaillerais, je suerais à vivre ; je serais homme, — Délire ! et les dégoûts du lendemain, et les tracasseries de la gêne, et mes incurables besoins de solitude, de silence et de rêves ! elle serait malheureuse avec moi ; la misère m'a dépravé à fond ; il pourrait survenir, Dieu m'en garde ! d'horribles moments où je serais tenté... Nos enfants, d'ailleurs, nous paieraient-ils nos peines ? les filles seraient-elles sages et belles, les fils honnêtes et laborieux ? Seraient-ils tous, envers nous, enfants respectueux et tendres ? l'ai-je toujours été moi-même ? — Non, une main invisible m'a retranché du bonheur ; j'ai comme un signe sur le front, et je ne puis plus ici-bas m'unir avec une âme. Allez dire à la feuille arrachée, qui roule aux vents et aux flots, de prendre racine en terre dans la forêt, et de devenir un chêne. Moi, je suis cette feuille morte ; je roule quelque temps encore, et l'automne va me pourrir. — Mais elle pleurera, elle, à ton silence ; passée aux bras d'un autre, elle te regrettera toute sa vie, et tu auras corrompu sa destinée. Oui, elle pleurera, durant huit jours, d'un regret mêlé de dépit ; elle rougira et pâlira tour à tour à mon nom ; elle soupirera même, sans le vouloir, à la première nouvelle de ma mort. Mais, dès la seconde pensée, elle se félicitera d'en avoir épousé un qui vit ; chaque enfant de plus l'attachera à sa condition nouvelle ; elle y sera heureuse, si elle doit l'être ; et, arrivée un jour au terme de l'âge, à propos d'une scène d'enfance racontée un soir à la veillée, elle se souviendra de moi par hasard, comme de quelqu'un qui s'y trouvait présent et qu'elle aura autrefois connu. »

Joseph s'était retiré l'été dernier à un petit village voisin de Meudon ; il y mourut, dans le courant d'octobre, d'une phtisie pulmonaire compliquée, à ce qu'on croit, d'une affection de cœur. Une triste consolation se mêle pour nous à l'idée d'une fin si prématurée. Si la maladie s'était prolongée quelque temps encore, il était à craindre qu'il n'en eût pas attendu l'effet ; du moins, à la lecture du recueil, on ne peut guère douter qu'il n'ait secrètement nourri une pensée sinistre.

En nous efforçant d'arracher cette humble mémoire à l'oubli, et en risquant aujourd'hui, au milieu d'un monde peu rêveur, ces poésies mystérieuses que Joseph a confiées à notre amitié, nous avons dû faire un choix sévère, tel, sans doute, qu'il l'eût fait lui-même s'il les avait mises au jour de son vivant. Parmi les premières pièces qu'il composa, et dans lesquelles se trahit une grande inexpérience, nous ne prenons qu'un seul fragment, et nous l'insérons ici parce qu'il nous donne occasion de noter un fait de plus dans l'histoire de cette âme souffrante. Après avoir essayé de retracer l'enivrement d'un cœur de poète à l'entrée de la vie, Joseph continue en ces mots :

Songe charmant, douce espérance !
Ainsi je rêvais à quinze ans ;
Aux derniers reflets de l'enfance,
À l'aube de l'adolescence,
Se peignaient mes jours séduisants.

Mais la gloire n'est pas venue ;
Mon amante auprès d'un époux
De moi ne s'est plus souvenue,
Et de ma folie inconnue
Ma mère se plaint à genoux.

Moi, malheureux, je rêve encore,
Et, poète désenchanté,
À l'autel du dieu que j'adore
Sous la cendre je me dévore,
Foyer que la flamme a quitté.

Avez-vous vu, durant l'orage,
L'arbre par la foudre allumé ?
Longtemps il fume ; en long nuage
Sa verte sève se dégage
Du tronc lentement consumé.

Oh ! qui lui rendra son jeune âge ?
Qui lui rendra ses jets puissants,
Les nids bruyants de son feuillage,
Les rendez-vous sous son ombrage,
Ses rameaux, la nuit, gémissants ?

Qui rendra ma fraîche pensée
À son rêver délicieux ?
Quel prisme à ma vue effacée
Repeindra la couleur passée
Où nageaient la terre et les cieux ?

Était-ce une blanche atmosphère,
Le brouillard doré du matin,
Ou du soir la rougeur légère,
Ou cette pâleur de bergère
Dont Phébé nuance son teint ?

Était-ce la couleur de l'onde
Quand son cristal profond et pur

Réfléchit le dôme du monde ?
Ou l'œil bleu de la beauté blonde
Luisait-il d'un si tendre azur ?

Mais bleue encore est la prunelle ;
Mais l'onde encore est un miroir ;
Phébé toujours luit aussi belle ;
Chaque matin l'aube est nouvelle,
Et le ciel rougit chaque soir.

Et moi, mon regard est sans vie ;
Dans l'univers décoloré
Je traîne l'inutile envie
D'y revoir la lueur ravie
Qui d'abord l'avait éclairé.

Je soulève en vain la paupière ;
Sans l'œil de l'âme, que voit-on ?
Ô ciel, ôte-moi ta lumière ;
Mais rends-moi ma flamme première ;
Aveugle-moi comme Milton !

Enfant, je suis Milton ! relève ton courage ;
N'use point ta jeunesse à sécher dans le deuil ;
Il est pour les humains un plus noble partage
Avant de descendre au cercueil !

Abandonne la plainte à la vierge abusée,
Qui, sur ses longs fuseaux se pâmant à loisir,
Dans de vagues élans se complaît, amusée
Au récit de son déplaisir.

Brise, brise, il est temps, la quenouille d'Alcide ;
Achille, loin de toi cette robe aux longs plis ;
Renaud, ne livre plus aux guirlandes d'Armide
Tes bras trop longtemps amollis.

Tu rêves, je le sais, le laurier des poètes ;
Mais Pétrarque et le Dante ont-ils toujours rêvé
En ces temps où luisait, dans leurs nuits inquiètes,
Des partis le glaive levé ?

Et moi, rêvais-je alors qu'Albion en colère,
Pareille à l'Océan qui s'irrite et bondit,
Loin d'elle rejetait la race impopulaire
Du tyran qu'elle avait maudit ?

Il fallut oublier les mystiques tendresses,
Et les sonnets d'amour, dits à l'écho des bois ;
Il fallut, m'arrachant à mes douces tristesses,
Corps à corps combattre les rois.

Éden, suave Éden, berceau des frais mystères,
Pouvais-je errer en paix dans tes bosquets pieux,
Quand Albion pleurait, quand le cri de mes frères
Avec leur sang montait aux cieux ?

Je croyais voir alors l'ange à la torche sainte :
Terrible, il me chassait du divin paradis,
Et, debout à la porte, il en gardait l'enceinte,
Ainsi qu'il la garda jadis.

Sur moi, quand je fuyais, il secoua sa flamme ;
Sion, quel chaste amour en moi fut allumé !
Dans tes embrassements je répandis mon âme,
De Sion enfant bien-aimé.

Sur Sion qui gémit la voix du Seigneur gronde ;
Il vient la consoler par ces terribles sons :
Silence aux flots des mers, aux entrailles du monde !
Silence aux profanes chansons !

Non, la lyre n'est pas un jouet dans l'orage ;
Le poète n'est pas un enfant innocent,

Qui bégaie un refrain et sourit au carnage
Dans les bras de sa mère en sang.

Avant qu'à ses regards la patrie immolée
Dans la poussière tombe, elle l'a pour soutien :
Par le glaive il la sert, quand sa lyre est voilée ;
Car le poète est citoyen.

— Ainsi parlait Milton ; et ma voix plus sévère,
Par degrés élevant son accent jusqu'au sien,
Après lui murmurait : « Oui, la France est ma mère,
Et le poète est citoyen. »

Tout ce discours de Milton révèle assez quelle fièvre patriotique fermentait au cœur de Joseph, et combien les souffrances du pays ajoutèrent aux siennes propres, tant que la cause publique fut en danger. C'était le seul sentiment assez fort pour l'arracher aux peines individuelles, et il en a consacré, dans quelques pièces, l'expression amère et généreuse. Plus d'un motif nous empêche, comme bien l'on pense, d'être indiscret sur ce point. À une époque, d'ailleurs, où les haines s'apaisent, où les partis se fondent, et où toutes les opinions honnêtes se réconcilient dans une volonté plus éclairée du bien*, les réminiscences de colère et d'aigreur seraient funestes et coupables, si elles n'étaient, avant tout, insignifiantes. Joseph le sentait mieux que personne. Il vécut assez pour entrevoir l'aurore de jours meilleurs, et pour espérer en l'avenir politique de la France. Avec quel attendrissement grave, et quel coup d'œil mélancolique jeté sur l'humanité, sa mémoire le reportait alors aux orages des derniers temps ! En nous parlant de cette révolution

* Ceci s'écrivait sous le ministère Martignac. *[Note de l'auteur.]*

dont il adorait les principes et dont il admirait les hommes, combien de fois il lui arrivait de s'écrier avec lord Ormond dans *Cromwell* :

Triste et commun effet des troubles domestiques !
À quoi tiennent, mon Dieu, les vertus politiques ?
Combien doivent leur faute à leur sort rigoureux,
Et combien semblent purs qui ne furent qu'heureux !

Et qu'il enviait un divin poète d'avoir pu dire, parlant à sa lyre tant chérie :

Des partis l'haleine glacée
Ne t'inspira point tour à tour :
Aussi chaste que la pensée,
Nul souffle ne t'a caressée,
Excepté celui de l'amour !

Par ses goûts, ses études et ses amitiés, surtout à la fin, Joseph appartenait, d'esprit et de cœur, à cette jeune école de poésie qu'André Chénier légua au XIXe siècle du pied de l'échafaud, et dont Lamartine, Alfred de Vigny, Victor Hugo, Émile Deschamps, et dix autres après eux, ont recueilli, décoré, agrandi le glorieux héritage. Quoiqu'il ne se soit jamais essayé qu'en des peintures d'analyse sentimentale et des paysages de petite dimension, Joseph a peut-être le droit d'être compté à la suite, loin, bien loin de ces noms célèbres. S'il a été sévère dans la forme, et pour ainsi dire religieux dans la facture ; s'il a exprimé au vif et d'un ton franc quelques détails pittoresques ou domestiques jusqu'ici trop dédaignés ; s'il a rajeuni ou refrappé quelques mots surannés ou de basse bourgeoisie exclus, on ne sait pourquoi, du langage poétique ; si enfin il a constamment obéi à une inspiration naïve et s'est toujours écouté lui-même avant de chanter, on voudra bien lui pardonner peut-être l'individualité et la monotonie des conceptions, la vérité un peu crue, l'horizon un peu borné de certains tableaux ; du moins son passage ici-bas dans l'obscurité et dans les pleurs n'aura pas été tout à fait perdu pour l'art ; luï aussi, il aura eu sa part à la grande œuvre ; lui aussi, il aura apporté sa pierre toute taillée au seuil du temple ; et peut-être sur cette pierre, dans les jours à venir, on relira quelquefois son nom.

Paris, février 1829.

GÉRARD DE NERVAL

(1808-1855)

La « Biographie singulière de Raoul Spifame, seigneur Des Granges », histoire d'un avocat schizophrène qui se prit, sa vie durant, pour Henri II, s'inspire d'un personnage réel dont nous ne savons presque rien, sinon qu'il naquit en 1500 et mourut en 1563, qu'il perdit la tête et se brouilla avec sa puissante famille, enfin qu'il publia en 1556 un recueil de prétendues décisions royales, le Dicæarchiæ Henrici Regis christianissimi progymnasmata. *Le texte, publié en septembre 1839 dans* La Presse *et repris en 1852 dans* Les Illuminés, *s'appuie sur le* Tableau de Paris *de Mercier où apparaît le personnage, comme sur diverses sources secondaires — notamment l'article de la* Biographie Michaud, *une des grandes compilations biographiques du XIXe siècle. Il participe à la fois de l'engouement pour le roman historique (le romancier Auguste Maquet, collaborateur de Dumas, s'attribuera au demeurant la paternité du sujet traité par Nerval) et de la mode pour les fous et leurs récits (que l'on retrouve chez Théophile Gautier, Balzac ou encore Nodier, qui livrait dès 1835 une* Bibliographie des fous[1]*). « Raoul*

1. Charles Nodier, *Bibliographie des fous : de quelques livres*

*Spifame » illustre en particulier l'intérêt de l'auteur d'*Aurélia *pour le phénomène du rêve et du délire, mis en scène dans une série de scènes imaginaires : les discussions entre Spifame et le poète Vignet, les troublantes rencontres entre Henri II et son « fantôme », les asiles et les royaumes mentaux de l'illuminé. Ces descriptions empruntent aux théories contemporaines des aliénistes qui, à l'instar d'Esquirol, affirmaient « avoir appris à lire dans la pensée*[1] *» des malades, comme aux rêveries romantiques sur les pouvoirs thérapeutiques du magnétisme, l'identité rêve-folie et les phénomènes de dédoublement psychique : Nerval cherche, à sa manière, à contribuer aux « sciences des phénomènes de l'âme ». Car le face-à-face de Spifame et du roi — lui-même animé, explique Nerval, d'une folie réformatrice — se mue au cours du récit en une mystérieuse complicité : évadé de Bicêtre, Spifame se voit offrir par Henri II « un château de plaisance » et des serviteurs respectueux ; devenu poète et réformateur d'une contrée imaginaire, le Sosie voit ses œuvres et ses décrets imprimés et scrupuleusement conservés par les ordres du souverain. Avec une infinie délicatesse, celui qui se dira « Prince d'Aquitaine à la tour abolie » suspend son récit avec l'évocation de cette retraite utopique et atemporelle, sur le miracle de la perpétuation des œuvres de l'esprit par l'imprimerie. « Il est remarquable que les réformes indiquées par Raoul Spifame ont été la plupart exécutées depuis », conclut Nerval, s'appuyant sur le fait que les décrets*

---

*excentriques, à joindre au 21*e *« Bulletin du bibliophile »*, Paris, Techener, 1835, 2 fasc.

1. Étienne Esquirol, « Du suicide » [1821], dans *Des maladies mentales considérées sous les rapports médical, hygiénique et médico-légal*, Paris, J.-B. Baillière, 1838, t. I, p. 561.

imaginaires de Spifame mélangent arrêts drolatiques, par exemple la suppression des avocats, et traits de génie : la fixation du début de l'année au 1er janvier, anticipation d'une ordonnance de 1563, ou l'accroissement de la Bibliothèque du Roi par une sorte de dépôt légal, idée reprise en 1617 par Louis XIII. Les fictions du double semblent trouver dans le futur une effectivité historique, et les élucubrations d'un imposteur influent parfois sur l'ordre du monde, en « l'illuminant » d'un libéralisme bienveillant : telle pourrait être la morale de ce « cas singulier ». Dans cette merveilleuse vie rêvée d'une vie elle-même rêvée, tandis que se renversent les rapports apparents entre « l'image » et le « reflet » — pour reprendre l'opposition qui scande le récit —, les frontières se troublent qui délimitent réalité et fiction, normalité et folie.

Voir Gérard DE NERVAL, *Œuvres complètes*, t. II, édition publiée sous la direction de Jean Guillaume et Claude Pichois, avec la collaboration de Jacques Bony, Max Milner et Jean Ziegler, Paris, Gallimard, coll. « Bibliothèque de la Pléiade », 1984 ; Yves JEANCLOS, *Les Projets de réforme judiciaire de Raoul Spifame au XVIe siècle*, Genève, Droz, 1977 ; Jean CÉARD, « Raoul Spifame, Roi de Bicêtre. Recherches sur un récit de Nerval », *Études nervaliennes et romantiques* (Namur), 1981, no 3, p. 25-50 ; Tsujikawa KEIKO, *Nerval et les limbes de l'histoire : lecture des « Illuminés »*, Genève, Droz, 2008.

Le Roi de Bicêtre (XVIe siècle)
Raoul Spifame

(*Les Illuminés*)

I
L'image

Nous allons raconter la folie d'un personnage fort singulier, qui vécut vers le milieu du XVIe siècle. Raoul Spifame, seigneur Des Granges, était un suzerain sans seigneurie, comme il y en avait tant déjà dans cette époque de guerres et de ruines qui frappaient toutes les hautes maisons de France. Son père ne lui laissa que peu de fortune, ainsi qu'à ses frères Paul et Jean, tous deux célèbres, depuis, à différents titres ; de sorte que Raoul, envoyé très jeune à Paris, étudia les lois et se fit avocat. Lorsque le roi Henri deuxième succéda à son glorieux père François, ce prince vint en personne, après les vacances judiciaires qui suivirent son avènement, assister à la rentrée des chambres du Parlement. Raoul Spifame tenait une modeste place aux derniers rangs de l'assemblée, mêlé à la tourbe des légistes inférieurs, et portant pour toute décoration sa brassière de docteur en droit. Le roi était assis plus haut que le premier président, dans sa robe d'azur semée de

France, et chacun admirait la noblesse et l'agrément de sa figure, malgré la pâleur maladive qui distinguait tous les princes de cette race. Le discours latin du vénérable chancelier fut très long ce jour-là. Les yeux distraits du prince, las de compter les fronts penchés de l'assemblée et les solives sculptées du plafond, s'arrêtèrent enfin longtemps sur un seul assistant placé tout à l'extrémité de la salle, et dont un rayon de soleil illuminait en plein la figure originale ; si bien que peu à peu tous les regards se dirigèrent aussi vers le point qui semblait exciter l'attention du prince. C'était Raoul Spifame qu'on examinait ainsi.

Il semblait au roi Henri II qu'un portrait fût placé en face de lui, qui reproduisait toute sa personne, en transformant seulement en noir ses vêtements splendides. Chacun fit de même cette remarque, que le jeune avocat ressemblait prodigieusement au roi, et, d'après la superstition qui fait croire que quelque temps avant de mourir on voit apparaître sa propre image sous un costume de deuil, le prince parut soucieux tout le reste de la séance. En sortant, il fit prendre des informations sur Raoul Spifame, et ne se rassura qu'en apprenant le nom, la position et l'origine avérés de son fantôme. Toutefois, il ne manifesta aucun désir de le connaître, et la guerre d'Italie, qui reprit peu de temps après, lui ôta de l'esprit cette singulière impression.

Quant à Raoul, depuis ce jour, il ne fut plus appelé par ses compagnons du barreau que *Sire* et *Votre Majesté*. Cette plaisanterie se prolongea tellement sous toutes sortes de formes, comme il arrive souvent parmi ces jeunes gens d'étude, qui saisissent toute occasion de se distraire et de s'égayer, que l'on a vu depuis dans cette obsession une des causes premières du dérangement d'esprit qui porta Raoul Spifame à diverses actions bizarres. Ainsi un jour il se permit d'adresser une remontrance au premier président touchant un jugement, selon lui, mal rendu en matière d'héritage. Cela fut cause qu'il fut suspendu de ses fonctions pendant un temps et condamné à une amende. D'autres fois il osa, dans ses plaidoyers, attaquer les lois du royaume, ou les opinions judiciaires les plus respectées, et souvent même il sortait entièrement du sujet de ses plaidoiries pour exprimer des remarques très hardies sur le gouvernement, sans respecter toujours l'autorité royale. Cela fut poussé si loin, que les magistrats supérieurs crurent user d'indulgence en ne faisant que lui défendre entièrement l'exercice de sa profession. Mais Raoul Spifame se rendait dès lors tous les jours dans la salle des Pas-Perdus, où il arrêtait les passants pour leur soumettre ses idées de réforme et ses plaintes contre les juges. Enfin, ses frères et sa fille elle-même furent contraints à demander son interdiction civile, et ce fut à ce titre seulement qu'il reparut devant un tribunal.

Cela produisit une grave révolution dans toute sa personne, car sa folie n'était jusque-là qu'une espèce de bon sens et de logique ; il n'y avait eu d'aberration que dans ses imprudences. Mais s'il ne fut cité devant le tribunal qu'un visionnaire nommé Raoul Spifame, le Spifame qui sortit de l'audience était un véritable fou, un des plus élastiques cerveaux que réclamassent les cabanons de l'hôpital. En sa qualité d'avocat, Raoul s'était permis de haranguer les juges, et il avait amassé certains exemples de Sophocle et autres anciens accusés par leurs enfants, tous arguments d'une furieuse trempe ; mais le hasard en disposa autrement. Comme il traversait le vestibule de la chambre des procédures, il entendit cent voix murmurer : « C'est le roi ! voici le roi ! place au roi ! » Ce sobriquet, dont il eût dû apprécier l'esprit railleur, produisit sur son intelligence ébranlée l'effet d'une secousse qui détend un ressort fragile : la raison s'envola bien loin en chantonnant, et le vrai fou, bien et dûment *écorné du cerveau*, comme on avait dit de Triboulet, fit son entrée dans la salle, la barrette en tête, le poing sur la hanche, et s'alla placer sur son siège avec une dignité toute royale.

Il appela les conseillers : *nos amés et féaux*, et honora le procureur Noël Brûlot d'un *Dieu-gard* rempli d'aménité. Quant à lui-même, *Spifame*, il se chercha dans l'assemblée, regretta de ne point se voir, s'informa de sa santé, et toujours se mentionna à la troisième personne, se qualifiant : « Notre amé Raoul Spifame, dont tous doivent bien parler. » Alors ce fut un haro général entremêlé de railleries, où les plaisants placés derrière lui s'appliquaient à le confirmer dans ses folies, malgré l'effort des magistrats pour rétablir l'ordre et la dignité de l'audience. Une bonne sentence, facilement motivée, finit par recommander le pauvre homme à la sollicitude et adresse des médecins ; puis on l'emmena, bien gardé, à la maison des fous, tandis qu'il distribuait encore sur son passage force salutations à son bon peuple de Paris.

Ce jugement fit bruit à la cour. Le roi, qui n'avait point oublié son Sosie, se fit raconter les discours de Raoul, et comme on lui apprit que ce sire improvisé avait bien imité la majesté royale : « Tant mieux ! dit le roi ; qu'il ne déshonore pas pareille ressemblance, celui qui a l'honneur d'être à notre image. » Et il ordonna qu'on traitât bien le pauvre fou, ne montrant toutefois aucune envie de le revoir.

II

Le reflet

Durant plus d'un mois, la fièvre dompta chez Raoul la raison rebelle encore, et qui secouait parfois rudement ses illusions dorées. S'il demeurait assis dans sa chaise, le jour, à se rendre compte de sa triste identité, s'il parvenait à se reconnaître, à se comprendre, à se saisir, la nuit son existence réelle lui était enlevée par des songes extraordinaires, et il en subissait une toute autre, entièrement absurde et hyperbolique ; pareil à ce paysan bourguignon qui, pendant son sommeil, fut transporté dans le palais de son duc, et s'y réveilla entouré de soins et d'honneurs, comme s'il fût le prince lui-même. Toutes les nuits, Spifame était le véritable roi Henri II ; il siégeait au Louvre, il chevauchait devant les armées, tenait de grands conseils, ou présidait à des banquets splendides. Alors, quelquefois, il se rappelait un avocat du palais, seigneur des Granges, pour lequel il ressentait une vive affection. L'aurore ne revenait pas sans que cet avocat n'eût obtenu quelque éclatant témoignage d'amitié et d'estime : tantôt le mortier du président, tantôt le sceau de l'État ou quelque cordon de ses ordres. Spifame avait la conviction que ses rêves étaient sa vie et que sa prison n'était qu'un rêve ; car on sait qu'il répétait souvent le soir : « Nous avons bien mal dormi cette nuit ; oh ! les fâcheux songes ! »

On a toujours pensé depuis, en recueillant les détails de cette existence singulière, que l'infortuné était victime d'une de ces fascinations magnétiques dont la science se rend mieux compte aujourd'hui.

Tout semblable d'apparence au roi, reflet de cet autre lui-même et confondu par cette similitude dont chacun fut émerveillé, Spifame, en plongeant son regard dans celui du prince, y puisa tout à coup la conscience d'une seconde personnalité ; c'est pourquoi, après s'être assimilé par le regard, il s'identifia au roi dans la pensée, et se figura désormais être celui qui, le seizième jour de juin 1549, était entré dans la ville de Paris, par la porte Saint-Denis, parée de très belles et riches tapisseries, avec un tel bruit et tonnerre d'artillerie que toutes maisons en tremblaient. Il ne fut pas fâché non plus d'avoir privé de leur office les sieurs Liget, François de Saint-André et Antoine Ménard, présidents au parlement de Paris. C'était une petite dette d'amitié que Henri payait à Spifame.

Nous avons relevé avec intérêt tous les singuliers périodes de cette folie, qui ne peuvent être indifférents pour cette science des phénomènes de l'âme, si creusée par les philosophes, et qui ne peut encore, hélas ! réunir que des effets et des résultats, en raisonnant à vide sur les causes que Dieu nous cache ! Voici une bizarre scène qui fut rapportée par un des gardiens au médecin principal de la maison. Cet homme, à qui le prisonnier faisait des largesses toutes royales, avec le peu d'argent qu'on lui attribuait sur ses biens séquestrés, se plaisait à orner de son mieux la cellule de Raoul Spifame, et y plaça un jour un antique miroir d'acier poli, les autres étant défendus dans la maison, par la crainte qu'on avait que les fous ne se blessassent en les brisant. Spifame n'y fit d'abord que peu d'attention ; mais quand le soir fut venu, il se promenait mélancoliquement dans sa chambre, lorsqu'au milieu de sa marche l'aspect de sa figure reproduite le fit s'arrêter tout à coup. Forcé, dans cet instant de veille, de croire à son individualité réelle, trop confirmée par les triples murs de sa prison, il crut voir tout à coup le roi venir à lui, d'abord d'une galerie éloignée, et lui parler par un guichet comme compatissant à son sort, sur quoi il se hâta de s'incliner profondément. Lorsqu'il se releva, en jetant les yeux sur le prétendu prince, il vit distinctement l'image se relever aussi, signe certain que le roi l'avait salué, ce dont il conçut une grande joie et honneur infini. Alors il s'élança dans d'immenses récriminations contre les traîtres qui l'avaient mis dans cette situation, l'ayant noirci sans doute près de Sa Majesté. Il pleura même, le pauvre gentilhomme, en protestant de son innocence, et demandant à confondre ses ennemis ; ce dont le prince parut singulièrement touché ; car une larme brillait en suivant les contours de son nez royal. À cet aspect un éclair de joie illumina les traits de Spifame ; le roi souriait déjà d'un air affable ; il tendit la main ; Spifame avança la sienne, le miroir, rudement frappé, se détacha de la muraille, et roula à terre avec un bruit terrible qui fit accourir les gardiens.

La nuit suivante, ordre fut donné par le pauvre fou, dans son rêve, d'élargir aussitôt Spifame, injustement détenu, et faussement accusé d'avoir voulu, comme favori, empiéter sur les droits et attributions du roi, son maître et son ami : création d'un haut office de *directeur du sceau royal** en faveur dudit Spifame, chargé désormais de conduire à bien les choses périclitantes du royaume. Plusieurs jours de fièvre succédèrent à la profonde secousse que tous

* Voir les Mémoires de la Société des inscriptions et belles-lettres, tome XXIII. *[Note de l'auteur.]*

ces graves événements avaient produite sur un tel cerveau. Le délire fut si grave que le médecin s'en inquiéta et fit transporter le fou dans un local plus vaste, où l'on pensa que la compagnie d'autres prisonniers pourrait de temps en temps le détourner de ses méditations habituelles.

III

Le poète de cour

Rien ne saurait prouver mieux que l'histoire de Spifame combien est vraie la peinture de ce caractère, si fameux en Espagne, d'un homme fou par un seul endroit du cerveau, et fort sensé quant au reste de sa logique ; on voit bien qu'il avait conscience de lui-même, contrairement aux insensés vulgaires qui s'oublient et demeurent constamment certains d'être les personnages de leur invention. Spifame, devant un miroir ou dans le sommeil, se retrouvait et se jugeait à part, changeant de rôle et d'individualité tour à tour, être double et distinct pourtant, comme il arrive souvent qu'on se sent exister en rêve. Du reste, comme nous disions tout à l'heure, l'aventure du miroir avait été suivie d'une crise très forte, après laquelle le malade avait gardé une humeur mélancolique et rêveuse qui fit songer à lui donner une société.

On amena dans sa chambre un petit homme demi-chauve, à l'œil vert, qui se croyait, lui, le roi des poètes, et dont la folie était surtout de déchirer tout papier ou parchemin non écrit de sa main, parce qu'il croyait y voir les productions rivales des mauvais poètes du temps qui lui avaient volé les bonnes grâces du roi Henri et de la cour. On trouva plaisant d'accoupler ces deux folies originales et de voir le résultat d'une pareille entrevue. Ce personnage s'appelait Claude Vignet, et prenait le titre de *poète royal*. C'était, du reste, un homme fort doux, dont les vers étaient assez bien tournés et méritaient peut-être la place qu'il leur assignait dans sa pensée.

En entrant dans la chambre de Spifame, Claude Vignet fut terrassé : les cheveux hérissés, la prunelle fixe, il n'avait fait un pas en avant que pour tomber à genoux.

« Sa Majesté !... s'écria-t-il.

— Relevez-vous, mon ami, dit Spifame en se drapant dans son pourpoint, dont il n'avait passé qu'une manche ; qui êtes-vous ?

— Méconnaîtriez-vous le plus humble de vos sujets et le plus grand de vos poètes, ô grand roi ?... Je suis Claudius Vignetus, *l'un* de la Pléiade, l'auteur illustre du sonnet qui s'adresse *aux vagues crespelées*... Sire, vengez-moi d'un traître, du bourreau de mon honneur ! de Mellin de Saint-Gelais !

— Hé quoi ! de mon poète favori, du gardien de ma bibliothèque ?

— Il m'a volé, sire ! il m'a volé mon sonnet ! il a surpris vos bontés...

— Est-ce vraiment un plagiaire !... Alors je veux donner sa place à mon brave Spifame, de présent en voyage pour les intérêts du royaume.

— Donnez-la plutôt à moi ! sire ! et je porterai votre renom de l'orient au ponant, sur toute la surface terrienne.

Ô sire ! que ton los mes rimes éternisent !...

— Vous aurez mille écus de pension, et mon vieux pourpoint, car le vôtre est bien décousu.

— Sire, je vois bien qu'on vous avait jusqu'ici caché mes sonnets et mes épîtres, tous à vous adressés. Ainsi arrive-t-il dans les cours...

Ce séjour odieux des fourbes nuageuses.

— Messire Claudius Vignetus, vous ne me quitterez plus ; vous serez mon ministre, et vous mettrez en vers mes arrêts et mes ordonnances. C'est le moyen d'en éterniser la mémoire. Et maintenant, voici l'heure où notre amée Diane vient à nous. Vous comprenez qu'il convient de nous laisser seuls. »

Et Spifame, après avoir congédié le poète, s'endormit dans sa chaise longue, comme il avait coutume de le faire une heure après le repas.

Au bout de peu de jours les deux fous étaient devenus inséparables, chacun comprenant et caressant la pensée de l'autre, et sans jamais se contrarier dans leurs mutuelles attributions. Pour l'un, ce poète était la louange qui se multiplie sous toutes les formes à l'entour des rois et les confirme dans leur opinion de supériorité ; pour l'autre, cette ressemblance incroyable était la certitude de la présence du roi lui-même. Il n'y avait plus de prison, mais un palais ; plus de haillons, mais des parures étincelantes ; l'ordinaire des repas se transformait en banquets splendides, où, parmi les concerts de violes et de buccines, montait l'encens harmonieux des vers.

Spifame, après ses rêveries, était communicatif, et Vignet se montrait surtout enthousiaste après le dîner. Le monarque raconta un jour au poète tout ce qu'il avait eu à endurer de la part des écoliers, ces turbulents aboyeurs, et lui développa ses plans de guerre contre l'Espagne ; mais sa plus vive sollicitude se portait, comme on le verra ci-après, sur l'organisation et l'embellissement de la ville principale du royaume, dont les toits innombrables se déroulaient au loin sous les fenêtres des prisonniers.

Vignet avait des moments lucides, pendant lesquels il distinguait fort clairement le bruit des barreaux de fer entrechoqués, des cadenas et des verrous. Cela le conduisit à penser qu'on enfermait Sa Majesté de temps en temps, et il communiqua cette observation judicieuse à Spifame, qui répondit mystérieusement que ses ministres jouaient gros jeu, qu'il devinait tous leurs complots, et qu'au retour du chancelier Spifame les choses changeraient d'allure ; qu'avec l'aide de Raoul Spifame et de Claude Vignet, ses seuls amis, le roi de France sortirait d'esclavage et renouvellerait l'âge d'or chanté par les poètes.

Sur quoi Claudius Vignetus fit un quatrain qu'il offrit au roi comme une avance de bénédiction et de gloire :

Par toy vient la chaleur aux verdissantes prées,
Vient la vie aux troupeaux, à l'oiseau ramageux,
Tu es donc le soleil, pour les coteaux neigeux
Transmuer en moissons et collines pamprées !

La délivrance se faisant attendre beaucoup, Spifame crut devoir avertir son peuple de la captivité où le tenaient des conseillers perfides ; il composa une proclamation, mandant à ses sujets loyaux qu'ils eussent à s'émouvoir en sa faveur ; et lança en même temps plusieurs édits et ordonnances fort sévères : ici le mot *lança* est fort exact, car c'était par sa fenêtre, entre les barreaux, qu'il jetait ses *chartes*, roulées et lestées de petites pierres. Malheureusement, les unes tombaient sur un toit à porcs, d'autres se perdaient dans l'herbe drue d'un préau désert situé au-dessous de sa fenêtre ; une ou deux seulement, après mille jeux en l'air, s'allèrent percher comme des oiseaux dans le feuillage d'un tilleul situé au-delà des murs. Personne ne les remarqua d'ailleurs.

Voyant le peu d'effet de tant de manifestations publiques, Claude Vignet imagina qu'elles n'inspiraient pas de confiance, étant simplement manuscrites, et s'occupa de fonder une imprimerie royale qui servirait tour à tour à la reproduction des édits du roi et à celle de ses propres poésies. Vu le peu de moyens dont il pouvait disposer, son invention dut remonter aux éléments premiers de l'art typographique. Il parvint à tailler, avec une patience infinie, vingt-cinq lettres de bois, dont il se servit, pour marquer, lettre à lettre, les ordonnances rendues fort courtes à dessein : l'huile et la fumée de sa lampe lui fournissant l'encre nécessaire.

Dès lors les bulletins officiels se multiplièrent sous une forme beaucoup plus satisfaisante. Plusieurs de ces pièces, conservées et réimprimées plusieurs fois depuis, sont fort curieuses, notamment celle qui déclare que le roi Henri deuxième, en son conseil, ouïes les clameurs pitoyables des bonnes gens de son royaume contre les perfidies et injustices de Paul et Jean Spifame, tous deux frères du fidèle sujet de ce nom, les condamnait à être tenaillés, écorchés et boullus. Quant à la fille ingrate de Raoul Spifame, elle devait être fouettée en plein pilori, et enfermée ensuite aux filles repenties.

L'une des ordonnances les plus mémorables qui aient été conservées de cette période, est celle où

Spifame, gardant rancune du premier arrêt des juges qui lui avait défendu l'entrée de la salle des Pas-Perdus, pour y avoir péroré de façon imprudente et exorbitante, ordonne, de par le roi, à tous huissiers, gardes ou suppôts judiciaires, de laisser librement pénétrer dans ladite salle son ami et féal Raoul Spifame ; défendant à tous avocats, plaideurs, passants et autres canailles, de gêner en rien les mouvements de son éloquence ou les agréments nonpareils de sa conversation familière touchant toutes les matières politiques et autres sur lesquelles il lui plairait de dire son avis.

Ses autres édits, arrêts et ordonnances, conservés jusqu'à nous, comme rendus au nom d'Henri II, traitent de la justice, des finances, de la guerre, et surtout de la police intérieure de Paris.

Vignet imprima, en outre, pour son compte, plusieurs épigrammes contre ses rivaux en poésie, dont il s'était fait donner déjà les places, bénéfices et pensions. Il faut dire que ne voyant guère qu'eux seuls au monde, les deux compagnons s'occupaient sans relâche, l'un à demander des faveurs, l'autre à les prodiguer.

IV

L'évasion

Après nombre d'édits et d'appels à la fidélité de la bonne ville de Paris, les deux prisonniers s'étonnèrent enfin de ne voir poindre aucune émotion populaire, et de se réveiller toujours dans la même situation. Spifame attribua ce peu de succès à la surveillance des ministres, et Vignet à la haine constante de Mellin et de Du Bellay. L'imprimerie fut fermée quelques jours ; on rêva à des résolutions plus sérieuses, on médita des coups d'État. Ces deux hommes qui n'eussent jamais songé à se rendre libres pour être libres, ourdirent enfin un plan d'évasion tendant à dessiller les yeux des Parisiens et à les provoquer au mépris de la *Sophonisbe* de Saint-Gelais et de la *Franciade* de Ronsard.

Ils se mirent à desceller les barreaux par le bas, lentement, mais faisant disparaître à mesure toutes les traces de leur travail, et cela fut d'autant plus aisé qu'on les connaissait tranquilles, patients et heureux de leur destinée. Les préparatifs terminés, l'imprimerie fut rouverte, les libelles de quatre lignes, les proclamations incendiaires, les poésies privilégiées firent partie du bagage, et, vers minuit, Spifame ayant adressé une courte mais vigoureuse allocution à son confident, ce dernier attacha les draps du prince à un barreau resté intact, y glissa le premier, et releva bientôt Spifame qui, aux deux tiers de la descente, s'était laissé tomber dans l'herbe épaisse, non sans quelques contusions. Vignet ne tarda pas dans l'ombre à trouver le vieux mur qui donnait sur la campagne ; plus agile que Spifame, il parvint à en gagner la crête, et tendit de là sa jambe à son gracieux souverain, qui s'en aida beaucoup, appuyant le pied au reste des pierres descellées du mur. Un instant après le Rubicon était franchi.

Il pouvait être trois heures du matin quand nos deux héros en liberté gagnèrent un fourré de bois, qui pouvait les dérober longtemps aux recherches ; mais ils ne songeaient pas à prendre des précautions très minutieuses, pensant bien qu'il leur suffirait d'être hors de captivité pour être reconnus, l'un de ses sujets, l'autre de ses admirateurs.

Toutefois, il fallut bien attendre que les portes de Paris fussent ouvertes, ce qui n'arriva pas avant cinq heures du matin. Déjà la route était encombrée de paysans qui apportaient leurs provisions aux marchés. Raoul trouva prudent de ne pas se dévoiler avant d'être parvenu au cœur de sa bonne ville ; il jeta un pan de son manteau sur sa moustache, et recommanda à Claude Vignet de voiler encore les rayons de sa face apollonienne sous l'aile rabattue de son feutre gris.

Après avoir passé la porte Saint-Victor, et côtoyé la rivière de Bièvre, en traversant les *cultures* verdoyantes qui s'étalaient longtemps encore à droite et à gauche, avant d'arriver aux abords de l'île de la Cité, Spifame confia à son favori qu'il n'eût pas entrepris certes une expédition aussi pénible, et ne se fût pas soumis par prudence à un si honteux incognito, s'il ne s'agissait pour lui d'un intérêt beaucoup plus grave que celui de sa liberté et de sa puissance. Le malheureux était jaloux ! jaloux de qui ? de la duchesse de Valentinois, de Diane de Poitiers, sa belle maîtresse, qu'il n'avait pas vue depuis plusieurs jours, et qui peut-être courait mille aventures loin de son chevalier royal. « Patience, dit Claude Vignet, j'aiguise en ma pensée des épigrammes martialesques qui puniront cette conduite légère. Mais votre père François le disait bien : “Souvent femme varie !...” » En discourant ainsi, ils avaient pénétré déjà dans les rues populeuses de la rive droite, et se trouvèrent bientôt sur une assez grande place, située au voisinage de l'église des SS.-Innocents, et déjà couverte de monde, car c'était un jour de marché.

En remarquant l'agitation qui se produisait sur la place, Spifame ne put cacher sa satisfaction. « Ami, dit-il au poète, tout occupé de ses chaussures qui le quittaient en route, vois comme ces bourgeois et ces chevaliers s'émeuvent déjà, comme ces visages sont enflammés d'ire, comme il vole dans la région moyenne du ciel des germes de mécontentement et de sédition ! Tiens, vois celui-ci avec sa pertuisane... Oh ! les malheureux, qui vont émouvoir des guerres civiles ! Cependant pourrai-je commander à mes arquebusiers de ménager tous ces hommes innocents aujourd'hui, parce qu'ils secondent mes projets, et coupables demain parce qu'ils méconnaîtront peut-être mon autorité ?

— *Mobile vulgus* », dit Vignet.

V

Le marché

En jetant les yeux vers le milieu de la place, Spifame éprouva un sentiment de surprise et de colère dont Vignet lui demanda la cause. « Ne voyez-vous pas, dit le prince irrité, ne voyez-vous pas cette lanterne de pilori qu'on a laissée au mépris de mes ordonnances. Le pilori est supprimé, monsieur, et voilà de quoi faire casser le prévôt et tous les échevins, si nous n'avions nous-même borné sur eux notre autorité royale. Mais c'est à notre peuple de Paris qu'il appartient d'en faire justice.

— Sire, observa le poète, le populaire ne sera-t-il pas bien plus courroucé d'apprendre que les vers gravés sur cette fontaine, et qui sont du poète Du Bellay, renferment dans un seul distique deux fautes de quantité ! *humida sceptra*, pour l'hexamètre, ce que défend la prosodie à l'encontre d'Horatius, et une fausse césure au pentamètre.

— Holà ! cria Spifame sans se trop préoccuper de cette dernière observation, holà ! bonnes gens de Paris, rassemblez-vous, et nous écoutez paisiblement.

— Écoutez bien le roi qui veut vous parler en personne », ajouta Claude Vignet, criant de toute la force de ses poumons.

Tous deux étaient montés déjà sur une pierre haute, qui supportait une croix de fer : Spifame debout, Claude Vignet assis à ses pieds. À l'entour la presse était grande, et les plus rapprochés s'imaginèrent d'abord qu'il s'agissait de vendre des onguents ou de crier des complaintes et des noëls. Mais tout à coup Raoul Spifame ôta son feutre, dérangea sa cape, qui laissa voir un étincelant collier d'ordres tout de verroteries et de clinquant qu'on lui laissait porter dans sa prison pour flatter sa manie incurable, et sous un rayon de soleil qui baignait son front à la hauteur où il s'était placé, il devenait impossible de méconnaître la vraie image du roi Henri deuxième, qu'on voyait de temps en temps parcourir la ville à cheval.

« Oui ! criait Claude Vignet à la foule étonnée : c'est bien le roi Henri que vous avez au milieu de vous, ainsi que l'illustre poète Claudius Vignetus, son ministre et son favori, dont vous savez par cœur les œuvres poétiques...

— Bonnes gens de Paris ! interrompait Spifame, écoutez la plus noire des perfidies. Nos ministres sont des traîtres, nos magistrats sont des félons !... Votre roi bien-aimé a été tenu dans une dure captivité, comme les premiers rois de sa race, comme le roi Charles sixième, son illustre aïeul... »

À ces paroles, il y eut dans la foule un long murmure de surprise, qui se communiqua fort loin :

on répétait partout : « Le roi ! le roi !... » On commentait l'étrange révélation qu'il venait de faire ; mais l'incertitude était grande encore, lorsque Claude Vignet tira de sa poche le rouleau des édits, arrêts et ordonnances, et les distribua dans la foule, en y mêlant ses propres poésies.

« Voyez, disait le roi, ce sont les édits que nous avons rendus pour le bien de notre peuple, et qui n'ont été publiés ni exécutés...

— Ce sont, disait Vignet, les divines poésies traîtreusement pillées, soustraites et gâtées par Pierre de Ronsard et Mellin de Saint-Gelais.

— On tyrannise, sous notre nom, le bourgeois et le populaire...

— On imprime la *Sophonisbe* et la *Franciade* avec un privilège du roi, qu'il n'a pas signé !

— Écoutez cette ordonnance qui supprime la gabelle, et cette autre qui anéantit la taille...

— Oyez ce sonnet en syllabes scandées à l'imitation des Latins... »

Mais déjà l'on n'entendait plus les paroles de Spifame et de Vignet ; les papiers répandus dans la foule et lus de groupe en groupe, excitaient une merveilleuse sympathie : c'étaient des acclamations sans fin. On finit par élever le prince et son poète sur une sorte de pavois composé à la hâte, et l'on parla de les transporter à l'Hôtel de Ville, en attendant que l'on se trouvât en force suffisante pour attaquer le Louvre, que les traîtres tenaient en leur possession.

Cette émotion populaire aurait pu être poussée fort loin, si la même journée n'eût pas été justement celle où la nouvelle épouse du dauphin François, Marie d'Écosse, faisait son entrée solennelle par la porte Saint-Denis. C'est pourquoi, pendant qu'on promenait Raoul Spifame dans le marché, le vrai roi Henri deuxième passait à cheval le long des fossés de l'hôtel de Bourgogne. Au grand bruit qui se faisait non loin de là, plusieurs officiers se détachèrent et revinrent aussitôt rapporter qu'on proclamait un roi sur le carreau des halles. « Allons à sa rencontre, dit Henri II, et, foi de gentilhomme (il jurait comme son père), si celui-ci nous vaut, nous lui offrirons le combat. »

Mais, à voir les hallebardiers du cortège déboucher par les petites rues qui donnaient sur la place, la foule s'arrêta, et beaucoup fuirent tout d'abord par quelques rues détournées. C'était, en effet, un spectacle fort imposant. La maison du roi se rangea en belle ordonnance sur la place ; les lansquenets, les arquebusiers et les Suisses garnissaient les rues voisines. M. de Bassompierre était près du roi, et sur la poitrine de Henri II brillaient les diamants de tous les ordres souverains de l'Europe. Le peuple consterné n'était plus retenu que par sa propre masse qui encombrait toutes les issues : plusieurs criaient au miracle, car il y avait bien là devant eux deux rois de France ; pâles l'un comme l'autre, fiers tous les deux, vêtus à peu près de même ; seulement, le *bon roi* brillait moins.

Au premier mouvement des cavaliers vers la foule, la fuite fut générale, tandis que Spifame et Vignet faisaient seuls bonne contenance sur le bizarre échafaudage où ils se trouvaient placés ; les soldats et sergents se saisirent d'eux facilement.

L'impression que produisit sur le pauvre fou l'aspect de Henri lui-même, lorsqu'il fut amené devant lui, fut si forte qu'il retomba aussitôt dans une de ses fièvres les plus furieuses, pendant laquelle il confondait comme autrefois ses deux existences de

Henri et de Spifame, et ne pouvait s'y reconnaître, quoi qu'il fît. Le roi, qui fut informé bientôt de toute l'aventure, prit pitié de ce malheureux seigneur, et le fit transporter d'abord au Louvre, où les premiers soins lui furent donnés, et où il excita longtemps la curiosité des deux cours, et, il faut le dire, leur servit parfois d'amusement.

Le roi, ayant remarqué d'ailleurs combien la folie de Spifame était douce et toujours respectueuse envers lui, ne voulut pas qu'il fût renvoyé dans cette maison de fous où l'image parfaite du roi se trouvait parfois exposée à de mauvais traitements ou aux railleries des visiteurs et des valets. Il commanda que Spifame fût gardé dans un de ses châteaux de plaisance, par des serviteurs commis à cet effet, qui avaient ordre de le traiter comme un véritable prince et de l'appeler *Sire* et *Majesté*. Claude Vignet lui fut donné pour compagnie, comme par le passé, et ses poésies, ainsi que les ordonnances nouvelles que Spifame composait encore dans sa retraite, étaient imprimées et conservées par les ordres du roi.

Le recueil des arrêts et ordonnances rendus par ce fou célèbre fut entièrement imprimé sous le règne suivant avec ce titre : *Dicaearchiae Henrici regis progymnasmata*. Il en existe un exemplaire à la bibliothèque royale sous les numéros VII, 6, 412. On peut voir aussi les Mémoires de la Société des inscriptions et belles-lettres, tome XXIII. Il est remarquable que les réformes indiquées par Raoul Spifame ont été la plupart exécutées depuis.

CHARLES BAUDELAIRE

(1821-1867)

Malgré son agencement pédagogique, « Edgar Poe, sa vie et ses œuvres » n'a rien d'une notice documentaire. Ce texte, donné par Baudelaire en préface à sa traduction pour Michel Lévy frères des Histoires extraordinaires, *est à la fois la légende d'un génie — « un de ces illustres malheureux, trop riche de poésie et de passion » —, un essai politique sur les États-Unis, « pays gigantesque et enfant », un manifeste esthétique et une réflexion sur le statut de l'artiste dans une modernité dont Baudelaire invente précisément le concept. D'évidence, l'œuvre et le destin biographique de Poe sont d'une importance déterminante pour le poète. Depuis leur découverte dans les années 1846 et la « commotion singulière » (pour citer une lettre de 1847 au critique Armand Fraisse) qui s'ensuivit, le poète français n'a eu de cesse de traduire en français les écrits de Poe, qu'il s'agisse des contes fantastiques (*Histoires extraordinaires, *1856 ;* Nouvelles Histoires extraordinaires, *1857), des* Aventures d'Arthur Gordon Pym *(1863) ou, la même année, de cet art poétique qu'est* Eureka. *Baudelaire, qui avait vu d'abord dans le poète américain un cas de visionnaire, d'illuminé, voire de conteur* *à la Hoffmann, l'élève bientôt au rang de fondateur d'une nouvelle esthétique : quoique ennemi supposé du progrès, l'auteur de* « The Poetic Principle » *est l'ingénieur parfait de contes d'une précision et d'une efficacité dont son traducteur admire la technicité — technicité mise au service d'un art pour l'art dont la beauté autotélique est désormais la seule norme.*

Mais la vie *de Poe, à qui Baudelaire prête divers détails autobiographiques, est aussi un miroir : celui d'un artiste frappé par le « guignon », le mauvais sort. Sa destinée exemplifie les souffrances du génie « persécuté » par le nivellement du jugement populaire ; les explications historiques, qui s'appuient sur Joseph de Maistre pour s'en prendre à toutes les marques de la vulgarité démocratique, se superposent dès lors à la théorie romantique de la damnation du génie par la « providence diabolique ». Empruntant aux fabulations même de Poe (le prétendu voyage en Russie) et aux médisances de son premier biographe américain, Griswold, le portrait d'un artiste dément, toxicomane et alcoolique, Baudelaire interroge la légende jusqu'à retourner, au nom de sa charge antimoderne, en héroïsme vertueux la pitoyable fin de l'écrivain. « L'étrangeté est une des parties intégrantes du beau » : la « barbarie » tout américaine de Poe, sorte de Rimbaud avant la lettre, est une haute vertu, car elle permet de convertir une destinée médiocre en un conte édifiant où l'alcool vient incarner le miracle antisocial de la grâce. C'est bien un frère en poésie que le narrateur doit s'attacher à devenir pour venir témoigner au prétoire de la modernité des « exceptions de la vie humaine ». Derrière ses valeurs réactionnaires, la* vie *de Poe par Baudelaire est un hymne à la liberté, elle nous rappelle que « parmi l'énumération nombreuse des* droits de l'homme *que la sagesse du*

XIXe siècle recommence si souvent et si complaisamment, deux assez importants ont été oubliés, qui sont le droit de se contredire et le droit de s'en aller ».

Voir Edgar Allan POE, *Histoires extraordinaires*, préface et traduction de Charles Baudelaire, introduction et notes de Léon Lemonnier, Paris, Garnier frères, coll. « Classiques Garnier », 1955 ; Charles BAUDELAIRE, *Œuvres complètes*, t. II, texte établi, présenté et annoté par Claude Pichois, Paris, Gallimard, coll. « Bibliothèque de la Pléiade », 1976 ; Claude PICHOIS et Jean-Paul AVICE, *Dictionnaire Baudelaire*, Tusson, Du Lérot éditeur, 2002 ; Claude PICHOIS et Jean ZIEGLER, *Charles Baudelaire*, Paris, Fayard, 2005.

Edgar Poe, sa vie et ses œuvres

> ... Quelque maître malheureux à qui l'inexorable Fatalité a donné une chasse acharnée, toujours plus acharnée, jusqu'à ce que ses chants n'aient plus qu'un unique refrain, jusqu'à ce que les chants funèbres de son Espérance aient adopté ce mélancolique refrain : Jamais ! Jamais plus !
>
> EDGAR POE. — *Le Corbeau.*

> Sur son trône d'airain le Destin, qui s'en raille,
> Imbibe leur éponge avec du fiel amer,
> Et la Nécessité les tord dans sa tenaille.
>
> THÉOPHILE GAUTIER. — *Ténèbres.*

I

Dans ces derniers temps, un malheureux fut amené devant nos tribunaux, dont le front était illustré d'un rare et singulier tatouage : *Pas de chance !* Il portait ainsi au-dessus de ses yeux l'étiquette de sa vie, comme un livre son titre, et l'interrogatoire prouva que ce bizarre écriteau était cruellement véridique. Il y a dans l'histoire littéraire des destinées analogues, de vraies damnations, — des hommes qui portent le mot *guignon* écrit en caractères mystérieux dans les plis sinueux de leur front. L'Ange aveugle de l'expiation s'est emparé d'eux et les fouette à tour de bras pour l'édification des autres. En vain leur vie montre-t-elle des talents, des vertus, de la grâce ; la Société a pour eux un anathème spécial, et accuse en eux les infirmités que sa persécution leur a données. — Que ne fit pas Hoffmann pour désarmer la destinée, et que n'entreprit pas Balzac pour conjurer la fortune ? — Existe-t-il donc une Providence diabolique qui prépare le malheur dès le berceau, — qui jette avec *préméditation* des natures spirituelles et angéliques dans des milieux hostiles, comme des martyrs dans les cirques ? Y a-t-il donc des âmes *sacrées*, vouées à l'autel, condamnées à marcher à la mort et à la gloire à travers leurs propres ruines ? Le cauchemar des *Ténèbres* assiégera-t-il éternellement ces âmes de choix ? — Vainement elles se débattent, vainement elles se forment au monde, à ses prévoyances, à ses ruses ; elles perfectionneront la prudence, boucheront toutes les issues, matelasseront les fenêtres contre les projectiles du hasard ; mais le Diable entrera par une serrure ; une perfection sera le défaut de leur cuirasse, et une qualité superlative le germe de leur damnation.

L'aigle, pour le briser, du haut du firmament,
Sur leur front découvert lâchera la tortue,
Car ils *doivent périr inévitablement*[1].

Leur destinée est écrite dans toute leur constitution, elle brille d'un éclat sinistre dans leurs regards et dans leurs gestes, elle circule dans leurs artères avec chacun de leurs globules sanguins.

Un écrivain célèbre de notre temps[1] a écrit un livre pour démontrer que le poète ne pouvait trouver une bonne place ni dans une société démocratique ni dans une aristocratique, pas plus dans une république que dans une monarchie absolue ou tempérée. Qui donc a su lui répondre péremptoirement ? J'apporte aujourd'hui une nouvelle légende à l'appui de sa thèse, j'ajoute un saint nouveau au martyrologe : j'ai à écrire l'histoire d'un de ces illustres malheureux, trop riche de poésie et de passion, qui est venu, après tant d'autres, faire en ce bas monde le rude apprentissage du génie chez les âmes inférieures.

Lamentable tragédie que la vie d'Edgar Poe ! Sa mort, dénouement horrible dont l'horreur est accrue par la trivialité ! — De tous les documents que j'ai lus est résultée pour moi la conviction que les États-Unis ne furent pour Poe qu'une vaste prison qu'il parcourait avec l'agitation fiévreuse d'un être fait pour respirer dans un monde plus amoral, — qu'une grande barbarie éclairée au gaz, — et que sa vie intérieure, spirituelle, de poète ou même d'ivrogne, n'était qu'un effort perpétuel pour échapper à l'influence de cette atmosphère antipathique. Impitoyable dictature que celle de l'opinion dans les sociétés démocratiques ; n'implorez d'elle ni charité, ni indulgence, ni élasticité quelconque dans l'application de ses lois aux cas multiples et complexes de la vie morale. On dirait que de l'amour impie de la liberté est née une tyrannie nouvelle, la tyrannie des bêtes, ou zoocratie, qui par son insensibilité féroce ressemble à l'idole de Jaggernaut[2]. — Un biographe nous dira gravement, — il est bien intentionné, le brave homme, — que Poe, s'il avait voulu régulariser son génie et appliquer ses facultés créatrices d'une manière plus appropriée au sol américain, aurait pu devenir un auteur à argent, *a money making author* ; — un autre, — un naïf cynique, celui-là, — que, quelque beau que soit le génie de Poe, il eût mieux valu pour lui n'avoir que du talent, le talent s'escomptant toujours plus facilement que le génie. Un autre, qui a dirigé des journaux et des revues, un ami du poète, avoue qu'il était difficile de l'employer et qu'on était obligé de le payer moins que d'autres, parce qu'il écrivait dans un style trop au-dessus du vulgaire. *Quelle odeur de magasin !* comme disait Joseph de Maistre[1].

Quelques-uns ont osé davantage, et, unissant l'inintelligence la plus lourde de son génie à la férocité de l'hypocrisie bourgeoise, l'ont insulté à l'envi ; et, après sa soudaine disparition, ils ont rudement morigéné ce cadavre, — particulièrement M. Rufus Griswold[2], qui, pour rappeler ici l'expression vengeresse de M. George Graham[3], a commis alors une immortelle infamie. Poe, éprouvant peut-être le sinistre pressentiment d'une fin subite, avait désigné MM. Griswold et Willis[4] pour mettre ses œuvres en ordre, écrire sa vie, et restaurer sa mémoire. Ce pédagogue-vampire a diffamé longuement son ami dans un énorme article, plat et haineux, juste en tête de l'édition posthume de ses œuvres. — Il n'existe donc pas en Amérique d'ordonnance qui interdise aux chiens l'entrée des cimetières ? — Quant à M. Willis, il a prouvé, au contraire, que la bienveillance et la décence marchaient toujours avec le véritable esprit, et que la charité envers nos confrères, qui est un devoir moral, était aussi un des commandements du goût.

Causez de Poe avec un Américain, il avouera peut-être son génie, peut-être même s'en montrera-t-il fier ; mais, avec un ton sardonique supérieur qui sent son homme positif, il vous parlera de la vie débraillée du poète, de son haleine alcoolisée qui aurait pris feu à la flamme d'une chandelle, de ses habitudes vagabondes ; il vous dira que c'était un être erratique et hétéroclite, une planète désorbitée, qu'il roulait sans cesse de Baltimore à New York, de New York à Philadelphie, de Philadelphie à Boston, de Boston à Baltimore, de Baltimore à Richmond. Et si, le cœur ému par ces préludes d'une histoire navrante, vous donnez à entendre que l'individu n'est peut-être pas seul coupable et qu'il doit être difficile de penser et d'écrire commodément dans un pays où il y a des millions de souverains, un pays sans capitale à proprement parler, et sans aristocratie, — alors vous verrez ses yeux s'agrandir et jeter des éclairs, la bave du patriotisme souffrant lui monter aux lèvres, et l'Amérique, par sa bouche, lancer des injures à l'Europe, sa vieille mère, et à la philosophie des anciens jours.

Je répète que pour moi la persuasion s'est faite qu'Edgar Poe et sa patrie n'étaient pas de niveau. Les États-Unis sont un pays gigantesque et enfant, naturellement jaloux du vieux continent. Fier de son développement matériel, anormal et presque monstrueux, ce nouveau venu dans l'histoire a une foi naïve dans la toute-puissance de l'industrie ; il est convaincu, comme quelques malheureux parmi nous, qu'elle finira par manger le Diable. Le temps et l'argent ont là-bas une valeur si grande ! L'activité matérielle, exagérée jusqu'aux proportions d'une manie nationale, laisse dans les esprits bien peu de place pour les choses qui ne sont pas de la terre. Poe, qui était de bonne souche, et qui d'ailleurs professait que le grand malheur de son pays était de n'avoir pas d'aristocratie de race, attendu, disait-il, que chez un peuple sans aristocratie le culte du Beau ne peut que se corrompre, s'amoindrir et disparaître, — qui accusait chez ses concitoyens, jusque dans leur luxe emphatique et coûteux, tous les symptômes du mauvais goût caractéristique des parvenus, — qui considérait le Progrès, la grande idée moderne, comme une extase de gobe-mouches, et qui appelait les *perfectionnements* de l'habitacle humain des cicatrices et des abominations rectangulaires, — Poe était là-bas un cerveau singulièrement solitaire. Il ne croyait qu'à l'immuable, à l'éternel, au *self-same*, et il jouissait — cruel privilège dans une société amoureuse d'elle-même ! — de ce grand bon sens à la Machiavel qui marche devant le sage, comme une colonne lumineuse, à travers le désert de l'histoire. — Qu'eût-il pensé, qu'eût-il écrit, l'infortuné, s'il avait entendu la théologienne du sentiment[1] supprimer l'Enfer par amitié pour le genre humain, le philosophe du chiffre proposer un système d'assurances, une souscription à un sou par tête pour la suppression de la guerre, — et l'abolition de la peine de mort et de l'orthographe, ces deux folies corrélatives ! — et tant d'autres malades qui écrivent, *l'oreille inclinée au vent*, des fantaisies giratoires aussi flatueuses que l'élément qui les leur dicte ? — Si vous ajoutez à cette vision impeccable du vrai, véritable infirmité dans de certaines circonstances, une délicatesse exquise de sens qu'une note fausse torturait, une finesse de goût que tout, excepté l'exacte proportion, révoltait, un amour insatiable du Beau, qui avait pris la puissance d'une passion morbide, vous ne vous étonnerez pas que pour un pareil homme la vie soit devenue un enfer, et qu'il ait mal fini ; vous admirerez qu'il ait pu *durer* aussi longtemps.

II

La famille de Poe était une des plus respectables de Baltimore. Son grand-père maternel avait servi comme *quarter-master-general* dans la guerre de l'Indépendance, et La Fayette l'avait en haute estime et amitié. Celui-ci, lors de son dernier voyage aux États-Unis, voulut voir la veuve du général et lui témoigner sa gratitude pour les services que lui avait rendus son mari. Le bisaïeul avait épousé une fille de l'amiral anglais Mac Bride, qui était allié avec les plus nobles maisons d'Angleterre. David Poe, père d'Edgar et fils du général, s'éprit violemment d'une actrice anglaise, Élisabeth Arnold, célèbre par sa beauté ; il s'enfuit avec elle et l'épousa. Pour mêler plus intimement sa destinée avec la sienne, il se fit comédien et parut avec sa femme sur différents théâtres, dans les principales villes de l'Union. Les deux époux moururent à Richmond, presque en même temps, laissant dans l'abandon et le dénûment le plus complet trois enfants en bas âge, dont Edgar.

Edgar Poe était né à Baltimore, en 1813[1]. — C'est d'après son propre dire que je donne cette date, car il a réclamé contre l'affirmation de Griswold qui place sa naissance en 1811. — Si jamais l'esprit de roman[2], pour me servir d'une expression de notre poète, a présidé à une naissance, — esprit sinistre et orageux ! — certes il présida à la sienne. Poe fut véritablement l'enfant de la passion et de l'aventure. Un riche négociant de la ville, M. Allan, s'éprit de ce joli malheureux que la nature avait doté d'une manière charmante, et, comme il n'avait pas d'enfants, il l'adopta[1]. Celui-ci s'appela donc désormais Edgar Allan Poe. Il fut ainsi élevé dans une belle aisance et dans l'espérance légitime d'une de ces fortunes qui donnent au caractère une superbe certitude. Ses parents adoptifs l'emmenèrent dans un voyage qu'ils firent en Angleterre, en Écosse et en Irlande, et, avant de retourner dans leur pays, ils le laissèrent chez le docteur Bransby, qui tenait une importante maison d'éducation à Stoke-Newington, près de Londres. — Poe a lui-même, dans *William Wilson*, décrit cette étrange maison bâtie dans le vieux style d'Élisabeth, et les impressions de sa vie d'écolier[2].

Il revint à Richmond en 1822, et continua ses études en Amérique, sous la direction des meilleurs maîtres de l'endroit. À l'Université de Charlottesville, où il entra en 1825[3], il se distingua, non seulement par une intelligence quasi miraculeuse, mais aussi par une abondance presque sinistre de passions, — une précocité vraiment américaine, — qui, finalement, fut la cause de son expulsion. Il est bon de noter en passant que Poe avait déjà, à Charlottesville, manifesté une aptitude des plus remarquables pour les sciences physiques et mathématiques. Plus tard il en fera un usage fréquent dans ses étranges contes, et en tirera des moyens très inattendus. Mais j'ai des raisons de croire que ce n'est pas à cet ordre de compositions qu'il attachait le plus d'importance, et que, — peut-être même à cause de cette précoce aptitude, — il n'était pas loin de les considérer comme de *faciles* jongleries, comparativement aux ouvrages de pure imagination. — Quelques malheureuses dettes de jeu amenèrent une brouille momentanée entre lui et son père adoptif, et Edgar, — fait des plus curieux, et qui prouve, quoi qu'on ait dit, une dose de chevalerie assez forte dans son impressionnable cerveau, — conçut le projet de se mêler à la guerre des Hellènes et d'aller combattre les Turcs. Il partit donc pour la Grèce. — Que devint-il en Orient, qu'y fit-il, — étudia-t-il les rivages classiques de la Méditerranée, — pourquoi le retrouvons-nous à Saint-Pétersbourg, sans passeport, — compromis, et dans quelle sorte d'affaire, — obligé d'en appeler au ministre américain, Henry Middleton, pour échapper à la pénalité russe et retourner chez lui ? — On l'ignore ; il y a là une lacune que lui seul aurait pu combler. La vie d'Edgar Poe, sa jeunesse, ses aventures en Russie et sa correspondance ont été longtemps annoncées par les journaux américains et n'ont jamais paru[1].

Revenu en Amérique, en 1829, il manifesta le désir d'entrer à l'école militaire de West Point ; il y fut admis en effet, et là comme ailleurs, il donna les signes d'une intelligence admirablement douée, mais indisciplinable, et au bout de quelques mois il fut rayé. — En même temps se passait dans sa famille adoptive un événement qui devait avoir les conséquences les plus graves sur toute sa vie. Mme Allan, pour laquelle il semble avoir éprouvé une affection réellement filiale, mourait[2], et M. Allan épousait une femme toute jeune. Une querelle domestique prend ici place, — une histoire bizarre et ténébreuse que je ne peux pas raconter, parce qu'elle n'est clairement expliquée par aucun biographe. Il n'y a donc pas lieu de s'étonner qu'il se soit définitivement séparé de M. Allan, et que celui-ci, qui eut des enfants de son second mariage, l'ait complètement frustré de sa succession.

Peu de temps après avoir quitté Richmond, Poe publia un petit volume de poésies[1] ; c'était en vérité une aurore éclatante. Pour qui sait sentir la poésie anglaise, il y a là déjà l'accent extraterrestre, le calme dans la mélancolie, la solennité délicieuse, l'expérience précoce, — j'allais, je crois, dire *expérience innée,* — qui caractérisent les grands poètes.

La misère le fit quelque temps soldat, et il est présumable qu'il se servit des lourds loisirs de la vie de garnison pour préparer les matériaux de ses futures compositions, — compositions étranges, qui semblent avoir été créées pour nous démontrer que l'étrangeté est une des parties intégrantes du beau. Rentré dans la vie littéraire, le seul élément où puissent respirer certains êtres déclassés, Poe se mourait dans une misère extrême, quand un hasard heureux le releva. Le propriétaire d'une revue venait de fonder deux prix, l'un pour le meilleur conte, l'autre pour le meilleur poème[2]. Une écriture singulièrement belle attira les yeux de M. Kennedy, qui présidait le comité, et lui donna l'envie d'examiner lui-même les manuscrits. Il se trouva que Poe avait gagné les deux prix ; mais un seul lui fut donné. Le président de la commission fut curieux de voir l'inconnu. L'éditeur du journal lui amena un jeune homme d'une beauté frappante, en guenilles, boutonné jusqu'au menton, et qui avait l'air d'un gentilhomme aussi fier qu'affamé. Kennedy se conduisit bien. Il fit faire à Poe la connaissance d'un M. Thomas White, qui fondait à Richmond le *Southern Literary Messenger*. M. White était un homme d'audace, mais sans aucun talent littéraire ;

il lui fallait un aide. Poe se trouva donc tout jeune, — à vingt-deux ans, — directeur d'une revue dont la destinée reposait tout entière sur lui. Cette prospérité, il la créa. Le *Southern Literary Messenger* a reconnu depuis lors que c'était à cet excentrique maudit, à cet ivrogne incorrigible qu'il devait sa clientèle et sa fructueuse notoriété. C'est dans ce *magasin* que parut pour la première fois l'*Aventure sans pareille d'un certain Hans Pfaall*[1], et plusieurs autres contes que nos lecteurs verront défiler sous leurs yeux. Pendant près de deux ans, Edgar Poe, avec une ardeur merveilleuse, étonna son public par une série de compositions d'un genre nouveau et par des articles critiques dont la vivacité, la netteté, la sévérité raisonnées étaient bien faites pour attirer les yeux. Ces articles portaient sur des livres de tout genre, et la forte éducation que le jeune homme s'était faite ne le servit pas médiocrement. Il est bon qu'on sache que cette besogne considérable se faisait pour cinq cents dollars, c'est-à-dire deux mille sept cents francs par an. — *Immédiatement,* — dit Griswold, ce qui veut dire : il se croyait assez riche, l'imbécile ! — il épousa une jeune fille, belle, charmante, d'une nature aimable et héroïque, mais *ne possédant pas un sou,* — ajoute le même Griswold avec une nuance de dédain. C'était une demoiselle Virginia Clemm, sa cousine[2].

Malgré les services rendus à son journal, M. White se brouilla avec Poe au bout de deux ans, à peu près. La raison de cette séparation se trouve évidemment dans les accès d'hypocondrie et les crises d'ivrognerie du poète, — accidents caractéristiques qui assombrissaient son ciel spirituel, comme ces nuages lugubres qui donnent soudainement au plus romantique paysage un air de mélancolie en apparence irréparable. — Dès lors, nous verrons l'infortuné déplacer sa tente, comme un homme du désert, et transporter ses légers pénates dans les principales villes de l'Union. Partout, il dirigera des revues ou y collaborera d'une manière éclatante. Il répandra avec une éblouissante rapidité des articles critiques, philosophiques, et des contes pleins de magie qui paraissent réunis sous le titre de *Tales of the Grotesque and the Arabesque*[1], — titre remarquable et intentionnel, car les ornements grotesques et arabesques repoussent la figure humaine, et l'on verra qu'à beaucoup d'égards la littérature de Poe est extra ou suprahumaine. Nous apprendrons par des notes blessantes et scandaleuses insérées dans les journaux que M. Poe et sa femme se trouvent dangereusement malades à Fordham et dans une absolue misère. Peu de temps après la mort de Mme Poe, le poète subit les premières attaques du *delirium tremens*. Une note nouvelle paraît soudainement dans un journal, — celle-là, plus que cruelle, — qui accuse son mépris et son dégoût du monde, et lui fait un de ces procès de tendance, véritables réquisitoires de l'opinion, contre lesquels il eut toujours à se défendre, — une des luttes les plus stérilement fatigantes que je connaisse.

Sans doute il gagnait de l'argent, et ses travaux littéraires pouvaient à peu près le faire vivre. Mais j'ai les preuves qu'il avait sans cesse de dégoûtantes difficultés à surmonter. Il rêva, comme tant d'autres écrivains, une *Revue* à lui, il voulut être *chez lui*, et le fait est qu'il avait suffisamment souffert pour désirer ardemment cet abri définitif pour sa pensée. Pour arriver à ce résultat, pour se procurer une somme d'argent suffisante, il eut recours aux *lectures*[2]. On sait ce que sont ces lectures, — une espèce de spéculation, le Collège de France mis à la disposition de tous les littérateurs, l'auteur ne publiant sa *lecture* qu'après qu'il en a tiré toutes les recettes qu'elle peut rendre. Poe avait déjà donné à New York une *lecture* d'*Eureka*[1], son poème cosmogonique, qui avait même soulevé de grosses discussions. Il imagina cette fois de donner des *lectures* dans son pays, dans la Virginie. Il comptait, comme il l'écrivait à Willis, faire une tournée dans l'Ouest et le Sud, et il espérait le concours de ses amis littéraires et de ses anciennes connaissances de collège et de West Point. Il visita donc les principales villes de la Virginie, et Richmond revit celui qu'on y avait connu si jeune, si pauvre, si délabré. Tous ceux qui n'avaient pas vu Poe depuis les jours de son obscurité accoururent en foule pour contempler leur illustre compatriote. Il apparut, beau, élégant, correct comme le génie[2]. Je crois même que depuis quelque temps il avait poussé la condescendance jusqu'à se faire admettre dans une société de tempérance. Il choisit un thème aussi large qu'élevé : *le Principe de la Poésie*[3], et il le développa avec cette lucidité qui est un de ses privilèges. Il croyait, en vrai poète qu'il était, que le but de la poésie est de même nature que son principe, et qu'elle ne doit pas avoir en vue autre chose qu'elle-même.

Le bel accueil qu'on lui fit inonda son pauvre cœur d'orgueil et de joie ; il se montrait tellement enchanté, qu'il parlait de s'établir définitivement à Richmond et de finir sa vie dans les lieux que son enfance lui avait rendus chers. Cependant il avait affaire à New York, et il partit, le 4 octobre, se plaignant de frissons et de faiblesses. Se sentant toujours assez mal en arrivant à Baltimore, le 6, au soir, il fit porter ses bagages à l'embarcadère d'où il devait se diriger sur Philadelphie, et entra dans une taverne pour y prendre un excitant quelconque. Là, malheureusement, il rencontra de vieilles connaissances et s'attarda. Le lendemain matin, dans les pâles ténèbres du petit jour, un cadavre fut trouvé sur la voie, — est-ce ainsi qu'il faut dire ? — non, un corps vivant encore, mais que la Mort avait déjà marqué de sa royale estampille. Sur ce corps, dont on ignorait le nom, on ne trouva ni papiers ni argent, et on le porta dans un hôpital. C'est là que Poe mourut, le soir même du dimanche 7 octobre 1849, à l'âge de trente-sept ans, vaincu par le *delirium tremens*, ce terrible visiteur qui avait déjà hanté son cerveau une ou deux fois[1]. Ainsi disparut de ce monde un des plus grands héros littéraires, l'homme de génie qui avait écrit dans *Le Chat Noir*[2] ces mots fatidiques : *Quelle maladie est comparable à l'Alcool !*

Cette mort est presque un suicide, — un suicide préparé depuis longtemps[3]. Du moins, elle en causa le scandale. La clameur fut grande, et la *vertu* donna carrière à son *cant*[4] emphatique, librement et voluptueusement. Les oraisons funèbres les plus indulgentes ne purent pas ne pas donner place à l'inévitable morale bourgeoise qui n'eut garde de manquer une si admirable occasion. M. Griswold diffama ; M. Willis, sincèrement affligé, fut mieux que convenable. — Hélas ! celui qui avait franchi les hauteurs les plus ardues de l'esthétique et plongé dans les abîmes les moins explorés de l'intellect humain, celui qui, à travers une vie qui ressemble à une tempête sans accalmie, avait trouvé des moyens nouveaux, des procédés inconnus pour étonner l'imagination, pour séduire les esprits assoiffés de Beau, venait de mourir en quelques heures dans un lit d'hôpital, — quelle destinée ! Et tant de grandeur et tant de malheur, pour soulever un tourbillon de phraséologie bourgeoise, pour devenir la pâture et le thème des journalistes vertueux !

Ut declamatio fias[1] !

Ces spectacles ne sont pas nouveaux ; il est rare qu'une sépulture fraîche et illustre ne soit pas un rendez-vous de scandales. D'ailleurs, la Société n'aime pas ces enragés malheureux, et, soit qu'ils troublent ses fêtes, soit qu'elle les considère naïvement comme des remords, elle a incontestablement raison. Qui ne se rappelle les déclamations parisiennes lors de la mort de Balzac, qui cependant mourut correctement ? — Et plus récemment encore, — il y a aujourd'hui, 26 janvier, juste un an, — quand un écrivain d'une honnêteté admirable, d'une haute intelligence, et *qui fut toujours lucide*[2], alla discrètement, sans déranger personne, — si discrètement que sa discrétion ressemblait à du mépris, — délier son âme dans la rue la plus noire qu'il put trouver, — quelles dégoûtantes homélies ! — quel assassinat raffiné ! Un journaliste célèbre, à qui Jésus n'enseignera jamais les manières généreuses, trouva l'aventure assez joviale pour la célébrer en un gros calembour[3]. — Parmi l'énumération nombreuse des *droits de l'homme* que la sagesse du XIXe siècle recommence si souvent et si complaisamment, deux assez importants ont été oubliés, qui sont le droit de se contredire et le droit de *s'en aller*. Mais la *Société* regarde celui qui s'en va comme un insolent ; elle châtierait volontiers certaines dépouilles funèbres, comme ce malheureux soldat, atteint de vampirisme, que la vue d'un cadavre exaspérait jusqu'à la fureur. — Et cependant, on peut dire que, sous la pression de certaines circonstances, après un sérieux examen de certaines incompatibilités, avec de fermes croyances à de certains dogmes et métempsycoses, — on peut dire, sans emphase et sans jeu de mots, que le suicide est parfois l'action la plus raisonnable de la vie. — Et ainsi se forme une compagnie de fantômes déjà nombreuse, qui nous hante familièrement, et dont chaque membre vient nous vanter son repos actuel et nous verser ses persuasions.

Avouons toutefois que la lugubre fin de l'auteur d'*Eureka* suscita quelques consolantes exceptions, sans quoi il faudrait désespérer, et la place ne serait plus tenable. M. Willis, comme je l'ai dit, parla honnêtement, et même avec émotion, des bons rapports qu'il avait toujours eus avec Poe. MM. John Neal[1] et George Graham rappelèrent M. Griswold à la pudeur. M. Longfellow[2], — et celui-ci est d'autant plus méritant que Poe l'avait cruellement maltraité, — sut louer d'une manière digne d'un poète sa haute puissance comme poète et comme prosateur. Un inconnu écrivit que l'Amérique littéraire avait perdu sa plus forte tête.

Mais le cœur brisé, le cœur déchiré, le cœur percé des sept glaives fut celui de Mme Clemm[3]. Edgar était à la fois son fils et sa fille. Rude destinée, dit Willis, à qui j'emprunte ces détails, presque mot pour mot, rude destinée que celle qu'elle surveillait et protégeait. Car Edgar Poe était un homme embarrassant ; outre qu'il écrivait avec une fastidieuse difficulté et *dans un style trop au-dessus du niveau intellectuel commun pour qu'on pût le payer cher,* il était toujours plongé dans des embarras d'argent, et souvent lui et sa femme malade manquaient des choses les plus nécessaires à la vie. Un jour Willis vit entrer dans son bureau une femme, vieille, douce, grave. C'était Mme Clemm. Elle *cherchait de l'ouvrage* pour son cher Edgar. Le biographe dit qu'il fut sincèrement frappé, non pas seulement de l'éloge parfait, de l'appréciation exacte qu'elle faisait des talents de son fils, mais aussi de tout son être extérieur, — de sa voix douce et triste, de ses manières un peu surannées, mais belles et grandes. Et pendant plusieurs années, ajoute-t-il, nous avons vu cet infatigable serviteur du génie, pauvrement et insuffisamment vêtu, allant de journal en journal pour vendre tantôt un poème, tantôt un article, disant quelquefois qu'*il* était malade, — unique explication, unique raison, invariable excuse qu'elle donnait quand son fils se trouvait frappé momentanément d'une de ces stérilités que connaissent les écrivains nerveux, — et ne permettant jamais à ses lèvres de lâcher une syllabe qui pût être interprétée comme un doute, comme un amoindrissement de confiance dans le génie et la volonté de son bien-aimé. Quand sa fille mourut, elle s'attacha au survivant de la désastreuse bataille avec une ardeur maternelle renforcée, elle vécut avec lui, prit soin de lui, le surveillant, le défendant contre la vie et contre lui-même. Certes, — conclut Willis avec une haute et impartiale raison, — si le dévouement de la femme, né avec un premier amour et entretenu par la passion humaine, glorifie et consacre son objet, que ne dit pas en faveur de celui qui l'inspira un dévouement comme celui-ci, pur, désintéressé et saint comme une sentinelle divine ? Les détracteurs de Poe auraient dû en effet remarquer qu'il est des séductions si puissantes qu'elles ne peuvent être que des vertus.

On devine combien terrible fut la nouvelle pour la

malheureuse femme. Elle écrivit à Willis une lettre dont voici quelques lignes :

« J'ai appris ce matin la mort de mon bien-aimé Eddie..... Pouvez-vous me transmettre quelques détails, quelques circonstances ?..... Oh ! n'abandonnez pas votre pauvre amie dans cette amère affliction..... Dites à M..... de venir me voir ; j'ai à m'acquitter envers lui d'une commission de la part de mon pauvre Eddie..... Je n'ai pas besoin de vous prier d'annoncer sa mort, et de parler bien de lui. Je sais que vous le ferez. *Mais dites bien quel fils affectueux il était pour moi*, sa pauvre mère désolée..... »

Cette femme m'apparaît grande et plus qu'antique. Frappée d'un coup irréparable, elle ne pense qu'à la réputation de celui qui était tout pour elle, et il ne suffit pas, pour la contenter, qu'on dise qu'il était un génie, il faut qu'on sache qu'il était un homme de devoir et d'affection. Il est évident que cette mère, — flambeau et foyer allumé par un rayon du plus haut ciel, — a été donnée en exemple à nos races trop peu soigneuses du dévouement, de l'héroïsme, et de tout ce qui est plus que le devoir. N'était-ce pas justice d'inscrire au-dessus des ouvrages du poète le nom de celle qui fut le soleil moral de sa vie ? Il embaumera dans sa gloire le nom de la femme dont la tendresse savait panser ses plaies, et dont l'image voltigera incessamment au-dessus du martyrologe de la littérature.

III

La vie de Poe, ses mœurs, ses manières, son être physique, tout ce qui constitue l'ensemble de son personnage, nous apparaissent comme quelque chose de ténébreux et de brillant à la fois. Sa personne était singulière, séduisante et, comme ses ouvrages, marquée d'un indéfinissable cachet de mélancolie. Du reste, il était remarquablement bien doué de toutes façons. Jeune, il avait montré une rare aptitude pour tous les exercices physiques, et bien qu'il fût petit, avec des pieds et des mains de femme, tout son être portant d'ailleurs ce caractère de délicatesse féminine, il était plus que robuste et capable de merveilleux traits de force. Il a, dans sa jeunesse, gagné un pari de nageur qui dépasse la mesure ordinaire du possible. On dirait que la Nature fait à ceux dont elle veut tirer de grandes choses un tempérament énergique, comme elle donne une puissante vitalité aux arbres qui sont chargés de symboliser le deuil et la douleur. Ces hommes-là, avec des apparences quelquefois chétives, sont taillés en athlètes, bons pour l'orgie et pour le travail, prompts aux excès et capables d'étonnantes sobriétés.

Il est quelques points relatifs à Edgar Poe, sur lesquels il y a un accord unanime, par exemple sa haute distinction naturelle, son éloquence et sa beauté, dont, à ce qu'on dit, il tirait un peu vanité. Ses manières, mélange singulier de hauteur avec une douceur exquise, étaient pleines de certitude. Physionomie, démarche, gestes, air de tête, tout le désignait, surtout dans ses bons jours, comme une créature d'élection. Tout son être respirait une solennité pénétrante. Il était réellement marqué par la nature, comme ces figures de passants qui tirent l'œil de l'observateur et préoccupent sa mémoire. Le pédant et aigre Griswold lui-même avoue que, lorsqu'il alla rendre visite à Poe, et qu'il le trouva pâle et malade encore de la mort et de la maladie de sa femme, il fut frappé outre mesure, non seulement de la perfection de ses manières, mais encore de la physionomie aristocratique, de l'atmosphère parfumée de son appartement, d'ailleurs assez modestement meublé. Griswold ignore que le poète a plus que tous les hommes ce merveilleux privilège attribué à la femme parisienne et à l'espagnole, de savoir se parer avec un rien, et que Poe, amoureux du beau en toutes choses, aurait trouvé l'art de transformer une chaumière en un palais d'une espèce nouvelle. N'a-t-il pas écrit, avec l'esprit le plus original et le plus curieux, des projets de mobiliers, des plans de maisons de campagne, de jardins et de réformes de paysages ?

Il existe une lettre charmante de Mme Frances Osgood[1], qui fut une des amies de Poe, et qui nous donne sur ses mœurs, sur sa personne et sur sa vie de ménage, les plus curieux détails. Cette femme, qui était elle-même un littérateur distingué, nie courageusement tous les vices et toutes les fautes reprochés au poète. « Avec les hommes, — dit-elle à Griswold, — peut-être était-il tel que vous le dépeignez, et comme homme vous pouvez avoir raison. Mais je pose en fait qu'avec les femmes il était tout autre, et que jamais femme n'a pu connaître M. Poe sans éprouver pour lui un profond intérêt. Il ne m'a jamais apparu que comme un modèle d'élégance, de distinction et de générosité.....

« La première fois que nous nous vîmes, ce fut à *Astor-House*. Willis m'avait fait passer à table d'hôte *Le Corbeau*[2], sur lequel l'auteur, me dit-il, désirait connaître mon opinion. La musique mystérieuse et surnaturelle de ce poème étrange me pénétra si intimement que, lorsque j'appris que Poe désirait m'être présenté, j'éprouvai un sentiment singulier et qui ressemblait à de l'effroi. Il parut avec sa belle et orgueilleuse tête, ses yeux sombres qui dardaient une lumière d'élection, une lumière de sentiment et de pensée, avec ses manières qui étaient un mélange intraduisible de hauteur et de suavité, — il me salua, calme, grave, presque froid ; mais sous cette froideur vibrait une sympathie si marquée que je ne pus m'empêcher d'en être profondément impressionnée. À partir de ce moment jusqu'à sa mort, nous fûmes amis....., et je sais que dans ses dernières paroles, j'ai eu ma part de souvenir, et qu'il m'a donné, avant que sa raison ne fût culbutée de son trône de souveraine, une preuve suprême de sa fidélité en amitié.

« C'était surtout dans son intérieur, à la fois simple et poétique, que le caractère d'Edgar Poe apparaissait pour moi dans sa plus belle lumière. Folâtre, affectueux, spirituel, tantôt docile et tantôt méchant comme un enfant gâté, il avait toujours pour sa jeune, douce et adorée femme, et pour tous ceux qui venaient, même au milieu de ses plus fatigantes besognes littéraires, un mot aimable, un sourire bienveillant, des attentions gracieuses et courtoises. Il passait d'interminables heures à son pupitre, sous le portrait de sa *Lenore*, l'aimée et la morte[1], toujours assidu, toujours résigné et fixant avec son admirable écriture les brillantes fantaisies qui traversaient son étonnant cerveau incessamment en éveil. — Je me rappelle l'avoir vu un matin plus joyeux et plus allègre que de coutume. Virginia, sa douce femme, m'avait prié d'aller les voir et il m'était impossible de résister à ces sollicitations..... Je le trouvai travaillant à la série d'articles qu'il a publiés sous le titre : *The Literati of New York*[2]. "Voyez, — me dit-il, en déployant avec un rire de triomphe plusieurs petits rouleaux de papier (il écrivait sur des bandes étroites, sans doute pour conformer sa copie à la *justification* des journaux), — je vais vous montrer par la différence des longueurs les divers degrés d'estime que j'ai pour chaque membre de votre gent littéraire. Dans chacun de ces papiers, l'un de vous est peloté et proprement discuté. — Venez ici, Virginia, et aidez-moi !" Et ils les déroulèrent tous un à un. À la fin, il y en avait un qui semblait interminable. Virginia, tout en riant, reculait jusqu'à un coin de la chambre le tenant par un bout, et son mari vers un autre coin avec l'autre bout. "Et quel est l'heureux, — dis-je, — que vous avez jugé digne de cette incommensurable douceur ? — L'entendez-vous — s'écria-t-il, — comme si son vaniteux petit cœur ne lui avait pas déjà dit que c'est elle-même !"

« Quand je fus obligée de voyager pour ma santé, j'entretins une correspondance régulière avec Poe, obéissant en cela aux vives sollicitations de sa femme, qui croyait que je pouvais obtenir sur lui une influence et un ascendant salutaires..... Quant à l'amour et à la confiance qui existaient entre sa femme et lui, et qui étaient pour moi un spectacle délicieux, je n'en saurais parler avec trop de conviction, avec trop de chaleur. Je néglige quelques petits épisodes poétiques dans lesquels le jeta son tempérament romanesque. Je pense qu'elle était la seule femme qu'il ait toujours véritablement aimée..... »

Dans les Nouvelles de Poe, il n'y a jamais d'amour. Du moins *Ligeia*, *Eleonora*[1], ne sont pas, à proprement parler, des histoires d'amour, l'idée principale sur laquelle pivote l'œuvre étant tout autre. Peut-être croyait-il que la prose n'est pas une langue à la hauteur de ce bizarre et presque intraduisible sentiment ; car ses poésies, en revanche, en sont fortement saturées. La divine passion y apparaît magnifique, étoilée, et toujours voilée d'une irrémédiable mélancolie. Dans ses articles, il parle quelquefois de l'amour, et même comme d'une chose dont le nom fait frémir la plume. Dans *The Domain of Arnheim*[1], il affirmera que les quatre conditions élémentaires du bonheur sont : la vie en plein air, l'*amour d'une femme*, le détachement de toute ambition et la création d'un Beau nouveau. — Ce qui corrobore l'idée de Mme Frances Osgood relativement au respect chevaleresque de Poe pour les femmes, c'est que, malgré son prodigieux talent pour le grotesque et l'horrible, il n'y a pas dans tout son œuvre un seul passage qui ait trait à la lubricité ou même aux jouissances sensuelles. Ses portraits de femmes sont, pour ainsi dire, auréolés ; ils brillent au sein d'une vapeur surnaturelle et sont peints à la manière emphatique d'un adorateur. — Quant aux *petits épisodes romanesques*, y a-t-il lieu de s'étonner qu'un être aussi nerveux, dont la soif du Beau était peut-être le trait principal, ait parfois, avec une ardeur passionnée, cultivé la galanterie, cette fleur volcanique et musquée pour qui le cerveau bouillonnant des poètes est un terrain de prédilection ?

De sa beauté personnelle singulière dont parlent plusieurs biographes, l'esprit peut, je crois, se faire une idée approximative en appelant à son secours toutes les notions vagues, mais cependant caractéristiques, contenues dans le mot : romantique, mot qui sert généralement à rendre les genres de beauté consistant surtout dans l'expression. Poe avait un front vaste, dominateur, où certaines protubérances trahissaient les facultés débordantes qu'elles sont chargées de représenter, — construction, comparaison, causalité, — et où trônait dans un orgueil calme le sens de l'idéalité, le sens esthétique par excellence. Cependant, malgré ces dons, ou même à cause de ces privilèges exorbitants, cette tête, vue de profil, n'offrait peut-être pas un aspect agréable. Comme dans toutes les choses excessives par un sens, un déficit pouvait résulter de l'abondance, une pauvreté de l'usurpation. Il avait de grands yeux à la fois sombres et pleins de lumière, d'une couleur indécise et ténébreuse, poussée au violet, le nez noble et solide, la bouche fine et triste, quoique légèrement souriante, le teint brun clair, la face généralement pâle, la physionomie un peu distraite et imperceptiblement grimée par une mélancolie habituelle.

Sa conversation était des plus remarquables et essentiellement nourrissante. Il n'était pas ce qu'on appelle un beau parleur, — une chose horrible, — et d'ailleurs sa parole comme sa plume avait horreur du convenu ; mais un vaste savoir, une linguistique puissante, de fortes études, des impressions ramassées dans plusieurs pays faisaient de cette parole un enseignement. Son éloquence, essentiellement poétique, pleine de méthode, et se mouvant toutefois hors de toute méthode connue, un arsenal d'images tirées d'un monde peu fréquenté par la foule des esprits, un art prodigieux à déduire d'une proposition évidente et absolument acceptable des aperçus secrets et nouveaux, à ouvrir d'étonnantes perspectives, et, en un mot, l'art de ravir, de faire penser, de faire rêver, d'arracher les âmes des bourbes de la routine, telles étaient les éblouissantes facultés dont beaucoup de gens ont gardé le souvenir. Mais il arrivait parfois, — on le dit du moins, — que le poète, se complaisant dans un caprice destructeur, rappelait brusquement ses amis à la terre par un cynisme affligeant et démolissait brutalement son œuvre de spiritualité. C'est d'ailleurs une chose à noter, qu'il était fort peu difficile dans le choix de ses auditeurs, et je crois que le lecteur trouvera sans peine dans l'histoire d'autres intelligences grandes et originales, pour qui toute compagnie était bonne. Certains esprits, solitaires au milieu de la foule, et qui se repaissent dans le monologue, n'ont que faire de la délicatesse en matière de public. C'est, en somme, une espèce de fraternité basée sur le mépris.

De cette ivrognerie, — célébrée et reprochée avec une insistance qui pourrait donner à croire que tous les écrivains des États-Unis, excepté Poe, sont des anges de sobriété, — il faut cependant en parler. Plusieurs versions sont plausibles, et aucune n'exclut les autres. Avant tout, je suis obligé de remarquer que Willis et Mme Osgood affirment qu'une quantité fort minime de vin ou de liqueur suffisait pour perturber complètement son organisation. Il est d'ailleurs facile de supposer qu'un homme aussi réellement solitaire, aussi profondément malheureux, et qui a pu souvent envisager tout le système social comme un paradoxe et une imposture, un homme qui, harcelé par une destinée sans pitié, répétait souvent que la société n'est qu'une cohue de misérables (c'est Griswold qui rapporte cela, aussi scandalisé qu'un homme qui peut penser la même chose, mais qui ne la dira jamais), — il est naturel, dis-je, de supposer que ce poète jeté tout enfant dans les hasards de la vie libre, le cerveau cerclé par un travail âpre et continu, ait cherché parfois une volupté d'oubli dans les bouteilles. Rancunes littéraires, vertiges de l'infini, douleurs de ménage, insultes de la misère, Poe fuyait tout dans le noir de l'ivresse comme dans une tombe préparatoire. Mais, quelque bonne que paraisse cette explication, je ne la trouve pas suffisamment large, et je m'en défie à cause de sa déplorable simplicité.

J'apprends qu'il ne buvait pas en gourmand, mais en barbare, avec une activité et une économie de temps tout à fait américaines, comme accomplissant une fonction homicide, comme ayant en lui *quelque chose* à tuer, *a worm that would not die*. On raconte d'ailleurs qu'un jour, au moment de se remarier (les bans étaient publiés, et, comme on le félicitait sur une union qui mettait dans ses mains les plus hautes conditions de bonheur et de bien-être, il avait dit : « Il est possible que vous ayez vu des bans, mais notez bien ceci : je ne me marierai pas »), il alla, épouvantablement ivre, scandaliser le voisinage de celle qui devait être sa femme, ayant ainsi recours à son vice pour se débarrasser d'un parjure envers la pauvre morte dont l'image vivait toujours en lui et qu'il avait admirablement chantée dans son *Annabel Lee*[1]. Je considère donc, dans un grand nombre de cas, le fait infiniment précieux de préméditation comme acquis et constaté.

Je lis d'autre part dans un long article du *Southern Literary Messenger*, — cette même revue dont il avait commencé la fortune, — que jamais la pureté, le fini de son style, jamais la netteté de sa pensée, jamais son ardeur au travail ne furent altérés par cette terrible habitude ; que la confection de la plupart de ses excellents morceaux a précédé ou suivi une de ses crises ; qu'après la publication d'*Eureka* il sacrifia déplorablement à son penchant, et qu'à New York, le matin même où paraissait *Le Corbeau*, pendant que le nom du poète était dans toutes les bouches, il traversait Broadway en trébuchant outrageusement. Remarquez que les mots : *précédé ou suivi*, impliquent que l'ivresse pouvait servir d'excitant aussi bien que de repos.

Or, il est incontestable que, — semblables à ces impressions fugitives et frappantes, d'autant plus frappantes dans leurs retours qu'elles sont plus fugitives, qui suivent quelquefois un symptôme extérieur, une espèce d'avertissement comme un son de cloche, une note musicale, ou un parfum oublié, et qui sont elles-mêmes suivies d'un événement semblable à un événement déjà connu et qui occupait la même place dans une chaîne antérieurement révélée — semblables à ces singuliers rêves périodiques qui fréquentent nos sommeils —, il existe dans l'ivresse non seulement des enchaînements de rêves, mais des séries de raisonnements, qui ont besoin, pour se reproduire, du milieu qui leur a donné naissance. Si le lecteur m'a suivi sans répugnance, il a déjà deviné ma conclusion : je crois que dans beaucoup de cas, non pas certainement dans tous, l'ivrognerie de Poe était un moyen mnémonique, une méthode de travail, méthode énergique et mortelle, mais appropriée à sa nature passionnée. Le poète avait appris à boire, comme un littérateur soigneux s'exerce à faire des cahiers de notes. Il ne pouvait résister au désir de retrouver les visions merveilleuses ou effrayantes, les conceptions subtiles qu'il avait rencontrées dans une tempête précédente ; c'étaient de vieilles connaissances qui l'attiraient impérativement, et, pour renouer avec elles, il prenait le chemin le plus dangereux, mais le plus direct. Une partie de ce qui fait aujourd'hui notre jouissance est ce qui l'a tué.

IV

Des ouvrages de ce singulier génie, j'ai peu de chose à dire ; le public fera voir ce qu'il en pense. Il me serait difficile, peut-être, mais non pas impossible de débrouiller sa méthode, d'expliquer son procédé, surtout dans la partie de ses œuvres dont le principal effet gît dans une analyse bien ménagée. Je pourrais introduire le lecteur dans les mystères de sa fabrication, m'étendre longuement sur cette portion de génie américain qui le fait se réjouir d'une difficulté vaincue, d'une énigme expliquée, d'un tour de force réussi, — qui le pousse à se jouer avec une volupté enfantine et presque perverse dans le monde des probabilités et des conjectures, et à créer des *canards* auxquels son art subtil a donné une vie vraisemblable. Personne ne niera que Poe ne soit un jongleur merveilleux, et je sais qu'il donnait surtout son estime à une autre partie de ses œuvres. J'ai quelques remarques plus importantes à faire, d'ailleurs très brèves.

Ce n'est pas par ses miracles matériels, qui pourtant ont fait sa renommée, qu'il lui sera donné de conquérir l'admiration des gens qui pensent, c'est par son amour du beau, par sa connaissance des conditions harmoniques de la beauté, par sa poésie profonde et plaintive, ouvragée néanmoins, transparente et correcte comme un bijou de cristal, — par son admirable style, pur et bizarre, — serré comme les mailles d'une armure, — complaisant et minutieux, — et dont la plus légère intention sert à pousser doucement le lecteur vers un but voulu, — et enfin surtout par ce génie tout spécial, par ce tempérament unique qui lui a permis de peindre et d'expliquer, d'une manière impeccable, saisissante, terrible, l'*exception dans l'ordre moral*. — Diderot, pour prendre un exemple entre cent, est un auteur sanguin ; Poe est l'écrivain des nerfs, et même de quelque chose de plus, — et le meilleur que je connaisse.

Chez lui, toute entrée en matière est attirante sans violence, comme un tourbillon. Sa solennité surprend et tient l'esprit en éveil. On sent tout d'abord qu'il s'agit de quelque chose de grave. Et lentement, peu à peu, se déroule une histoire dont tout l'intérêt repose sur une imperceptible déviation de l'intellect, et sur une hypothèse audacieuse, sur un dosage imprudent de la Nature dans l'amalgame des facultés. Le lecteur, lié par le vertige, est contraint de suivre l'auteur dans ses entraînantes déductions.

Aucun homme, je le répète, n'a raconté avec plus de magie les *exceptions* de la vie humaine et de la nature, — les ardeurs de curiosité de la convalescence ; — les fins de saisons chargées de splendeurs énervantes, les temps chauds, humides et brumeux, où le vent du sud amollit et détend les nerfs comme les cordes d'un instrument, où les yeux se remplissent de larmes qui ne viennent pas du cœur ; — l'hallucination, laissant d'abord place au doute, bientôt convaincue et raisonneuse comme un livre ; — l'absurde s'installant dans l'intelligence et la gouvernant avec une épouvantable logique ; — l'hystérie usurpant la place de la volonté, la contradiction établie entre les nerfs et l'esprit, et l'homme désaccordé au point d'exprimer la douleur par le rire. Il analyse ce qu'il y a de plus fugitif, il soupèse l'impondérable et décrit, avec cette manière minutieuse et scientifique dont les effets sont terribles, tout cet imaginaire qui flotte autour de l'homme nerveux et le conduit à mal.

L'ardeur même avec laquelle il se jette dans le grotesque pour l'amour du grotesque et dans l'horrible pour l'amour de l'horrible me sert à vérifier la sincérité de son œuvre et l'accord de l'homme avec le poète. — J'ai déjà remarqué que chez plusieurs hommes cette ardeur était souvent le résultat d'une vaste énergie vitale inoccupée, quelquefois d'une opiniâtre chasteté et aussi d'une profonde sensibilité refoulée. La volupté surnaturelle que l'homme peut éprouver à voir couler son propre sang, les mouvements soudains, violents, inutiles, les grands cris jetés en l'air, sans que l'esprit ait commandé au gosier, sont des phénomènes à ranger dans le même ordre.

Au sein de cette littérature où l'air est raréfié, l'esprit peut éprouver cette vague angoisse, cette peur prompte aux larmes et ce malaise du cœur qui habitent les lieux immenses et singuliers. Mais l'admiration est la plus forte, et d'ailleurs l'art est si grand ! Les fonds et les accessoires y sont appropriés au sentiment des personnages. Solitude de la nature ou agitation des villes, tout y est décrit nerveusement et fantastiquement. Comme notre Eugène Delacroix, qui a élevé son art à la hauteur de la grande poésie, Edgar Poe aime à agiter ses figures sur des fonds violâtres et verdâtres où se révèlent la phosphorescence de la pourriture et la senteur de l'orage. La nature dite inanimée participe de la nature des êtres vivants, et, comme eux, frissonne d'un frisson surnaturel et galvanique. L'espace est approfondi par l'opium ; l'opium y donne un sens magique à toutes les teintes, et fait vibrer tous les bruits avec une plus significative sonorité. Quelquefois des échappées magnifiques, gorgées de lumière et de couleur, s'ouvrent soudainement dans ses paysages, et l'on voit apparaître au fond de leurs horizons des villes orientales et des architectures, vaporisées par la distance, où le soleil jette des pluies d'or.

Les personnages de Poe, ou plutôt le personnage de Poe, l'homme aux facultés suraiguës, l'homme aux nerfs relâchés, l'homme dont la volonté ardente et patiente jette un défi aux difficultés, celui dont le regard est tendu avec la roideur d'une épée sur des objets qui grandissent à mesure qu'il les regarde, — c'est Poe lui-même. — Et ses femmes, toutes lumineuses et malades, mourant de maux bizarres, et parlant avec une voix qui ressemble à une musique, c'est encore lui ; ou du moins, par leurs aspirations étranges, par leur savoir, par leur mélancolie inguérissable, elles participent fortement de la nature de leur créateur. Quant à sa femme idéale, à sa Titanide, elle se révèle sous différents portraits éparpillés dans ses poésies trop peu nombreuses, portraits, ou plutôt manières de sentir la beauté, que le tempérament de l'auteur rapproche et confond dans une unité vague mais sensible, et où vit plus délicatement peut-être qu'ailleurs cet amour insatiable du Beau, qui est son grand titre, c'est-à-dire le résumé de ses titres à l'affection et au respect des poètes.

Nous rassemblons sous le titre : *Histoires extraordinaires*, divers contes choisis dans l'œuvre général de Poe. Cet œuvre se compose d'un nombre considérable de Nouvelles, d'une quantité non moins forte d'articles critiques et d'articles divers, d'un poème philosophique (*Eureka*), de poésies et d'un roman purement humain (*La Relation d'Arthur Gordon Pym*[1]). Si je trouve encore, comme je l'espère, l'occasion de parler de ce poète, je donnerai l'analyse de ses opinions philosophiques et littéraires, ainsi que généralement des œuvres dont la traduction complète aurait peu de chances de succès auprès d'un public qui préfère de beaucoup l'amusement et l'émotion à la plus importante vérité philosophique.

JORIS-KARL HUYSMANS
(1848-1907)

Œuvre d'un jeune homme de vingt-six ans, Le Drageoir aux épices *(1874) est un recueil exploratoire où la nouvelle, les notations autobiographiques, le poème en prose, le tableau à la Baudelaire et le conte s'entrecroisent selon les oscillations d'une rêverie qui nous fait parcourir l'histoire de l'art flamand en une sorte de musée imaginaire. Le recours à la vie de peintre inaugure la poétique « artiste » de J.-K. Huysmans : en rêvant par la fiction les circonstances secrètes ayant présidé à la création de tableaux, le futur auteur d'*À rebours *(1884) cherche un style situé quelque part entre le naturalisme et le raffinement décadent. Malgré la fausse désinvolture du sonnet liminaire, inspiré d'Aloysius Bertrand (« Tels sont les principaux sujets que j'ai traités : / Un choix de bric-à-brac, vieux médaillons sculptés, / Émaux, pastels pâlis, eau-forte, estampe rousse, / Idoles aux grands yeux, aux charmes décevants, / Paysans de Brauwer, buvant, faisant carrousse / Sont là. Les prenez-vous ? À bas prix je les vends »), la fantasmagorie poétique cède le pas à un tableau cruel de la condition artistique, quand la célébrité des œuvres se dissipe pour laisser voir la destinée pathétique de leurs auteurs. Avec son pendant,*

Adrien Brauwer, *la vie de Cornélius Béga suit sans ellipse l'intégralité d'une brève existence de peintre et propose une véritable théorie de l'artiste habité par l'angoisse de la déchéance et de l'impuissance créatrice. Touché par la mélancolie, Béga, peintre maladif au talent fragile, est sauvé par une femme mais, à peine rédimé, succombe à la maladie. « Houbraken, qui rapporte ce fait, ajoute que, frappé de douleur, Béga fut lui-même atteint de la peste, et qu'il expira quelques jours après » : dans ce récit où les brumes de la légende d'Haarlem s'opposent étrangement à la bonhomie réaliste des tableaux de Cornelis Pietersz Bega tels que nous les connaissons, où le retrait du narrateur derrière les silences de l'histoire de l'art contraste avec la noirceur des destinées qui se jouent, Huysmans propose un modèle de sainteté artistique indissociable de la misère terrestre.*

Voir Joris-Karl HUYSMANS, *Le Drageoir aux épices, suivi de textes inédits*, édition critique par Patrice Locmant, Paris, Honoré Champion, 2003 ; Marcel CRESSOT, *La Phrase et le vocabulaire de J.-K. Huysmans*, Genève, Droz, 1938 ; Charles MAINGON, *L'Univers artistique de J.-K. Huysmans*, Paris, A.-G. Nizet, 1977.

Cornélius Béga

(*Le Drageoir aux épices*)

Dans les premiers jours du mois de février 1620, naquit à Haarlem, du mariage de Cornélius Bégyn, sculpteur sur bois, et de Marie Cornélisz, sa femme, un enfant du sexe masculin qui reçut le prénom de Cornélius.

Je ne vous dirai point si ledit enfant piaula de lamentable façon, s'il fut turbulent ou calme, je l'ignore ; peu vous importe d'ailleurs et à moi aussi ; tout ce que je sais, c'est qu'à l'âge de dix-huit ans il témoigna d'un goût immodéré pour les arts, les femmes grasses et la bière double.

Le vieux Bégyn et le père de sa femme, le célèbre peintre Cornélisz Van Haarlem[1], encouragèrent le premier de ces penchants et combattirent vainement les deux autres.

Marie Cornélisz, qui était femme pieuse et versée dans la société des abbés et des moines, essaya, par l'intermédiaire de ces révérends personnages, de ramener son fils dans une voie meilleure. Ce fut peine perdue. Cornélius était plus apte à crier : Tôpe et mâsse[2] ! à moi, compagnons, buvons ce piot[3], ha ! Guillemette la rousse, montrez vos blancs tétins ! qu'à marmotter d'une voix papelarde des patenôtres ou des oraisons.

Menaces, coups, prières, rien n'y fit. Dès qu'il apercevait la cotte d'une paillarde, se moulant en beaux plis serrés le long de fortes hanches, il perdait la tête et courait après la paillarde, laissant là pinceau et palette, pot de grès et broc d'étain. Encore qu'il fût passionné pour la peinture et la beuverie et qu'il admirât plus qu'aucun les chefs-d'œuvre de Rembrandt et de Hals, et la magnifique ordonnance de tonneaux et de muids[1] bien ventrus, il était plus énamouré encore de lèvres soyeuses et roses, d'épaules charnues et blanches comme les nivéoles qui fleurissent au printemps.

Enfin, quoi qu'il en fût, espérant que la raison viendrait avec l'âge et que l'amour de l'art maîtriserait ces déplorables passions, son père le fit admettre dans l'atelier des Van Ostade[2]. Cornélius ne pouvait trouver un meilleur maître, mais il ne pouvait trouver aussi des camarades plus disposés à courir au four banal et à boire avec les galloises[3] et autres mauvaises filles, folles de leur corps, que ses compagnons d'études, Dusart, Gœbauw, Musscher[4] et les autres.

Sa gaieté et ses franches allures leur plurent tout d'abord, et ils se livrèrent, pour célébrer sa bienvenue, à de telles ripailles que la ville entière en fut scandalisée.

Furieux de voir traîner son nom dans les lieux les plus mal famés de Haarlem, le vieux Bégyn défendit à son fils de le porter et le chassa de chez lui.

Cornélius resta quelques instants pantois et déconcerté, puis il enfonça d'un coup de poing son feutre sur sa tête et s'en fut à la taverne du Houx-Vert, où se réunissait la joyeuse confrérie des buveurs.

« Ce qui est fait est fait, clama de sa voix de galoubet[5] aigu le peintre Dusart, lorsqu'il apprit la mésaventure de son ami ; puisque ton père te défend de porter son nom, nous allons te baptiser. Veux-tu t'appeler Béga ?

— Soit, dit le jeune homme ; aussi bien je veux illustrer ce nom ; à partir d'aujourd'hui je renonce aux tripots et aux franches repues, je travaille. »

Un immense éclat de rire emplit le cabaret. « Tu déraisonnes, crièrent ses amis ; est-ce qu'Ostade ne boit pas ? est-ce que le grand Hals n'est pas un ivrogne fieffé ? est-ce que Brauwer[1] ne fait pas tous les soirs topazes sur l'ongle avec des pintes de bière ? cela l'empêche-t-il d'avoir du génie ? Non ? eh bien ! fais comme eux : travaille, mais bois. »

« Ores ça, et moi, dit Marion la grosse, qui se planta vis-à-vis de Cornélius, est-ce qu'on n'embrassera plus les bonnes joues de sa Marion ?

— Eh, vrai Dieu ! si, je le voudrai toujours ! répliqua le jeune homme qui baisa les grands yeux orange de sa maîtresse et oublia ses belles résolutions aussi vite qu'il les avait prises.

— Çà, qu'on le baptise ! criait le peintre Musscher, juché sur un tonneau. Hôtelier, apporte ta bière la plus forte, ton genièvre le plus épicé, que nous arrosions, non point la tête, mais, comme il convient à d'honnêtes biberons, le gosier du néophyte. »

L'hôtelier ne se le fit pas dire deux fois ; il charria, avec l'aide de ses garçons, une grande barrique de bière, et Béga, flanqué d'un côté de son parrain Dusart, de l'autre de sa marraine Marion la grosse, s'avança du fond de la salle jusqu'aux fonts baptismaux, c'est-à-dire jusqu'à la cuve, où l'attendait l'hôtelier, faisant fonctions de grand prêtre.

Planté sur ses petites jambes massives, roulant de gros yeux verdâtres comme du jade, frottant avec sa manche son petit nez loupeux qui luisait comme bosse de cuivre, balayant de sa large langue ses grosses lèvres humides, cet honorable personnage se lança sans hésiter dans les spirales d'un long discours qui ne tendait rien moins qu'à démontrer l'influence heureuse de la bière et du skidam sur le cerveau des artistes en général et sur celui des peintres en particulier. De longs applaudissements scandèrent les périodes de l'orateur et, après une chaude allocution de la marraine qui scanda elle-même, par de retentissants baisers, appliqués sur les joues de Cornélius, et par des points d'orgue hasardeux, les phrases enrubannées de son discours, le défilé commença aux accents harmonieux d'un violon pleurard et d'une vielle grinçante.

Une année durant, Béga continua à mener joyeuse vie avec ses compagnons ; le malheur, c'est qu'il n'avait pas le tempérament de Brauwer, dont le lumineux génie résista aux plus folles débauches. L'impuissance vint vite ; quoi qu'il fît, quoi qu'il s'ingéniât à produire, c'était de la piquette d'Ostade ; il trempait d'eau la forte bière du vieux maître.

Il en brisa ses pinceaux de rage. Revenu de tout, dégoûté de ses amis, méprisant les filles, reconnaissant enfin qu'une maîtresse est une ennemie et que, plus on fait de sacrifices pour elle, moins elle vous en a de reconnaissance, il s'isola de toutes et de tous et vécut dans la plus complète solitude.

Sa mélancolie s'en accrut encore, et, un soir, plus triste et plus harassé que de coutume, il résolut d'en finir et se dirigea vers la rivière. Il longeait la berge et regardait, en frissonnant, l'eau qui bouillonnait sous les arches du pont. Il allait prendre son élan et sauter, quand il entendit derrière lui un profond soupir, et se retournant, se trouva face à face avec une jeune fille qui pleurait. Il lui demanda la cause de ses larmes et, sur ses instances et ses prières, elle finit par lui avouer que, lasse de supporter les brutalités de sa famille, elle était venue à la rivière avec l'intention de s'y jeter.

Leur commune détresse rapprocha ces deux malheureux, qui s'aimèrent et se consolèrent l'un l'autre. Béga n'était plus reconnaissable. Cet homme qui, un mois auparavant, était la proie de lancinantes angoisses, d'inexorables remords, se prit à goûter enfin les tranquilles délices d'une vie calme. Pour comble de bonheur, son talent se réveilla en même temps que sa jeunesse, et c'est de cette époque que sont datées ses meilleures toiles.

Tout souriait au jeune ménage, honneurs et argent se décidaient enfin à venir, quand soudain la peste éclata dans Haarlem.

La pauvre fille en fut atteinte. Béga s'installa à son chevet et ne la quitta plus. La mort était proche. Il voulut se jeter dans les bras de sa bien-aimée, la serrer contre sa poitrine, respirer l'haleine de sa bouche, mourir sur son sein ; ses amis l'en empêchèrent. « Je veux mourir avec elle, criait-il, je veux mourir ! » Il supplia ceux qui le retenaient de lui rendre sa liberté. « Je vous jure, dit-il, que je ne l'approcherai point. » Il prit alors un bâton, en posa une des extrémités sur la bouche de la mourante et la supplia de l'embrasser. Elle sourit tristement et lui obéit ; par trois fois elle effleura le bâton de ses lèvres ; alors il le porta vivement aux siennes et les colla furieusement à la place qu'elle avait baisée.

Houbraken[1], qui rapporte ce fait, ajoute que, frappé de douleur, Béga fut lui-même atteint de la peste, et qu'il expira quelques jours après[2].

PIERRE LOUŸS
(1870-1925)

Auteur de romans licencieux et de pièces à la manière antique, Pierre Louÿs accumula, au cours d'une brève existence, les prises de positions politiques indéfendables et les affirmations intellectuelles saugrenues, telle la thèse attribuant à Corneille la paternité de l'œuvre de Molière. Il s'illustra également dans le domaine de la supercherie littéraire, avec ses Chansons de Bilitis *(1895), poésies de son cru données comme traduites du grec et précédées d'une biographie de l'auteur supposé. Deux ans auparavant, il avait livré dans ses* Poésies de Méléagre *la vie et les œuvres d'un poète bien réel, Méléagre de Gadara (130-80/70 av. J.-C.). Grec de langue et Syrien de naissance, cet auteur que les Anciens tenaient pour l'égal d'Ovide est entré dans l'histoire littéraire comme l'inventeur de la compilation organisée par thèmes (épigrammes érotiques, funéraires, votives, épidictiques), dont une partie nous a été transmise dans l'*Anthologie palatine. *Louÿs s'inscrivait, à travers cet hommage de poète à poète, dans un mouvement de retour à la poésie grecque contre la lourdeur romaine, mouvement initié dès les années 1860 par Leconte de Lisle, traducteur d'Homère, Théocrite, Anacréon et*

Hésiode. Sa libre reconstitution biographique s'attira les faveurs de Gide, Proust et Mallarmé, séduits par son raffinement et son anti-académisme. Malgré les critiques érudites dont il fit l'objet, son récit témoigne d'une excellente connaissance des lettres grecques et d'un impressionnant travail de documentation. Louÿs y transfigure le traditionnel tombeau biographique, produisant une rêverie pénétrée d'esthétique décadente et un conte dont l'érotisme doucereux fait un étonnant pied de nez au genre de la notice érudite.

Voir Pierre Louÿs, *Œuvres complètes*, t. I, Éd. Montaigne, Fernand Aubier, 1929 ; H. P. Clive, *Pierre Louÿs : A Biography (1870-1925)*, Oxford, Clarendon Press, 1978 ; J.-F. Jeandillou, « Bilitis », dans *Supercheries littéraires*, éd. 2001, *op. cit.*, p. 3-9 ; Alan Cameron, *The Greek Anthology : From Meleager to Planudes*, Oxford, Clarendon Press, 1993 ; Suzanne Saïd, Monique Trédé et Alain Le Boulluec, *Histoire de la littérature grecque*, Paris, PUF, coll. « Quadrige », 1997 ; Jean-Paul Goujon, *Pierre Louÿs : une vie secrète (1870-1925)*, Paris, Fayard, 2002.

Vie de Méléagre

(*Poésies de Méléagre*)

Méléagre naquit dans une cité blanche et verte, parmi les palmiers, les eaux vives, à Atthis, nous dit-il. Or, il ne s'appelait pas Méléagre, et Atthis est une ville qui n'a jamais existé.

Il était Syrien, il était Israélite, comme Heinrich Heine, à qui il faut le comparer. On pense qu'il se convertit de bonne heure aux belles déesses de l'Hellas, à la langue de Sapphô et d'Alcée. Les derniers poètes survivants ne virent pas en lui un barbare, mais ils l'accueillirent parmi eux, comme fit Artémis pour ce divin khéroub qu'elle rencontra un matin sur les pentes boisées du Liban lorsqu'ayant chassé très longtemps elle s'était presque égarée. Les Grecs de Byblos racontaient que l'Ange lui avait paru quelque enfant du Cygne et de Kypris, et qu'au seul regard de la déesse, il l'avait suivie comme la lumière.

Raphaël, ou David peut-être, ou Jean, ainsi s'appela Méléagre. La vallée du Hiéronymos, qui est aujourd'hui le Yarmouk, le vit naître, cela est possible. C'est là qu'il put lire la Bible et garder du Sir Hasirim assez de grâce et de volupté pour donner aux Charites d'Ionie toute la langueur orientale.

Quand il eut passé l'enfance, il partit pour l'île de Tyr et y vécut toute sa jeunesse.

Ce fut une vie très régulière ; il fit des vers et fréquenta chez les courtisanes. Il y a lieu de croire que ses premiers essais furent dictés par une passion plus rêvée que sentie. Il se créa une idéale amie qu'il nomma Dzénophila, ce qui veut dire chère à Dzeus ou, peut-être, pieuse envers lui. Autour de ce nom, il assembla le cortège ailé des Désirs, la triple splendeur des Charites et tous les dons cythéréens ; mais, si même elle exista, les vers qu'il écrivit pour elle montrent qu'il ne la connut point.

La plus aimée fut sans doute Lykaïnis, pour qui il ne fit que trois épigrammes, et qui le trompa. La mieux chantée, la plus célèbre, est l'éloquente Héliodora.

Héliodora, don de Hélios, s'appelait-elle ainsi pour être née au pays du soleil levant ? Indoue, Perse ou Babylonienne, ou du royaume de Saba ? Il l'aima, il la chanta, fidèle et adultère, vivante et morte. Nous savons par lui que sa conversation avait tous les charmes, et son âme toutes les passions. Elle avait pour amies Timo, Timarion, Antikleia, Dorothea, et une juive du peuple que Méléagre avait connue et qui se faisait appeler Dêmô.

Lykaïnis, Héliodora, Dêmô, telles furent les maîtresses de Méléagre à Tyr. Il ne semble pas qu'il en ait eu d'autres, sauf peut-être cette petite Phanion à qui il adressa une pièce très tendre et deux épigrammes précieuses. Mais il nous a laissé quelques distiques isolés, faits pour des courtisanes qui recherchaient sa compagnie et le priaient à dîner. C'est ainsi qu'il a éternisé le souvenir de la charmante Tryphéra, de Kallistion, qui aurait dû s'appeler Kallischion, et d'Asklêpias dont les yeux étaient bleus comme la mer tranquille.

Méléagre eut aussi des amis. Comme Anakréon chanta Bathylle, Virgile, Alexis, et Shakespeare le jeune comédien qui joua Rosalinde et Juliette, Méléagre aima Myïskos, et d'autres encore. Quand il devint vieux, il quitta la ville.

Il se retira à Kôs, patrie de Dzeus, et fut inscrit comme citoyen des Méropes. Peut-être fut-ce à la suite d'une maladie grave qu'il se décida à mettre sa vieillesse sous la protection d'Asklêpios, à qui l'île était consacrée. Dans ce lieu adorable, au bord de la mer Céramique, en vue de Cnide et d'Halicarnasse, il vit le soir tomber peu à peu sur sa vie. C'est là qu'il apprit un jour la mort d'Héliodora ; je le sais, car son épitaphe est en langue dorienne. Il lui dit adieu de très loin, comme au dernier souvenir de sa jeunesse orientale. Autour de lui, les abeilles bruissaient dans les vignes ; sur les prairies scintillait le cri des cigales, et des femmes passaient sur la route enveloppées de lumière rose par ces légères étoffes de soie transparente que l'on tissait à Kôs même, et qui laissaient aux formes leur beauté. Au-dessus de la ville, entre le ciel et la mer profondément bleus, rayonnait la blancheur de l'Asklêpliéon ; Méléagre y montait souvent, car l'enceinte sacrée renfermait le marbre incomparable de Praxitèle : « Aphrodite vêtue », qu'il avait sculpté, disaient les prêtres, dans l'inspiration d'Apollon.

C'est là qu'ayant fait pour lui-même cette couronne fleurie des Muses qu'on appelle l'Anthologie, entouré des vers qu'il aimait, il s'endormit dans la paix des dieux, vers le temps où naquit Jésus.

26 février 1893.

MARCEL SCHWOB
(1867-1905)

« Nous commençons aujourd'hui la série : Vie de certains poètes, dieux, assassins et pirates ainsi que de plusieurs princesses et dames galantes mises en lumière et disposées selon un ordre plaisant et nouveau par Marcel Schwob[1] *». Ainsi commence en 1894, dans* Le Journal, *le cycle de récits qui seront recueillis deux ans plus tard dans* Vies imaginaires, *accompagnés d'une préface inédite*[2]. *Version moderne et miniature des cycles hagiographiques de Vincent de Beauvais et Jacques de Voragine,* Vies imaginaires *propose un aperçu de l'histoire du monde en vingt-deux tableaux, de la haute Antiquité (« Empédocle, dieu supposé ») au premier tiers du* XIXe *siècle (« MM. Burke et Hare, assassins »). Produisant ce que l'auteur nomme une « synthèse énumérative », Marcel Schwob constitue une sorte d'encyclopédie décadente et portative de « la vie humaine semblable*

1. Cité dans Marcel Schwob, *Œuvres*, Paris, Les Belles Lettres, 2002, p. 367.
2. Une version remaniée en est publiée la même année, sous le titre « L'Art de la biographie », au sein du recueil *Spicilège* (Paris, Société du Mercure de France, 1896, p. 251-273).

dans les époques passées, futures[1] ». *Il veut y résumer, si l'on suit le projet qu'il prête au poète Lucrèce,* « *tous les hommes, avec leurs couleurs, avec leurs passions, avec leurs instruments, et l'histoire de ces choses diverses, et leur naissance, et leurs maladies, et leur mort*[2] », *dans un échantillonnage des vices et des vertus qui apparente l'écrivain à un dieu d'une nouvelle espèce. Il pervertit à cette fin la formule historiographique, courante depuis Plutarque, consistant à donner des* vies *parallèles et exemplaires, en adjoignant aux personnages illustres (Lucrèce, Pétrone, ou encore Uccello) de parfaits inconnus, compagnons infâmes de l'histoire du monde (« Nicolas Loyseleur, juge* », *qui envoya Jeanne au bûcher), voire simples anonymes (« Katherine la Dentellière, fille amoureuse* »*) rencontrés au fil des registres et des archives. À la littérature revient l'histoire secrète des hommes :* « *il ne faudrait sans doute point décrire minutieusement le plus grand homme de son temps, ou noter la caractéristique des plus célèbres dans le passé, mais raconter avec le même souci les existences* uniques *des hommes, qu'ils aient été divins, médiocres, ou criminels*[3] », *justifie la préface.*

Dans ce florilège de cas « *inimitables* » *et de drames brefs, personnages positifs et négatifs, échecs et réussites, morts et résurrections se répondent et se neutralisent en des figures obscures dont le décryptage est laissé au lecteur.* « *Les vivants sont toujours, et de plus*

1. M. Schwob, « Esquisse de la littérature personnelle au XIXe siècle » [v. 1892], cité par Pierre Champion, *Marcel Schwob et son temps*, 10e éd., Paris, B. Grasset, 1927, p. 120.

2. *Id.*, *Vies imaginaires*, Paris, G. Charpentier et E. Fasquelle, 1896, p. 74.

3. *Ibid.*, p. 20-21.

en plus, gouvernés nécessairement par les morts », affirmait sans crainte Auguste Comte[1] *; nos vies sont mues par des fantômes et se déploient, opaques, malgré nous, leurs acteurs, suggère Schwob. Mêlées de la vie des autres et d'échos mystérieux d'un passé tyrannique, nos biographies sont autant de palingénésies qui ne nous appartiennent pas. Car seuls leurs chaos et leurs perversions nous sont propres et viennent faire retour pour nous définir : notre quête de gloire, notre désir d'ipséité se heurtent au bruit et à la fureur de forces mystérieuses et de logiques obscures. Telle est la leçon à tirer de la vie d'« Érostrate, incendiaire », de celle de « Paolo Uccello, peintre », et peut-être de tout récit biographique.*

Voir Marcel Schwob, *Œuvres*, textes réunis et présentés par Alexandre Gefen, préface de Pierre Jourde et Patrick McGuinness, chronologie d'Alexandre Gefen et Bernard Gauthier, Paris, Les Belles Lettres, 2002 ; Sylvain Goudemare, *Marcel Schwob ou Les Vies imaginaires*, Paris, Le Cherche-Midi, 2000 ; Christian Berg et Yves Vadé (dir.), *Marcel Schwob d'hier et d'aujourd'hui*, Seyssel, Champ Vallon, 2002 ; Agnès Lhermitte, *Palimpseste et merveilleux dans l'œuvre de Marcel Schwob*, Paris, Honoré Champion, 2002 ; Bernard De Meyer, *Marcel Schwob, conteur de l'imaginaire*, Berne, Peter Lang, 2004 ; Bruno Fabre, *L'Art de la biographie dans « Vies imaginaires » de Marcel Schwob*, Paris, Honoré Champion, 2010.

1. Auguste Comte, *Catéchisme positiviste, ou Sommaire Exposition de la religion universelle* [1852], Paris, Rio de Janeiro, Londres, Church of Humanity, 1891, p. 67.

Érostrate, incendiaire

(*Vies imaginaires*)

La ville d'Éphèse, où naquit Hérostratos[1], s'allongeait à l'embouchure du Caystre, avec ses deux ports fluviaux, jusqu'aux quais du Panorme, d'où on voyait sur la mer profondément teinte la ligne brumeuse de Samos. Elle regorgeait d'or et de tissus, de laines et de roses, depuis que les Magnésiens, leurs chiens de guerre et leurs esclaves qui lançaient des javelots, avaient été vaincus sur les bords du Méandre, depuis que la magnifique Milet avait été ruinée par les Persans. C'était une cité molle, où l'on fêtait les courtisanes dans le temple d'Aphrodite Hétaïre. Les Éphésiens portaient des tuniques amorgines, transparentes, des robes de lin filé au rouet couleur de violette, de pourpre et de crocos, des sarapides couleur de pomme jaune et blanches et roses, des étoffes d'Égypte couleur d'hyacinthe, avec les flamboiements du feu et les nuances mobiles de la mer, et des calasiris de Perse, à tissu serré, léger, toutes parsemées sur leur fond écarlate de grains d'or façonnés en coupelles.

Entre la montagne de Prion et une haute falaise escarpée, on apercevait, sur le bord du Caystre, le grand temple d'Artémis. Il avait fallu cent vingt ans pour le bâtir. Des peintures roides ornaient ses chambres intérieures, dont le plafond était d'ébène et de cyprès. Les lourdes colonnes, qui le soutenaient, avaient été barbouillées de minium. La salle de la déesse était petite et ovale. Au milieu, se dressait une pierre noire prodigieuse, conique et luisante, marquée de dorures lunaires, qui n'était autre qu'Artémis. L'autel triangulaire était aussi taillé dans une pierre noire. D'autres tables, faites de dalles noires, étaient percées de trous réguliers pour laisser couler le sang des victimes. Aux parois pendaient de larges lames d'acier, emmanchées d'or, qui servaient à ouvrir les gorges, et le parquet poli était jonché de bandelettes sanglantes. La grande pierre sombre avait deux mamelles dures et pointues. Telle était l'Artémis d'Éphèse. Sa divinité se perdait dans la nuit des tombes égyptiennes, et il fallait l'adorer selon les rites persans. Elle possédait un trésor enfermé dans une espèce de ruche peinte en vert, dont la porte pyramidale était hérissée de clous d'airain. Là, parmi les anneaux, les grandes monnaies et les rubis, gisait le manuscrit d'Héraclite, qui avait proclamé le règne du feu. Le philosophe l'y avait déposé lui-même à la base de la pyramide, tandis qu'on la construisait.

La mère d'Hérostratos était violente et orgueilleuse. On ne sut point quel était son père. Hérostratos déclara plus tard qu'il était fils du feu. Son corps était marqué, sous le sein gauche, d'un croissant, qui parut s'enflammer lorsqu'on le tortura. Celles qui assistèrent sa naissance prédirent qu'il était assujetti à Artémis. Il fut colère et demeura vierge. Son visage était corrodé par des lignes obscures et la teinte de sa peau était noirâtre. Dès son enfance, il aima se tenir sous la haute falaise, près de l'Artémision. Il regardait passer les processions d'offrandes. À cause de l'ignorance où on était de sa race, il ne put devenir prêtre de la déesse à laquelle il se croyait voué. Le collège sacerdotal dut lui interdire plusieurs fois l'entrée du naos, où il espérait écarter le tissu précieux et pesant qui voilait Artémis. Il en conçut de la haine et jura de violer le secret.

Le nom d'Hérostratos lui semblait à nul autre comparable ainsi que sa propre personne lui apparaissait supérieure à toute l'humanité. Il désirait la gloire. D'abord il s'attacha aux philosophes qui enseignaient la doctrine d'Héraclite : mais ils n'en connaissaient point la partie secrète, puisqu'elle était enclose dans la petite cellule pyramidale du trésor d'Artémis. Hérostratos conjectura seulement l'opinion du maître. Il s'endurcit au mépris des richesses qui l'entouraient. Son dégoût pour l'amour des courtisanes était extrême. On crut qu'il réservait sa virginité pour la déesse. Mais Artémis n'eut point pitié de lui. Il parut dangereux au collège de la Gerousia, qui surveillait le temple. Le satrape permit qu'on l'exilât dans les faubourgs. Il vécut au flanc du Koressos, dans un caveau creusé par les anciens. De là il guettait, la nuit, les lampes sacrées de l'Artémision. Quelques-uns supposent que des Persans initiés vinrent s'y entretenir avec lui. Mais il est plus probable que son destin lui fut révélé d'un coup.

En effet, il avoua dans la torture qu'il avait compris soudain le sens du mot d'Héraclite, *la route d'en haut*, et pourquoi le philosophe avait enseigné que l'âme la meilleure est la plus sèche et la plus enflammée. Il attesta que son âme, en ce sens, était la plus parfaite, et qu'il avait voulu le proclamer. Il ne donna point d'autre cause à son action que la passion de la gloire et la joie d'entendre proférer son nom. Il dit que seul son règne aurait été absolu, puisqu'on ne lui connaissait point de père et qu'Hérostratos aurait été couronné par Hérostratos, qu'il était fils de son œuvre, et que son œuvre était l'essence du monde : qu'ainsi il aurait été tout ensemble, roi, philosophe et dieu, unique entre les hommes.

L'an 356, dans la nuit du 21 juillet, la lune n'étant pas montée au ciel, et le désir d'Hérostratos ayant acquis une force inusitée, il résolut de violer la chambre secrète d'Artémis. Il se glissa donc par le lacet de la montagne jusqu'à la rive du Caystre et gravit les degrés du temple. Les gardes des prêtres dormaient auprès des lampes saintes. Hérostratos en saisit une et pénétra dans le naos.

Une forte odeur d'huile de nard s'y exhalait. Les arêtes noires du plafond d'ébène étaient éclatantes. L'ovale de la chambre était partagé au rideau, tissu de fil d'or et de pourpre qui cachait la déesse. Hérostratos, haletant de volupté, l'arracha. Sa lampe éclaira le cône terrible aux mamelles droites. Hérostratos les saisit des deux mains et embrassa avidement la pierre divine. Puis il en fit le tour, et aperçut la pyramide verte où était le trésor. Il saisit les clous d'airain de la petite porte, et la descella. Il plongea ses doigts parmi les joyaux vierges. Mais il n'y prit que le rouleau de papyrus où Héraclite avait inscrit ses vers. À la lueur de la lampe sacrée il les lut et connut tout.

Aussitôt il s'écria : « Le feu, le feu ! »

Il attira le rideau d'Artémis et approcha la mèche allumée du pan inférieur. L'étoffe brûla d'abord lentement ; puis, à cause des vapeurs d'huile parfumée dont elle était imprégnée, la flamme monta, bleuâtre, vers les lambris d'ébène. Le terrible cône refléta l'incendie.

Le feu s'enroula aux chapiteaux des colonnes, rampa le long des voûtes. Une à une, les plaques d'or vouées à la puissante Artémis tombèrent des suspensions sur les dalles avec un retentissement de métal. Puis la gerbe fulgurante éclata sur le toit et illumina la falaise. Les tuiles d'airain s'affaissèrent. Hérostratos se dressait dans la lueur, clamant son nom parmi la nuit.

Tout l'Artémision fut un monceau rouge au centre des ténèbres. Les gardes saisirent le criminel. On le bâillonna pour qu'il cessât de crier son propre nom. Il fut jeté dans les sous-sols, lié, durant l'incendie.

Artaxerxès, sur l'heure, envoya l'ordre de le torturer. Il ne voulut avouer que ce qui a été dit. Les douze cités d'Ionie défendirent, sous peine de mort, de livrer le nom d'Hérostratos aux âges futurs. Mais le murmure l'a fait venir jusqu'à nous. La nuit où Hérostratos embrasa le temple d'Éphèse, vint au monde Alexandre, roi de Macédoine.

Paolo Uccello, peintre

(*Vies imaginaires*)

Il se nommait vraiment Paolo di Dono ; mais les Florentins l'appelèrent Uccelli, ou Paul les Oiseaux, à cause du grand nombre d'oiseaux figurés et de bêtes peintes qui remplissaient sa maison : car il était trop pauvre pour nourrir des animaux ou pour se procurer ceux qu'il ne connaissait point. On dit même qu'à Padoue il exécuta une fresque des quatre éléments, et qu'il donna pour attribut à l'air l'image du caméléon. Mais il n'en avait jamais vu, de sorte qu'il représenta un chameau ventru qui a la gueule bée. (Or le caméléon, explique Vasari[1], est semblable à un petit lézard sec, au lieu que le chameau est une grande bête dégingandée.)

Car Uccello ne se souciait point de la réalité des choses, mais de leur multiplicité et de l'infini des lignes ; de sorte qu'il fit des champs bleus, et des cités rouges, et des cavaliers vêtus d'armures noires sur des chevaux d'ébène dont la bouche est enflammée, et des lances dirigées comme des rayons de lumière vers tous les points du ciel. Et il avait coutume de dessiner des *mazocchi*, qui sont des cercles de bois recouvert de drap que l'on place sur la tête, de façon que les plis de l'étoffe rejetée entourent tout le visage. Uccello en figura de pointus, d'autres carrés, d'autres à facettes, disposés en pyramides et en cônes, suivant toutes les apparences de la perspective, si bien qu'il trouvait un monde de combinaisons dans les replis du *mazocchio*. Et le sculpteur Donatello lui disait : « Ah ! Paolo, tu laisses la substance pour l'ombre ! »

Mais l'Oiseau continuait son œuvre patiente, et il assemblait les cercles, et il divisait les angles, et il examinait toutes les créatures sous tous leurs aspects, et il allait demander l'interprétation des problèmes d'Euclide à son ami le mathématicien Giovanni Manetti ; puis il s'enfermait et couvrait ses parchemins et ses bois de points et de courbes. Il s'employa perpétuellement à l'étude de l'architecture, en quoi il se fit aider par Filippo Brunelleschi ; mais ce n'était point dans l'intention de construire. Il se bornait à remarquer les directions des lignes, depuis les fondations jusqu'aux corniches, et la convergence des droites à leurs intersections, et la manière dont les voûtes tournaient à leurs clefs, et le raccourci en éventail des poutres de plafond qui semblaient s'unir à l'extrémité des longues salles. Il représentait aussi toutes les bêtes et leurs mouvements, et les gestes des hommes afin de les réduire en lignes simples.

Ensuite, semblable à l'alchimiste qui se penchait sur les mélanges de métaux et d'organes et qui épiait leur fusion à son fourneau pour trouver l'or, Uccello versait toutes les formes dans le creuset des formes. Il les réunissait, et les combinait, et les fondait, afin d'obtenir leur transmutation dans la forme simple, d'où dépendent toutes les autres. Voilà pourquoi Paolo Uccello vécut comme un alchimiste au fond de sa petite maison. Il crut qu'il pourrait muer toutes les lignes en un seul aspect idéal. Il voulut concevoir l'univers créé ainsi qu'il se reflétait dans l'œil de Dieu, qui voit jaillir toutes les figures hors d'un centre complexe. Autour de lui vivaient Ghiberti, della Robbia, Brunelleschi, Donatello, chacun orgueilleux et maître de son art, raillant le pauvre Uccello, et sa folie de la perspective, plaignant sa maison pleine d'araignées, vide de provisions ; mais Uccello était plus orgueilleux encore. À chaque nouvelle combinaison de lignes, il espérait avoir découvert le mode de créer. Ce n'était pas l'imitation où il mettait son but, mais la puissance de développer souverainement toutes choses et l'étrange série de chaperons à plis lui semblait plus révélatrice que les magnifiques figures de marbre du grand Donatello.

Ainsi vivait l'Oiseau, et sa tête pensive était enveloppée dans sa cape ; et il ne s'apercevait ni de ce qu'il mangeait ni de ce qu'il buvait, mais il était entièrement pareil à un ermite. En sorte que dans une prairie, près d'un cercle de vieilles pierres enfoncées parmi l'herbe, il aperçut un jour une jeune fille qui riait, la tête ceinte d'une guirlande. Elle portait une longue robe délicate soutenue aux reins par un ruban pâle, et ses mouvements étaient souples comme les tiges qu'elle courbait. Son nom était Selvaggia[1], et elle sourit à Uccello. Il nota la flexion de son sourire. Et quand elle le regarda, il vit toutes les petites lignes de ses cils, et les cercles de ses prunelles, et la courbe de ses paupières, et les enlacements subtils de ses cheveux, et il fit décrire dans sa pensée à la guirlande qui ceignait son front une multitude de positions. Mais Selvaggia ne sut rien de cela, parce qu'elle avait seulement treize ans. Elle prit Uccello par la main et elle l'aima. C'était la fille d'un teinturier de Florence, et sa mère était morte.

Une autre femme était venue dans la maison, et elle avait battu Selvaggia. Uccello la ramena chez lui.

Selvaggia demeurait accroupie tout le jour devant la muraille sur laquelle Uccello traçait les formes universelles. Jamais elle ne comprit pourquoi il préférait considérer des lignes droites et des lignes arquées à regarder la tendre figure qui se levait vers lui. Le soir, quand Brunelleschi ou Manetti venaient étudier avec Uccello, elle s'endormait, après minuit, au pied des droites entrecroisées, dans le cercle d'ombre qui s'étendait sous la lampe. Le matin, elle s'éveillait, avant Uccello, et se réjouissait parce qu'elle était entourée d'oiseaux peints et de bêtes de couleur. Uccello dessina ses lèvres, et ses yeux, et ses cheveux, et ses mains, et fixa toutes les attitudes de son corps ; mais il ne fit point son portrait, ainsi que faisaient les autres peintres qui aimaient une femme. Car l'Oiseau ne connaissait pas la joie de se limiter à l'individu ; il ne demeurait point en un seul endroit : il voulait planer, dans son vol, au-dessus de tous les endroits. Et les formes des attitudes de Selvaggia furent jetées au creuset des formes, avec tous les mouvements des bêtes, et les lignes des plantes et des pierres, et les rais de la lumière, et les ondulations des vapeurs terrestres et des vagues de la mer. Et sans se souvenir de Selvaggia, Uccello paraissait demeurer éternellement penché sur le creuset des formes.

Cependant il n'y avait point à manger dans la maison d'Uccello. Selvaggia n'osait le dire à Donatello ni aux autres. Elle se tut et mourut. Uccello représenta le roidissement de son corps, et l'union de ses petites mains maigres, et la ligne de ses pauvres yeux fermés. Il ne sut pas qu'elle était morte, de même qu'il n'avait pas su si elle était vivante. Mais il jeta ces nouvelles formes parmi toutes celles qu'il avait rassemblées.

L'Oiseau devint vieux, et personne ne comprenait plus ses tableaux. On n'y voyait qu'une confusion de courbes. On ne reconnaissait plus ni la terre, ni les plantes, ni les animaux, ni les hommes. Depuis de longues années, il travaillait à son œuvre suprême, qu'il cachait à tous les yeux. Elle devait embrasser toutes ses recherches, et elle en était l'image dans sa conception. C'était saint Thomas incrédule, tentant la plaie du Christ. Uccello termina son tableau à quatre-vingts ans. Il fit venir Donatello, et le découvrit pieusement devant lui. Et Donatello s'écria : « Ô Paolo, recouvre ton tableau ! » L'Oiseau interrogea le grand sculpteur : mais il ne voulut dire autre chose. De sorte qu'Uccello connut qu'il avait accompli le miracle. Mais Donatello n'avait vu qu'un fouillis de lignes.

Et quelques années plus tard, on trouva Paolo Uccello mort d'épuisement sur son grabat. Son visage était rayonnant de rides. Ses yeux étaient fixés sur le mystère révélé. Il tenait dans sa main strictement refermée un petit rond de parchemin couvert d'entrelacements qui allaient du centre à la circonférence et qui retournaient de la circonférence au centre.

VALERY LARBAUD

(1881-1957)

Archibaldo Olsson Barnabooth, auteur dilettante, est une pure invention de Valery Larbaud, à la manière de Sainte-Beuve pour Joseph Delorme (voir p. 322 sq.*). Sa vie imaginaire, signée du très improbable Xavier Maurice Tournier de Zamble — « fils de négociants et habitant la province, je ne me suis jamais occupé de littérature » —, figure en tête de* Poèmes par un riche amateur ou Œuvres françaises de M. Barnabooth, *publiés une première fois en 1908 ; elle en sera écartée en 1913, lors de la seconde édition, au profit d'un journal intime censé humaniser la figure du « riche amateur ». L'entreprise de Larbaud s'inscrit dans un contexte où les subversions décadentes ou fantaisistes de la biographie sont devenues légion, de la* Vie de Bilitis *de Pierre Louÿs (1895) au* Poète assassiné *d'Apollinaire (1916), en passant par* Monsieur du Paur, homme public *de Paul-Jean Toulet (1898) ou* Saint Matorel *de Max Jacob (1911). Brillante facétie, le récit se veut la « courte biographie d'un jeune poète milliardaire », comparée aux vies des empereurs romains de la décadence, « histoire de ces jeunes gens auxquels un pouvoir si grand était donné sur le monde, à un âge où l'on n'a pas encore de pouvoir* *sur soi-même ». C'est le roman de formation d'un jeune esthète, de sleepings en paquebots, complété par quelques aperçus de ses « idées sur l'art », des extraits de ses « propos de table » et diverses « anecdotes » témoignant de son caractère. « Encore enfant » mais suffisamment sage pour renoncer aux biens de ce monde au nom de la poésie, Barnabooth, qui pratique la littérature comme une forme de distraction, est diamétralement à l'opposé des génies provinciaux et mal dégrossis de ses prédécesseurs romantiques : « que de contradictions dans la psychologie d'un individu », note le narrateur, qui oppose sans cesse le détachement parfois cynique et le sentimentalisme imprévisible du personnage. Rédigée moyennant rémunération — « d'avantageuses conditions », selon les propres termes du préfacier, qui reçoit pour finir l'*imprimatur *d'A. O. Barnabooth* himself, *patron à la fois perspicace et débonnaire, admiratif et paternaliste —, l'« étude » de Larbaud est un étrange objet, mélange de critique sociale et d'exaltation égotiste. Comme si, en écho à la paradoxale émancipation de son héros, contraint d'oublier sa richesse pour conquérir une identité parmi les « inutiles fils à papa », la fiction biographique cherchait à concilier désinvolture décadente et cosmopolitisme moderniste, renouvelant par la fantaisie les lieux communs de la vie de poète et les poncifs de sa mise en scène.*

Voir J. K. SIMON, « Barnabooth et le journal intime », *Cahiers de l'Association internationale des études françaises*, vol. 17, n° 17, 1965, p. 151-168 ; Jean BESSIÈRE (dir.), *Valery Larbaud, la prose du monde*, Paris, PUF, 1981 ; Béatrice MOUSLI, *Valery Larbaud*, Paris, Flammarion, 1998 ; J.-F. JEANDILLOU, « Archibaldo Olsson BARNABOOTH », dans *Supercheries lit-*

téraires, éd. 2001, *op. cit.*, p. 262-278 ; Norbert DODILLE, « Larbaud et Barnabooth, Barnabooth et Larbaud », dans Olivier HAMBURSIN (éd.), *Récits du dernier siècle des voyages : de Victor Segalen à Nicolas Bouvier*, Paris, Presses de l'Université Paris-Sorbonne, 2005, p. 45-61.

Biographie de M. Barnabooth par X. M. Tournier de Zamble

(*Poèmes par un riche amateur*)

[...]

I

Biographie de M. Barnabooth

L'auteur de ces poèmes (et du conte qui les précède) est un charmant jeune homme de vingt-quatre ans à peine, de petite taille, toujours vêtu simplement, assez mince, aux cheveux tirant sur le roux, aux yeux bleus, au teint fort blanc, et qui ne porte ni barbe ni moustache. Son apparence est, à première vue, peu remarquable ; les gens du peuple, les domestiques, ont même une tendance à le regarder comme une personne de peu de conséquence ; joignez à cela une grande timidité, une tenue un peu négligée, et vous ne serez pas surpris quand je vous dirai que des marchands ont quelquefois commis l'extrême maladresse de lui demander un peu familièrement ce qu'il désirait ? Et même, une fois ou deux, de l'éconduire. M. Barnabooth s'amusa longtemps de sa mésaventure, et la raconte encore souvent. On parle aussi du directeur d'un des plus fameux hôtels d'Europe, auquel il avait commandé, par câblogramme, une suite d'appartements, et qui, à l'arrivée soudaine de M. Barnabooth, seul et valise en main, fit la plus grande sottise de sa vie en l'envoyant chercher une chambre ailleurs. Malgré ces incidents fâcheux, M. Barnabooth n'a pas fait d'efforts sérieux pour, d'une manière générale, paraître ce qu'il est : un homme bien élevé, raffiné, et, surtout, colossalement riche. Il semble prendre plaisir à ces méprises qui lui font sentir, à ce qu'il dit, la bassesse humaine, et qui lui donnent le plaisir d'étonner les gens quand il révèle brusquement sa puissance, comme (c'est toujours lui qui parle) la Fée vieille et laide qui tout à coup se change en une belle jeune fille, ou comme le berger qui devient la déesse Minerve au regard d'Ulysse ébloui. « Il faut bien mettre un peu de féerie dans la vie du pauvre monde », dit-il un jour à ce propos, « ce temps est si peu fertile en miracles ! » Mais mon oncle attribue cette négligence de M. Barnabooth à ce fait que M. Barnabooth voyage sans cesse et, incapable de rester dans une ville le temps nécessaire pour essayer plusieurs fois chaque vêtement, chaque paire de chaussures, etc… porte des habits, à vrai dire signés des meilleurs faiseurs, mais qui, n'ayant pas été ajustés, lui vont fort mal. D'autre part, M. Barnabooth lui-même m'a dit : « Je ne suis pas plus né pour l'élégance que la plupart des hommes ne sont nés pour entendre la poésie. »

J'ai insisté sur ce point, car j'ai été vraiment surpris de voir un homme pourvu d'une fortune qui lui permettrait de prendre un bon rang parmi les princes des élégances, s'habiller comme le premier monsieur venu.

II

Lieu de sa naissance — Sa nationalité

M. Barnabooth est né en 1883, à Campamento, province d'Arequipa, aujourd'hui au Chili. Mais, en l'an 1883, les armées de trois républiques : le Pérou, le Chili et la Bolivie, guerroyaient dans cette province et prétendaient la posséder, en sorte que M. Barnabooth, quand on l'interroge, peut répondre avec quelque raison qu'il est « un sans-patrie ». Cependant, à sa majorité légale, il s'est fait naturaliser citoyen de l'État de New York, pays d'origine de sa famille. Et d'ailleurs, il n'a encore jamais manqué de célébrer, le 4 et le 28 juillet, les fêtes nationales des États-Unis et de la République du Pérou. Bolivar est, après Frédéric II de Prusse, le héros dont il vénère le plus la mémoire ; il considère même Bolivar comme un homme de guerre bien supérieur à Napoléon, « de tous les pieds que les Andes ont de plus que les Alpes », dit-il.

III

Ses origines — Sa famille

Il importe de dire quelques mots de la famille, si intéressante, de M. Barnabooth, et ensuite, et surtout, de son père.

Barnabooth est un surnom qui ne date pas de plus d'un siècle. L'ancêtre, le premier aïeul connu, s'appelait Olsson, était finlandais, passa en Suède, et, dès les premières années du XVIIe siècle, vint s'installer en Amérique avec d'autres colons suédois qui fondèrent quelques établissements très prospères le long de l'Hudson. Une aïeule de M. Barnabooth fut citée, dans les mémoires des contemporains, pour son courage à ébouillanter les Hollandais à la prise de la Nouvelle-Stockholm.

Dans la suite, les Olsson, devenus les loyaux sujets de la Couronne britannique, furent comptés au nombre des bonnes et anciennes familles paysannes de la Colonie, mais, même pendant la guerre d'Indépendance, ne produisirent aucun homme remarquable.

Ils s'appelaient déjà Barnabooth*, l'étymologie de ce surnom (*barn* : grange, *booth* : baraque) avec cet *a* intercalé dont la présence ne s'explique pas, est condamnée à demeurer obscure.

Il faut arriver au milieu du XIXe siècle pour trouver enfin un homme de génie de cette race et de ce nom. Nous n'hésitons pas à qualifier d'*homme de génie* ce personnage qui, parti de rien, accumula, en un demi-siècle de labeur gigantesque, une fortune immense, et mourut en laissant à son unique héritier, son fils, notre poète, une richesse qui ne peut se comparer qu'avec la richesse des plus grandes nations, et deux ou trois fortunes privées, telles que celles, si souvent citées, de MM. Rockefeller, Carnegie, Vanderbilt. Le nom de Barnabooth a été oublié de notre génération, pour cette raison que M. Barnabooth père cessa, vers 1870, ses grandes spéculations, et que son fils a tenu à n'être pas en nom dans les vastes entreprises commerciales et financières dont est chargé un peuple de fermiers

* Prononcer : Barnabooth, le *th* anglais, dans ce cas, se prononce avec le son d'*s* zézayée. *[Note de l'auteur.]*

et d'administrateurs généraux, qui continuent à exploiter (en leur donnant plus d'extension chaque année) toutes les affaires si diverses que créa et fit prospérer M. Barnabooth père.

IV

Le père du poète

Passons en revue aussi brièvement que possible la carrière de cet homme étonnant.

Il naquit dans le « homestead » ancestral, près d'Oswego, en 1829, le plus jeune de sept garçons, et, après une enfance presque sans maladies, vers sa dix-septième année, sans laisser un seul mot à sa famille, partit en emportant le revolver de son père, et une petite somme d'argent, les économies de sa mère.

Après avoir exercé bien des métiers, dans la vallée du Mississipi, il obéit à l'appel du Far-West, et vint, vers 1853, s'installer dans le Wyoming, qui était alors encore la grande prairie vierge, le pays de l'élevage par excellence. Habile « cowpuncher », il devint rapidement « foreman » d'un grand troupeau. Il avait déjà mis de côté une fortune rondelette, lorsque la malignité de quelques éleveurs jaloux de sa prospérité parvint à le compromettre dans des poursuites légales contre une bande de « rustlers ». On appelait ainsi des éleveurs-fermiers qui, créant une marque fictive qu'ils faisaient enregistrer par ruse, arrivaient à vendre, jusque dans Chicago, du bétail détourné des divers troupeaux d'un ranch entier. Les soldats chargés d'arrêter M. Barnabooth étaient vêtus (et se conduisaient) comme des brigands ; M. Barnabooth, les prenant pour tels, en blessa un mortellement ; il réussit à leur échapper ; mais, le pays n'étant désormais plus sûr pour lui, il partit, ruiné.

Nous le retrouvons, vers 1858, âgé de près de trente ans, travaillant le pic en main, dans les mines de la Sonora, au Mexique. En quelques années il avait gagné assez de piastres pour établir une sorte de « saloon » ou café-restaurant à l'usage des mineurs. Encore une fois, la fatalité ruina ses espérances : un soir, une discussion violente s'éleva entre deux joueurs dans la salle commune de l'établissement ; les habitués se divisèrent en deux camps, des coups de couteau et de revolver furent échangés, et l'autorité policière ferma le Saloon de M. Barnabooth.

L'année suivante il visite l'Amérique Centrale, encore toute fumante des coups d'État et des surprises de Walker le Pirate.

En 1861, il est préposé à la garde des bagages dans le « van-car » qui fait le service entre Bâton-Rouge et La Nouvelle-Orléans. Mais, accusé à tort de détournements par un administrateur qui voulait donner à une de ses créatures ce même poste, M. Barnabooth, dégoûté de l'injustice des hommes, et dédaignant même de se justifier, s'expatria avant que la police eût eu le temps de l'en empêcher.

Après avoir, pour vivre, et au jour le jour, exercé quelque obscur métier à La Havane, de nouveau M. Barnabooth émerge à la lumière de la fortune au début de l'année 1863. Il avait alors trente-quatre ans. Il spécule sur les terrains ; il est à la tête d'une grande compagnie de transports pour l'intérieur de l'Île espagnole et se fait bâtir une magnifique résidence particulière. Malheureusement, un soulèvement des patriotes cubains contre les troupes de la métropole vint plonger les affaires dans le marasme, et M. Barnabooth, menacé, dit-on, par les rebelles, quitte La Havane sans faire connaître, par prudence, le lieu exact où il compte se réfugier. Mais cette fois, M. Barnabooth ne laissait pas ses économies derrière lui.

C'est donc avec un joli bas de laine qu'il venait fonder, en juin 1865, à Lima, une entreprise de voies ferrées. Du reste, le gouvernement péruvien protégea ses débuts, et lui vint en aide dans plusieurs circonstances critiques. Dans les cinq années qui suivirent, cette fortune gigantesque — la plus importante peut-être, et certainement la plus solidement assise, du monde moderne — fut édifiée. En ces cinq années, l'activité, le génie de M. Barnabooth portèrent ses conquêtes financières et industrielles au delà des frontières du Pérou, au delà du Continent Hispano-Américain, jusqu'en Europe, jusqu'aux puits de pétrole du Caucase, jusqu'aux mines de platine de l'Australie méridionale.

Le Pérou traversait alors une période de prospérité extraordinaire ; les mines d'or, qu'on avait cru épuisées, se rouvraient et répandaient sur le pays de chauds rayons ! En un an l'étendue et le tonnage des réseaux de chemins de fer doublèrent. M. Barnabooth avait un intérêt dans toutes les affaires ; il obtint bientôt la ferme générale des dépôts de guano, et dès lors, il fut maître du continent. Ses créatures parvinrent aux plus hautes fonctions de l'État ; il rêva de dessécher à ses frais le lac de Titicaca, d'irriguer le désert d'Arequipa, d'envoyer des expéditions militaires coloniser, au nom du gouvernement péruvien, les îles du Pacifique. À la Bourse de New York, on l'appelait l'« Inca ». Mais la calomnie et l'envie ne s'attaquèrent à lui que de plus belle ; ses ennemis l'accusèrent de détourner la plus grosse part des profits de la ferme des guanos, au préjudice de l'État. Un mandat d'arrêt fut même lancé contre lui. Mais sa vertu triompha de toutes ces basses intrigues : le lendemain de son arrestation, le gouvernement qui lui était hostile fut mis en minorité, et le parti des honnêtes gens, en l'invitant à prendre, dans le nouveau ministère, le portefeuille de la Justice, rendit publiquement hommage à sa droiture. N'ayant pas de vocation pour ce genre d'affaires, M. Barnabooth refusa.

À partir de 1870, il cesse ses spéculations, et laisse ses revenus s'accumuler dans ses banques. Mais l'argent attire l'argent ; quelques coups de bourse, çà et là, doublèrent et triplèrent ce capital déjà énorme. M. Barnabooth prêtait aux grandes compagnies, aux Nations. Pendant la guerre dite « du Pacifique » (entre le Chili, d'une part, et le Pérou et la Bolivie, d'autre part), M. Barnabooth réalisa encore de beaux bénéfices en fournissant d'armes et de vivres les belligérants des trois pays, et, ses terres ayant été ravagées et une de ses mines inondée, il demanda au gouvernement péruvien une forte indemnité, qui lui fut payée aussitôt, même avant l'indemnité de guerre que ce malheureux pays, vaincu, dut verser au gouvernement chilien.

Mais déjà, en 1881, âgé de cinquante-deux ans, il s'était marié. Durant un séjour qu'il fit, à Valparaiso, il rencontra, dans un théâtre assez modeste de cette ville, une jeune danseuse, Miss Nora May Weller, de son nom d'artiste Lenore de Vere, née en 1865 à Adélaïde, en Australie. Elle n'avait donc que seize ans. Elle plut dès l'abord à M. Barnabooth, qui, devenu d'humeur assez chagrine, et peu habitué à être contrarié dans ses désirs, l'épousa trois semaines après l'avoir vue pour la première fois. Cette union entre deux personnes si différentes d'âge et de profession ne fut pas très heureuse. J'ai déjà dit que M. Barnabooth était devenu quelque peu misanthrope. Cette fâcheuse disposition à la mélancolie ne fit qu'augmenter avec les années. Et d'abord la jeune épouse de l'homme le plus riche du monde fut contrainte d'habiter avec lui une misérable « estancia », loin de toute communication avec le monde civilisé, à Campamento, dans la province d'Arequipa. C'est là qu'elle donna le jour, le 28 août 1883, à son fils, M. Barnabooth Junior, notre poète, qui fut le seul fruit de cette union.

Bientôt après cette naissance, un éloignement marqué se fit sentir entre les époux, et l'enfant, confié à des subalternes, grandit sans connaître les doux charmes de l'amour maternel.

En 1892, comme M. Barnabooth père, un matin, dans son « office », examinait un revolver de la marque du « Poulain » qu'il venait de recevoir des États-Unis, une balle oubliée partit, et le milliardaire fut trouvé, quand on accourut, gisant dans une mare de sang, le front troué, mort sur le coup. Il avait soixante-deux ans. Quelques malveillants ont prétendu qu'il s'était suicidé, mais les rapports des médecins concluent formellement à un accident, et d'ailleurs, depuis huit jours, le défunt était très gai.

Son fils était âgé de neuf ans.

La jeune Mme Vve Barnabooth mourut l'année suivante, dans des circonstances à la fois banales et tragiques. Elle avait résolu d'aller habiter l'Europe, déjà un palais avait été acheté, à Florence, et aménagé par son ordre, pour la recevoir, elle et sa suite. La veille du jour où elle devait quitter Campamento, en fouillant dans un tiroir plein de vieilles lettres, elle se piqua profondément à la pointe d'une bowie-knife qui se trouvait au fond du tiroir, tout ouvert.

Le lendemain elle mourait, dans d'atroces souffrances : par un hasard vraiment inattendu, le poignard était empoisonné !

V

Enfance de M. Barnabooth — Son éducation

Voici donc M. Barnabooth, fils et successeur de son père, abandonné à lui-même, et orphelin à l'âge de dix ans.

Trois années auparavant on l'avait envoyé faire un tour de quelques mois en Europe, avec le secrétaire particulier de M. Barnabooth père, don Jean Martin. Il avait visité le Caucase et la Russie méridionale où M. Barnabooth père avait de grandes propriétés et de grands intérêts. Le Grand-Duc de..., l'ami et l'obligé de M. Barnabooth, reçut l'enfant dans un de ses châteaux. Le fils du Grand-Duc, nommé Stéphane, un bambin de sept ans, s'y trouvait. C'est là que commença, entre les deux enfants, une vive amitié qui dure encore.

Revenu en Amérique, le jeune M. Barnabooth rentra sous la surveillance et dans la société constante des servantes péruviennes de l'estancia. Il était rêveur, taciturne, indolent. On eut quelque peine à lui apprendre à lire et à écrire l'anglais ; il s'exprimait presque toujours en espagnol, souvent en mauvais espagnol. Sa santé était assez peu solide.

Après la mort de M. et de Mme Barnabooth, don Jean Martin, nommé tuteur (l'honnête homme après avoir géré avec la plus grande habileté l'immense fortune de son pupille, mourut à la peine, et mourut pauvre), don Jean Martin, disons-nous, comprit que l'éducation de M. Barnabooth ne pourrait bien se faire que dans une bonne pension, en Angleterre ou aux États-Unis. New York fut choisie. L'enfant s'arracha avec un vrai désespoir à ses occupations habituelles, et surtout à l'affection d'une vieille servante chilienne, connue sous le nom familier de Lola.

Placé dans une des plus luxueuses institutions des États-Unis, M. Barnabooth, qui, jusque-là, avait semblé un peu arriéré pour son âge, fit bientôt des progrès étonnants dans les lettres et dans les sciences. Au bout de deux ans, il obtenait déjà un prix de vers latins, et pouvait écrire assez correctement le français.

Mais, vers sept ans, l'humeur aventureuse qui devait le mener autour du monde se fit jour en lui.

En janvier 1897, étant dans ses quatorze ans, il s'échappa de l'institution, et, vendant assez habilement les quelques bijoux qu'on avait eu l'imprudence de laisser en sa possession, il partit pour l'Europe, débarqua à Hambourg, d'où il adressa à son tuteur une lettre qu'il a appelée depuis sa « Déclaration d'Indépendance ».

Don Jean Martin, affolé, accourut. Il obtint de son pupille la promesse de rester, jusqu'à l'âge de seize ans révolus, auprès du Grand-Duc de..., qui consentit à l'accueillir dans son château du sud de la Russie, à la condition que M. Barnabooth recevrait cent mille dollars par an pour son entretien jusqu'à sa majorité. Un vrai triomphe ! Quelques fugues à Constantinople, à Vienne, à Paris et à Londres furent tolérées, un vieux serviteur (mort depuis) accompagnant toujours le jeune homme.

Durant tout ce temps, M. Barnabooth se perfectionna dans la langue française, lut avec délices nos meilleurs auteurs, apprit l'allemand, l'italien et le grec moderne.

Durant un de ses séjours à Constantinople, il rencontra la famille Retzuch, dont la fille unique, Anastasia, devint son premier amour. Il l'aima comme on n'aime qu'à quinze ans ! « Elle devint pour moi la Femme », dit-il un jour à mon oncle, M. Cartuyvels.

C'est à cause d'elle, c'est pour pouvoir lui parler et lui écrire dans sa langue natale qu'il apprit le grec, passant des nuits sur ses livres, avec un nommé Liddell, et un certain Scott. Anastasia était une de ces Grecques de l'Archipel dont la beauté est si vantée par les voyageurs. Elle avait vingt ans ; amusée d'abord par cet amoureux de quinze ans, elle se mit, par jeu, à l'encourager et bientôt une correspondance secrète s'établit entre le jeune hôte du château de..., et la belle phanariote. Déclaration d'amitié, puis d'amour, serments pour la vie, promesse qu'on attendrait fidèlement que vînt l'âge des fiançailles, rien n'y manqua...

M. Barnabooth entrait dans sa dix-septième année, et son tuteur, don Jean Martin, était mourant. Le jeune homme, auquel il fallut rendre des comptes, entra en possession de la fortune plus que royale de son père, et se trouva libre.

VI

M. Barnabooth, de dix-sept à vingt ans

C'est ici, lecteur, que je me permettrai de faire quelques observations personnelles. Lorsque j'étais en classe, rien ne m'intéressait plus que l'histoire des empereurs romains de la décadence, surtout l'histoire de ces jeunes gens auxquels un pouvoir si grand était donné sur le monde, à un âge où l'on n'a pas encore de pouvoir sur soi-même. Je me mettais à leur place, en imagination ; je leur prodiguais mes conseils, bien vains, hélas ! Après des orgies, après des courses sur des chars traînés par des autruches, après des repas où l'on mangeait de l'hippopotame bouilli, après des incendies de villes qu'on regardait à travers des monocles d'émeraude, venait la fin tragique, l'assassinat dans les latrines d'un camp de prétoriens... Mais je m'égare hors de mon sujet. Dieu merci ! M. Barnabooth n'a pas de prétorien à redouter. Seulement, le pouvoir que lui donnait, à dix-sept ans, sa fortune, peut se comparer au pouvoir qu'avaient les jeunes empereurs de Rome, de lâcher la bride à leurs fantaisies les plus folles, et à leurs passions les plus violentes. C'est cette puissance formidable alliée à cette grande jeunesse, qui, aujourd'hui encore, m'intéresse surtout. Mon oncle, M. Cartuyvels, en disant un jour à M. Barnabooth : « Vous êtes un monstre de bonheur » a bien exprimé la chose...

M. Barnabooth était amoureux. Il courut se mettre aux pieds de sa dame, et la demanda en mariage. Don Jean Martin, près de mourir, trouva la force et le temps de convoquer le conseil de famille, et d'opposer le veto de la loi à ce projet imprudent. Il y eut quelques semaines d'hésitation douloureuse. Mais enfin, il faut lâcher le mot, Anastasia Retzuch devint la maîtresse du jeune milliardaire et partit avec lui faire le tour du monde. Je ne veux pas entrer dans le détail de l'histoire de cette liaison malheureuse. M. Barnabooth était trop jeune, trop ardent, trop volontaire. Anastasia Retzuch était, au contraire, très ambitieuse, très habile et très froide. Elle fit bientôt de M. Barnabooth ce qu'elle voulut.

M. Barnabooth, de son côté, ne tarda pas à se sentir plus que jamais en tutelle. Il y eut des scènes ; on brûla les dernières étapes du tour du monde. Et, à peine furent-ils installés à Paris qu'ils rompirent. Anastasia n'ayant pas de fortune personnelle, M. Barnabooth ne la quitta pas sans lui abandonner une vraie fortune.

Quelques mois après, il apprenait qu'elle se mariait avec un ancien diplomate ruiné et taré, le duc de Waydberg. Le malin dieu d'Amour se remit à la partie. Huit jours plus tard, M. Barnabooth était du voyage de noces.

Ce fut une existence de vice et de folie ! Le duc fit payer cher ce qui lui restait d'honneur ; on s'arrangea à l'amiable. M. Barnabooth voulait connaître la vie : il la connut. « Je me dessale », disait-il, avec son ironie coutumière, à ses intimes.

La belle duchesse de Waydberg, cessant de jouer les amoureuses, devint le mauvais génie qui poussa le jeune homme à toutes les expériences les plus coûteuses et les plus hardies qu'on puisse faire dans la vie. Elle se fit le compagnon (déguisée en homme) de ses parties de plaisir, alla jusqu'à fouiller les bas-fonds des capitales pour lui mettre entre les bras des « primeurs rares ». Plus de jalousie, plus de scènes ; une grande dureté de cœur et deux viveurs (car M. Barnabooth et le duc de Waydberg se lièrent d'une certaine sympathie) et une viveuse, si j'ose dire, occupés seulement de satisfaire leurs appétits sans frein.

M. Barnabooth, qui jusqu'alors, avait conservé les manières d'un homme élevé pour ainsi dire à l'ombre d'un trône, et qui avait affecté, aussi, une sorte de raideur britannique ; qui avait même dit un jour à un des sculpteurs les plus fameux de notre temps : « Vous savez, moi, je n'aime pas le genre artiste », se mit à prendre des allures sans façon et à parler l'argot de Paris, comme les personnages de Gyp, dont il lisait les ouvrages avec avidité. Il avait pour cet auteur, ainsi que pour Georges Ohnet et Jean Rameau, une admiration fervente. Dans la suite il les abandonna, et eut pour livre de chevet *Alice au Pays des Merveilles* de Lewis Carroll. Actuellement il se dit le disciple de Rodolphe Töpfer, l'auteur de Gertrude et Rosa, et il le décore du nom de *Peintre de Sa Majesté infernale.*

À la fin de l'année 1902, à Naples, la duchesse de Waydberg tomba malade. Les plus illustres gynécologues furent consultés. Une opération fut décidée. Elle réussit parfaitement, mais, par suite de complications imprévues, l'infortunée mourut dans d'affreuses souffrances, en quelques heures. — Sa longue et cruelle maladie n'avait duré que dix jours.

Le joyeux ménage à trois se trouva donc dissous. Le Duc, seul héritier de sa femme, donna quelques argents à ses beaux-parents, les Retzuch ; et, ayant cherché en vain à rentrer dans la diplomatie, il alla partager ses loisirs dorés entre son château de la Bukovine et les coulisses de l'Opéra de Vienne. L'an dernier, il mourut à Vienne, au cabaret, dit-on.

Quant à M. Barnabooth, l'activité de son esprit se montra une fois de plus, il se jeta dans l'étude avec fureur. On le vit sur les bancs de la Sorbonne : il alla « faire du bruit avec les pieds » à Berlin et à Heidelberg ; on put le voir, pendant des après-midis entières près d'une fenêtre lisant et prenant des notes, à la Ratcliff Camera d'Oxford. C'était en 1903, il avait alors vingt ans.

VII

Fin de la biographie de M. Barnabooth

Il régla toutes ses affaires financières et commerciales de telle sorte qu'il n'eut plus qu'à s'occuper de lui-même, et il entreprit une seconde fois le tour du monde, cette fois dans un but d'études. Il avait acheté successivement quatre yachts de fort tonnage, princièrement aménagés. Sa fantaisie se donna carrière en les nommant des noms les plus absurdes. Bien que toujours malade par les gros temps, il aime la navigation plus qu'aucun homme au monde, surtout la navigation en Méditerranée ; tous les ports d'Orient ont admiré ses yachts. « Je me monte mon petit ménage », disait-il. Bientôt il eut : résidence à Londres, hôtel à Paris, palais à Rome et à Naples, villas à Fiesole, à Abazzia, à Corfou ; des pied-à-terre à Madrid, à Berlin, à Alger et à Vienne.

Arrivé à Melbourne, il apprit que l'Océan Pacifique était bouleversé par des typhons, et reprit rapidement, au commencement de 1904, le chemin de l'Europe. Après avoir passé quelques semaines au château de..., auprès de son ami « Stévo » (le fils de feu le Grand-Duc de...), il retourna à Londres.

C'est là qu'il rencontra, dans des circonstances assez curieuses, deux jeunes compatriotes, deux Péruviennes, filles de deux employés des mines de Campamento et venues à Londres après mille péripéties qu'il serait trop long de narrer ici. M. Barnabooth les prit sous sa protection, il ne craignit pas de s'afficher un peu en leur compagnie, même à Londres, dans sa voiture, au Park. Ce sont, du reste, deux personnes fort bien élevées et très élégantes. Leur beauté fait l'étonnement de tous ceux qui les voient ; elles ont le type espagnol le plus beau : haute taille et blancheur mate du teint, avec je ne sais quoi d'exotique et cette allure vive et libre des Américaines. M. Barnabooth leur a constitué à chacune de belles rentes dont le capital est inaliénable ; il va sans dire que tous les cadeaux les plus beaux et les plus chers qu'on puisse rêver, leur sont faits par leur généreux protecteur.

Ce sont elles qui sont désignées dans les poèmes que je publie, sous leurs prénoms respectifs de Conception et de Socorro.

De fréquents tours en Amérique, des excursions dans tous les pays d'Europe, et dans les parties européennes de l'Afrique du Nord, avec ou sans ces deux dames, nous amènent à l'année 1907, et à la fin de cette courte biographie d'un jeune poète milliardaire.

[...]

X. M. TOURNIER DE ZAMBLE.

RAYMOND QUENEAU
(1903-1976)

Saint du Calendrier pataphysique, fêté le 2 Tatane (fête vulgaire le 16 juillet), Fantômas méritait bien une hagiographie. Le héros du feuilleton populaire de Pierre Souvestre et Marcel Allain (32 volumes de 1911 à 1913), porté au cinéma par Louis Feuillade dès 1913, est au cœur de la mythologie surréaliste et de sa quête de réenchantement : « Fantômas, *c'est l'*Énéide *des temps modernes » (Cendrars*[1]*). Max Jacob et Apollinaire fondent une Société des amis de Fantômas, Juan Gris, Magritte et Tanguy lui vouent chacun un portrait, Robert Desnos lui consacre une* Grande Complainte, *et Ernst Moerman met tout le Surréalisme « au service de Fantômas ». Le hors-la-loi ironique, immoral et violent, le menteur impénitent, icône de la Belle Époque, se réduit sous la plume de Raymond Queneau au simple sujet d'un jeu arithmétique. Non que le maître de l'oulipisme renie son attrait pour l'« Empereur du crime », dont il a lu les aventures à quatre reprises entre 1923 et 1925, et dont l'influence sur son œuvre a été très tôt*

1. Cité par Annabel Audureau, *Fantômas : un mythe moderne au croisement des arts*, Rennes, PUR, p. 8.

remarquée : dès son premier roman, Le Chiendent, *les personnages, enclins au changement d'identité et au travestissement, semblent perpétuellement en cours de métamorphose — « Tout ce qui se présente se déguise », dit un héros du* Chiendent[1]. *C'est plutôt qu'il utilise Fantômas comme une métaphore du caractère insaisissable de la réalité, et en particulier de l'identité biographique : l'« Insaisissable », autre de ses surnoms, n'a d'autre essence que la réalité statistique de ses méfaits. Ce n'est pas un mythe, c'est au mieux un masque, au pire un coup de vent.*

Voir sur Fantômas : Annabel AUDUREAU, *Fantômas : un mythe moderne au croisement des arts*, Rennes, PUR, coll. « Interférences », 2010 ; ALFU, *L'Encyclopédie de Fantômas : étude sur un classique*, 2e éd., Amiens, Encrage, 2011. — Sur Raymond Queneau : Claude SIMONNET, *Queneau déchiffré : notes sur « Le Chiendent »*, Paris, Julliard, 1962 ; Pierre DAVID, *Dictionnaire des personnages de Raymond Queneau*, Limoges, PULIM, 1994 ; Michel LÉCUREUR, *Raymond Queneau : biographie*, Paris, Les Belles Lettres-Archimbaud, 2002.

1. Raymond Queneau, *Le Chiendent*, Paris, Gallimard, 1933, p. 235.

Fantomas

(Bâtons, chiffres et lettres)

Je voulais écrire une *Vie de Fantomas* ; j'ai lu quatre fois les trente-deux volumes ; la cinquième fois, je me suis arrêté au Tome 24. Comme travail préliminaire, j'avais fait la petite statistique suivante. On remarquera que Fantomas rate près d'un quart de ses assassinats (73 réussis contre 20 loupés) ; mais dans les seize derniers volumes, il faut le reconnaître, la proportion des réussites devient beaucoup plus élevée (87,5 %)[1].

Incarnations	Évasions	Crimes qualifiés	Meurtres divers	Attentats	Tentatives d'assassinat	Vols	Chantages Escroqueries Enlèvements et délits bénins
6	1	5		1		2	
2		1	2	2	4	3	
1		2			1	2	

2		3			2	1	1
3		1			2	2	1
2		3	2	3	1	3	2
3		5	3	2			
1		1		3	1	3	1
1		4			1	6	2
6		3		1	6		
1	2	3				1	1
1					1	5	
2		1	1	1		4	1
1		3					6
2		3		1		1	3
3		2			1	3	2
5			20	3	1	5	
2	1	1			1	1	1
2		1				1	2
2		2				2	1
		2			1		
		1		1		3	
1		1				4	
4		3				2	2
1							1
3		2					

1		2			1	3	2
			2				
2	1	2				1	
1		2				1	
2		14		10		1	1

S. E. O. O.

JEAN TARDIEU

(1903-1995)

Le Professeur Frœppel *(1978) « rassemble tout ce que l'on sait actuellement du Professeur Frœppel : le journal de sa folie, le récit de sa mort, ses œuvres théâtrales, scientifiques, poétiques et pédagogiques connues, mais revues, corrigées et augmentées de nombreux inédits*[1] *». Sous le couvert du pastiche, Jean Tardieu y livre l'étrange biographie « blanche » d'un universitaire aliéné, où le récit s'épuise volontairement à rendre absents les êtres qu'il vise à décrire. Se donnant comme exergue une phrase de Maurice Blanchot, « L'ambiguïté est partout », il fait du langage le lieu d'un perpétuel et ironique malentendu : l'« illustre philologue » est l'auteur d'un « Dictionnaire de la Signification universelle », où serait restituée la richesse des « résidus balbutiants, incomplets, gâteux ou enfantins du langage parlé, résidus que le langage, en quelque sorte "officiel", néglige d'ordinaire*[2] *». Le Professeur n'y parvient d'ailleurs pas ; il achève ses jours au lit, un*

1. Jean Tardieu, *Le Professeur Frœppel*, Paris, Gallimard, coll. « L'Imaginaire », 1978, p. 7.
2. *Ibid.*, p. 7, 32, 43.

sac de glace sur la tête et des briques chaudes aux pieds, délivrant aux témoins de sa mort héroïque un invraisemblable galimatias que vient conclure un « Ouf[1] *! ».*

Au titre de la volonté pédagogique, le recueil inclut « Au chiffre des grands hommes », série de vies *parue dans* La NRF *en 1954. De courts essais rendant hommage au pouvoir mnémotechnique de la poésie condensent en quelques vers la vie de Français célèbres (tous issus du panthéon, classique et rabâché, de la pensée française), « en donnant valeur de rime ou d'assonance aux principales dates de leur biographie, afin de permettre aux élèves de les retenir plus facilement ». La biographie entérine ici son échec à rendre compte de la vie grouillante et informe du réel. Au lieu d'assurer la gloire et la résurrection des âmes, elle devient, au mieux, l'expression raréfiée, comme fantomatique de l'être, au pire, le témoignage de la cruauté simplificatrice du langage. La vacuité des existences ressaisies par le langage perce sous le faux apaisement des lieux communs, à peine tempérée par une pénible empathie évoquant le propos de Blanchot sur une littérature qui, « en se faisant impuissance à révéler, voudrait devenir révélation de ce que la révélation détruit*[2] *».*

Voir Jean TARDIEU, *Œuvres*, édition sous la direction de Jean-Yves Debreuille, avec la collaboration d'Alix Thurolla-Tardieu et Delphine Hautois, Paris, Gallimard, coll. « Quarto », 2003 ; Frédérique MARTIN-SCHERRER, « De la scène de l'art à l'art de la scène », *Revue d'histoire du théâtre,*

1. *Ibid.*, p. 39.
2. Maurice Blanchot, *La Part du feu*, Paris, Gallimard, 1949, p. 317.

2003-IV, nº 220, p. 331-346 ; Lydie Parisse, *La Parole trouée : Beckett, Tardieu, Novarina*, Caen, Lettres modernes Minard, 2008 ; Jean-Yves Debreuille (dir.), *Jean Tardieu : des livres et des voix*, Lyon, ENS éd., 2010.

Au chiffre des grands hommes
ou
Quelques biographies d'hommes célèbres mises en vers et en chiffres à l'intention des écoliers

(*Le Professeur Frœppel*)

NOTA

Qui ne se souvient de ce quatrain célèbre où, comptant sur le pouvoir mnémotechnique et comique de la prosodie rimée, un plaisant pédagogue avait résumé l'un des théorèmes essentiels de la géométrie euclidienne :

> Le carré de l'hypoténuse
> est égal, si je ne m'abuse,
> à la somme des carrés
> construits sur les autres côtés.

Le Professeur Frœppel a appliqué le même système à une série de textes destinés aux écoliers et intitulés : « Au chiffre des grands hommes. »

Il s'agissait, par le moyen de courts poèmes — sorte d'imagerie verbale et naïve —, de condenser la vie de quelques célèbres Français (un poème pour chacun) en donnant valeur de rime ou d'assonance aux principales dates de leur biographie, afin de permettre aux élèves de les retenir plus facilement.

Par exemple, le mot « battre » rime avec la date 1464 ou le mot « prince » rime (à peu près !) avec 1415, etc.

CHARLES D'ORLÉANS

Charles d'Orléans, jeune prince,
à 24 ans fut pris avec sa cour
en 1415
à la bataille d'Azincourt.

En Angleterre il resta prisonnier
durant 25 années.
Pendant ce temps la bonne Jeanne
avait sauvé la France et on l'avait brûlée...

Charles, en revenant, se dit : « Tout recommence ! »
et il se maria et eut plusieurs enfants
dont l'un devint le roi de France*

Peu doué pour la politique
il portait dans son âme une douce musique ;
il écrivit ballades et rondeaux
qui sonnent comme des pipeaux.

Son tendre cœur cessa de battre :
1464 !

* Louis XII.

HUGO

Le siècle 1800
avait juste 2 ans
lorsque Victor Hugo
naquit à Besançon
où son père, ce héros,
était en garnison.

Contre la tyrannie ayant voulu se battre
sous Napoléon III il fut mis en exil ;
près de 20 ans il vécut dans une île
écrivant des vers 4 à 4.

Dans ses poèmes tout résonne,
notre cœur bat, la foudre tonne
et de l'abîme jusqu'aux cimes
l'écho fait retentir la rime.

Poète, romancier, apôtre,
ami de tout le genre humain
il est pourtant mort comme un autre
en 1885.

LAVOISIER

En 1743
alors que Louis XV était roi
naquit Lavoisier le chimiste.

Par l'analyse il trouva le premier
les corps qui forment l'air et l'eau
et fit cent autres inventions.

Hélas sous la Révolution
il fut traîné de force
jusque sur l'échafaud :
1794 !

LA FONTAINE

La Fontaine le malin
que j'aime comme un ami
est né à Château-Thierry
en 1621.

Maître des eaux et forêts
il rêvait il observait.
Dans ses fables ce poète
fait parler toutes les bêtes.

Pourtant, loin des prés et des bois,
dans ce Paris d'autrefois
où les girouettes grincent,
il est mort près de son roi
en 1695.

ROLAND BARTHES
(1915-1980)

Contre bien de ses contemporains, Roland Barthes accordait à l'écriture biographique de profondes vertus heuristiques, sans doute assez proches de celles prêtées à Jules Michelet qui, « seul contre son siècle », « conçut l'Histoire comme une Protestation d'amour : perpétuer, non seulement la vie, mais aussi ce qu'il appelait, dans son vocabulaire aujourd'hui démodé, le Bien, la Justice, l'Unité, etc.[1] *». Aussi le thème des* vies *irrigue-t-il son œuvre, depuis les « quelques pièces de ce que pourrait être le "Musée imaginaire" de Michelet » (1954) jusqu'au projet d'une* Vie des Hommes illustres *esquissé dans* Roland Barthes par Roland Barthes *(1975). Raconter une existence, c'est « retrouver la structure d'une existence (je ne dis pas d'une vie) », un « réseau organisé d'obsessions », c'est préférer à une vaine « retotalisation », à l'épuisement sartrien d'un destin, une écriture « précritique*[2] *», des-*

1. Roland Barthes, *La Chambre claire : note sur la photographie* [1980], repris dans *Œuvres complètes*, éd. établie et présentée par Éric Marty, Paris, Éd. du Seuil, 1993-1995, t. III, p. 1174.
2. *Id.*, *Michelet* [1954], dans *Œuvres complètes*, *op. cit.*, t. I, p. 245.

criptive et poétique. Le biographe « amical et désinvolte » s'attachera, selon la phrase restée célèbre de Sade, Fourier, Loyola, *à restituer « quelques détails, quelques goûts, quelques inflexions, disons : des "biographèmes", dont la distinction et la mobilité pourraient voyager hors de tout destin et venir toucher, à la façon des atomes épicuriens, quelque corps futur, promis à la même dispersion*[1] *». Tel est le sort que le héraut du structuralisme triomphant assigne malicieusement au philosophe utopiste Charles Fourier (1772-1837), inventeur d'un socialisme unitaire où les particularités individuelles se seraient dissoutes dans la communauté d'un phalanstère. Opposant ses « biographèmes » à une conception essentialiste du temps humain, renonçant au projet sartrien d'épuisement des destins, Barthes rêve la biographie comme l'occasion d'une « dépropriation du texte », où le brouillage des distinctions entre auteur, lecteur et texte, où l'ostension de la subjectivité et le hasard des parallèles viendraient constituer la condition de possibilité du sens. Il invente une formule, presque un genre littéraire, que notre époque ne cessera de se réapproprier.*

Voir Françoise GAILLARD, « Barthes, le biographique sans la biographie », *Revue des sciences humaines*, n° 224, octobre-décembre 1991, p. 159-171 ; François DOSSE, *Histoire du structuralisme*, t. II : *Le chant du cygne, 1967 à nos jours*, Paris, La Découverte, 1992 ; Jonathan BEECHER, *Fourier : le visionnaire et son monde*, traduction de l'anglais (États-Unis) par Hélène Perrin et Pierre-Yves Pétillon, Paris, Fayard, 1993 ; Diana KNIGHT, *Barthes and Utopia :*

1. *Id.*, *Sade, Fourier, Loyola* [1971], dans *Œuvres complètes*, *op. cit.*, t. II, p. 1045.

Space, Travel, Writing, Oxford, Clarendon Press, 1997 ; *id.*, « *Par où commencer ?* Critique et cosmogonie », dans Marielle MACÉ et Alexandre GEFEN (dir.), *Barthes, au lieu du roman*, Paris, Desjonquères — Nota bene, 2002, p. 23-35 ; Alexandre GEFEN, « Le Jardin d'hiver : les "biographèmes" de Roland Barthes », *ibid.*, p. 159-171.

Vie de Fourier

(*Sade, Fourier, Loyola*)

1. Fourier : un *sergent de boutique* (« c'est un sergent de boutique qui va confondre les bibliothèques politiques et morales, fruit honteux des charlataneries antiques et modernes »). Ses parents faisaient à Besançon le commerce des draps et des aromates : le *commerce*, exécré, l'*aromate*, adulé sous la forme du « corps subtil », l'*aromal*, qui (entre autres) parfumera les mers ; il y a, paraît-il, à la cour du roi du Maroc un directeur des Essences royales : la monarchie mise à part, le directeur aussi, cette appellation eût enchanté Fourier.

2. Fourier a été contemporain des deux plus grands événements de l'Histoire moderne : la Révolution et l'Empire. Cependant, dans l'œuvre de ce philosophe social, aucune trace de ces deux séismes ; Napoléon est seulement celui qui a voulu s'emparer du transport intérieur, dit *roulage*, qui est une Transition matérielle (la Transition politique est le *courtage*).

3. Éblouissements de Fourier : la Cité et ses jardins, les plaisirs du Palais-Royal. Un rêve de *brillant*

passe dans son œuvre : la brillance sensuelle, celle de la nourriture et de l'amour : ce brillant qui se trouve déjà, par jeu de mots, dans le nom de son beau-frère, en compagnie duquel il voyagea et découvrit sans doute les mirlitons parisiens (petits pâtés aux aromates) : Brillat-Savarin.

4. Fourier déteste les vieilles villes : Rouen.

5. À Lyon, Fourier apprit le commerce ; il fut ruiné par le naufrage d'un bateau à Livourne (le commerce maritime en Harmonie : cargaisons de reinettes et de citrons, échange de blé et de sucre).

6. Fourier ne survécut à la Terreur qu'« au prix de mensonges réitérés » ; d'autre part, il encensa Napoléon « pour se conformer aux coutumes, usages de 1808, qui exigeaient de tout ouvrage une bouffée d'encens pour l'Empereur ».

7. Intertexte : Claude de Saint-Martin, Senancour, Restif de la Bretonne, Diderot, Rousseau, Kepler, Newton.

8. Fourier vécut de *rebuts* : ruiné, il eut des emplois subalternes, coupés d'expédients ; écrivain, il vécut en pique-assiette, se faisant longuement héberger chez des parents et des amis, dans le Bugey et le Jura.

9. Ses connaissances : sciences mathématiques et expérimentales, musique, géographie, astronomie.

10. Sa vieillesse : il s'entoure de chats et de fleurs.

11. Sa concierge le trouva mort, en redingote, à genoux au milieu des pots de fleurs.

12. Fourier avait lu Sade.

PASCAL QUIGNARD

(né en 1948)

Rien ne décrit mieux la manière dont Pascal Quignard, auteur prolifique d'œuvres savantes et inclassables, utilise le genre de la fiction biographique contemporaine que la formule qu'il applique à un illustre prédécesseur romain : « Tacite fut un immense déclamateur qui reconduisit la narration biographique dans sa fête, c'est-à-dire à sa source : un chaos funéraire[1] ». *Poursuivant l'entreprise de fragmentation qu'avaient initiée les biographèmes barthésiens, Quignard constelle ses* Petits traités, *compilation d'essais-fiction, et les œuvres sans genre qui leur ont succédé (*Albucius, Sur le jadis, Vie secrète, *etc.) de traces, de vestiges de* vies, *car la biographie est une écriture de « la contingence à l'origine de tout, quels que puissent être les ornements, les mots, les vestiges, les peurs, les lumières, les rois, les mythes*[2] ». *Ainsi en est-il de cette* vie *du poète et agronome chinois Lu Guimeng († 881), contemporain des derniers feux de la dynastie Tang, passé à la postérité pour ses jeux de rimes*

1. Pascal Quignard, *Sur le jadis*, Paris, Grasset, 2002, p. 272.
2. *Ibid.*, p. 203.

et sa description de la charrue incurvée en fer. On y retrouvera les principaux thèmes (la vie secrète, le panthéisme, le silence, la mort) et motifs (le lettré, la barque, le livre) que l'auteur de Villa Amalia *a semés dans son œuvre, servis par l'érudition lyrique en style brisé qui fait le charme de ses innombrables* vies imaginaires.

Voir Chantal LAPEYRE-DESMAISON, *Mémoires de l'origine : un essai sur Pascal Quignard*, Paris, les Flohic, 2001 ; Dominique RABATÉ, *Pascal Quignard : étude de l'œuvre*, Paris, Bordas, coll. « Écrivains au présent », 2008.

Vie de Lu

(*Petits traités I*)

Lu Guimeng naquit dans le Jiangsu, sous les Tang. Lu appartenait à une famille patricienne et aisée. Il descendait du ministre Lu Yuanfang. Lu lisait. La bibliothèque dans la demeure de ses ancêtres était ancienne et nombreuse, et d'une odeur pénétrante de vieilles pommes. Il était entêté de la lecture du *Chunqiu*. Il fut d'abord dignitaire des deux commanderies de Su et de Hu. Quelquefois il entendait un bruissement d'eau qui l'appelait. Un jour, il se retira soudain du monde. Il retourna chez lui, reprit la lecture du *Chunqiu* en gérant son domaine de quatre cents mu avec une dizaine d'hommes et autant de buffles. Il défrichait lui-même, rompait les branches inutiles, menait les buffles à la rivière. Il fit édifier une bibliothèque près de l'eau. À l'opposé du domaine, il y avait un enclos pour les femmes. Il était grand amateur de thé, qu'il cultivait aussi. Il regardait les fleurs blanches, pinçait les plus jeunes pousses qui n'atteignaient pas la moitié d'un centimètre, toutes repliées sur elles-mêmes comme les petits des hommes quand ils sucent leur pouce. Il paillait lui-même les pieds de ses jeunes théiers avec du chaume de riz.

*

Puis il cessa de pailler. Il s'asseyait directement par terre. Il jouait avec des brins. Il se plaisait aussi à les émietter.

*

Lu était maniaque de propreté et de pureté. Il allait se baigner dans l'eau de la source et dans celle du lac quatre fois le jour. Il revendit les femmes parce qu'il les trouvait malpropres. Quand il avait le pénis gonflé, il essorait sa joie dans l'eau. Il acheta trois barques et il errait autour de Fuli. Aussi reçut-il le sobriquet de *Jianghu sanren* (le Vagabond des rivières et des lacs).

*

Il ne faisait rien. Il aimait s'asseoir dans les barques mouillées. Il ne prenait pas l'aviron. Il aimait flotter.

*

Souvent il partait en barque au pied levé, avec seulement deux livres, un fourneau à thé et un nécessaire d'écriture. Dans chacune de ses barques, pour pouvoir partir dans la précipitation de l'envie, il laissait entreposé un matériel de pêche complet, une canne de bambou, des hameçons, une boîte de cendres pour se nettoyer les doigts ou l'anus, une balance pour recueillir les poissons. Il voguait des heures durant. Il lisait. Il écoutait l'eau. Il regardait le monde, et son reflet déposé sur l'eau le long des rives, et son souvenir empreint dans l'encre sur la soie douce des volumes. Il les portait jusqu'à son nez et il respirait l'étrange odeur vieille des livres qui furent lus par les morts. Il laissa de très beaux recueils de poésie dont il adressait toujours le premier exemplaire à Pi Rixiu afin qu'il le corrigeât et qu'il le lui retournât en lui communiquant son avis. Il froissait sous ses doigts une feuille de thé noir qui peu à peu tombait en poudre en parfumant ses doigts. De façon imprévisible il passait un manteau de pluie, prenait un panier et visitait les arbres, pinçant les feuilles des deux mains, rompant avec l'ongle du pouce les feuilles trop petites ; ou maculées ; ou déficientes ; ou grises ; piquées par les moustiques ; sucées par les punaises.

*

Il cessa de boire le thé. Il aimait l'odeur du thé sur ses doigts.

Il aimait porter ses doigts à son nez et se caresser les narines avec leur odeur.

*

Parfois il allait aux cabanes à l'improviste et il supervisait toutes les étapes de la fabrication des feuilles. Il pénétrait dans la salle de flétrissage où l'eau s'évaporait grâce aux courants d'air dus aux grands éventails. Les petites feuilles enroulées et vertes encore sentaient la pomme et commençaient à se recroqueviller. Puis il voyait les hommes les tordre et les jeter dans les bacs de fermentation. Ils les portaient près des chaudières à bois pour les sécher. Pour trier les feuilles insuffisamment noires, c'était l'équipe des enfants qui en était chargée. Ils avaient des yeux rapides et merveilleux pour déceler la grisaille. Les femmes les plus vieilles disposaient les boîtes et emballaient pour la ville. Il prenait un de ces petits volumes fermentés et noirs et le déposait sur l'eau frémissante. Il regardait les couleurs dérouler des traces dans l'eau chaude, de l'orange jusqu'au rouge foncé et il s'en émouvait. Il glissait dans les livres comme marque pour indiquer la page où il avait interrompu sa lecture une branche de théier fraîche du genre camélia avec sa petite fleur en bourgeon. Il mangeait la chair des poissons presque crue. Il enroulait le filet de poisson et, à l'aide des deux bois, il le plongeait dans l'eau rouge et chaude du thé.

*

Lu mena ainsi une paisible et longue existence de retraite, déclinant l'une après l'autre, avec des fous rires sous sa main, les charges officielles qu'on lui proposait.

*

Dans les dernières années du IXe siècle, après qu'il fut mort, l'empereur Zhaozong lui confia le titre de *youbuque*, ce qui veut dire « fonctionnaire de droite chargé de reprendre les omissions de l'empereur ». Il me paraît convenable de choisir ceux qui sont chargés de reprendre ce qu'un homme a omis parmi ceux que la mort a ôtés.

*

Les poissons et les berges, les théiers, les reflets et les eaux regrettèrent sa barque silencieuse.

PIERRE MICHON
(né en 1945)

L'œuvre de Pierre Michon est indissociable de la fortune contemporaine de la fiction biographique. Inauguré avec un roman familial par biographies interposées, Vies minuscules, *qui relate l'existence d'une poignée d'humbles, huit « spectres » anonymes rappelés à la mémoire par le retour sur soi du narrateur, le travail de renouvellement mené par Michon s'est prolongé à travers des vies de saints méconnus* (Mythologies d'hiver), *de poètes* (Rimbaud le fils), *de peintres* (Maîtres et serviteurs, Vie de Joseph Roulin), *en s'appropriant à la fois toute la richesse thématique du genre biographique et toutes ses polarités : le récit de vie comme écriture testimoniale, comme initiation à l'œuvre, comme jeu avec l'archaïsme de l'hagiographie, comme roman des possibles… Certes, insiste l'auteur, « les noms des* Vies minuscules *sont attestés sur les dalles de cimetières du Limousin, je les ai entendus dans la bouche de ma grand-mère, et j'ai connu en chair et en os certains des hommes provisoires qui ont habité ces noms plus durables*[1] »,

1. Pierre Michon, entretien, *Le Magazine littéraire*, n° 353, avril 1997, p. 102.

mais il n'y a pas pour lui de différence entre la légende des hommes illustres et les realia *communs propres aux minuscules. Le regard oblique de l'écrivain met en fiction les mythes comme les témoignages, récrit les souvenirs comme les discours hagiographiques : « Écrire des* vies, *c'est inventer l'existence de gens qui ont existé pourtant, qui ont eu un état civil, c'est redoubler l'illusion réaliste [...]. Et, pour peu que dans cette opération trouble on attrape un peu de vérité, on fait peut-être revivre fugacement, l'espace de deux phrases ou de deux mots, ces existences évanouies ; ce serait alors un art peu défini, qui fut toujours pratiqué pourtant dans les marges de la littérature,* l'évocation[1]. » *Pour donner la parole aux pauvres, aux* minores, *pour rédimer les muets de l'Histoire et sauver les « infâmes » par l'écriture, Michon déploie la puissance injonctive d'une écriture à la fois fragile et grandiloquente, matérialiste et lyrique, compassionnelle et introspective. C'est ce dispositif original, où le roman français contemporain parvient à se renouveler en trouvant dans la narration d'autrui un nouvel humanisme et une manière de sortir de l'ère du soupçon, que met en place la « Vie d'André Dufourneau », chapitre inaugural des* Vies minuscules.

Voir Solange MONTAGNON, « *Vies minuscules* : le don de la parole », dans Agnès CASTIGLIONE (dir.), *Pierre Michon, l'écriture absolue*, Saint-Étienne, Publications de l'université de Saint-Étienne, 2002, p. 129-136 ; Dominique VIART, « Les "fictions critiques" de Pierre Michon », *ibid.*, p. 203-219 ; Michel VOLKOVITCH, « La roue des temps », *ibid.*, p. 121-128 ; Agnès CASTIGLIONE et Florian PRÉCLAIRE (dir.), *Pierre Michon,*

1. *Id.*, entretien avec T. Hordé, *Le Français aujourd'hui*, n° 87, septembre 1989, p. 78.

naissance et renaissances, Saint-Étienne, Publications de l'université de Saint-Étienne, 2007 ; Pierre MICHON, *Le Roi vient quand il veut : propos sur la littérature,* textes réunis et édités par Agnès Castiglione, avec la collaboration de Pierre-Marc de Biasi, Paris, Albin Michel, 2007.

Vie d'André Dufourneau

(Vies minuscules)

Avançons dans la genèse de mes prétentions.

Ai-je quelque ascendant qui fut beau capitaine, jeune enseigne insolent ou négrier farouchement taciturne ? À l'est de Suez quelque oncle retourné en barbarie sous le casque de liège, jodhpurs aux pieds et amertume aux lèvres, personnage poncif qu'endossent volontiers les branches cadettes, les poètes apostats, tous les déshonorés pleins d'honneur, d'ombrage et de mémoire qui sont la perle noire des arbres généalogiques ? Un quelconque antécédent colonial ou marin ?

La province dont je parle est sans côtes, plages ni récifs ; ni Malouin exalté ni hautain Moco n'y entendit l'appel de la mer quand les vents d'ouest la déversent, purgée de sel et venue de loin, sur les châtaigniers. Deux hommes pourtant qui connurent ces châtaigniers, s'y abritèrent sans doute d'une averse, y aimèrent peut-être, y rêvèrent en tout cas, sont allés sous de bien différents arbres travailler et souffrir, ne pas assouvir leur rêve, aimer peut-être encore, ou simplement mourir. On m'a parlé de l'un de ces hommes ; je crois me souvenir de l'autre.

Un jour de l'été 1947, ma mère me porte dans

ses bras, sous le grand marronnier des Cards, à l'endroit où l'on voit déboucher soudain le chemin communal, jusque-là caché par le mur de la porcherie, les coudriers, les ombres ; il fait beau, ma mère sans doute est en robe légère, je babille ; sur le chemin, son ombre précède un homme inconnu de ma mère ; il s'arrête ; il regarde ; il est ému ; ma mère tremble un peu, l'inhabituel suspend son point d'orgue parmi les bruits frais du jour. Enfin l'homme fait un pas, se présente. C'était André Dufourneau.

Plus tard, il dit avoir cru reconnaître en moi la toute petite fille qu'était ma mère, pareillement infans et débile encore, quand il partit. Trente ans, et le même arbre qui était le même, et le même enfant qui était un autre.

Bien des années plus tôt, les parents de ma grand-mère avaient demandé que l'assistance publique leur confiât un orphelin pour les aider dans les travaux de la ferme, comme cela se pratiquait couramment alors, en ce temps où n'avait pas été élaborée la mystification complaisante et retorse qui, sous couvert de protéger l'enfant, tend à ses parents un miroir flatteur, édulcoré, somptuaire ; il suffisait alors que l'enfant mangeât, couchât sous un toit, s'instruisît au contact de ses aînés des quelques gestes nécessaires à cette survie dont il ferait une vie ; on supposait pour le reste que l'âge tendre suppléait à la tendresse, palliait le froid, la peine et les durs travaux qu'adoucissaient les galettes de sarrasin, la beauté des soirs, l'air bon comme le pain.

On leur envoya André Dufourneau. Je me plais à croire qu'il arriva un soir d'octobre ou de décembre, trempé de pluie ou les oreilles rougies dans le gel vif ; pour la première fois ses pieds frappèrent ce chemin que plus jamais ils ne frapperont ; il regarda l'arbre, l'étable, la façon dont l'horizon d'ici découpait le ciel, la porte ; il regarda les visages nouveaux sous la lampe, surpris ou émus, souriants ou indifférents ; il eut une pensée que nous ne connaîtrons pas. Il s'assit et mangea la soupe. Il resta dix ans.

Ma grand-mère, qui s'est mariée en 1910, était encore fille. Elle s'attacha à l'enfant, qu'elle entoura assurément de cette fine gentillesse que je lui ai connue, et dont elle tempéra la bonhomie brutale des hommes qu'il accompagnait aux champs. Il ne connaissait ni ne connut jamais l'école. Elle lui apprit à lire, à écrire. (J'imagine un soir d'hiver ; une paysanne jeunette en robe noire fait grincer la porte du buffet, en sort un petit cahier perché tout en haut, « le cahier d'André », s'assied près de l'enfant qui s'est lavé les mains. Parmi les palabres patoises, une voix s'anoblit, se pose un ton plus haut, s'efforce en des sonorités plus riches d'épouser la langue aux plus riches mots. L'enfant écoute, répète craintivement d'abord, puis avec complaisance. Il ne sait pas encore qu'à ceux de sa classe ou de son espèce, nés plus près de la terre et plus prompts à y basculer derechef, la Belle Langue ne donne pas la grandeur, mais la nostalgie et le désir de la grandeur. Il cesse d'appartenir à l'instant, le sel des heures se dilue, et dans l'agonie du passé qui toujours commence, l'avenir se lève et aussitôt se met à courir. Le vent bat la fenêtre d'un rameau décharné de glycine ; le regard effrayé de l'enfant erre sur une carte de géographie.) Il n'était pas dépourvu d'intelligence, sans doute disait-on qu'il « apprenait vite » ; et, avec le bon sens lucide et intimidé des paysans de jadis qui rapportaient les hiérarchies intellectuelles aux hiérarchies sociales, mes aïeux, sur de vagues indices, élaborèrent pour rendre compte de ces qualités incongrues chez un enfant de sa condition une fiction plus conforme à ce qu'ils tenaient pour le vrai : Dufourneau devint le fils naturel d'un hobereau local, et tout rentra dans l'ordre.

Nul ne sait plus s'il fut instruit de cette ascendance fantasmatique, issue de l'imperturbable réalisme social des humbles. Il importe peu : s'il le fut, il en conçut de l'orgueil et se promit de reconquérir ce dont, sans qu'il l'eût jamais eu, la bâtardise l'avait spolié ; s'il ne le fut pas, une vanité prit possession de ce paysan orphelin élevé dans un vague respect peut-être, des égards inusités assurément, qui lui parurent d'autant plus mérités qu'il en ignorait la cause.

Ma grand-mère se maria ; elle était son aînée d'à peine dix ans, et peut-être l'adolescent qu'il était déjà en souffrit-il. Mais mon grand-père, je le dirai, était jovial, accueillant, bon prince et paysan médiocre ; quant à l'enfant, je crois avoir entendu ma grand-mère le dire, il était plaisant. Sans doute les deux jeunes hommes s'aimèrent-ils, le gai vainqueur du moment aux moustaches jaunes, et l'autre, l'imberbe, le taciturne, l'appelé en secret qui attendait son heure ; l'élu impatient de la femme et l'élu calmement crispé d'un destin plus grand que la femme ; celui qui plaisantait, et celui qui attendait que la vie lui permît de plaisanter ; l'homme de terre et l'homme de fer, sans préjudice de leur force respective. Je les vois partir pour la chasse ; leurs haleines dansent un peu puis sont avalées par la brume, leurs silhouettes s'effacent avant l'orée du bois ; je les entends aiguiser leurs faux, debout dans l'aube de printemps, puis ils marchent et l'herbe se couche, et l'odeur croît avec le jour, s'exaspère avec le soleil ; je sais qu'ils s'arrêtent quand vient midi. Je connais les arbres sous lesquels ils mangent et parlent, j'entends leurs voix mais je ne les comprends pas.

Puis une petite fille naquit, la guerre vint, mon grand-père partit. Quatre années passèrent, pendant lesquelles Dufourneau acheva de devenir un homme ; il prit la petite fille dans ses bras ; il courut avertir Élise que le facteur prenait le chemin de la ferme, amenant une des lettres, ponctuelles et appliquées, de Félix ; le soir à la lampe, il pensa aux provinces lointaines où le fracas des batailles rasait des villages qu'il dotait d'un nom glorieux, où il y avait des vainqueurs et des vaincus, des généraux et des soldats, des chevaux morts et des villes imprenables. En 1918, Félix revint avec des armes allemandes, une pipe en écume, quelques rides et un vocabulaire plus étendu qu'à son départ. Dufourneau eut à peine le temps de l'écouter : on l'appelait au service militaire.

Il vit une ville ; il vit les chevilles des femmes d'officiers quand elles montent en voiture ; il entendit de jeunes hommes qui effleuraient de leurs moustaches l'oreille de belles créatures faites de rires et de soie : c'était la langue qu'il tenait d'Élise, mais elle paraissait une autre, tant ses indigènes en connaissaient les pistes, les échos, les roueries. Il sut qu'il était un paysan. Rien ne nous apprendra comment il souffrit, dans quelles circonstances il fut ridicule, le nom du café où il s'enivra.

Il voulut étudier, dans la mesure où les servitudes militaires le lui permettaient, et il semble qu'il y parvint, car c'était un bon garçon, capable, disait ma grand-mère. Il toucha des manuels d'arithmétique, de géographie ; il les serra dans son paquetage qui sentait le tabac, le jeune homme pauvre ; il les ouvrit et connut la détresse de qui ne comprend pas, la révolte qui passe outre, et, au terme d'une alchimie ténébreuse, le pur diamant d'orgueil dont l'entendement éclaire, le temps d'un souffle, l'esprit toujours opaque. Est-ce un homme, un livre, ou, plus poétiquement, une affiche de propagande de la Marsouille, qui lui révéla l'Afrique ? Quel hâbleur de sous-préfecture, quel mauvais roman enlisé dans les sables ou perdu en forêt sur d'interminables fleuves, quelle gravure du *Magasin pittoresque* où des hauts-de-forme luisants, noirs comme elles et comme elles surnaturels, passaient triomphalement entre de luisantes faces, fit miroiter à ses yeux le continent sombre ? Sa vocation fut ce pays où les pactes enfantins qu'on passe avec soi-même pouvaient encore, en ce temps-là, espérer d'accomplir d'éblouissantes revanches pourvu que l'on acceptât de s'en remettre au dieu hautain et sommaire du « tout ou rien » ; c'était là-bas qu'Il jouait aux osselets, dispersait les quilles indigènes et éventrait les forêts sous la boule de plomb d'un énorme soleil, misait et perdait cent têtes d'ambitieux couvertes de mouches sur les remparts d'argile des cités sahariennes, sortait avec éclat de Sa manche un brelan de rois blancs et, empochant Ses dés pipés d'ivoire et d'ébène ensachés de buffle, disparaissait dans les savanes, en pantalon garance et casque blanc, mille enfants perdus dans son sillage.

Sa vocation fut l'Afrique. Et j'ose croire un instant, sachant qu'il n'en fut rien, que ce qui l'y appela fut moins l'appât grossier de la fortune à faire qu'une reddition inconditionnée entre les mains de l'intransitive Fortune ; qu'il était trop orphelin, irrémédiablement vulgaire et non né pour faire siennes les dévotes calembredaines que sont l'ascension sociale, la probation par un caractère fort, la réussite acquise qu'on doit au seul mérite ; qu'il partit comme jure un ivrogne, émigra comme il tombe. J'ose le croire. Mais parlant de lui, c'est de moi que je parle ; et je ne désavouerais pas davantage ce qui fut, j'imagine, le mobile majeur de son départ : l'assurance que là-bas un paysan devenait un Blanc, et, fût-il le dernier des fils mal nés, contrefaits et répudiés de la langue-mère, il était plus près de ses jupes qu'un Peul ou un Baoulé ; il la parlerait haut et en lui elle se reconnaîtrait, il l'épouserait « du côté des jardins de palmes, chez un peuple fort doux » devenu peuple d'esclaves sur qui asseoir ces épousailles ; elle lui donnerait, avec tous les autres pouvoirs, le seul pouvoir qui vaille : celui qui noue toutes les voix quand s'élève la voix du Beau Parleur.

Son temps de service fini, il revint aux Cards — peut-être était-ce en décembre, peut-être y avait-il de la neige, épaisse sur le mur du fournil, et mon grand-père, qui dégageait les chemins à la pelle, le vit-il venir, de loin, leva la tête en souriant, chantonnant à part soi jusqu'à ce qu'il fût à sa hauteur — et annonça sa décision de partir, outre-mer comme on disait alors, dans le bleu brusque et le lointain irrémédiable : on saute le pas dans la couleur et la violence, on met son passé derrière la mer. Le but avoué était la Côte-d'Ivoire ; un autre, flagrant aussi, la convoitise : cent fois, j'ai entendu ma grand-mère évoquer la superbe avec laquelle il aurait déclaré que « là-bas il deviendrait riche, ou mourrait » — et j'imagine aujourd'hui, ressuscitant le tableau que ma romanesque grand-mère avait tracé pour elle seule, redistribuant les données de sa mémoire autour d'un schème plus noble et bonnement dramatique qu'un réel pauvre dont l'aveu de roture l'eût lésée, tableau qui dut vivre en elle jusqu'à sa mort et s'orner de couleurs d'autant plus riches que la scène première, avec le temps et la surcharge du souvenir reconstruit, disparaissait — j'imagine une composition dans la manière de Greuze, quelque « départ de l'enfant avide » nouant son drame dans la grande cuisine paysanne que la fumée boucane comme un jus d'atelier et où, dans un grand souffle d'émoi qui défait les châles des femmes et exhausse les mains d'hommes frustes dans une gesticulation muette, André Dufourneau, fièrement campé contre une huche, le mollet saillant dans des bandes molletières ajustées et blanches comme un bas dix-huitième, tend de tout son bras une paume ouverte vers la fenêtre inondée de pâte outremer. Mais c'était sous de bien différents traits que je concevais, enfant, ce départ. « J'en reviendrai riche, ou j'y mourrai » : cette phrase pourtant bien indigne de mémoire, j'ai dit que cent fois ma grand-mère l'avait exhumée des ruines du temps, avait de nouveau éployé dans l'air son bref étendard sonore, toujours neuf, toujours d'hier ; mais c'était moi qui le lui demandais, moi qui voulais entendre encore ce poncif de ceux qui partent : le pavillon qu'à mes yeux il faisait claquer dans le vent, aussi explicite que l'idéogramme aux tibias croisés des Frères de la Côte, proclamait l'inévitable second terme de la mort et la soif fictive de richesses qu'on ne lui oppose que pour mieux s'y abandonner, le perpétuel futur, le triomphe des destins qu'on hâte en s'insurgeant contre eux. Je frissonnais alors du même frisson que celui qui me poignait à la lecture des poèmes pleins d'échos et de massacres, des éblouissantes proses. Je le savais : je touchais là quelque chose de semblable. Et sans doute ces mots, prononcés non sans complaisance par un être désireux de souligner la gravité de l'heure, mais trop mal instruit pour savoir la décupler en feignant de la terrasser sous un « bon mot », et donc réduit, pour en marquer l'insolite, à puiser dans un répertoire qu'il croyait noble, étaient bien en cela « littéraires », certes ; mais il y avait bien davantage : il y avait la formulation, redondante, essentielle et sommairement burlesque — et, à ma connaissance, une des premières fois dans ma vie — d'une de ces destinées qui furent les sirènes de mon enfance et au chant desquelles pour finir je me livrai, pieds et poings liés, dès l'âge de raison ; ces mots m'étaient une Annonciation et comme une Annoncée, j'en frémissais sans en pénétrer le sens ; mon avenir s'incarnait, et je ne le reconnaissais pas ; je ne savais pas que l'écriture était un continent plus ténébreux, plus aguicheur et décevant que l'Afrique, l'écrivain une espèce plus avide de se perdre que l'explorateur ; et, quoiqu'il explorât la mémoire et les bibliothèques mémorieuses en lieu de dunes et forêts, qu'en revenir cousu de mots comme d'autres le sont d'or ou y mourir plus pauvre que devant — en mourir — était l'alternative offerte aussi au scribe.

Le voilà parti, André Dufourneau. « Ma journée est faite ; je quitte l'Europe. » L'air marin, déjà, surprend les poumons de cet homme de l'intérieur. Il regarde la mer. Il y voit les vieux de la campagne perdus sous leur casquette et des femmes toutes noires et nues à lui offertes, les travaux qui font les mains terreuses et les bagues énormes aux doigts des rastaquouères, le mot « bungalow » et les mots « jamais plus » ; il y voit ce qu'on désire et ce qu'on regrette ; il y voit infiniment miroiter la lumière. Il est accoudé au bastingage, assurément : immobile, les yeux vagues et posés sur cet horizon de visions et de clarté, le vent de mer comme une main de peintre romantique défaisant ses cheveux, drapant à l'antique sa veste de coton noir. L'occasion est belle pour tracer de lui le portrait physique que j'ai différé : le musée familial en a conservé un, où il est photographié en pied, dans le bleu horizon de l'infanterie ; les bandes molletières qui le guêtrent m'ont permis tout à l'heure de l'imaginer en bas Louis XV ; les pouces sont passés dans le ceinturon, la poitrine cambrée, et la pose est celle, fière, au menton relevé, qu'affectionnent les hommes petits. Allons, c'est bien à un écrivain qu'il ressemble : il existe un portrait du jeune Faulkner, qui comme lui était petit, où je reconnais cet air hautain à la fois et ensommeillé, l'œil pesant mais d'une gravité fulgurante et noire, et, sous une moustache d'encre qui jadis déroba la crudité de la lèvre vivante comme le fracas tu sous la parole dite, la même bouche amère et qui préfère sourire. Il s'éloigne du pont, s'allonge sur sa couchette, y écrit les mille romans dont est fait l'avenir et que l'avenir défait ; il vit les jours les plus pleins de sa vie ; l'horloge des roulis contrefait celle des heures, du temps passe et de l'espace varie, Dufourneau est vivant comme ce dont il rêve ; il est mort depuis longtemps ; je n'abandonne pas encore son ombre.

Ce regard qui trente ans plus tard se posera sur moi effleure la côte d'Afrique. On aperçoit Abidjan au fond de sa lagune qu'éreintent les pluies. La barre à Grand-Bassam, que vit et décrivit Gide, est une image de l'ancien *Magasin pittoresque* ; l'auteur de *Paludes* prête sagement au ciel son traditionnel aspect de plomb ; mais la mer sous sa plume fait image, couleur de thé. Avec d'autres voyageurs que l'histoire oublia, Dufourneau doit pour franchir le mascaret s'élever au-dessus des flots, suspendu dans une balancelle que meut une grue. Puis les gros lézards gris, les petites chèvres et les fonctionnaires de Grand-Bassam ; les formalités portuaires et, passé la lagune, la piste vers l'intérieur où naissent, dans la même incertitude, les petites comme les grandes anabases, les éclatants désirs au sein du réel terne : les palmiers doums où dorment des serpents d'or et de glu, l'averse grise sur les arbres gris, les essences hérissées de mauvaises épines et de noms somptueux, les hideux marabouts qu'on dit sages et la palme mallarméenne trop concise pour abriter du soleil, des pluies. La forêt enfin se referme comme un livre : le héros est livré à la chance, son biographe à la précarité des hypothèses.

Après un long silence, une lettre arriva aux Cards, dans les années trente. Le même facteur manchot l'apporta, que Dufourneau jadis guettait au bout du pré, pendant la guerre et l'enfance. (Je l'ai moi-même connu, retraité dans une petite maison blanche, près du cimetière du bourg ; taillant des rosiers dans un jardin minuscule, il parlait haut et volontiers, avec un grasseyement joyeux.) Et sans doute était-ce au printemps, les draps aujourd'hui en poussière fumaient au soleil, les chairs décomposées souriaient dans l'allégresse de mai ; et sous les grappes violemment tendres des lilas, ma mère de quinze ans s'inventait une enfance enfuie déjà. Elle n'avait pas souvenir de l'auteur de la lettre ; elle vit ses parents émus jusqu'aux larmes ; elle-même, dans la senteur et l'ombre violettes, sacerdotales comme le passé, fut envahie d'une émotion touffue, littéraire, délicieuse.

D'autres lettres vinrent, annuelles ou bisannuelles, retraçant d'une vie ce qu'en voulait dire son protagoniste, et que sans doute il croyait avoir vécu :

il avait été employé forestier, « coupeur de bois », planteur enfin ; il était riche. Je n'ai jamais rêvé sur ces lettres, au timbre et au cachet rares — Kokombo, Malamalasso, Grand-Lahou —, qui ont disparu ; je crois lire ce que je n'ai jamais lu : il y parlait d'événements infimes et de bonheurs nains, de la saison des pluies et des menaces de guerre, d'une fleur métropolitaine dont il avait réussi la greffe ; de la paresse des Noirs, de l'éclat des oiseaux, de la cherté du pain ; il y était bas et noble ; il assurait de ses meilleurs sentiments.

Je pense aussi à ce dont il ne parlait pas : quelque insignifiant secret jamais dévoilé — non par pudeur sans doute mais, ce qui revient au même, parce que le matériel langagier dont il disposait était trop réduit pour faire état de l'essentiel, et trop intraitable son orgueil pour qu'il permît à l'essentiel de s'incarner en des mots humblement approximatifs —, quelque débauche de l'esprit autour d'un dérisoire appareil, une délectation honteuse en tout ce qui lui manquait. Nous le savons, car la loi est telle : il n'eut pas ce qu'il voulait ; il était trop tard pour avouer : à quoi bon faire appel, lorsqu'on sait que la peine sera perpétuelle, qu'il n'y aura plus d'ajournement ni de seconde chance ?

Enfin ce jour de 1947 : de nouveau le chemin, l'arbre, le ciel d'ici et la découpe des arbres sur cet horizon-ci, le petit jardin aux giroflées. Le héros et son biographe se rencontrent sous le marronnier, mais comme il arrive toujours, l'entrevue est un fiasco : le biographe est au berceau et ne conservera aucun souvenir du héros ; le héros ne voit dans l'enfant qu'une image de son propre passé. Si j'avais eu dix ans, sans doute l'eussé-je vu sous la pourpre d'un roi mage, posant avec une réserve hautaine sur la table de la cuisine les denrées rares et magiques, café, cabosses, indigo ; si j'en avais eu quinze, il eût été « le féroce infirme retour des pays chauds » qu'aiment les femmes et les poètes adolescents, l'œil de feu dans la peau sombre, de verbe et de poigne furieuse ; hier encore, et pour peu qu'il fût chauve, j'aurais pensé que « la sauvagerie l'avait caressé sur la tête », comme le plus brutal des coloniaux de Conrad ; aujourd'hui, quel qu'il soit et quoi qu'il dise, j'en penserais ce que je dis ici, rien de plus, et tout reviendrait au même.

Je peux bien sûr m'attarder sur ce jour, dont je fus témoin, dont je n'ai rien vu. Je sais que Félix ouvrit plusieurs bouteilles — sûre alors, sa main empoignait bien le tire-bouchon, avec dextérité déclenchait le joli bruit —, qu'il fut heureux dans les vapeurs du vin, de l'amitié et de l'été ; qu'il parla beaucoup, en français pour interroger son hôte sur les lointains pays, en patois pour évoquer des souvenirs ; que son petit œil bleu pétilla de sentimentalité narquoise, que l'émotion çà et là et le goût du passé brisèrent un mot dans sa bouche. Je me doute qu'Élise écouta, les mains posées dans son giron au creux du tablier, qu'elle regarda beaucoup et avec un étonnement jamais apaisé l'homme fait sous les traits duquel elle cherchait un petit garçon qu'une expression brève parfois lui restituait, une façon de couper son pain, d'attaquer une phrase, de suivre des yeux par la fenêtre l'éclair d'un vol, d'un rayon. Je sais que les phrases patoises revinrent sans qu'il y songeât épouser les pensées de Dufourneau (ce qui n'avait peut-être jamais cessé d'être) et les produire dans le jour sonore (ce qui n'était plus depuis longtemps). Ils parlèrent des vieux défunts, des déboires agronomiques de Félix, avec gêne de mon père enfui ; la glycine de la façade était en fleur, ce jour déclina comme tous les autres ; ils se souhaitèrent au soir un revoir qui ne sera jamais. Quelques jours plus tard, Dufourneau repartit pour l'Afrique.

Il y eut une lettre encore, accompagnée d'un envoi de quelques paquets de café vert — j'en ai longuement touché les grains, je les ai fait rouler souvent hors de leur gros emballage de papier brun, rêveusement, quand j'étais enfant ; il ne fut jamais torréfié. Ma grand-mère parfois, rangeant le rayon reculé de l'armoire où il était serré, disait : « Tiens, le café de Dufourneau » ; elle le regardait un peu, son œil variait, puis : « Il doit être encore bon », ajoutait-elle, mais avec le ton dont elle eût dit : « nul n'y goûtera jamais » ; il était le précieux alibi de ce souvenir, de cette parole ; il était image pieuse ou épitaphe, rappel à l'ordre pour la pensée trop prompte à l'oubli, tout enivrée qu'elle est et détournée d'elle-même par le tintamarre des vivants ; brûlé et consommable, il eût déchu, profane, dans une odorante présence ; éternellement vert et arrêté en un point prématuré de son cycle, il était chaque jour davantage d'hier, de l'au-delà, d'outre-mer ; il était de ces choses qui font changer le timbre de la voix lorsqu'on en parle : il était effectivement devenu le cadeau d'un roi mage.

Ce café et cette lettre furent les derniers signes de la vie de Dufourneau. Un définitif silence y succéda, que je ne peux et ne veux interpréter que par la mort.

Quant à la façon dont frappa la Marâtre, les conjectures peuvent être infinies ; je pense à une Land-Rover renversée dans un sillon de latérite couleur sang, où le sang est de peu de trace ; à un missionnaire précédé d'un enfant de chœur dont le surplis blanc cerne aimablement le visage de suie, entrant dans la paillote où le maître râle les dernières mesures d'une vaste fièvre ; je vois une crue charriant ses noyés, un compagnon d'Ulysse endormi glissant d'un toit et s'écrasant sans s'éveiller tout à fait, un hideux serpent à robe de cendre que le doigt effleure et aussitôt la main enfle, le bras. Je me demande si, à l'heure extrême, il pensa à cette maison des Cards à laquelle en cet instant, je pense.

L'hypothèse la plus romanesque — et, j'aimerais le croire, la plus probable — m'a été soufflée par ma grand-mère. Car elle « avait son idée » là-dessus, qu'elle n'a jamais tout à fait avouée, mais laissait volontiers entendre ; elle éludait mes questions pressantes sur la mort de l'enfant prodigue, mais rappelait l'inquiétude avec laquelle il avait évoqué l'atmosphère de mutinerie qui régnait alors dans les plantations — et à cette date, en effet, les premières idéologies nationalistes indigènes devaient émouvoir ces hommes misérables, courbés sous le joug blanc vers un sol dont ils ne goûtaient pas les fruits ; puérilement sans doute, mais non sans quelque vraisemblance, Élise pensait en secret que Dufourneau avait succombé de la main d'ouvriers noirs, qu'elle se représentait sous les traits d'esclaves d'un autre siècle mâtinés de pirates jamaïcains tels qu'ils figurent sur les bouteilles de rhum, trop éclatants pour être pacifiques, sanglants comme leurs madras, cruels comme leurs bijoux.

Enfant crédule, j'ai partagé les vues de ma grand-mère ; je ne les renierai pas aujourd'hui. Élise, qui avait posé les prémisses du drame en enseignant l'orthographe à Dufourneau, en l'aimant comme une mère quoiqu'elle se sût une possible épouse, qui avait noué le destin du petit roturier en lui laissant entendre que ses origines n'étaient peut-être pas ce qu'elles paraissaient et que les apparences étaient donc réversibles, Élise qui avait été la confidente recueillant le défi orgueilleux du départ et la sibylle le reversant dans l'oreille des générations futures, Élise devait aussi écrire le dénouement du drame ; et elle s'en acquittait avec justesse. Cette fin qu'elle avait arrêtée ne démentait pas la cohérence psychologique de son héros : elle savait que, comme tous ceux qu'on n'appelle pas davantage à faire oublier leurs origines à autrui qu'à eux-mêmes, et qui sont des pauvres exilés chez les riches sans espoir de retour, Dufourneau avait sans doute été d'autant plus impitoyable envers les humbles qu'il se défendait de reconnaître en eux l'image de ce qu'il n'avait jamais cessé d'être ; ces travaux de nègres s'enfouissant avec la graine et peinant avec la sève vers le fruit, ces bottes de boue que le soc vous verse, cet air inquiet quand vient l'orage ou l'homme en cravate, tout cela jadis avait été son lot, et il l'avait aimé peut-être, comme on aime ce qu'on connaît ; cette incertitude d'un langage mutilé qui ne sert qu'à dénier les accusations et parer les coups, avait été sienne ; pour fuir ces travaux qu'il aimait et ce langage qui l'humiliait, il était venu si loin ; pour nier avoir jamais aimé ou craint ce que ces nègres aimaient et craignaient, il abattait la chicotte sur leurs dos, l'injure à leurs oreilles ; et les nègres, soucieux de rétablir la balance des destins, lui arrachèrent une ultime terreur équivalant leurs mille effrois, lui firent une dernière plaie valant pour toutes leurs plaies et, éteignant à jamais ce regard horrifié dans l'instant qu'il s'avouait enfin semblable aux leurs, le tuèrent.

Cette façon de concevoir son trépas s'harmonise

plus sournoisement encore avec le peu que je sais de sa vie ; de la version d'Élise, se dégageait une autre unité que celle du comportement, une cohérence plus sombre, quasi métaphysique et antique presque. C'était l'écho sarcastique et déformé d'une parole, comme la vie l'est d'un désir : « J'y deviendrai riche, ou j'y mourrai » ; cette alternative fanfaronne avait été réduite sur le livre des dieux à une seule proposition : il y était mort de la main même de ceux dont le travail l'enrichissait ; il s'y était enrichi d'une mort somptueuse, sanglante comme celle d'un roi qu'immolent ses sujets ; il n'y fut riche que d'or, et en mourut.

Hier encore peut-être, quelque vieillarde assise sur le pas de sa porte à Grand-Bassam se souvenait du regard d'épouvante d'un Blanc quand miroitèrent les lames, du peu de poids de son cadavre dont on retira les lames ternies ; elle est morte aujourd'hui ; et morte aussi Élise, qui se souvenait du premier sourire d'un petit garçon quand on lui tendit une pomme bien rouge, vernie sur le tablier ; une vie sans conséquence a coulé entre pomme et machette, chaque jour davantage émoussant le goût de l'une et aiguisant le tranchant de l'autre ; qui, si je n'en prenais ici acte, se souviendrait d'André Dufourneau, faux noble et paysan perverti, qui fut un bon enfant, peut-être un homme cruel, eut de puissants désirs et ne laissa de trace que dans la fiction qu'élabora une vieille paysanne disparue ?

PATRICK MAURIÈS
(né en 1952)

Essayiste, historien de l'art et romancier, auteur de vies de Roland Barthes et du comte de Rochester[1]*, Patrick Mauriès propose dans* Vies oubliées *un choix d'existences d'« architectes, décorateurs, peintres, écrivains, amateurs », dont seul le « goût du bizarre » (c'est le titre de la préface) vient justifier la réunion*[2]*. Du critique Mario Praz au photographe Angus McBean ou au décorateur Carlo Mollino, le parcours permet la constitution d'un mélancolique cabinet de curiosités, pensé comme un « amoncellement d'objets laissés par une vie qui reflue ». Mauriès s'attache à des personnages réels et à des détails avérés, affirmant que l'excentricité constitue presque naturellement une forme de fiction : « L'excentricité ordinaire de la plupart de ces biographies est telle, qu'elle suffit à chasser toute transparence et à empêcher que l'on pense jamais restituer le fil d'une vie, reconstituer une biographie*

1. Patrick Mauriès, *Roland Barthes*, Paris, Le Promeneur, 1992 ; *id.*, *Le Méchant Comte : vie de John Wilmot, comte de Rochester*, Paris, Gallimard, 1992.
2. Toutes les citations de Patrick Mauriès qui suivent sont extraites de la préface de *Vies oubliées*.

vraisemblable et complexe ; la biographie croise ici l'œuvre en un parcours sinueux, en une sorte de fiction commune, marqueterie de motifs, grotesque où la sphinge alterne avec l'urne, le masque avec l'acrobate... » Héritier revendiqué de Diogène Laërce, John Aubrey et Marcel Schwob, et éditeur lui-même de tout un fonds de vies brèves dans la collection « Le Promeneur », l'auteur propose, selon les termes de Dominique Rabaté, une « fiction érudite[1] *», marquée par le pessimisme et le dépouillement stylistique, et obsédée par la défaillance du biographe conventionnel, inapte à respecter les exceptions individuelles. Sa vie de l'Italien Mario Praz (1896-1982), collectionneur et érudit insatiable, est plus qu'un hommage rendu, en forme de miroir, à un immense lettré, une manière troublante de renouveler par la fiction biographique le genre de l'essai.*

Voir de Mario PRAZ, *La Chair, la mort et le diable dans la littérature du XIXe siècle : le romantisme noir* [1930], traduction de l'italien par Constance Thompson Pasquali, 2e éd., Paris, Gallimard, coll. « Tel », 1998 (notamment pour les pages sur Marcel Schwob) ; *Goût néoclassique* [1939, 1974], traduction de l'italien par Constance Thompson Pasquali, Paris, Le Promeneur, 1989 ; *La Casa della vita*, Milan, Adelphi, 1979 ; *Carteggio Cecchi-Praz*, édition par Francesca Bianca Crucitti Ullrich, préface de Giovanni Macchia, Milan, Adelphi, 1985. Sur Mario Praz : Giovanni MACCHIA, « Praz o la suggestione dell'artificiale » [1943], in *Gli anni dell'attesa*, Milan, Adelphi, 1987, p. 121-133 ; Elena DI MAIO et Stefano SUSINNO, *Le Stanze della memoria : vedute di ambienti, ritratti in interni e scene di conversazione dalla collezione Praz, dipinti ed acquarelli, 1776-1870*, 3e éd., Rome et Milan,

1. Dominique Rabaté, *Poétiques de la voix*, Paris, J. Corti, 1999, p. 274.

Galleria nazionale d'arte moderna, 1988 ; *Mario Praz*, Paris, Centre Georges-Pompidou, coll. « Cahiers pour un temps », 1989 ; *Scènes d'intérieur : aquarelles des collections Mario Praz et Chigi*, Paris, Éd. Norma, 2003.

Mario Praz

(*Vies oubliées*)

Aujourd'hui encore, il n'est pas jusqu'à de sévères historiens d'art parisiens qui ne gardent, murmure-t-on, les livres du « professeur » retournés sur leur table, titre et nom cachés… « Le professeur », alias « M. P. », « l'angliciste », « l'innommable », ou, s'il faut absolument le dire : Mario Praz, l'index et le mineur vigoureusement tendus vers le sol, en un geste prophylactique — ou plutôt apotropaïque — désespéré… Car jusque dans la mort, le nom de l'un des érudits les plus fascinants de ce siècle (critique, romancier « masqué », amateur, collectionneur…) reste synonyme de mauvais sort : de plafonniers effondrés au moment où il entrait dans une pièce, de montre tombant inexplicablement du poignet de son interlocuteur, de machines subitement déréglées, de crises de toux imprévisibles, etc. Jusque dans la mort, puisque sa collection fut l'objet d'un mystérieux hold-up à propos duquel circulèrent à Rome les plus fantastiques explications ; et dont l'État italien (parmi d'autres phénomènes douteux) s'est porté tardivement acquéreur, plus de quatre ans après le décès de Praz. Sur ce fonds, E. di Maio et S. Susinno ont opéré le petit prélèvement qui a donné lieu à une exposition inaugurale en 1987 ; échantillon avant l'établissement encore hypothétique d'un mausolée à l'érudit sans nom, rassemblant les mille cinquante-sept pièces — tableaux, jouets, cires, gravures, éphémérides, porcelaines, bronzes, cristaux — de sa collection.

Héros — ou plutôt héros et victime, suivant l'une de ces ambivalences « décadentes » que Praz fut parmi les premiers à chérir — de la *jettatura*, ou propension à porter la poisse, ce dispositif autoprotecteur de la féroce crédulité napolitaine, dont ne furent pourtant exempts ni un récent président du Conseil, « nordique » saisi un jour au Parlement en position de *jettatore*, ni même le très sérieux Benedetto Croce — l'anti-Praz résolu (« *je n'y crois pas, mais sait-on jamais...* » et de corner furieusement !).

Peut-être Praz eut-il, comme tant d'autres, à souffrir d'une telle injustice ; mais il est probable qu'en voltairien bon teint, il sut avant tout pas mal s'en divertir : homme, comme il l'était, des lumières, c'est-à-dire du souci des formes.

Tel est désormais l'un des éléments de sa légende ; légende à laquelle concourent tant d'autres traits de sa biographie et de son œuvre : la légère difformité dont il était affligé, ses collections, sa solitude, l'incroyable registre, enfin, de sa production : il suffit de dire qu'à sa mort, en 1982, sa bibliographie ne comptait pas moins de deux mille six cent quarante-cinq numéros.

Avant d'être cet homme qui, comme devait l'édicter un vénérable professeur de Cambridge, « *mores hominum multorum vidit et urbes* », Praz naquit à Rome le 6 septembre 1896 d'un fonctionnaire de la banque anglo-romaine et de Giulia Testa di Marciano, de vieille souche ombrienne, dont le prénom préfigurait, extrapola-t-il, cette Via Giulia dans laquelle il devait vivre plus de trente ans, y faisant surgir son premier intérieur de fable.

À la mort de son père, en 1900, la famille partit s'établir à Florence. Praz y fera ses études, de droit tout d'abord, puis de lettres, ponctuées par une thèse sur la langue de D'Annunzio en 1920.

Deux lieux, deux sociétés, deux histoires coexistaient dans la Florence de l'époque : le café des *Giubbe Rosse* sur la place de la République, lieu traditionnel d'agrégation des lettrés, où croisaient Montale, Palazzeschi et Soffici ; la colonie anglo-saxonne des environs de Fiesole, dont Berenson était déjà l'astre solaire, mais où comptait aussi une vieille fille un peu rêche, auteur d'histoires fantastiques, de livres historiques, et de fameuses méchancetés : Violet Paget, alias Vernon Lee, sans doute médiatrice de Praz vers ces choses anglaises qui devaient le fasciner une vie durant.

Liverpool et Manchester, où il enseigne une dizaine d'années à partir de 1924, amorcent une carrière prolifique, avec ses premières collaborations à d'innombrables — par définition — revues littéraires, et la publication, en 1930, de son livre-phare, *La Chair, la mort et le diable dans la littérature romantique*, immédiatement censuré par Croce (seul un esprit malsain pouvait s'intéresser à pareille matière), et traduit dans toutes les langues — sauf le français (il fallut attendre les années soixante-dix pour voir paraître le volume). Suivent plusieurs livres sur la poésie métaphysique anglaise, le Marinisme, Donne, Crashaw et la culture des emblèmes, que l'on redécouvre actuellement avec ferveur.

De retour à Rome en 1934 — dans son fameux palais de Via Giulia —, il arrive assorti d'une épouse anglaise, Vivian Eyles (on peut suivre les détails, émouvants, de son infatuation dans une correspondance avec Emilio Cecchi publiée à Milan en 1985) ; compagne qui ne tardera pas à le quitter, le laissant avec leur fille, née en 1938, les rudiments de sa collection de Biedermeier, et un certain parfum de scandale, car, préfigurant des méthodes aujourd'hui fort répandues, elle s'empressa de publier un transparent livre à clefs, où figurait un certain professeur d'anglais aux bizarreries sexuelles assez prononcées... Désormais ne cessera de se creuser le sillon de la solitude : solitude non seulement personnelle (la lucidité de Praz lui fit cependant très tôt écrire qu'il appartenait à cette race de gens tendus vers « *la certitude, le confort des objets* »), mais aussi intellectuelle : ni simple collectionneur ni seulement critique, universitaire et journaliste, essayiste et « scientifique », il se trouve déjà à la croisée de plusieurs champs, de plusieurs sigles, n'appartenant à aucun, ce qui, dans une Italie qui peut souvent tourner férocement au conformisme, l'affaiblit longtemps, lui faisant perdre du sérieux, de la constance, du crédible ; mythologie qui ne devait vraiment s'inverser que sur le tard, face à son incroyable *obstination*.

Têtu donc, gardant, comme il faut le faire, le regard sur le dessin de ses objets (de son discours), Praz se mit à publier régulièrement recueils d'essais, livres de voyages, textes sur l'art, l'histoire de la décoration ou des grands mouvements littéraires ; ainsi : *Gusto neoclassico* (1943), *La Filosofia dell'arredamento* (1945), *La Casa della vita* (1958), *Bellezza e bizzaria* (1960), ou encore une *Histoire de la litté-*

rature anglaise (1937), et un pondéreux traité sur *La Crise du héros dans le roman victorien* (1952), outre d'innombrables essais, publiés tant par *La Nazione*, très à droite, que par *Paese Sera*, communiste, et régulièrement réunis en volumes. Ouvrages sans cesse soumis à un travail de correction, d'ajouts, de variantes, fondus et augmentés avec le passage du temps : ouverts à tout nouvel apport dans ses collections de faits. L'abandon du palais Via Giulia se traduisit donc tout naturellement, après coup, par une refonte de la *Casa della vita*, étrange monument où le fil de la vie ne se lie qu'à travers trouvailles et acquisitions, dans la constitution progressive, amoureuse, d'un intérieur. En 1969, Praz se transfère corps et biens Largo Zanardelli, dans le cadre on ne peut plus napoléonien (et adéquat au *feeling* Empire de ses collections) du Palazzo Primoli, où il vivra jusqu'à sa mort. Dans la seule compagnie ombreuse et feutrée de quelque vieille bonne, fatalement prénommée Perpetua. La collection à laquelle on accédait par l'entremise de cette petite bonne femme (qui craignit un temps que le professeur fût communiste, parce qu'il lisait des livres en russe) était devenue depuis longtemps une halte obligée, parmi tant d'autres *mirabilia Urbis Romae* de l'internationale culturelle. Deux pages de ses *Visitor's books* justement exhibées dans l'exposition de Susini et de Maio attestaient du fait : le 28 octobre 1950, signe un certain Prokosch Frederic, suivi le 1er janvier 1955 par Manganelli, Giorgio, et le 17 du même mois, par Gilberte Brassaï ; sans oublier un obscur universitaire débarqué de Bennington College, Vermont ; ou encore, sur une seule page, amoureusement enluminée de divers cachets royaux, « Margaret ». Les visites se déroulaient invariablement selon le même patron : petite conversation policée, suivie d'une visite commentée par le maître ; et Francis Haskell évoque encore avec terreur le tremblement qui le saisit à l'idée d'endommager la fragile, unique tasse dans laquelle lui était servi le thé, après que le professeur eut tempêté contre les mauvaises manières d'un Américain qui avait utilisé une pointe Bic en s'appuyant sur le précieux maroquin d'un bureau Empire.

Son activité de collectionneur se prolongea jusqu'à quelques semaines avant sa mort ; de même que le rythme de sa production, qui culmina en deux gros volumes, expression directe de sa passion notoire : une nouvelle édition augmentée de *La Philosophie de l'ameublement* (1964), et un superbe recueil consacré aux *Conversation Pieces* — dont beaucoup appartenaient à son fonds personnel —, ces peintures d'intérieur aux personnages en général minuscules et au regard vide lorsqu'ils fixent le spectateur. Ses dernières années furent par ailleurs consacrées à la mise au point d'anthologies de ses propres anthologies, volumes-mosaïques, constitués de pièces et de morceaux de recueils précédents, qu'Adelphi et Garzanti publièrent dans la reconnaissance générale : tant il est vrai que l'âge, l'endurance, sont pour l'industrie culturelle d'aujourd'hui des sortes de valeurs-mana ; les choses vues et l'expérience appelant comme d'elles-mêmes la gérontophilie médiatique.

S'ajoutent peut-être à cela quelques mauvaises raisons : la critique de Praz ne s'est jamais distinguée par un excès de théorisation. « *Anzi !* », diraient les Italiens : il s'est toujours résolument tenu du côté du récit, fût-il excentrique, de la collection de faits ou de curiosités, se refusant aux vues d'ensemble et aux synthèses, non sans une petite pointe de réaction toute faite pour plaire à ces mondains des romans de Nancy Mitford que les discussions intellectuelles *tuent* littéralement, ou aux antiquaires new-yorkais raffinés et obtus qui limitèrent longtemps le public de Praz. « *Il existe,* notait Giovanni Macchia (figure par bien des points similaire à celle de Praz), *des critiques ascétiques, mystiques, dogmatiques ; il serait, lui, un critique laïc, impliqué dans le monde. Il descend immédiatement au particulier, c'est-à-dire à l'histoire.* » Les poètes métaphysiques anglais, le maniérisme, la poésie baroque, le néo-classicisme, le décadentisme et D'Annunzio : seule la paresse d'esprit, consacrée par l'usage et les préjugés historiques, se contentera de voir dans ces périodes des stylistiques de transition, des temps faibles, susceptibles à la rigueur d'une forme de fétichisme retors, et dans Praz le saint patron tout trouvé de cette sensibilité au « *mineur* », affligée d'un goût du paradoxe historique, à laquelle on accorde malgré tout une place : canoniquement secondaire. Macchia, une fois de plus, a bien plus justement situé le problème, pointant la communauté sous l'apparent disparate de cette curiosité : « *Les préférences de Praz,* résume-t-il, *vont, plus qu'au classicisme, au néo-classicisme, qui, en tant qu'"art de l'art", met avec plus de force en évidence son fonds volontaire, intentionnel, critique, à travers ses préciosités formelles, et sa "rigueur académique"...* »

Il n'est pas jusqu'aux descriptions émaillant ses livres de voyage qui ne dénoncent le leurre de l'immédiateté, le culte plat de la nature (« *les paysages apparaissent comme des visions d'une nature déjà interprétée ; comme si l'auteur décrivait des tableaux célèbres* ») : les régions, les objets de prédilection du

Professeur sont en soi un *statement,* une prise de position, sur la nature, le rôle, l'économie de la littérature : refus décidé de toutes les idéologies de la transparence, du *speculum mundi*, du naturel et du réalisme, dont nous subissons cycliquement l'offensive, et en particulier ces temps-ci.

La critique de Praz se distingue, dans son refus avoué de l'esprit de système, à une propriété éclatante : les textes y sont toujours amoureusement détachés, exhibés, enchâssés, comme s'il s'agissait d'autant de belles pièces de collection : « marguerites » ou « perles », eût dit le XVIe siècle. Praz est « *citatore potente* » ; sa critique est critique de rapports, plus que d'individus (Macchia) : le plaisir, la jubilation y sont évidents non seulement à découvrir, et arpenter, des territoires inconnus, mais encore à tracer des lignes de biais, des mises en relation imprévues, à jouir de l'analogie et du raccourci comme si rien du champ culturel européen en général n'était interdit, impropre, méconnu. Et le lecteur devient l'invité auquel on dévoile, l'un après l'autre, dans une succession de pointes et de plaisirs, les différents tableaux ornant un mur d'amateur.

Fluidité des points de vue, rapidité, répétition de la jouissance : il y a là de quoi soutenir, justifier toute une forme littéraire : celle de l'*essay* que les Anglais, avec Charles Lamb au XIXe siècle, pratiquèrent de façon suprême, et dont l'on trouve des précurseurs chez certains prosateurs baroques : Praz ne se borna pas à traduire les *Essais d'Elia* de Lamb, il en tira l'une des rares généralisations que l'on trouve chez lui ; esquissant une typologie des « *intelligences imparfaites* » de ces esprits qui se contentent de fragments, de profils, d'aperçus de la vérité jamais saisie en elle-même, mais vibrant au milieu d'un jeu de renvois, de textes fulgurants, de vertiges d'érudition et de plaisirs savants. « *Mes essais*, résumait Lamb, *n'ont pas besoin de préface, ils ne sont que préface* » : citation pointée par Praz dans un de ses propres « *travaux de marqueterie* » ou d'herboristerie littéraire, tapisserie tissée par un esprit humble, patient et gourmand, anti-héros d'un nouveau type (« *Il est moins ennuyeux, plus civil, plus humain... il y a tout un monde que les tragiques ne voient pas, ne savent pas comprendre* », écrivait Praz à l'un de ses amis, donnant sa propre situation sur la carte).

« *En ce qui me concerne, j'avoue une partialité pour ce qui est mort, mort et défait, et enseveli dans tout le faste funèbre d'un Valdés Leal : pour tout ce qui est faiblement, anémiquement vif* » : le collectionneur aura, en somme, toujours le dernier mot ; contemplant et amassant les images, objets, lieux dont il sait qu'ils lui survivront, contemplant le reflet de sa propre mort, mais dans un miroir qui est déjà au-delà de la mort : dans une série qu'il aura constituée, arrêtée, où il sait qu'on pourra le reconnaître : dans ces tableaux qui figent le décor d'une vie, ces « *intérieurs d'objets vivants et de personnes inanimées* ». L'appliqué, le minutieux, le naïf, le vernis des *Conversation Pieces* visibles au musée de Rome ou au musée Poldi Pezzoli, l'immobilité hallucinée des personnages, le vide de leur regard, donnant, en même temps, comme l'image inversée de leur tentative désespérée d'annuler le passage du temps, de se figer dans un présent décoratif et amène.

Peut-être la passion de la mort, sans rien de poisseux ni de doloriste, qui anima la vie de Praz, le visiteur pourrait-il en éprouver quelque chose un peu en dehors de l'exposition : dans les combles, plutôt délabrés, du Museo d'Arte Moderna, et dans une scène que n'a pas maîtrisée le collectionneur : le spectacle de son cartonnier, aux tiroirs méticuleusement étiquetés (« *emblèmes* », « *néo-classicismes* », « *intérieurs* », « *littérature anglaise* », etc.), échoué, tel le vestige imposant d'un naufrage, dans le bureau froid et fissuré d'un fonctionnaire. Sorti de sa syntaxe amoureuse, de ce décor patiemment constitué, médité, essayé, pesé, recomposé, de cette myriade d'accents et d'impondérables, invisibles à l'œil du spectateur de passage, mais tous également fascinants : le miroir, l'horloge de bronze, dont le moindre arrêt mettait Praz hors de lui, la chaise Chippendale — mais aussi « *la lumière qui affleure insensiblement à une certaine heure, tel tableau sur tel pan de mur, ou encore le parfum des fleurs qui s'exhale près d'une fenêtre* »...

GÉRARD MACÉ

(né en 1946)

C'est la métaphore de l'éternel retour qui préside aux Vies antérieures *de Gérard Macé, recueil où le genre de la vie imaginaire touche à la méditation poétique. « Nous écrivons pour nous loger dans le corps d'un autre, et pour vivre en parasites dans l'un des trous creusés par la mémoire », explique au début du recueil un narrateur invoquant Baudelaire et donnant comme modèle à l'écrivain le scribe égyptien, voleur et faussaire qui usurpe son pouvoir sur les signes. Puisqu'il y a « invention de la mémoire » (c'est le titre de la première des* Vies antérieures*) afin de « tricher devant la mort » et de « faire croire à l'immortalité de l'écriture », puisque « nous sommes déjà des ombres » et qu'après le trépas, « nous visiterons des vivants dont le sommeil n'est pas trop lourd », toute vie est traversée par ce que l'on pourrait nommer un sentiment de l'antérieur. Le poète « n'a pas d'identité et s'empare donc du corps d'autrui[1] » : il est celui qui sait substituer aux généalogies factices une archéologie fictionnelle du moi. Rien n'interdit donc à Macé,*

1. Gérard Macé, *Vies antérieures*, Paris, Gallimard, 1991, p. 24, 127, 128, 8.

par un souvenir imaginaire, de prêter le nom de Robert Fludd, alchimiste anglais de la Renaissance et défenseur de la doctrine de la métempsychose, à un acteur anglais. Dans cette variation sur la vieille énigme de l'incarnation théâtrale, le personnage, « Sosie marchant à tâtons », sert de prétexte à une méditation sur l'identité et la propriété de la parole. Le récit prend pour intertexte quasi explicite Le Bavard *(1946) et « Les grands moments d'un chanteur » (1960), roman et nouvelle de Louis-René des Forêts, écrivain marqué par les inquiétudes de l'après-guerre sur la vanité possible de l'écriture, et dont Macé partage les doutes quant à notre aptitude à saisir le monde et à nous retrouver dans les résonances de notre propre voix. Il ne s'arrête pas là cependant. Car si la polyphonie qui parle à travers nous, si les identités perdues qui nous hantent illustrent la tragédie d'une perte d'unité et de souveraineté, elles sont aussi l'occasion, comme ici, de réincarnations imprévues et heureuses.*

Voir Dominique Rabaté, *Louis-René des Forêts : la voix et le volume*, Paris, José Corti, 1991 ; Laurent Demanze, « Gérard Macé, une écriture en miroir », *Roman 20-50*, n° 35, juin 2003, p. 119-128 ; Dominique Viart (dir.), « Gérard Macé : la "pensée littéraire" », dossier de *La Revue des lettres modernes. Écritures contemporaines*, n° 9, 2007 ; Laurent Demanze, *Encres orphelines : Pierre Bergounioux, Gérard Macé, Pierre Michon*, Paris, José Corti, 2008 ; *id.*, *Gérard Macé : l'invention de la mémoire*, Paris, José Corti, 2009 ; Karine Gros, *Gérard Macé, une « oltracuidansa poetica »*, Paris, Éd. Nota Bene, 2009.

La vocation d'acteur

(*Vies antérieures*)

Prolonger le jeu des enfants qui se déguisent avec les habits des morts, qui essayent devant le miroir les mimiques et les gestes des adultes, qui se couchent en cachette dans le lit des parents, ou marchent en trébuchant dans leurs chaussures trop grandes : chaque fois que j'ai vu jouer Robert Fludd, j'ai cru que c'était là sa vocation d'acteur.

C'est à Londres que je l'ai vu pour la première fois, dans un théâtre dont la salle était vide, mais volontairement vide, car Robert Fludd avait disposé sur la scène elle-même les chaises des spectateurs, jamais plus d'une vingtaine à la fois, et c'est derrière le rideau tiré qu'avait lieu la représentation. Si j'en ai gardé un souvenir tel qu'il ne m'a guère quitté, ce n'est pas tant à cause du rôle muet de Pierrot, joué par Fludd dans la tradition des Funambules, de son visage enfariné ou de son costume éternel, casaque blanche à gros boutons, vaste pantalon flottant (tout cela était parfait mais sans surprise), ni de la scène finale où Pierrot décapite la mort en lui volant sa faux, même si j'admirais au passage la beauté du geste.

Non, toute l'intensité dramatique naissait pour

moi d'un autre moment, plus anodin en apparence : quand Pierrot en retrait par rapport aux deux femmes dont il est amoureux, et qui bavardent entre elles en l'observant du coin de l'œil, passe de longues minutes à écrire, avec application et grâce à la fois, une page dont le contenu n'était pas dévoilé par la suite.

Or, l'acteur obligé d'écrire en public (sous la lumière aveuglante des projecteurs) m'a toujours semblé tenir un rôle injouable, privé de toute vraisemblance et prisonnier des pires conventions. Comment rejouer au grand jour ce qui s'accomplit dans l'ombre, ou du moins à l'abri de tout regard, comment reproduire une disposition intérieure dont l'intéressé lui-même ignore presque tout, comment prévoir ce qui survient à l'improviste ?

Je mentirais en affirmant que Robert Fludd échappait totalement à ce piège ; mais malgré l'artifice de la situation, il parvenait à donner l'impression d'être absent, de n'être plus qu'une silhouette ou un fantôme, et de jouer à chaque fois un drame personnel dont l'intensité finit par avoir raison de ma gêne initiale.

Je suis allé le voir plusieurs soirs de suite, et peu à peu s'imposa dans mon esprit l'idée qu'il écrivait vraiment, — mais quoi ? J'avais beau ne pas écouter les deux actrices, comme si elles n'étaient là que pour détourner l'attention, j'avais beau suivre sans relâche le mouvement de cette écriture en miroir, dans laquelle je devinais le dessin d'une majuscule ou le début d'un paragraphe, je ne pouvais prêter à ce Pierrot effaré que mes propres phrases, et sortir du théâtre en rêvant que mon écriture ressemblait à la sienne.

Si je n'ai pas tout fait pour approcher Robert Fludd, du moins dans l'immédiat, j'ai guetté les faveurs du hasard à partir du moment où il s'installa à Paris, pour ne plus jouer qu'en français. De père anglais et de mère française, il renonça en effet à sa langue natale, qu'on ne saurait en la circonstance qualifier de maternelle, même si l'anglais était la langue dans laquelle il traduisait toutes les autres, « la première depuis toujours ».

L'occasion me fut donnée de le connaître alors qu'il donnait au Petit Odéon le monologue du *Bavard*, avec cette intonation particulière qui faisait tout le charme de sa diction. Mais cet air qui sur la scène se confondait avec sa voix devenait dans la conversation courante un léger accent. Cependant, l'étrangeté de ses propos ne venait pas de là, mais des tournures qu'il employait, drôlement emphatiques, et qui ressemblaient parfois à des répliques de théâtre. L'impression qu'il parlait avec de magnifiques phrases toutes faites me fut confirmée quand il m'avoua un jour ne pouvoir parler en français qu'avec des phrases apprises, pour ainsi dire des fragments du répertoire : sa mémoire encombrée de tirades lui fournissait pour chaque situation, ou presque, une citation plus ou moins à propos, qui lui évitait la peur de trébucher, de commettre une faute qui, disait-il, l'aurait mortifié autant qu'un échec au théâtre. Mais je ne crois pas exagérer en ajoutant qu'il avait fait de cette pratique aberrante une sorte d'exercice spirituel, et qu'il se livrait ainsi, jour après jour, à une lente dépossession de soi.

Jamais je n'ai pu questionner franchement Robert Fludd, qui donnait l'impression de déroger en parlant de lui, ou de trahir une promesse intérieure, et dont l'extrême réserve intimidait en privé comme elle subjuguait en public.

Il marchait sur la scène comme au bord du vide, comme un funambule ou un danseur de corde, mais s'il avait l'air de marcher sur un fil, ce n'était pas à cause d'un pas mal assuré ou trop précautionneux. C'est plutôt qu'il était de passage quel que fût son rôle : il regardait si souvent loin devant lui vers la coulisse, jamais vers le public toujours prêt à provoquer la chute de l'équilibriste, et s'adressait en fait à un absent dont lui seul soupçonnait l'existence.

J'ai même pensé quelquefois, en le voyant s'éloigner vers l'ombre, qu'il nous tournait le dos avec une sorte de soulagement, et qu'il ne réapparaîtrait pas dans les scènes suivantes, préférant quitter le théâtre au milieu de l'action, pour hurler dans la nuit ou déclamer seul, comme Mallarmé rêvant de partir en roulotte pour dire chaque soir le monologue d'Hamlet, accompagné par le vent. Je l'ai imaginé sur les routes, parlant à voix basse à l'enfant qu'il fut, enrubanné par sa famille pour réciter un compliment à l'occasion d'une fête, ou posant pour le photographe, les bras ballants, ne sachant quoi faire de ses mains parce que sa mère a cousu ses poches.

Je l'ai observé bien souvent à la fin des représentations, au moment du salut, quand les acteurs éblouis s'avancent vers nous sans nous voir, quand leur maquillage qui coule ne dissimule plus leur vrai visage, et que leurs costumes ne sont plus que des défroques, leurs manches comme des ailes repliées leur donnant l'allure de papillons brûlés par les feux de la rampe. Dans ce moment invraisemblable, où des demi-dieux réintègrent leur corps de mortel, on voit des héros mouillés de sueur, des amoureux éreintés, des assassins qui réclament des bravos pour chasser l'esprit du mal, des rois qui tiennent leur couronne à la main comme s'ils portaient leur tête sous le bras. Robert Fludd quant à lui avait l'air d'attendre des condoléances, non pour lui, mais pour l'art du théâtre en train de mourir.

Des années ont passé, et le reste est connu : la gloire éphémère de ce souffleur déchaînant la tempête, de ce Prospero dissipant tous les songes ; de ce Sosie marchant à tâtons, couvert de la nuit comme d'un manteau, s'éclairant d'une lanterne et récitant des vers dans le noir afin de se rassurer. Puis la fascination qu'il exerça, à son corps défendant c'est le cas de le dire, lorsqu'il joua le rôle d'un fantôme, celui d'un danseur de tango, jusqu'à ce qu'une mauvaise chute le soir de la centième mît fin aux représentations qu'il ne devait jamais reprendre : l'incident lui rappelait l'histoire du mime Debureau, qui ne découvrit sa vocation de Pierrot qu'après être tombé du fil où il avait débuté comme danseur de corde.

Quant à ce qu'il faut bien appeler sa disparition, elle passa presque inaperçue. Il est vrai que sa mort avait déjà été annoncée (supercherie puérile pour les uns, blague de mauvais goût pour la plupart), et que dans ce domaine on ne crie au loup qu'une seule fois. Après cela il disparut dans une ombre définitive, dont ne pouvait plus le tirer aucune lumière, aucune musique, pas même la musique argentine et ralentie sur laquelle il esquissa tant de soirs, en avant puis en arrière, les pas de danse d'un revenant aux souliers vernis.

ÉRIC CHEVILLARD

(né en 1964)

La veine ironique est une composante majeure des écritures biographiques contemporaines, qu'il s'agisse de moquer les formes conventionnelles de narration ou de railler les lieux communs du genre. Comme Jean Echenoz, mais dans un style moins impassible et plus acerbe, Éric Chevillard incarne cette tradition de jeu désinvolte avec les codes du biographique : pourfendeur des poncifs du romanesque et acrobate de l'absurde, Chevillard entend démolir un genre déjà passablement écorné par l'ironie moderniste de L'Hérésiarque et Cie *de Guillaume Apollinaire (1910), des* Gestes et opinions du docteur Faustroll *d'Alfred Jarry (1911) ou encore du « Saint inconnu » de Blaise Cendrars (1937). Si* Dino Egger, *publié en 2011 par Chevillard, s'en prend au mythe du génie en inventant l'étrange biographie négative d'un homme qui aurait pu exister (« Qu'est-ce qu'une vie qui n'est pas vécue ? » spécule Albert Moindre, le biographe d'un héros non seulement putatif, mais totalement virtuel), c'est plus précisément à la* vie d'écrivain *que s'attaque le romancier dans* L'Œuvre posthume de Thomas Pilaster, *à travers l'invention de Thomas Pilaster, « auteur supposé », selon l'expression de Jean-Benoît Puech, théoricien et autre praticien contemporain du genre. Un critique non moins fantaisiste, Marc-Antoine Marson, nous en présente les œuvres posthumes : journal, poèmes inédits, carnet, fragments d'un grand œuvre restant inachevé,* Les Tigres, *dont nous est donné un maigre récit, « Trois tentatives pour réintroduire le tigre mangeur d'hommes dans nos campagnes ». Ce dispositif, sous-genre de la vie imaginaire, remonte au moins à la supercherie littéraire de Sainte-Beuve (voir p. 322* sq.*) et permet à la littérature de réfléchir à l'image et au statut de l'auteur, comme aux valeurs propres au champ littéraire. Construire un auteur, en effet, c'est produire un modèle ou un anti-modèle de ce que doit être — ou éviter de devenir — l'écrivain. Poussant à son ultime conséquence la démystification de l'image romantique de l'auteur écrasé par sa création, revenant sur sa version moderne qui a pris, sous l'influence de Maurice Blanchot, pour modèles les figures négatives de Bartleby ou de lord Chandos, artistes sans œuvre et « décréateurs », ironisant sur le « comique involontaire » de la poésie moderne, Chevillard s'en prend, avec une férocité sans égale, à notre besoin de mythes littéraires.*

Voir sur Éric Chevillard : Olivier BESSARD-BANQUY, *Le Roman ludique : Jean Echenoz, Jean-Philippe Toussaint, Éric Chevillard*, Villeneuve-d'Ascq, Presses universitaires du Septentrion, coll. « Perspectives », 2003 ; Ann JEFFERSON, *Biography and the Question of Literature in France*, Oxford, Oxford University Press, 2007 ; « Éric Chevillard. *L'Œuvre posthume de Thomas Pilaster, Du hérisson, Démolir Nisard* », dossier de *Roman 20-50*, n° 46, décembre 2008 ; René AUDET, « Éric Chevillard et l'écriture du déplacement : pour une narrativité pragmatique », dans *Chevillard, Echenoz : filiations insolites*, études réunies et présentées par Aline Mura-

Brunel, Amsterdam — New York, Rodopi, 2008, p. 105-116. Sur l'« auteur supposé » : Jean-Benoît Puech, « L'auteur supposé », *Le Promeneur*, n° 51, décembre 1986, p. 5-9 ; J.-F. Jeandillou, *Supercheries littéraires : la vie et l'œuvre des auteurs supposés*, éd. 2001, *op. cit.*, *passim*.

Chronologie

(*L'Œuvre posthume de Thomas Pilaster*)

15 juillet 1934. Naissance de Thomas Jean-Julien Pilaster à Joinville, village de pêcheurs sur la côte atlantique. Il est le fils unique de Charles Pilaster, voyageur de commerce (cosmétiques), et de Marie Pilaster-Alimen. Le couple ne s'entend pas. L'enfant est chétif et légèrement macrocéphale, malgré quoi ses parents aveuglés par l'amour se demandent s'il a bien toute sa tête. À trois ans, il ne parle toujours pas. De telles périodes de silence et de stérilité seront d'ailleurs fréquentes tout au long de la carrière de l'écrivain, alternant avec des phases de prolixité non moins alarmantes.

En 1938, Charles Pilaster meurt des suites de son alcoolisme. Marie trouve un travail à la pêcherie. Thomas reste le plus souvent seul. Il prétendra avoir commencé dès cette époque à inventer des histoires, ce qui nous autorise à tenir cette déclaration pour mensongère. Toute sa vie, soit dit en passant, il aura ainsi à cœur de se bâtir une légende conforme à ce qu'il imagine devoir être le destin d'un écrivain, avec des passions forcenées, des expériences limites, des manuscrits brûlés. D'un paisible voyage organisé en Andalousie, en 1976, il rapportera un récit haletant que la revue *Loin* n'osera pas lui refuser, où l'on découvre avec une certaine stupeur que l'Espagne, berceau des conquistadores, dont les services du cadastre ne nous semblaient pas moins scrupuleux qu'ailleurs, est en réalité un pays mal connu, quasi inexploré, bouillonnant de mers intérieures contenues dans les vallées de massifs montagneux volontiers volcaniques, où jungles et déserts se disputent un sol régulièrement dévasté par des tremblements de terre, où le voyageur pour survivre doit affronter des fauves incessants comme les mouches, ingérer d'âcres racines et se prémunir du froid de la nuit en se pelotonnant dans des terriers d'ours (une espèce non recensée auparavant d'ours souterrains).

On cherchera en vain une allusion à la guerre et à l'occupation dans l'œuvre de Pilaster (maréchaliste en 40, il acclame de Gaulle à la Libération).

1946-52. Thomas est interne au collège de garçons Saint-Anselme de Saint-Sernin-sur-Lormes grâce au soutien financier de ses oncles Alimen. Années difficiles. Il n'est guère apprécié de ses camarades qui blâment sa conduite irréprochable. On ne veut pas de lui dans les équipes qui se forment sur le terrain de sport, cet ostracisme n'étant pas dû uniquement à l'antipathie qu'il inspire, restons justes, mais encore à son manque de dispositions pour la course, le dribble et l'effort physique. Ses gros genoux contiennent aussi la cuisse et le mollet. Il n'est pas haut, avec de grands pieds, et s'attire le surnom d'Angle droit. Il achète cependant la clémence des plus forts et son calvaire hebdomadaire ne commence vraiment qu'au milieu de la semaine quand les provisions de confiserie dont sa mère emplit son sac le lundi matin sont épuisées. Il a pour condisciple Marc-Antoine Marson, le futur auteur de *Le Chant des astres* (1959), *Les Oursins* (1962), *Bellérophon* (1965), *Façons d'être* (1966), *Le Garde-malade* (théâtre, 1969), *Autres façons d'être* (1971), *Forcinal ne veut pas mourir* (1973), *Cailloux cailloux* (poèmes, 1975), *Sang noir* (1975), *Onze petits drames* (théâtre, 1977), *Nouvelles façons d'être* (1979), *Machine arrière* (essai, 1982), *Et autres nouvelles* (1984), *Remko* (1986), *Lingeries* (poèmes, 1989), *Le Premier Pin des Landes* (1992), *Sentiments contraires* (1994), *L'Eau du robinet* (1995), *Préoccupations* (1996), *La Gloire de Camille* (à paraître), *Codicilles I et II* (à paraître), qui prendra sur lui un ascendant certain et exercera une influence bénéfique sur son œuvre dès l'origine en critiquant sévèrement ses premiers poèmes. Car Angle droit écrit dès cette époque (1948) et tente sans succès de faire publier des odes, des élégies, des stances et des sonnets, hélas détruits ou perdus.

En 1952, il obtient son baccalauréat et s'installe à Paris où il commence des études de lettres qu'il ne poussera pas loin. Le 16 mai, par l'entremise de Marc-Antoine Marson, il a rencontré Lise Combes. Cette jeune femme vive et ironique dont tout le monde redoute l'esprit, le rire et la beauté, et qui n'a pas pour habitude de ménager la candeur des imbéciles, s'éprend de lui contre toute attente. En septembre, elle le rejoint à Paris. Ils ne se quitteront plus.

1954. Pilaster publie *Mots confits mots contus* à compte d'auteur. Ce recueil de petites proses est suffisamment obscur pour autoriser les gloses intrépides. On ne risque rien à écrire en noir sur fond noir. C'est encore le vieux réflexe humain de fermer les yeux dans la nuit qui joue ici : le livre connaît un vague succès critique.

1955. Il renoue avec Marc-Antoine Marson, de retour en France après un voyage de trois ans à travers le monde. Pilaster quant à lui traverse dans le même temps une période de doutes. La lecture sur manuscrit du *Chant des astres* lui fournit le thème de *Bapst, ou l'expansion de l'Univers* dont il écrit les premiers chapitres à Joinville durant l'été 56. Lise est l'active confidente de son travail. Le livre paraît en 1958. Séduit par son propos audacieux, le public passe outre la négligence de la composition et la gaucherie juvénile de l'écriture (remarquable cependant dans les passages trop rares où l'auteur laisse s'exprimer sa féminité). Les droits de ce roman permettent à Pilaster d'acquérir un bel appartement dans le quartier du Marais. En novembre, sa mère meurt. Le couple partagera désormais son temps entre Paris et la maison familiale de Joinville.

1959. Il publie une brève *Étude de babouche pour la mort de Sardanapale*, mêlant réflexion philosophique et critique d'art, ou comment mesurer savamment l'huile et le vinaigre et obtenir de l'eau tiède. Pilaster désavouera ce livre, pourtant dédié à Lise et d'ailleurs écrit à son insu. L'échec commercial est pour une fois à la mesure de la nullité de ces pages et Pilaster, soucieux de reconquérir ses lecteurs, se tourne alors vers le roman policier : *La Vander Fils Compagnie* sera son unique tentative en ce domaine (méfiez-vous quand même de l'inspecteur Madigan, son héros, encore habilité à vous coller un procès-verbal d'infraction au code de la route si vous circulez à mobylette sans casque).

1964. Le Sourire des morts, roman de facture classique avec arbre généalogique que Pilaster essaiera plus tard de faire passer pour une parodie au vitriol du genre, obtient la même année le prix Jules et le prix Edmond.

Douze années séparent ce roman du suivant, le décevant *Carolo* (1976). Entre-temps, Pilaster ne publiera qu'un petit recueil d'aphorismes animaliers et botaniques, *Autant d'hippocampes* (1967). Ce sont des années difficiles. Dépressif et hypocondriaque, Pilaster affecte de lutter avec courage contre un cancer imaginaire d'autant plus coriace qu'il ne s'attaque jamais deux jours de suite au même organe. Lise semblablement refuse de s'avouer la vérité au sujet de l'homme que son amour lui dérobe. En dépit de tout, elle prend le parti de ne pas revenir de son illusion. Personnage de fiction parmi les autres, créés de toutes pièces par sa compagne, Pilaster — et l'on a ici un bon exemple de ses contributions — ne fait en somme qu'ajouter un détail redondant au roman de celle-ci en s'inventant une maladie.

Au début des années 70, il se rêve peintre et acquiert le matériel. Il transforme en atelier une remise de la propriété de Joinville, les murs sont blanchis à la chaux et percés de larges baies vitrées coulissantes ; le verre reprend aussi à la tuile un pan entier du toit. Des séances dans ce solarium sortiront quelques aquarelles déshydratées et des gouaches épaisses (tenues pour achevées sans doute lorsque tous les poils du pinceau s'y trouvaient enfin amalgamés). L'essentiel de cette production s'autodétruira sous l'action corrosive des vernis fixateurs préparés par l'artiste. (Marc-Antoine Marson conserve pourtant chez lui une fort belle petite *Étude de mésange* représentant un héron.)

1976-1979. Les Tigres. Ambitieux projet non abouti — à moins de considérer que mille pages raturées jetées au feu justifient ce titre miraculeusement, l'espace d'une seconde (puis les cendres retombent).

À nouveau sec, Pilaster — tels ces chanteurs condamnés à reprendre en fin de carrière la pauvre chanson niaise à succès écrite sur une nappe trente ans plus tôt et dont la musique entêtante ne les aura plus lâchés depuis, bande-son définitive de leurs moindres faits et gestes, couvrant leurs mélodies nouvelles, et qu'ils doivent bien accepter de chanter encore et toujours sous peine de crever de faim ou de disparaître : il suffit pour l'entendre de leur taper sur le ventre, c'est ainsi que la girafe en caoutchouc pousse un cri de canard et que ces quinquagénaires chauves et fatigués une fois de plus s'emportent au micro contre les adultes incommodés par leurs cheveux longs et leurs surprises-parties —, à nouveau sec, donc, Pilaster songe d'abord à donner une suite à *Bapst*. Il y a plus simple encore et il écrit finalement une adaptation du livre pour le théâtre. La pièce sera jouée en septembre 81 (trois fois).

14 octobre 1982. Mort accidentelle de Lise. La médiocrité des derniers écrits de Pilaster révèle par défaut l'importance du travail accompli par celle-ci dans ses livres précédents. L'écrivain désespéré se réfugie à Joinville où il vivra désormais, jusqu'à sa mort, dans le souvenir et le regret de sa précieuse collaboratrice, qui fut aussi une brune affolante au teint pâle et la plus belle femme qui ait jamais porté le monde.

Pilaster commence puis abandonne plusieurs livres. En 1991, il publie *Fabrique d'extraits élaborés dans la vapeur et dans le vide* : n'importe quel écrivain cache ce même carnet dans sa poche et préférerait mourir que de le diffuser (conçu plutôt comme autrefois le buvard qui absorbait les excès d'encre ou comme un crachoir, une poubelle, un débarras où remiser ce qui encombre et s'en soulager une bonne fois).

1994. La Pointe des Corbeaux, dernier roman raté de Pilaster qui doit son succès tardif à l'adaptation cinématographique qui en est faite l'année suivante, avec dans le rôle principal Ania Ludwiniak, une jeune comédienne dont on reparlera.

15 février 1997. Thomas Pilaster est retrouvé chez lui gisant sur le sol à côté de sa table de travail couverte de poussière (les micro-poèmes lapidaires de la dernière période étant décidément trop friables), mort depuis trois jours au moins, son coupe-papier (un petit poignard espagnol, très maniable) enfoncé dans la gorge*. Les circonstances du drame demeurent obscures. Nulle trace d'effraction ni de lutte. Nulle empreinte, hormis les siennes et celles de rares intimes. Il ne fait à présent guère de doutes que l'affaire sera classée sans suite.

* Le 21 février, il est inhumé dans le petit cimetière de Joinville, au bout de la dernière allée. *[Note de l'auteur.]*

STÉPHANE AUDEGUY

(né en 1964)

*La forme minimale de la biographie est l'anecdote, où un détail frappant, un « biographème », vient résumer de manière exemplaire une vie que la mort a transformée en destin, selon la formule célèbre de Malraux. Dans la tradition humaniste qui a fait sienne la morale de Montaigne — selon qui, pour juger de l'existence d'autrui, il faut regarder « comment s'en est porté le bout » (*Essais*, I, 19) —, les derniers instants des grands hommes sont l'objet par excellence de l'écriture mémorielle. Les recueils de « vies brèves », de dernières paroles célèbres ou d'*ana *relatant la mort, exemplaire ou incongrue, des hommes illustres constituent ainsi un quasi-genre littéraire que les modernes ont tâché de renouveler, de Pierre Mertens à Thomas Clerc, en passant par Jude Stéfan ou Michel Schneider. C'est de cette curiosité que joue Stéphane Audeguy dans *In Memoriam*, compilation à l'ancienne d'anecdotes funèbres suggestives, évoquant tantôt, par sa poésie factuelle, les nouvelles en trois lignes de Félix Fénéon, tantôt, par la crudité des faits, les *Crimes exemplaires *de Max Aub ou les *Microfictions *de Régis Jauffret. Quand la littérature se donne la liste pour modèle, l'ironie, les paradoxes* *ou l'absurdité de destins célèbres ou minuscules, mis en parallèle dans leur extraordinaire variété par l'action égalisatrice de la mort, prennent une valeur métaphysique, tandis que la créativité se renouvelle par l'investissement d'un nouveau genre à contraintes.*

Voir sur Stéphane Audeguy : « Stéphane Audeguy : éloge de la fiction » (sous la dir. de Thierry Guichard), dossier de *Le Matricule des anges*, n° 101, mars 2009. Quelques recueils récents de « morts illustres » : Pierre MERTENS, *Nécrologies*, Paris, Éd. Jacques Antoine, 1977 ; Yann GAILLARD, *Choix de morts illustres*, Paris, UGE, coll. « 10-18 », 1987 ; Jude STÉFAN, *Scènes dernières : histoires de vie-mort*, Seyssel, Champ Vallon, 1995 ; Michel SCHNEIDER, *Morts imaginaires*, Paris, Grasset, 2003 ; Thomas CLERC, *L'homme qui tua Roland Barthes et autres nouvelles*, Paris, Gallimard, coll. « Le Promeneur », 2010.

In Memoriam

[...]

Ramsès II, pharaon

Vers 1 213 ans avant Jésus-Christ, Ramsès II a été inhumé dans la Vallée des Rois, tombe n° 7.

Voltaire, écrivain

En 1791, les députés votèrent le transfert des restes de Voltaire au Panthéon, et le voyage dura quatre jours. D'abord on exhuma son squelette, à Sellières, et la foule cria : « Le voilà, le voilà ! » On le transporta à l'église à l'air libre, pour que tous puissent profiter de cette occasion de voir un grand homme. Puis les ossements traversèrent Provins, Nangis, Guignes, Brie-Comte-Robert et, le dimanche 10 juillet, ils se trouvèrent aux portes de Paris.

Le 11 juillet, la dépouille fut menée en procession de l'emplacement arasé de la Bastille jusqu'au Panthéon. Il était prévu par les organisateurs plusieurs stations, parmi lesquelles la porte Saint-Martin, la place Louis-XV, future place de la Concorde. On passa par le quai qui se nommait déjà Voltaire, par le théâtre de la Nation, futur Odéon. Ce fut un véritable succès populaire. À Sellières, au départ de la procession, quelqu'un avait dérobé un os du talon de Voltaire, pour disposer d'une relique.

Pierre, apôtre

Confus à l'idée de recevoir la même mort que son maître Jésus, Pierre demanda à ses bourreaux, et obtint, qu'on le mît en croix la tête en bas.

Raspoutine, prêtre

Pour le tuer, ils se mettent à cinq. C'est le prince Félix Félixovitch Youssoupoff qui entraîne le grand-duc Dimitri Pavlovitch et le député Pourichkevitch, lequel s'assure les services d'un médecin, Stanislas Lazovert, et d'un nommé Soukhotine. Ils réunissent du cyanure de potassium en cristaux, une matraque, plusieurs revolvers et du cyanure liquide. Le prince Youssoupoff invite Raspoutine à partager une collation et Raspoutine, qui prétend connaître l'avenir, s'y rend néanmoins.

Deux gâteaux à la crème rose ont été soigneusement ouverts dans le sens de la longueur, fourrés au cyanure de potassium et méticuleusement refermés. On a enduit de cyanure liquide trois verres. Le prince reçoit le saint homme chéri du tsar, les autres conspirateurs attendent à l'étage supérieur.

Les choses se présentent d'abord assez mal : le prince Youssoupoff offre des gâteaux à Raspoutine, mais non pas ceux qui sont empoisonnés. Heureusement, Raspoutine refuse ces gâteaux-là. Mais il accepte ensuite, après avoir probablement regretté qu'ils ne soient trop sucrés, un gâteau à la crème, puis un second. Et ces pâtisseries décidément sont trop sucrées, Raspoutine a soif, Raspoutine demande à boire. Le prince Youssoupoff, troublé, s'empresse à le servir, mais commet une nouvelle erreur : il lui tend un verre sans cyanure. Raspoutine, Dieu merci, n'est pas désaltéré, et cette fois-ci boit à la suite aux trois verres empoisonnés. Il a maintenant absorbé de quoi tuer un grand fauve adulte.

Le prince Youssoupoff attend l'effet de ces poisons foudroyants, mais rien ne vient. La conversation languit et, comme il est 2 heures et demie du matin, Raspoutine se met à somnoler. Le prince monte au premier, afin de consulter ses amis : certains sont d'avis d'étrangler Raspoutine, mais le prince préfère son revolver. Le tenant derrière son dos, il revient dans le salon. Raspoutine est réveillé, mais il se sent barbouillé et propose d'aller souper. Youssoupoff pointe son arme, face à lui, et lui tire une balle en plein cœur. Raspoutine s'effondre sur une peau d'ours.

Attirés par la détonation, les conjurés font irruption dans le salon et le docteur Stanislas Lazovert constate le décès. Tous sortent, ils veulent précipiter le cadavre dans les eaux glacées de la Petite Neva. Tous, sauf le prince. Il se penche sur le cadavre, soulève l'un de ses bras, le lâche. Le bras retombe, inerte. Youssoupoff croit remarquer que la paupière gauche du mort a tressailli, mais le prince a bu, il est épuisé. Il se détourne du corps, mais l'instant d'après Raspoutine ouvre les yeux, se relève, en un instant il a refermé ses mains sur la gorge de son assassin, et se met en devoir de l'étrangler. Puis il se ravise, et songe à fuir. Le voilà dans une cour, où le député Pourichkevitch le rejoint. Le député tire trois balles. Les deux premières manquent leur cible, la troisième frappe le dos du fuyard qui s'écroule. Le député Pourichkevitch s'approche, pose le canon de son arme sur la tête de Raspoutine, presse la détente. Le coup part.

Ensuite, le prince Youssoupoff perd complètement son sang-froid. Armé d'une matraque, il roue de coups Raspoutine, en criant son propre prénom. Ses amis doivent intervenir pour le faire cesser. Sur le pont Petrovski, les conjurés ont pris soin de repérer un trou dans la glace où se débarrasser du corps. On se transporte sur ce pont. Le trou est là. Le directeur spirituel du tsar y est glissé, et disparaît sans bruit. Les conjurés attendent un peu. Raspoutine ne remonte pas. On s'en retourne.

La police trouva très rapidement le corps, que les assassins avaient négligé de lester. Du sang gelé maculait la rambarde du pont Petrovski. Il fallut cependant dépêcher un scaphandrier qui, à tâtons, empoigna le corps et le remonta. On put constater que Raspoutine avait succombé ; mais l'autopsie peina à déterminer de quoi, même si l'hypothèse de la noyade prévalut.

Lao Zi, philosophe

Selon la légende, Lao Zi pour finir partit en direction de l'ouest vers la grande steppe, et comme le gardien de la dernière passe lui demanda un livre, il en écrivit un. Puis il s'en alla, et nul ne sait où il mourut, comme nul ne sait s'il exista.

[…]

DOSSIER

ÉLÉMENTS DE BIBLIOGRAPHIE

BONORD, Aude, *Les « Hagiographes de la main gauche » : variations de la vie de saints au XXe siècle*, Paris, Classiques Garnier, 2011.

BOURDIEU, Pierre, « L'illusion biographique », *Actes de la recherche en sciences sociales*, nº 62-63, juin 1986, p. 69-72.

COHN, Dorrit, *Le Propre de la fiction* [1999], trad. de l'anglais par Claude Hary-Schaeffer, Paris, Éd. du Seuil, coll. « Poétique », 2001.

DAMBRE, Marc et GOSSELIN-NOAT, Monique (dir.), *L'Éclatement des genres au XXe siècle*, Paris, Presses universitaires de la Sorbonne nouvelle, 2001.

DOSSE, François, *Le Pari biographique : écrire une vie*, Paris, La Découverte, 2005.

DUBEL, Sandrine et RABAU, Sophie (dir.), *Fiction d'auteur ? Le discours biographique sur l'auteur de l'Antiquité à nos jours*, Paris, Honoré Champion, 2001.

FERRATO-COMBE, Brigitte et SALHA, Agathe (dir.), *Fictions biographiques et arts visuels, XIXe-XXIe siècles*, Grenoble, Ellug, coll. « Recherches & Travaux (68) », 2006.

FOUCAULT, Michel, « La vie des hommes infâmes » [1977], dans *Dits et écrits, 1954-1988*, éd. établie sous la dir. de Daniel Defert et François Ewald, avec la collaboration de Jacques Lagrange, Paris, Gallimard, « Bibliothèque des sciences humaines », 1994, t. III, p. 237-253.

GENETTE, Gérard, *Fiction et diction*, Paris, Éd. du Seuil, coll. « Points essais », 2004.

JEFFERSON, Ann, *Le Défi biographique* [2007], traduit de l'anglais par Cécile Dudouyt, Paris, PUF, coll. « Les littéraires », 2012.

LORIGA, Sandra, *Le Petit x : de la biographie à l'histoire*, Paris, Éd. du Seuil, coll. « La Librairie du XXIe siècle », 2010.

LOUICHON, Brigitte et ROGER, Jérôme (dir.), *L'Auteur entre biographie et mythographie*, Pessac, Presses universitaires de Bordeaux, coll. « Modernités », 2003.

MADELÉNAT, Daniel, *La Biographie*, Paris, PUF, coll. « Littératures modernes », 1984.

MARTUCCELLI, Danilo, *Grammaires de l'individu*, Paris, Gallimard, coll. « Folio essais », 2002.

MONTLUÇON, Anne-Marie et SALHA, Agathe (dir.), *Fictions biographiques, XIXe-XXIe siècles*, Toulouse, Presses universitaires du Mirail, coll. « Cribles », 2007.

OSTER, Daniel, « La fiction biographique », dans *Universalia 1992*, Paris, Encyclopædia Universalis, 1992, p. 403-404.

« Paradoxes du biographique », dossier de la *Revue des sciences humaines*, nº 263, juillet-septembre 2001.

RABATÉ, Dominique, *Le Roman et le sens de la vie*, Paris, José Corti, 2010.

RICŒUR, Paul, *Soi-même comme un autre*, Paris, Éd. du Seuil, coll. « L'Ordre philosophique », 1990.

VIART, Dominique et VERCIER, Bruno, *La Littérature française au présent : héritage, modernité, mutation*, Paris, Bordas, 2008.

« Vies imaginaires », dossier de la revue *Otrante*, nº 46, novembre 2004.

NOTES

PLUTARQUE
Theseus

Page 30.

1. Des notes de vocabulaire sont insérées à la première occurrence du mot, et placées en bas de page. Pour les noms propres, nous avons suivi l'usage d'Amyot ; il francise les noms géographiques mais garde aux noms de personnes leur forme ancienne, en latinisant la terminaison : Theseus pour Thésée, Æschylus pour Eschyle, etc. De même, le traducteur donne aux dieux grecs celui de leur équivalent latin : Mercure pour Hermès, Apollo pour Apollon, Hercule pour Héraclès, etc. Seuls quelques noms très courants (Aristote, Hélène, Homère, etc.) font exception. Si Ronsard et du Bellay étaient partisans de la francisation, Montaigne (*Essais*, I, 46) félicitait Amyot de son choix : « Je sais bon gré à Jacques Amiot d'avoir laissé dans le cours d'une oraison française les noms latins tous entiers sans les bigarrer et changer pour leur donner une cadence française. Cela semblait un peu rude au commencement, mais déjà l'usage par le crédit de son Plutarque nous en a ôté toute l'étrangeté. »

2. Quintus *Sosius Senecio*, général et conseiller de Trajan, consul en 99 et 107 apr. J.-C., ami de Pline le Jeune et de Plutarque, dédicataire des *Vies* et des *Propos de table*.

3. *Scythie* : contrée située par les Grecs et les Romains au nord du Pont-Euxin (mer Noire), dans le sud de l'Ukraine et de la Russie actuelles.

Page 31.

1. *Lycurgus* : législateur mythique de Sparte (fin IXe-début VIIIe s. av. J.-C.) ; sujet d'une *vie* de Plutarque, en parallèle avec Numa Pompilius.

2. *Numa Pompilius* : deuxième roi légendaire de Rome (715-673 av. J.-C.), célèbre pour son legs institutionnel ; sujet d'une *vie*, en parallèle avec Lycurgue.

3. *Romulus* : fondateur et premier roi légendaire de Rome (753-716 av. J.-C.) ; sujet d'une *vie*, en parallèle avec Thésée.

4. *Æschylus* : le tragique grec Eschyle (v. 525-456 av. J.-C.). La citation suivante est tirée des *Sept contre Thèbes*, v. 435 et 395-396.

Page 32.

1. Homère, *Iliade*, VII, v. 281.

2. *Erechtheus* : Érechthée, sixième roi légendaire d'Athènes ; trisaïeul paternel de Thésée (par son fils Cécrops).

3. *Pelops* : Pélops, roi de Pise, fils de Tantale et de Dioné, ancêtre des Atrides ; bisaïeul de Thésée (par son fils Pitthée) et d'Héraclès (par sa fille Lisidyce).

4. *Pitheus* : Pitthée, roi de Trézène, fils de Pélops, roi de Pise, et d'Hippodamie ; grand-père maternel de Thésée (par sa fille Aithra).

5. *Trézène* : cité d'Argolide, sur la côte nord-est du Péloponnèse.

Page 33.

1. *Hesiodus* : Hésiode (VIIIe s. av. J.-C.), poète béotien. La citation suivante est tirée des *Travaux et les Jours*, v. 371.

2. *Euripides* : Euripide (v. 480-406 av. J.-C.), poète tragique athénien. — *Hippolytus* : Hippolyte ou Hippolytos, fils de Thésée et d'Antiope (ou de la sœur de celle-ci, Hippolyte) ; élevé par son grand-père Pitthée, auquel il succéda comme roi de Trézène. Plutarque ne s'étend pas sur l'histoire de sa belle-mère, Phèdre, dont les conséquences tragiques qui inspireront Racine.

3. *Ægeus* : Égée, fils (adoptif selon Plutarque) de Pandion, roi de Mégare, et de Pylia ; neuvième roi légendaire

d'Athènes ; après deux mariages sans enfant, il engendre Thésée avec Aithra.

Page 34.

1. *Pallas*, fils de Pandion, est selon Plutarque le demi-frère d'Égée, qui l'a chassé de l'Attique, le spoliant de sa part d'héritage. Il affronte Thésée par la suite avec ses cinquante fils, les Pallantides.

2. Allusion à la similitude entre le nom de Thésée et le grec *thesin* (θέσιν), « dépôt ».

3. *Silanion* : sculpteur de la seconde moitié du IVe s. av. J.-C. — *Parrhasius* : Parrhasios d'Éphèse, peintre de la 1re moitié du IVe s. av. J.-C.

Page 35.

1. *Abantes* : peuple originaire de Thrace, installé en Eubée, la grande île de la mer Égée située face à l'Attique et à la Béotie.

2. *Mysiens* : habitants de Mysie, ancien pays d'Asie Mineure, au nord-ouest de l'actuelle Turquie (cité principale : Pergame).

3. *Archilochus* : Archiloque de Paros (712-664 av. J.-C.), poète élégiaque.

4. *Negrepont* : autre nom de l'Eubée.

Page 37.

1. *Hercules* : le héros Héraclès, fils de Zeus et d'Alcmène ; cousin au deuxième degré de Thésée par sa mère.

2. Après le meurtre d'Iphitos (fils d'Eurytos, roi d'Œchalie), Héraclès se soumet à l'oracle de Delphes en servant trois ans comme esclave chez *Omphale*, reine de Lydie (ancien pays d'Asie Mineure, à l'ouest de l'actuelle Turquie).

Page 38.

1. Allusion à la jalousie du stratège athénien Thémistocle (528-462 av. J.-C.) à l'égard de son collègue et adversaire politique Miltiade (540-489), vainqueur des Perses à Marathon (490).

Page 39.

1. *Periphetés* : le géant Périphétès, fils d'Héphaïstos et d'Anticlée ; surnommé Corynétès, « porte-massue », du grec *korynê*

(κορύνη), « massue ». — *Épidaure* : cité d'Argolide, au nord-est du Péloponnèse.

Page 40.

1. *Le détroit du Péloponnèse* : l'isthme de Corinthe, qui relie le Péloponnèse et la Grèce continentale. — Le brigand *Sinis* (en grec Σίνις, « Destructeur »), fils de Poséidon. Il était dit également Pityocamptès, « courbeur de pins » — du grec *pitys* (πίτυς), « pin », et *kamptô* (κάμπτω), « courber » —, car il assassinait ses victimes en les attachant aux extrémités de deux pins ployés jusqu'à terre, qu'il laissait ensuite se redresser, écartelant les malheureux.

2. *Pays de la Carie* : ancien pays d'Asie Mineure, au sud-ouest de l'actuelle Turquie (cité principale : Halicarnasse).

3. *Phæa* : Phaïa, monstre né de Typhon et d'Échidna ; elle sévissait à Crommyon, en Corinthie.

Page 41.

1. *Scirron* : Sciron, roi de Mégare, fils de Canéthos et d'Héniochè, cousin germain de Thésée. Il précipitait les voyageurs dans la mer depuis un lieu élevé, les roches Scironiennes.

2. *Les historiens de Mégare* : les Mégariens étaient soucieux de l'indépendance et du prestige de leur ville, particulièrement à l'égard de leur voisin athénien, d'où la tradition locale que rapporte Plutarque : Sciron aurait épousé Chariclo, fille de Cychrée, roi de Salamine (la filiation la plus suivie en fait l'épouse du centaure Chiron) ; il en aurait eu Endéis, mariée à Éaque, roi des Myrmidons, fils de Zeus et d'Égine, d'où deux fils prestigieux, Pélée, le père d'Achille, et Télamon, le père d'Ajax le Grand. — *Simonides* : le poète lyrique Simonide de Céos (556-467 av. J.-C.).

Page 42.

1. *Éleusis* : localité située à la frontière de l'Attique et de la Mégaride, siège d'un célèbre culte à mystères en l'honneur de Déméter et de Coré.

2. L'Arcadien *Cercyon* dirigeait une école de lutte près d'Éleusis, sur la route de Mégare. Il forçait les passants à lutter avec lui et les tuait.

3. *Hermione* : erreur d'Amyot pour Érinéos.

4. *Damastes* : Damastès, le « dompteur », du grec *damazô*

(δαμάζω), « soumettre », « dompter ». Il était aussi appelé Prokroustès, « celui qui allonge », du grec *prokrouô* (προκρούω), « marteler pour allonger ».

5. *Le proverbe du mal Termerien* : Busiris, Antée, Cycnos et Terméros subissent tous des « maux terménens » (en grec *Termereia kaka*, Τερμέρεια κακά) : des malheurs intolérables, venant en rétribution d'un méfait antérieur. Busiris, roi d'Égypte, immolait à Zeus les voyageurs débarqués sur ses terres ; Antée était un lutteur quasi invincible tant qu'il touchait le sol ; le Thessalien Cycnos défiait en combat singulier les pèlerins de Delphes afin de les tuer et de les dépouiller ; Terméros invitait les passants à un duel fatal de coups de tête. Tous subissent de la main d'Héraclès le sort qu'ils réservaient à leurs victimes.

Page 43.

1. *La rivière de Cephisus* : le Céphise, fleuve de l'ouest de l'Attique.

2. *Médée* : magicienne, fille du roi de Colchide Éétès et amante de Jason. Elle avait été bannie de Corinthe après le meurtre de sa rivale Créuse et de ses propres enfants, nés de son union avec Jason. Plutarque évite de s'appesantir sur son séjour à Athènes auprès d'Égée, dont les détails — notamment sa fuite sur un char tiré par des serpents — lui semblent sans doute incompatibles avec la crédibilité historique.

Page 45.

1. *Tétrapolis* : la Tétrapole, réunissant quatre localités du nord-est de l'Attique : Marathon, Œnoè, Probalinthos et Tricorythos.

Page 46.

1. *Philochorus* : Philochoros († v. 261 av. J.-C.), historien et mythographe athénien.

2. *Candie* : la Crète.

3. *Minos*, roi de Crète, fils de Zeus et d'Europe. Législateur, il devient un des trois juges des enfers après sa mort.

4. *Androgeos* : Androgée, fils de Minos, est tué par de jeunes Athéniens à l'instigation d'Égée, après qu'il a remporté tous les prix aux Panathénées.

Page 47.

1. *Le Minotaure* : monstre né de l'union de la reine Pasiphaé et du taureau de Poséidon ; Minos le fait enfermer dans le Labyrinthe construit par Dédale.

2. Euripide, *Thésée*, 15, 2.

3. La *Constitution des Bottiéens*, traité perdu d'Aristote.

Page 48.

1. Homère, *Odyssée*, XIX, v. 179 (erreur de Plutarque, car Homère applique cette expression à Minos).

2. *Radamanthus* : Rhadamanthe, fils de Zeus et d'Europe, et frère de Minos ; un des trois juges des enfers.

Page 49.

1. *Hellanicus* : le logographe et mythographe Hellanicos de Mitylène (ve s. av. J.-C.).

Page 50.

1. *Scirus Salaminien* : Sciros, roi légendaire de Salamine, qui passait pour avoir unifié l'île. Le temple mentionné plus loin est celui d'Athéna Sciras à Phalère.

2. *Phalerus* : Phalère, l'ancien port d'Athènes.

3. *Cybernesia* : les Cybernésies, fête des pilotes, du grec *kybernêtês* (κυβερνήτης), « pilote ».

Page 51.

1. *Hiceteria* : en grec *hiketêria* (ἱκετηρία), branche d'olivier que le suppliant tenait dans sa main comme symbole de sa condition.

2. Cette Aphrodite *Epitragia* — du grec *tragos* (τράγος), « bouc » — n'est pas véritablement changée en bouc, mais elle est représentée chevauchant l'animal.

3. *Ariadne* : Ariane, fille de Minos et de Pasiphaé.

4. *Pherecides* : le logographe et mythographe Phérécyde de Léros ou d'Athènes (1re moitié ve siècle av. J.-C.).

5. *Demon* : l'historien Démon d'Athènes (IVe-IIIe s. av. J.-C.).

Page 52.

1. *Pasiphaé*, fille d'Hélios et de Persé, épouse de Minos.

2. *Clidemus* : l'Athénien Cleidémos ou Cleitodémos

(ve siècle av. J.-C.), le premier atthidographe (auteur d'une histoire de l'Attique) selon Pausanias.

3. Héros thessalien, fils d'Éson, roi d'Iolcos, et chef de l'expédition des Argonautes à la recherche de la Toison d'or. En le présentant comme le premier chasseur de pirates, au service d'une politique valant pour la Grèce entière, Cleidémos et Plutarque à sa suite intègrent cette figure mythique dans la tradition historique : Thucydide (I, 4) attribuait le même rôle au roi Minos, un « contemporain » de Jason et Thésée.

Page 53.

1. *Dædalus* : Dédale est ici fils de Mérope, fille d'Érechthée, et donc cousin de Thésée (une autre tradition en fait l'enfant d'un fils d'Érechthée, Métion). Sa fuite de Crète a ici lieu par bateau ; le récit de son évasion par la voie des airs, en compagnie d'Icare, est tardif (Ovide).

2. *Gnose* : Cnossos, cité principale de la Crète.

Page 54.

1. *Ægle* : la nymphe Aïgla ou Églé, fille de Panopée.

2. *Hereas Mégarien* : l'historien Héréas de Mégare (fin IVe siècle av. J.-C.)

3. *Pisistratus* : Pisistrate (v. 600-527 av. J.-C.), tyran d'Athènes. La tradition lui attribuait un rôle essentiel dans l'« édition » — ou la « fixation » — des textes d'Homère et d'Hésiode.

4. *Pirithous* : le héros thessalien Pirithoüs (ou Pirithoos), roi des Lapithes.

5. Homère, *Odyssée*, XI, v. 631 (Amyot s'éloigne ici beaucoup de l'original grec, qui dit littéralement : « Thésée et Pirithoüs, illustres enfants des dieux »).

6. *Ion* : le poète tragique Ion de Chios (490-423/422 av. J.-C.).

Page 55.

1. *Pænon* : l'historien Péon (ou Paion), originaire de la cité chypriote d'Amathonte.

2. *L'île de Cypre* : Chypre.

Page 56.

1. *Dicœarchus* : le géographe et historien Dicéarque de Messène (v. 347-v. 285 av. J.-C.).

2. Le sanctuaire délien d'Apollon joue un rôle crucial dans l'histoire politique et religieuse d'Athènes. L'île des Cyclades se trouve dans la sphère d'influence athénienne dès la fin du VIe siècle, avant de former le cœur de la confédération maritime athénienne, puis de devenir une colonie de la cité. Le passage à Délos de Thésée, créateur de la danse de la grue (gérousie) et fondateur de l'autel de cornes (le Kératôn), fournit une justification cultuelle et idéologique à cette mainmise.

Page 57.

1. *Oschophoria* : les Oschophories étaient une fête de Dionysos célébrée en prélude aux vendanges. Aussi la traduction d'Amyot — « fête des rameaux » — est-elle inexacte : ces *ôskhous* (ὠσχούς) sont des pampres chargés de grappes. Une procession, allant du temple de Dionysos à Athènes à celui d'Athéna Skiras à Phalère, réunissait vingt jeunes éphèbes choisis dans les dix tribus athéniennes, les oschophores, représentant les jeunes gens menés et ramenés de Crète par Thésée ; leurs mères suivaient, portant chacune un repas (*deipnon*, δεῖπνον) en souvenir du départ de leurs enfants, d'où leur surnom de dipnophores. La description de Plutarque rend bien la double tonalité des événements ainsi célébrés, entre douleur due à la mort d'Égée et joie liée au retour des enfants de Crète.

2. En grec : *Eleleu, iou, iou* (ἐλελεῦ, ἰοὺ, ἰού).

Page 58.

1. *Iresione* : en grec *eiresiônê* (εἰρεσιώνη), branche d'olivier chargée de fruits et entortillée de laine, portée aux Pyanepsies et aux Thargélies.

Page 59.

1. *Demetrius le Phalérien* : le philosophe et homme d'État athénien Démétrios de Phalère (v. 345-v. 280 av. J.-C.).

Page 61.

1. *Asty* : en grec *Asty* (Ἄστυ), la ville haute d'Athènes.

2. *Panathenea* : les Panathénées sont la grande fête annuelle en l'honneur de la naissance d'Athéna Polias, déesse protectrice de la cité. Si la tradition en attribuait la fondation au quatrième roi légendaire d'Athènes, Érichthonios, c'est Thésée qui leur donne un nouveau nom et une nouvelle nature en rapport avec la réunion des localités de l'Attique en une seule cité, ou synœcisme.

3. *Metœcia* : en grec *metoikia* (μετοικία), de *meta* (μετά), « avec », et *oikhos* (οἶχος), « habitation ». Le terme désignait en général la situation des métèques, les étrangers domiciliés à Athènes.

4. *L'oracle d'Apollo, en la ville de Delphes* : l'oracle d'Apollon à Delphes, rendu par la Pythie, une prêtresse portant la parole du dieu, puis interprété par un collège de deux prêtres et d'assistants.

Page 62.

1. *La Sibylle* : prêtresse d'Apollon dotée du don de divination. Il s'agit en fait, selon Pausanias (I, 20, 6), de la Pythie de Delphes, consultée par les Athéniens lors du sac de la ville par Sylla, en 86 av. J.-C.

Page 63.

1. *Isthmia* : les jeux Isthmiques se déroulaient au sanctuaire de l'isthme de Corinthe, consacré à Poséidon. Plutarque adopte la tradition athénienne qui fait de Thésée leur fondateur, tout en s'en expliquant. Il admet en effet l'existence antérieure de jeux en l'honneur de Mélicerte, qui serait jeté dans la mer entre Mégare et Corinthe avec sa mère Ino, afin d'échapper à la vengeance d'Héra ; cette tradition, où Sisyphe, parent de Mélicerte, jouait le rôle du fondateur, était de loin la plus admise.

2. *Des jeux appelés Olympia* : les Grecs admettaient plusieurs créations ou rénovations des jeux Olympiques. Le mythe le plus courant en attribuait l'institution au héros Pélops, mais Plutarque en choisit un second, où Héraclès est le fondateur, afin de renforcer le parallèle entre celui-ci et Thésée, mené depuis le début de son récit.

Page 64.

1. *Hellanicus* : voir p. 49, n. 1. — *Andron Halicarnassien* : l'historien Andron d'Halicarnasse, auteur d'un ouvrage perdu de généalogie.

2. *Mer majour* : le Pont-Euxin, actuelle mer Noire.

3. *Les Amazones* : peuple mythique de guerrières résidant en Cappadoce, dans l'actuelle Turquie. Le thème de la lutte entre Athéniens et Amazones (Amazonomachie) est très fréquent dans la peinture et la sculpture grecques à partir de l'époque classique (au fronton ouest du Parthénon, par exemple) ; il symbolise l'affrontement entre Grecs et Barbares.

4. *Antiope* : reine des Amazones, fille d'Arès ; elle est souvent confondue, comme on le verra plus loin, avec sa sœur Hippolyte. On pouvait encore voir son tombeau à Athènes au IIe siècle, selon Pausanias.

5. *Herodorus* : Hérodore d'Héraclée du Pont (fin VIe siècle av. J.-C.), auteur d'un ouvrage sur Héraclès.

6. *Bion* : peut-être historien Bion de Soles (1re moitié IIIe siècle av. J.-C.).

Page 65.

1. *Nicée* (aujourd'hui Iznik) : principale cité de la Bithynie, au nord-ouest de l'actuelle Turquie.

2. *Pythopolis* : cité de Bithynie sur le fleuve Soloon, au nord-ouest de l'actuelle Turquie.

Page 66.

1. *Hermu* : la confusion entre l'Athénien Hermos et le dieu Hermès vient de la quasi-identité de leurs noms grecs au génitif, seul l'accent variant : Ἕρμου pour le premier, Ἑρμοῦ pour le second.

2. *Pnyce* : la colline de la Pnyx, au sud-ouest d'Athènes, lieu de réunion de l'Assemblée des citoyens. — *Le temple des Muses* : erreur d'Amyot : le Mouseion n'est pas le temple, mais la colline des Muses, au sud-sud-ouest d'Athènes.

3. *Bosphore Cimmérien* : l'actuel détroit de Kertch, reliant le Pont-Euxin (mer Noire) au lac Méotide (mer d'Azov).

4. *Boedromia* : les Boédromies, fête d'Apollon secourable ; du grec *boêdromeô* (βοηδρομέω), « courir au secours de ».

5. *Clidemus* : l'historien Clidème (IVe siècle av. J.-C.).

Page 67.

1. *Là où sont les images des Eumenides* : la porte du Pirée et le monument du héros Chalcodon étaient situés dans le sud-ouest de la ville, non loin de la colline de l'Aréopage qui dominait le sanctuaire des Euménides.

2. *Palladium, Ardettus et Lycium* : le Palladion, le mont Ardettos et le Lycée, situés à l'est de la ville, hors les murs.

3. *Hippolyte* ou Hippolyté, reine des Amazones, fille d'Arès, souvent confondue avec sa sœur Antiope. Elle est surtout connue pour sa ceinture, prix d'un des douze travaux d'Héraclès.

4. *Le temple de la terre Olympique* : le sanctuaire de Gê Olympia, près de l'Olympieion, au sud-est de la ville.

5. *Chalcide* : Chalcis, cité principale de l'île d'Eubée.

6. *Orcomosium* : l'Horcômosion, situé dans la partie sud de l'agora. Littéralement : « le lieu du serment », du grec *horkhos* (ὅρχος), « serment » et *omnumi* (ὄμνυμι), « jurer ».

Page 68.

1. *Hæmon* : Plutarque note, dans sa *Vie de Démosthène* (384-322 av. J.-C.), qu'il n'existe aucun fleuve Thermodon en Béotie. Il juge probable qu'il s'agisse de la rivière Haimon, un affluent du Céphise, coulant près de Chéronée.

2. *Les têtes de chien* : Cynoscéphales, lieu-dit près de la cité thessalienne de Scotusa, siège de plusieurs batailles célèbres dans l'Antiquité.

3. *La* Théséide : œuvre perdue, due au poète athénien Pythostrate (IVe siècle av. J.-C.).

4. *Phedra* : Phèdre, fille de Minos et de Pasiphaé.

Page 69.

1. *Pherebœa, et Ioppe* : Phérébée (Phériboia) et Ioppé, filles d'Iphiclès, le demi-frère d'Héraclès.

2. *La bataille des Lapithes contre les Centaures* : ce combat mythique opposa les Lapithes, tribu grecque du nord de la Thessalie, aux Centaures du mont Pélion, après que des Centaures ivres, invités aux noces du roi Pirithoüs et d'Hippodamie, eurent tenté de violer l'épousée. La Centauromachie était un thème courant de l'art grec, représenté notamment au fronton est du Parthénon.

3. *Voyage de la Colchide* : l'expédition des Argonautes de Jason en Colchide (l'actuelle Géorgie) pour en rapporter la Toison d'or. Thésée figure dans plusieurs listes des héros ayant participé à l'aventure (Pseudo-Apollodore, Hygin, Stace), mais pas dans le récit d'Apollonios de Rhodes, le plus répandu dans l'Antiquité. — *Meleager* : Méléagre, héros étolien, fils d'Œnée, roi de Calydon, et d'Althée. — *Défaire le sanglier de Calydoine* : la chasse au sanglier de Calydon, envoyé par Artémis ravager les terres d'Œnée, car le roi l'avait négligée lors d'un sacrifice. C'est l'un des grands récits héroïques de la mythologie grecque, Méléagre ayant fait appel, outre Thésée, à Atalante, Pirithoüs, Nestor, Idas et Lyncée, Castor et Pollux.

4. *Roi Adrastus* : Adraste, roi d'Argos, fils de Talaos. Il est le chef des Sept dans leur guerre contre les Épigones, opposant les partisans des deux fils d'Œdipe, Étéocle et Polynice, pour la cité de Thèbes. *Les Suppliantes* d'Euripide (v. 422 av. J.-C.) se déroulent en fait après la mort des Sept : Thésée, supplié par les mères des héros tombés devant Thèbes, réclame les corps restés sans sépulture et entre en guerre devant le refus des Thébains. Plutarque suit une autre version mais souligne le rôle de Thésée comme défenseur de la religion violée.

Page 70.

1. *Deidamia* : Plutarque est le seul à appeler Déidamie et non Hippodamie l'épouse de Pirithoos.

Page 71.

1. *Trachine* : Trachis, cité de Grèce centrale.

2. Les meurtriers étaient exclus des *mystères d'Éleusis* (Héraclès avait tué ses propres enfants dans un coup de folie) et, primitivement, seuls les Athéniens pouvaient être initiés.

3. Héraclès doit remplir deux conditions pour être admis aux mystères d'Éleusis. Être exempté, car seuls les Athéniens, dans les premiers temps, pouvaient y être initiés ; Thésée tourne la difficulté en le faisant adopter par un citoyen, Pylios. Être purifié, car il a tué ses propres enfants dans un coup de folie, et les meurtriers sont exclus des mystères.

4. *Hélène* : fille de Léda et de Zeus, sœur de Pollux. Castor et Clytemnestre étaient nés de la même mère et de Tyndare, roi de Sparte.

Page 72.

1. *Enarsphorus* : Énarsphoros, fils du roi de Sparte Hippocoon, plus tard tué par Héraclès.

2. *Orthia* : le temple d'Artémis Orthia, principal sanctuaire de Sparte.

3. *Tégée* : cité d'Arcadie, au nord-est de Sparte.

4. Plutarque évoque Perséphone (épouse d'Hadès), Coré (leur fille) et Cerbère. Le nom d'Aïdoneus, roi des Molosses, en Épire, n'est autre que celui du dieu infernal Hadès, sous une forme longue. Le biographe, dans son entreprise consistant à rendre plausible le mythe, propose une interprétation évhémériste de l'épisode de Thésée et Pirithoüs aux enfers.

Page 73.

1. *Menestheus* : Ménesthée, fils de Pétéos, onzième roi légendaire d'Athènes, chef des Athéniens devant Troie.

2. *Castor et Pollux*, les Dioscures (« jeunes de Zeus »), sont à la fois jumeaux et demi-frères. Leur mère est Léda, mais le premier est né de Tyndare, et le second de Zeus.

Page 74.

1. *Academus* : Académos ou Échédémos, héros arcadien qui aurait donné son nom à l'Académie, gymnase situé à l'ouest d'Athènes et où enseigna Platon.

Page 75.

1. *Anaces* : il est possible que le grec *Anakes* (Ἄνακες) désignant les Tyndarides soit un ancien pluriel de *anax* (ἄναξ), « roi », mais les autres étymologies de Plutarque sont fantaisistes. — *Ils firent cesser la guerre* : allusion au grec *anokhê* (ἀνόχη), « trêve ».

2. *Anacos* : en grec *anakôs* (ἀνακῶς), « avec sollicitude ».

3. Réflexion de Plutarque sur les différences entre le grec commun et le dialecte attique pour dire « en haut », *anô/anêkas* (ἄνω/ἀνεκὰς) et « d'en haut », *anôthen/anekathen* (ἄνωθεν/ἀνέκαθεν).

Page 76.

1. Homère, *Iliade*, III, v. 144.

2. *Munychus* : le héros athénien Mounychos, éponyme du port de Mounychie, à l'est du Pirée.

3. *Hister* : l'historien Istros de Cyrène (2e moitié du IIIe siècle av. J.-C.), auteur d'une *Histoire de l'Attique*.

4. *Sperchius* : le Sperchios, fleuve de Grèce centrale.

Page 77.

1. *Elphenor* : Éléphénor, fils de Chalcodon, chef des Abantes d'Eubée pendant le siège de Troie.

2. L'explication est d'Amyot ; *Aratérion* dérive du grec *araomai* (ἀράομαι), « maudire ».

3. *Scyros* : Skyros, île de l'archipel des Sporades, au nord-est de l'Eubée.

Page 78.

1. *La bataille de Marathon* : victoire des Athéniens de Miltiade sur les Perses (490 av. J.-C.).

2. *Les guerres Médoises* : les guerres Médiques (492-490, 480-478 av. J.-C.). — *Phædon* : Phaidon, archonte d'Athènes en 476-475 av. J.-C.

3. *Cimon* : homme d'État athénien (v. 510-450/449 av. J.-C.), fils de Miltiade et chef du parti aristocratique opposé aux démocrates de Thémistocle. L'entreprise de Skyros, comme l'a noté Alain Moreau, vise un double but : s'assurer d'une base utile sur la route des détroits, renforçant ainsi la confédération maritime athénienne, mais aussi renforcer son prestige personnel en ramenant la prétendue dépouille de Thésée, dont il se pose comme le continuateur et le successeur.

Page 79.

1. *Diodorus le Géographe* : le géographe athénien Diodore le Périégète (IVe s. av. J.-C.), auteur d'un ouvrage sur les dèmes de l'Attique.

2. *Asphalius et Gæiochus* : en grec *Asphalios* (Ἀσφάλιος), « stable » et *Gaiêokhos* (Γαιήοχος), « qui tient la terre ».

ANONYME

La vie de saint Alexis

Page 88.

1. Le nom d'*Euphémien* apparaît pour la première fois dans la version latine de la vie d'Alexis, réalisée vers la fin

du IXe siècle. Il pourrait toutefois provenir d'une rédaction grecque antérieure.

2. Alors que dans l'histoire syriaque qui est une des sources de cette vie, « l'homme de Dieu » (*Mar Riscia*) vient de Constantinople (qualifiée de « nouvelle Rome »), saint Jean le Calybite provient de *Rome*. C'est de cette ville également qu'est issu Alexis.

3. Le texte mentionnera un peu plus loin les *empereurs* Honorius († 423) et Acarius († 408), fils de l'empereur Théodose Ier (347-395), qui partagea l'Empire romain entre ses deux fils. On peut donc supposer que l'empereur dont il est ici question est Théodose. C'est à la version latine de la vie de saint Alexis – sinon à une rédaction grecque antérieure – que l'on doit de situer son histoire durant le règne de ces trois personnages.

4. Dans notre texte, la mère d'Alexis demeure anonyme. Dans la *vita* latine, cependant, elle s'appelle Aglaé (nom qui pourrait provenir d'une rédaction grecque antérieure).

5. La prière des parents d'Alexis fait écho à l'annonce du Messie dans le *Livre d'Isaïe* (VII, 14-15, et surtout IX, 5 et suiv. : « Car pour nous un enfant a été enfanté, un fils nous a été donné [...] »). Le rôle attribué à Dieu dans la fécondation d'une femme demeurée sans enfant fait bien sûr référence à l'histoire de la Vierge Marie (Luc, I, 5-38), ainsi qu'aux parents d'Isaac, Abraham et Sarah (Genèse, XV-XVIII).

6. Le nom d'*Alexis* date de la version latine de cette histoire (sinon d'une rédaction grecque antérieure). Le protagoniste du texte syriaque utilisé par cette *vita* s'appelle simplement « l'homme de Dieu » (soit *Mar Riscia* en syriaque), tandis que le protagoniste de l'histoire byzantine également utilisée par cette dernière s'appelle Jean le Calybite (surnom tiré d'un mot grec signifiant « petite cabane »).

Page 89.

1. Aucun des textes rapportant cette légende ne donne de nom à l'épouse d'Alexis.

Page 90.

1. Le *baudrier* désigne la courroie servant à attacher une épée. En la remettant à son épouse, Alexis se prive en même temps de son arme. Il renonce par conséquent au titre de che-

valier, de même qu'il renonce au statut d'époux en remettant son alliance.

2. *Laodicée* est le nom de plusieurs villes de l'empire séleucide (dont le cœur se trouvait en Syrie et qui fut gouverné par Séleucos et ses descendants de 305 à 64 av. J.-C.), ainsi dénommées en l'honneur des nombreuses reines appelées Laodicée. Dans notre poème en ancien français, le nom de cette ville est devenu Lalice, qui n'est pas sans parenté phonique avec le nom d'Alexis.

3. Située en Mésopotamie (dans l'actuelle Turquie) et centre du christianisme syriaque jusqu'à la conquête arabe, *Édesse* est la ville où s'est enfui le protagoniste byzantin de l'histoire syriaque de *Mar Riscia*. Dans notre poème en ancien français, le nom de cette ville est devenu Alsis, qui, plus encore que Lalice, évoque le nom d'Alexis.

Page 92.

1. D'après les bestiaires médiévaux, la *tourterelle* n'a qu'un seul compagnon durant sa vie et, si celui-ci meurt, elle lui reste fidèle. Aussi apparaît-elle comme un modèle pour la femme devenue veuve. L'interprétation chrétienne qui en est habituellement tirée l'apparente à l'âme ou à l'Église, qui demeurent fidèles au Christ leur époux au-delà même de la mort.

Page 94.

1. Située en Cilicie, dans l'actuelle Turquie, sur la rivière Tarsus, *Tarse* était autrefois un port maritime important. Ville natale de saint Paul, elle était aussi une importante ville chrétienne.

Page 96.

1. On peut penser ici au Christ qui, à celui qui lui annonce que sa mère et ses frères sont dehors et cherchent à lui parler, répond : « Qui est ma mère ? et qui sont mes frères ? », et qui poursuit en désignant ses disciples : « Voilà ma mère et mes frères. Car quiconque fait la volonté de mon père qui est dans les cieux, celui-là est mon frère, ma sœur, ma mère » (Mathieu, XII, 47-50).

2. *Leur pardonner, car ils ne savent pas ce qu'ils font* : saint Alexis reprend ici les paroles que le Christ sur la croix adresse à son Père (Luc, XXIII, 33-34).

Page 97.

1. Il semble que, dans une rédaction grecque antérieure de cette histoire, le pape soit appelé Marcien (nom qu'aucun pape n'a porté). Le nom d'*Innocent*, soit Innocent Ier qui avait été pape au temps des empereurs Arcadius et Honorius (401-417), semble provenir d'une nouvelle version syriaque de cette histoire. C'est en tout cas lui qui se retrouve ici comme dans la *vita* latine.

Page 98.

1. Fils de l'empereur Théodose Ier (347-395), *Honorius* († 423) et *Acarius* († 408) héritèrent à la mort de leur père, le premier de l'Empire romain d'Occident, le second de l'Empire romain d'Orient. C'est donc durant le règne de ces trois empereurs qu'aurait vécu saint Alexis.

Page 105.

1. Alexis serait mort un 17 juillet. C'est à cette date en effet qu'il est célébré dans la liturgie romaine. *La Légende dorée* précise qu'il s'agit de l'année 398.

Page 106.

1. Le texte du manuscrit *A* de *La Vie de saint Alexis* s'achève à cet endroit. Les quinze strophes suivantes, qui portent principalement sur les miracles que suscite le corps du saint et sur son ensevelissement en l'église Saint-Boniface, pourraient donc provenir d'une autre version. Le texte du manuscrit *L* présenterait en quelque sorte deux conclusions successives. On s'est donc posé la question de l'unité de la *Vie* et de sa forme primitive. Sans même parler de sa structure numérique, le texte offert par ce dernier manuscrit ne paraît pas dépourvu de cohérence : l'appel à la prière qui ponctue la mort du saint ne contredit pas la poursuite du récit, qui s'achève avec son enterrement et un dernier appel à la prière.

2. Cette évocation des miracles que suscitent les reliques de saint Alexis semble clore le récit. Mais ce dernier continue en racontant l'ensevelissement du saint et on a pu penser que nous avions là deux fins témoignant de deux états différents de *La Vie de saint Alexis*. Mais, comme nous l'avons noté, la

grandeur d'un saint est à la mesure de la vie qu'il continue d'avoir après sa mort.

3. Située à Rome, sur l'Aventin, l'église *Saint Boniface* est le lieu où s'installèrent en 977 le métropolite Serge de Damas et ses moines après avoir fui Damas à la suite de l'invasion arabe. C'est là qu'ils décidèrent de faire connaître au monde latin la vie de saint Alexis et que fut donc composée la *vita* latine que traduit le récit en ancien français. C'est dans cette église également, d'après la *vita* latine, que le corps d'Alexis serait enseveli et qu'on peut y invoquer ses reliques.

Page 108.

1. Nous avons distingué le dernier vers de la phrase qui précède, en comprenant l'expression « en ipse verbe » (« dans son verbe même ») comme une référence à la langue latine, langue sacrée à laquelle retourne la traduction française de *La Vie de saint Alexis* au moment de s'achever et de demander à ses auditeurs-lecteurs de réciter le *Notre Père*.

ANONYME

Vida de Guillem de Cabestaing

Page 113.

1. Le motif du « cœur mangé » est très répandu dans l'Europe médiévale. Il figure, à la fin du XIIIe siècle, dans *Le Roman du Châtelain de Coucy et de la Dame de Fayel*.

JACQUES DE VORAGINE

« Vie des saints Barlaam et Josaphat »

Page 127.

1. *Jean Damascène* : le Père de l'Église Jean de Damas (v. 676-749), déjà lié à l'histoire de saint Alexis (voir p. 87). La tradition lui attribuait la version grecque de la vie des deux saints.

Page 133.

1. D'origine bouddhiste, l'apologue de la *trompette* de la mort était très populaire au Moyen Âge ; il figure notamment dans les *exempla* de Jacques de Vitry († 1240).

2. Également d'origine bouddhiste, l'apologue des *coffres* est lui aussi repris par Jacques de Vitry. On le retrouve au XIVe siècle chez John Gower (*Confessio amantis* : histoire des deux coffrets) et Boccace (*Décaméron*, X, 1 : histoire de messer Ruggieri de Figiovanni), et au XVIe siècle chez Shakespeare (*Le Marchand de Venise*, II, VII : épreuve des trois coffrets).

Page 134.

1. L'apologue du *rossignol* se retrouve, entre autres, aux XIIIe et XIVe siècles dans le *Lai de l'Oiselet*, au XVe siècle chez John Lydgate (*The Chorle and the Birde*), et jusqu'en 1778, dans le *Chant de l'oiseau (Vogelgesang)* de Christoph Wieland.

Page 135.

1. *Un homme qui [...] tomba dans un grand précipice* : la parabole de l'homme dans le puits figurait déjà au XIe livre du *Mahābhārata*. La version de Jacques de Voragine contribue à populariser en Occident le thème de la licorne (un éléphant dans le texte sanskrit).

Page 136.

1. L'histoire des *trois amis*, d'origine indienne, avait atteint l'Occident dès le IIe siècle (Polyen). Elle fera l'objet aux XVIe et XVIIe siècles d'adaptations théâtrales en Angleterre, en Allemagne et en Hollande.

Page 137.

1. Cet apologue connaît lui aussi une grande fortune, et figure dans de nombreux sermons et recueils d'*exempla*.

Page 141.

1. *Ecclésiaste*, 3, 8.

Page 142.

1. *Nachor* : le faux Barlaam. Les arguments de Nachor sont une réminiscence de l'*Apologie d'Aristide*, texte grec du premier quart du IIe siècle.

Page 144.

1. La source première de l'apologue est l'histoire de l'ermite hindou Rishyashringa (*Mahābhārata*, III ; *Rāmāyana* I, 9). On en trouve un écho dans le *Décaméron* de Boccace (IV, 1).

Page 147.

1. *Psaumes*, 117, 6.

RACAN

Vie de Mr de Malherbe

Page 170.

1. *Assesseur* : officier de justice, adjoint et suppléant d'un juge principal.

2. *Quitter son pays* : le père de Malherbe mourut en 1606, alors que le poète avait quitté la demeure paternelle dès 1576. — *Mr le grand Prieur* : Henri de Valois, duc d'Angoulême (1551-1586), grand prieur de France de l'ordre de Saint-Jean-de-Jérusalem, amiral du Levant et gouverneur de Provence. Il fut tué en duel par Philippe Altoviti.

3. *La Veuve d'un Conseiller* : Madeleine de Carriolis, fille d'un président au parlement de Provence, épousée en 1581.

4. Malherbe et sa femme eurent trois *enfants* : Henri (1585-1587), Jourdaine (1591-1599) et Marc-Antoine (1600-1627).

Page 171.

1. *La Roque* : le poète Siméon-Guillaume de La Roque (1551-1611), dont les *Œuvres* furent publiées en 1590 et 1609.

2. *La Reine Marguerite* : Marguerite de Valois (1553-1615), fille d'Henri II et de Catherine de Médicis, et première épouse d'Henri IV.

3. *Le sieur de Sully a été dans les finances* : Maximilien de Béthune (1559-1641), duc de Sully en 1606, fut surintendant

des finances de 1598 à 1611. L'anecdote rapportée par Racan est douteuse.

4. Autre épisode dont l'authenticité est sujet à caution.

5. *M^r^ le Cardinal du Perron* : le poète et érudit Jacques Davy du Perron (1556-1618), alors évêque d'Évreux. Protestant converti, il devint le conseiller d'Henri IV en matière religieuse et s'illustra dans la controverse anti-huguenote. La suite de sa carrière fut brillante : cardinal, chargé des affaires de France à Rome, archevêque de Sens, grand aumônier de France. La conversation rapportée par Racan se déroule pendant le séjour du roi à Lyon (décembre 1600-janvier 1601), à l'occasion de son mariage avec Marie de Médicis. Malherbe remercie le prélat de sa recommandation dans une lettre du 9 novembre 1601 (Racan, *Œuvres complètes*, éd. A. Adam, Bibl. de la Pléiade, 1971, p. 180-182).

Page 172.

1. *M^r^ des Yveteaux* : le poète libertin Nicolas Vauquelin des Yveteaux (1567-1649), précepteur de César de Vendôme, fils naturel d'Henri IV et de Gabrielle d'Estrées, puis du Dauphin, futur Louis XIII.

2. Il s'agit des stances « Prière pour le Roy allant en Limozin », présentées au souverain en novembre 1605, à son retour d'une campagne militaire contre les partisans du duc de Bouillon (voir Malherbe, *Œuvres poétiques*, éd. Fromilhague, Les Belles Lettres, 1968, t. I, p. 58-62 ; éd. Adam, *op. cit.*, p. 46-49).

3. *Mr de Bellegarde* : Roger II de Saint-Lary, baron puis duc de Bellegarde (v. 1567-1646), un des favoris d'Henri IV. Il fut premier gentilhomme de la Chambre du roi, grand écuyer de France, gouverneur de Bourgogne et de Bresse, surintendant des mines, puis surintendant de la maison et premier gentilhomme la chambre de Gaston d'Orléans.

Page 173.

1. *M. Conrart* : l'homme de lettres Valentin Conrart (1603-1675), premier secrétaire perpétuel de l'Académie française en 1635.

2. *Monsieur* : Gaston de France, duc d'Anjou puis d'Orléans (1608-1660), fils cadet d'Henri IV et de Marie de Médicis.

3. Il s'agit de l'ode « Pour le Roy allant chastier la rebel-

lion des Rochelois, et chasser les Anglois, qui en leur faveur estoient descendus en l'Isle de Ré », présentée à Louis XIII puis éditée en volume en 1628 (Malherbe, éd. Fromilhague, *op. cit.*, t. I, p. 166-169 ; Racan, éd. Adam, *op. cit.*, p. 158-163).

4. *M^r le Prince* : Henri II de Bourbon, prince de Condé (1588-1646), premier prince du sang avec le titre de Monsieur le Prince. Opposant de la régente Marie de Médicis, il fut emprisonné de 1616 à 1619 à la Bastille puis à Vincennes, où le rejoignit son épouse, Charlotte de Montmorency. Elle accoucha de jumeaux mort-nés en décembre 1618.

5. *M^r le Garde des Sceaux du Vair* : Guillaume Du Vair (1556-1621), évêque de Lisieux, garde des Sceaux de 1617 à sa mort. Il avait connu Malherbe quand il était premier président du parlement de Provence.

Page 174.

1. *Le Cercle* : le cercle de la reine. — *Madame la Marquise de Guercheville* : Antoinette de Pons, marquise de Guercheville (1570-1632), dame d'honneur de Marie de Médicis. Veuve, elle s'acquit une réputation de vertu en résistant aux avances d'Henri IV.

2. *La Connétable de Lesdiguières* : Marie Vignon, seconde épouse de François de Bonne, duc de Lesdiguières (1544-1626), connétable de France. Elle épousa le connétable en 1617, après avoir longtemps vécu avec lui en concubinage. — *Qui avait son placet* : c'est-à-dire un tabouret — honneur recherché — au cercle de la reine.

Page 175.

1. *Son fils fut assassiné* : Marc-Antoine de Malherbe fut assassiné le 13 juillet 1627 à Aix par deux gentilshommes provençaux, Paul de Fortia, baron de Piles, et Gaspard Cauvet, baron de Bormes.

2. Le *sol* valait un soixantième d'écu, la *pistole* un quart d'écu.

Page 176.

1. *Madame de Bellegarde* : Anne de Bueil de Fontaines (1573-1631), épouse de Roger II de Saint-Lary, duc de Bellegarde. C'était la cousine germaine de Racan, qu'elle recueillit à la mort de sa mère, et auquel elle légua à sa mort une for-

tune de plus de 700 000 livres. — *Maréchal d'Ancre* : Concino Concini, marquis d'Ancre (1575-1617), maréchal de France. Favori de la régente Marie de Médicis, il fut assassiné sur l'ordre de Louis XIII le 24 avril 1617.

2. *M. de Méziriac* : le mathématicien Claude-Gaspard Bachet de Méziriac (1581-1638), académicien en 1634, auteur d'une traduction de l'*Arithmétique* de Diophante (1621).

3. *Bertaut* : le poète Jean Bertaut (1552-1611), évêque de Sées, abbé d'Aunay et premier aumônier de la Reine, auteur d'un *Recueil de quelques vers amoureux* (1602).

4. *Nichil au dos* : « habit dont les devants étaient fort brillants, et dont le derrière, recouvert par un riche manteau, était d'une étoffe commune » (Godefroy), d'où, aux apparences trompeuses, dont le fond ne répond pas à l'extérieur.

5. *Régnier le Satirique* : le poète satirique Mathurin Régnier (1573-1613).

6. *M. Desportes* : le poète Philippe Desportes (1546-1606), abbé de Tiron, lecteur du Roi et conseiller d'État, auteur d'une traduction en vers des psaumes (commencée en 1591 et achevée en 1603).

Page 177.

1. C'est la satire IX de Régnier : « Rapin, le favory d'Apollon, et des Muses... ».

2. *Melle de Gournay* : Marie Le Jars de Gournay (1565-1645), romancière et poétesse, éditrice des *Essais* de son « père d'alliance », Michel de Montaigne. Voir l'anecdote rapportée par Gilles Ménage (*Menagiana*, Amsterdam, A. Brackmann, 1693, p. 138) : « M. de Racan alla voir un jour Mademoiselle de Gournay qui lui fit voir des Épigrammes qu'elle avait faites, et lui en demanda son sentiment. M. de Racan lui dit qu'il n'y avait rien de bon, et qu'elles n'avaient pas de pointe. Mademoiselle de Gournay lui dit qu'il ne fallait pas prendre garde à cela, que c'étaient des Épigrammes à la Grecque. Ils allèrent ensuite dîner chez M. de Lorme, médecin des eaux de Bourbon. M. de Lorme leur ayant fait servir un potage qui n'était pas fort bon, Mademoiselle de Gournay se tourna du côté de M. de Racan, et lui dit : Monsieur, voilà une méchante soupe. Mademoiselle, repartit M. de Racan, c'est une soupe à la grecque. »

3. *Colomby, Maynard, Racan, du Monstier* : le poète

normand François de Cauvigny, seigneur de Colomby (1588-1648), cousin de Malherbe, académicien en 1634, orateur du Roi pour les discours d'État. — Son confrère François Maynard (1582-1646), académicien en 1634, président au présidial d'Aurillac. — Le dessinateur Daniel Dumonstier (1574-1646), portraitiste de la Cour.

Page 178.

1. *M. Gaumin* : l'orientaliste Gilbert Gaulmin (1585-1665), maître des requêtes puis intendant de Moulins, traducteur du grec, de l'arabe, du persan et de l'hébreu.

2. *M. de la Loy* : auteur d'*Estrenes de la France au Roy et à M*[gr] *le Dauphin* (1602).

3. *Licencieux* : irréguliers, c'est-à-dire dont les deux quatrains ne sont pas sur les mêmes rimes.

4. *S'aheurter* : « Se préoccuper fortement d'une opinion dont on ne peut nous détromper » (Furetière).

5. C'est l'épître I de Régnier, « Discours au Roy » (1608).

Page 179.

1. *Il avait un frère aîné* : Éléazar de Malherbe était en réalité le frère puîné du poète.

2. *M*[r] *de Luynes* : Charles d'Albert, duc de Luynes (1578-1621), favori de Louis XIII.

3. *M*[r] *de Termes* : le frère cadet de M. de Bellegarde, César-Auguste de Saint-Lary, baron puis marquis de Termes († 1621), grand écuyer de France.

4. Il s'agit de la pièce « Ô bienheureux celui qui prit dès son Printemps... », parue dans *Les Sept Psaumes*, Paris, Toussainct du Bray, 1631 (éd. Macé, p. 382-384). Racan changera le vers en : « Il laboure le champ que labouroit son père. »

Page 180.

1. « Ô que nos fortunes prospères », vers 11 de l'« Ode sur l'attentat commis en la personne de sa Majesté, le 19. de Decembre 1605 », écrite en 1606 (éd. Fromilhague, t. I, p. 71-78 ; éd. Adam, p. 49-55).

2. *Robe longue* : se disait des officiers de justice (juges, auditeurs, lieutenants, etc.) gradués en droit.

3. Voir la lettre XI de Racan à Chapelain : « [...] et je me suis ressouvenu à ce propos de ce que disait Malherbe à ceux qui lui

montraient de méchants vers pour en avoir son avis. Après leur avoir demandé s'ils étaient condamnés à faire des vers ou à être pendus, il leur disait qu'à moins de cela ils n'en devaient point faire, et qu'il ne fallait jamais hasarder sa réputation que pour sauver sa vie ». Racan, *Œuvres complètes*, nouv. éd. rev. et annot. par M. Tenant de Latour, Paris, P. Jannet, 1857, t. I, p. 344.

4. *Frise* : « Sorte d'étoffe de laine à poil frisé » (*Dictionnaire de l'Académie*, 1694).

Page 181.

1. Pour ne pas mettre plus de bas à une jambe qu'à une autre, Malherbe lançait un *jeton* dans une écuelle chaque fois qu'il chaussait un bas.

Page 182.

1. *Bordier* : le poète René Bordier (v. 1580-apr. 1648), auteur de dix-sept livrets de ballets de cour entre 1615 et 1635.

2. *M^r de St Paul* : François III d'Orléans-Longueville, comte de Saint-Pol puis duc de Fronsac (1570-1631), gouverneur d'Orléans, de Blois et de Tours.

Page 183.

1. « Vous tous, saints et saintes de Dieu, priez pour nous. »

Page 184.

1. Cette longue missive du 29 juillet 1614 fut publiée sous le titre *Lettre de consolation à Madame la princesse de Conty sur la mort de M. le chevalier de Lorraine de Guise, son frere*, Paris, Toussainct du Bray, 1614 (éd. Adam, p. 211-214). Malherbe était un protégé des Guises, et en particulier de Louise-Marguerite de Lorraine, princesse de Conti. Le frère de celle-ci, François-Alexandre de Lorraine, chevalier de Guise, avait été tué le 1er juin 1614 au château des Baux, par l'explosion accidentelle d'un canon.

Page 185.

1. *Les Epistres de Seneque, traduites par Mre de Malherbe...*, Paris, Antoine de Sommaville, 1637. Dédiée à Richelieu, cette traduction inachevée comprend seulement les 91 premières épîtres (éd. Lalanne, t. II [1862], p. 259-733).

2. *La Vicomtesse d'Auchy* : Charlotte Jouvenel des Ursins,

vicomtesse d'Auchy (v. 1570-1646), menait à Paris une vie libre avec la permission de son mari, gouverneur de Saint-Quentin. Elle avait réuni un petit cercle autour d'elle et se piquait de lettres et de théologie.

3. *Madame la Marquise de Rambouillet* : Catherine de Vivonne, marquise de Rambouillet (1588-1665), tint à partir de 1608, dans son hôtel particulier de la rue Saint-Thomas-du-Louvre, le premier salon parisien.

4. *Madame de Termes* : Catherine Chabot de Mirebeau, baronne puis marquise de Termes († 1662), épouse de César-Auguste de Saint-Lary. Veuve en 1621, elle se remaria à Claude Vignier, seigneur de Saint-Liébault, président à mortier au parlement de Metz.

Page 186.

1. La chanson « Chere beauté que mon ame ravie », composée probablement en 1613 pour Mme de Rambouillet et parue en 1621 dans les *Délices de la poésie françoise* (éd. Fromilhague, *op. cit.*, t. I, p. 137-138 ; éd. Adam, *op. cit.*, p. 134-135).

2. *Boisset* : le compositeur Antoine Boësset (v. 1586-1643), surintendant de la musique de la Chambre du roi.

3. La chanson « Ils s'en vont ces roys de ma vie », parue en 1615 dans les *Airs de cour et de différents auteurs* de Pierre Ballard (Malherbe, éd. Fromilhague, *op. cit.*, t. I, p. 198-199 ; Racan, éd. Adam, *op. cit.*, p. 136).

4. Les deux lettres ont été publiées : Racan, éd. Adam, *op. cit.*, p. 266-270 et 237.

5. *M. d'Effiat* : Antoine Coëffier de Ruzé, marquis d'Effiat (1581-1632), alors premier écuyer du Roi et surintendant des finances, futur grand maître de l'artillerie et maréchal de France.

6. *Monsieur de Porchères-d'Arbault* : le poète François d'Arbaud, sieur de Porchères, dit de Porchères d'Arbaud (1590-1640), académicien en 1634, auteur d'une paraphrase des psaumes publiée en 1622. Cousin par alliance de Malherbe, il fut le colégataire de sa bibliothèque avec Racan. Il obtint du roi un privilège pour faire imprimer la première édition des *Œuvres de Mre François de Malherbe*, Paris, Charles Chappelain, 1630.

Page 187.

1. *M. Coëffeteau* : le dominicain Nicolas Coeffeteau (1574-1623), prédicateur ordinaire du Roi, évêque titulaire de Dardane, puis évêque de Marseille. Il fut l'auteur, entre autres, de deux ouvrages très admirés pour leur style, le *Tableau des passions humaines* (1620) et une *Histoire romaine* (1621). — Racan, qui ne connaissait pas le latin, a mal reproduit la formule : « *Bonus animus, bonus Deus, bonus cultus.* » Il en a cependant retenu le sens que lui donnaient Coeffeteau et Malberbe : « Tant y a que je veux dire après ces deux grands hommes que bien vivre est bien servir Dieu ; et crois que cette justice éternelle et cette bonté infinie qui daigne prendre soin de nous dispenser après cette vie les peines et les récompenses, ne nous condamne point comme un juge *à co* [*i.e. a quo* : dont la sentence peut faire l'objet d'un appel] sur un petit manque de la forme, lui qui voit le bien et le mal jusqu'au fond de nos consciences. » Racan, lettre à Chapelain, novembre 1656, éd. Macé, *op. cit.*, p. 1023.

ARNAULD D'ANDILLY

La Vie de saint Siméon Stylite

Page 194.

1. *Sisa* ou Sisan : probablement Séleucie de Piérie, le port d'Antioche, cité principale de la Syrie (aujourd'hui Samandağ, au sud de la Turquie).

Page 195.

1. Allusion au Sermon sur la Montagne, et plus particulièrement aux Béatitudes (Matthieu, 5, 3-12 ; Luc, 6, 20-23).

Page 196.

1. Vers le milieu du IVe siècle, Ammianos a fondé le monastère de Téléda, en Antiochène, près de l'actuel village de Deir Tell Adé, en Antiochène. Le monastère est ensuite organisé par l'ascète Eusèbe, dont deux disciples d'Eusèbe, Eusébonas et Abibion, fondent par la suite le monastère proche de Burg es Sab. Siméon y est moine vers 410-416.

2. *Héliodore* est le supérieur de Burg es Sab au moment du séjour de Siméon.

Page 198.

1. La *montagne*, dont il sera souvent question, est le Cheikh Barakat, le mont Coryphée des Anciens.

2. *Télanisse* : le bourg de Télanissos, aujourd'hui Deir Sim'an, au nord d'Alep en Syrie.

Page 199.

1. *Basse* : Bassos, responsable des moines au monastère.

Page 200.

1. Théodoret écrit en 444 ; le grand jeûne de Siméon a commencé en 416.

Page 201.

1. *Mélesse* : Mélèce (Mélétios) est en fait un chorévêque (évêque auxiliaire) du patriarche d'Antioche. Le patriarche d'Antioche du même nom était mort en 381.

Page 202.

1. *Ismaélites* : les descendants d'Ismaël, c'est-à-dire les Arabes.

2. *Français* : bien entendu appelés Gaulois dans le texte original grec.

Page 203.

1. *Une colonne* : le Djébal Sim'an (montagne de Siméon), près d'Alep en Syrie.

Page 205.

1. *Ibériens* : Espagnols.

Page 206.

1. *Calinique* : Callinicus (en grec Kallinikos), cité du nord-est de la Syrie (Osroène), sur l'Euphrate. Aujourd'hui Ar-Raqqah, en Syrie.

BALZAC
« Notice sur la vie de La Fontaine »

Page 312.

1. *Pintrel* : l'érudit Antoine Pintrel (1613-1637), traducteur des *Épîtres* de Sénèque.

Page 313.

1. *L'Oratoire* : congrégation de prêtres séculiers fondée en 1611 par Pierre de Bérulle. La Fontaine, reçu en avril 1641, y resta dix-huit mois, au collège de Juilly et au séminaire de Saint-Magloire.

2. Ce thème de l'artiste « *fainéant pour le vulgaire* » réapparaît dans l'article « Des artistes » (*La Silhouette*, 25 février, 11 mars et 22 avril 1830), où Balzac développe en forme de manifeste les idées ébauchées dans cette notice.

Page 314.

1. « Que direz-vous, races futures », ode de Malherbe composée à l'occasion de l'attentat contre Henri IV du 19 décembre 1605.

2. Citation de l'abbé d'Olivet, *Histoire de l'Académie française depuis 1652 jusqu'en 1700*, Amsterdam, 1730, p. 222.

3. Citation presque textuelle de la préface de Louis-Simon Auger aux *Œuvres de La Fontaine*, Paris, Castel de Couvral, 1825, p. VI.

4. *Marie Héricart* (1633-1709), cousine de Jean Racine, épousée en novembre 1647 avec une dot de 30 000 livres. Femme d'esprit, elle tint un salon à Château-Thierry et choisit d'y demeurer sans son mari après 1671.

5. « Belphégor, nouvelle tirée de Machiavel », conte de 1682 repris en 1694 dans le dernier livre des *Fables*. Le diable Belphégor, mandé sur terre par Satan afin d'enquêter sur l'institution du mariage, y épouse la dame Honesta, pour son plus grand malheur : « Nos deux époux, à ce que dit l'histoire / Sans disputer n'étaient pas un moment. » Le rapprochement entre Honesta et Marie Héricart figure chez tous les biographes antérieurs de La Fontaine, mais Balzac y procède

d'autant plus volontiers qu'il travaille au même moment à sa *Physiologie du mariage*.

6. *La duchesse de Bouillon* : Marie-Anne Mancini (1649-1714), nièce du cardinal Mazarin et épouse du duc de Bouillon, seigneur de Château-Thierry. L'épisode est en fait postérieur au premier séjour de La Fontaine à Paris.

7. *Pradon* : le dramaturge rouennais Nicolas Pradon (1632-1698).

8. *Jannart* : Jacques Jeannart, oncle de Marie Héricart, substitut général au parlement de Paris. Il hébergea La Fontaine à Paris de 1658 à 1661 et le présenta à Fouquet. C'est en sa compagnie que le poète effectua son voyage en Limousin en 1663. — *Fouquet* : Nicolas Fouquet (1615-1680), procureur général au Parlement (1650), surintendant des Finances (1653). Il rencontra La Fontaine en 1657 et devient son unique patron deux ans plus tard. Il fut arrêté à Nantes le 5 septembre 1661. La fidélité du poète envers son ancien protecteur est un lieu commun chez ses biographes.

Page 315.

1. Citation d'une lettre de La Fontaine à sa femme, du 5 septembre 1663, figurant dans sa *Relation d'un voyage de Paris en Limousin*.

2. Vers de l'épitaphe « D'un paresseux ou Épitaphe de La Fontaine par lui-même » (1659) : « Jean s'en alla comme il étoit venu, / Mangea son fonds avec le revenu, / Tint les trésors chose peu nécessaire. »

3. La Fontaine fut bien gentilhomme d'honneur de la duchesse d'Orléans, dite Madame, entre 1664 et 1672. Il ne s'agit pas cependant d'Henriette d'Angleterre, première épouse du frère de Louis XIV, Philippe de France, duc d'Orléans, mais de Marguerite de Lorraine, duchesse douairière d'Orléans (1615-1672), veuve du frère de Louis XIII, Gaston d'Orléans.

4. *Deux femmes célèbres [...] prirent soin de La Fontaine comme d'un enfant* : Marguerite Hessein (1636/1640-1693), protectrice des gens de lettres, vivait séparée de son époux Antoine de Rambouillet, sieur de La Sablière. Elle accueillit La Fontaine à partir de 1673, dans une maison proche de son hôtel, rue Neuve-des-Petits-Champs puis rue Saint-Honoré. Après sa mort, le poète fut reçu par le financier Anne d'Hervart et son épouse, Françoise Le Ragois de Bretonvilliers,

dans leur château de Bois-le-Vicomte et dans leur hôtel de la rue Plâtrière.

5. *Le célèbre Bernier* : le voyageur et philosophe François Bernier (1620-1688), disciple de Gassendi. Il apparaît également dans *La Vie de Molière* par Voltaire (voir p. 293).

Page 316.

1. Le long délai qui sépara, entre novembre 1683 et mai 1684, l'élection et la réception de La Fontaine à l'Académie, est bien dû à l'opposition de Louis XIV, mais sans lien direct avec l'interdiction des *Nouveaux Contes* en 1675. Les grands conteurs sont, pour Balzac, « tous des hommes de génie autant que des colosses d'érudition » (*Petites misères de la vie conjugale,* 1846) et ils « ont presque tous été Molière moins la scène » (Avertissement des *Contes drolatiques,* 1832). Le romancier reconnaît en La Fontaine son illustre prédécesseur dans ce genre majeur : « Si vous n'aimez pas les *Contes* de La Fontaine, ni ceux de Boccace, et si vous n'êtes pas folle de l'Arioste, il faut laisser les *Contes drolatiques* de côté, quoique ce soit ma plus belle gloire dans l'avenir » (lettre à Mme Hanska, 19 août 1833).

2. Comme Racine et Boileau venaient de railler La Fontaine au cours d'un souper, Molière furieux aurait dit au musicien Descoteaux : « Nos beaux esprits ont beau se trémousser, ils n'effaceront pas le bonhomme. » Anecdote rapportée par l'abbé d'Olivet, *Histoire de l'Académie française, op. cit.*, p. 225.

3. Pour Balzac, le souci premier de l'artiste doit être de rendre l'idée présente dans l'œuvre d'art : « Avant tout, le but d'un livre, c'est de faire penser » (*Physiologie du mariage,* XXXII, 48).

Page 317.

1. La Fontaine mourut le 13 avril 1695.

2. En novembre 1819, alors qu'il peine sur *Cromwell,* sa première œuvre, Balzac écrit à sa sœur Laure : « *La Nouvelle Héloïse* pour maîtresse, La Fontaine pour ami, Boileau pour juge, Racine pour exemple et le Père-Lachaise pour me promener. Ah si cela pouvait durer toujours [...]. »

Page 318.

1. Aux yeux de Balzac, « il paraît prouvé que la passion dominante de chaque être est déterminée par son organisa-

tion » : c'est là une « découverte de la science » (*Traité de la prière*). Cette idée cruciale d'une « organisation physique » subordonnant les sentiments des êtres est reprise de la philosophie matérialiste des Lumières, notamment le *Système de la nature* (1770) du baron d'Holbach.

2. Dans *Illusions perdues*, Balzac prêtera ce même compliment à Lucien de Rubempré, découvrant la préface d'Henri de Latouche à un volume de Chénier : « "Un poète retrouvé par un poète !" dit-il en voyant la signature de la préface. »

3. Voir l'article déjà cité « Des artistes » : « tout homme doué par le travail, ou par la nature, du pouvoir de créer, devrait ne jamais oublier de *cultiver l'art pour l'art lui-même* ».

4. Dans le même article, Balzac s'étend sur le bonheur de la « chasse aux idées » qu'éprouvent les artistes, citant Newton, La Fontaine et Cardan comme exemples de méditation profonde : « Ces plaisirs d'une extase particulière aux artistes sont donc, après l'instabilité capricieuse de leur puissance créatrice, la seconde cause qui leur attire la réprobation sociale des gens exacts. »

5. Citation de l'abbé d'Olivet, *Histoire de l'Académie française, op. cit.*, p. 218.

6. Première apparition d'un thème central de la pensée balzacienne, qu'on retrouvera notamment en 1831 dans la préface de *La Peau de chagrin* : « L'écrivain [...] est obligé d'avoir en lui je ne sais quel miroir concentrique où, suivant sa fantaisie, l'univers vient se réfléchir. » Ce « miroir concentrique », emprunté à la *Monadologie* de Leibniz, rejoint les considérations de Victor Hugo dans la *Préface de Cromwell* (1827) : « Il faut donc que le drame soit un miroir de concentration. »

BAUDELAIRE
« Edgar Poe, sa vie et ses œuvres »

Page 374.

1. Théophile Gautier, *Ténèbres*, dans *La Comédie de la mort* (1838).

Page 375.

1. *Un écrivain célèbre de notre temps* : Alfred de Vigny, dans son roman *Stello* (1832).

2. *Jaggernaut* : Jaggarnātha, incarnation du dieu indien Vishnu/Krishna, dont le centre du culte est le temple de Puri, dans l'État d'Orissa. Son culte, dans l'imaginaire européen de l'époque, passait pour cruel, et son idole pour hideuse et terrifiante.

Page 376.

1. *Les Soirées de Saint-Pétersbourg* (1821), 6e entretien. La découverte de Maistre est à l'origine, chez Baudelaire, d'une réévaluation de la figure de Poe, considéré non plus comme un mystique ou un conteur fantastique, mais comme un « poète-ingénieur ». « De Maistre et Edgar Poe m'ont appris à raisonner », écrit-il dans ses *Journaux intimes*.

2. *M. Rufus Griswold* : Rufus Wilmot Griswold (1815-1857), éditeur, critique et poète américain, auteur de l'anthologie *The Poets and Poetry of American* (1842). Rival de Poe, auquel il succéda à la rédaction du *Graham's Magazine*, il écrivit à sa mort un obituaire infamant pour le *New York Tribune*, puis se proclama son exécuteur littéraire, publiant une édition posthume de ses œuvres : *The Works of the Late Edgar Allan Poe* (1850-1856, 4 vol.). Celle-ci était précédée d'un « Memoir of the Author » particulièrement malveillant, et fondé en partie sur des lettres falsifiées. Le texte fit scandale et provoqua l'intervention indignée de la belle-mère du poète, Virginia Clemm. Cela n'empêcha pas l'édition Griswold d'être utilisée par Baudelaire et de faire référence pour le demi-siècle suivant.

3. *M. George Graham* : l'éditeur et journaliste George Rex Graham (1813-1894), qui avait employé le poète au *Graham's Magazine*. Il publia dans le même journal en mars 1850 un article où il dénonçait le travail de Griswold comme une « immortelle infamie » et un « abus de confiance ».

4. *M. Willis* : l'écrivain et éditeur Nathaniel Parker Willis (1806-1867).

Page 378.

1. *La théologienne du sentiment* : George Sand, dont Baudelaire n'épargne ni la personne ni les idées dans *Mon cœur mis à nu* (1864) : « La Sand est pour le Dieu des bonnes, le dieu des concierges et des domestiques filous » ; « Elle est surtout, et plus que tout autre chose, une grosse bête ; mais elle est possédée. »

Page 379.

1. Poe naquit à Boston le 19 janvier 1809.

2. *L'esprit de roman* : Baudelaire traduit ainsi l'expression pourtant courante *romantic spirit*.

Page 380.

1. John et Francis Allan recueillirent Poe à la mort de sa mère, en 1811, mais ne l'adoptèrent jamais officiellement.

2. *William Wilson* : conte paru dans le *Burton's Gentleman's Magazine* en octobre 1839 ; traduction de Baudelaire dans *Le Pays* (février 1855), puis dans les *Nouvelles Histoires extraordinaires* (1857).

3. Poe entra à l'université de Virginie en février 1826. Il n'en fut pas chassé, comme l'affirment Griswold et Baudelaire à sa suite, mais il dut la quitter au bout d'un semestre, faute d'argent.

Page 381.

1. Ce périple est une fabulation de Poe, reprise par ses premiers biographes, et peut-être inspirée par un voyage authentique de son frère William Henry en Europe. Baudelaire lui-même prétendait avoir visité l'île Maurice et Calcutta, alors qu'il n'avait jamais dépassé La Réunion. Au lieu de voyager, Poe, sans ressources, s'engagea comme simple soldat, sous un faux nom, dans l'armée américaine en mai 1827 ; il la quitta en avril 1829, avec le grade de sergent-major d'artillerie.

2. Frances Allan était morte le 28 février 1829 ; Poe devait entrer à l'Académie militaire de West Point seize mois plus tard, le 1er juillet 1830.

Page 382.

1. *Al Aaraaf, Tamerlane, and Minor Poems*, publié à Baltimore en décembre 1829. Baudelaire passe sur la parution en 1831 des *Poems*, le second recueil de Poe, plus important puisqu'il contient des pièces majeures comme les *Stances à Hélène*, la première version de *Lénore*, etc.

2. Poe reçut en octobre 1833 un prix du *Baltimore Saturday Visiter* pour sa nouvelle « Manuscrit trouvé dans une bouteille ».

Page 383.

1. *The Unparalleled Adventure of One Hans Pfaall,* conte paru dans le *Southern Literary Messenger* en juin 1835 ; traduction de Baudelaire dans *Le Pays* (mars-avril 1855), puis dans les *Histoires extraordinaires* (1856).

2. *Virginia* Eliza *Clemm* (1822-1847), cousine germaine de Poe, qu'elle épousa en 1836.

Page 384.

1. *Tales of the Grotesque and the Arabesque* : recueil en deux volumes, paru à Philadelphie en 1840, de certains des plus célèbres contes de Poe (*La Chute de la maison Usher, Manuscrit trouvé dans une bouteille, Ligeia*...).

2. Baudelaire semble ignorer le sens du mot anglais *lecture*, qui signifie simplement « conférence ».

Page 385.

1. *Eureka,* « essai sur l'univers matériel et spirituel » en forme de poème en prose, d'abord lu en conférences publiques, puis sorti en volume en 1848 ; traduction de Baudelaire dans la *Revue internationale* (octobre 1859-janvier 1860).

2. Poe apparaît ici comme le dandy de Baudelaire : « Le Dandy doit aspirer à être sublime, sans interruption. Il doit vivre et dormir devant un miroir » (*Mon cœur mis à nu*).

3. *The Poetic Principle,* lu en public à plusieurs reprises à l'automne 1848, et publié dans le *Home Journal* en août 1850. Poe définit dans cet essai la poésie comme « la *Création rythmique de la Beauté* », sans rapports autres que collatéraux avec l'intellect et la conscience, et sans relation autre qu'incidente avec le Devoir et la Vérité.

Page 386.

1. Les événements qui se sont déroulés entre le départ de Poe pour New York (27 septembre) et sa découverte dans un état de grande détresse, devant la Ryan's Tavern de Baltimore (3 octobre), ont fait l'objet d'innombrables spéculations. Poe mourut le 7 octobre 1849 au Washington College Hospital, sans avoir retrouvé ses esprits. Le récit qu'en fait Baudelaire, tiré de Griswold, est erroné.

2. *Le Chat Noir* : *The Black Cat,* conte paru dans l'*United*

States Saturday Post en août 1843, puis, dans sa version définitive, en volume en 1845 ; traduction de Baudelaire publiée dans la revue *Paris* (novembre 1853), puis dans les *Nouvelles Histoires extraordinaires* (1857).

3. L'affirmation, qui suit la thèse de l'alcoolisme répandue par Griswold, tient moins aux faits qu'à la propre hantise de Baudelaire, renforcée par le suicide récent de Nerval.

4. *Cant* : en anglais, discours moral emphatique.

Page 387.

1. *Ut declamatio fias !* : épigraphe tirée des *Satires* de Juvénal : « pour que tu deviennes un sujet de déclamation ! »

2. *Un écrivain d'une honnêteté admirable...* : Gérard de Nerval, retrouvé pendu, au matin du 26 janvier 1855, aux barreaux d'une boutique de la rue de la Vieille-Lanterne.

3. Allusion à un article du polémiste catholique Louis Veuillot, paru dans *L'Univers* du 3 juin 1855 : « Le confrère en question avait, dit-on, "trop spiritualisé la vie". Hélas ! c'est *alcoolisé* qu'il fallait dire ; et cette vie ainsi menée et trempée, n'avait plus guère d'autre issue possible que le suicide ou une cellule à Charenton. »

Page 388.

1. *M. John Neal* : l'avocat et homme de lettres John Neal (1793-1876), ami de Poe.

2. *M. Longfellow* : Henry Wadsworth Longfellow (1807-1882), considéré à l'époque comme le grand poète américain. Poe l'avait accusé de plagiat dans le *Broadway Journal*, relevant sa dépendance à l'égard des maîtres européens, notamment Tennyson. Longfellow y répondit par l'indifférence, malgré la violence de la querelle, passée à la postérité sous le nom de *Longfellow War*.

3. *Mme Clemm* : Maria Clemm, la tante paternelle et belle-mère de Poe.

Page 392.

1. *Mme Frances Osgood* : Frances Sargent Osgood (1811-1850), poétesse américaine dont l'amitié littéraire et l'intimité avec Poe firent scandale.

2. *Le Corbeau* : *The Raven*, paru dans l'*Evening Mirror* en

janvier 1845 ; traduction de Baudelaire dans *L'Artiste* (mars 1853).

Page 393.

1. *Sa* Lenore : l'amour d'adolescence de Poe, Jane Stith Stanard, mère d'un de ses camarades, morte de tuberculose en 1824. Elle inspira à Poe ses poèmes *Stances à Hélène* et, si l'on en croit Griswold, *Lénore* (1831).

2. *The Literati of New York* : série livrée de mai à octobre 1846 dans le *Godey's Lady Book*.

Page 394.

1. *Ligeia* : conte paru dans l'*American Museum of Science, Literature and the Arts* en septembre 1838 ; traduction de Baudelaire dans *Le Pays* (février 1855), puis dans les *Histoires extraordinaires* (1856). — *Eleonora* : conte paru dans le *Boston Notion* en septembre 1841 ; traduction de Baudelaire dans la *Revue française* (mars 1859), puis dans les *Histoires grotesques et sérieuses* (1865).

Page 395.

1. *The Domain of Arnheim* : *Le Domaine d'Arnheim*, conte paru dans le *Columbian Lady's and Gentleman's Magazine* en mars 1847 ; traduction de Baudelaire dans les *Histoires grotesques et sérieuses* (1865). L'ami du narrateur « n'admettait que quatre principes, ou, plus strictement, quatre conditions élémentaires de félicité. Celle qu'il considérait comme la principale était (chose étrange à dire !) la simple condition, purement physique, du libre exercice en plein air. [...] La seconde condition était l'amour de la femme. La troisième, la plus difficile à réaliser, était le mépris de toute ambition. La quatrième était l'objet d'une poursuite incessante ; et il affirmait que, les autres choses étant égales, l'étendue du bonheur auquel on peut atteindre était en proportion de la spiritualité de ce quatrième objet. »

Page 398.

1. *Annabel Lee* : dernier poème de Poe (1849), sur le thème de la mort d'une jeune femme (probablement sa propre épouse, Virginia Clemm).

Page 403.

1. *La Relation d'Arthur Gordon Pym* : *The Narrative of Arthur Gordon Pym of Nantucket*, roman paru en 1838. Ce fut, sous le titre *Les Aventures d'Arthur Gordon Pym*, le troisième ouvrage de Poe traduit par Baudelaire, paru dans *Le Moniteur universel* en 1857, puis en volume l'année suivante.

HUYSMANS

« Cornélius Béga »

Page 406.

1. *Le célèbre peintre Cornélisz Van Haarlem* : Cornelis Corneliszoon van Haarlem (1562-1638), peintre maniériste néerlandais.

2. *Toper* : « Terme du jeu de dés qui signifie, Demeurer d'accord d'aller d'autant que met au jeu celui contre qui on joue. *J'ai massé vingt pistoles, il n'y a pas voulu toper.* On dit absolument, Tope, pour dire, Je tope. *L'un des joueurs ayant dit masse dix pistoles, l'autre a dix tope* » (*Dictionnaire de l'Académie*, 1694).

3. *Piot* : « Terme dont on se sert en raillerie ou en débauche, pour dire, Du vin » (*Dictionnaire de l'Académie*, 1694).

Page 407.

1. *Muid* : « Grande mesure de choses liquides ; signifie aussi la futaille de même mesure, qui contient le vin ou autre liqueur » (Furetière).

2. *L'atelier des Van Ostade* : Adriaen van Ostade (1610-1685), célèbre peintre de genre, et son frère Isaac (1621-1649). Adriaen fut effectivement le maître de Bega.

3. *Galloise* : prostituée.

4. Bega n'a pu côtoyer aucun de ces trois compagnons avant sa mort en 1664 : Cornelis *Dusart* (1665-1704) naquit un an après son décès ; Anton *Gobau* (1616-1698) était anversois ; quant à Michel van *Musscher* (1645-1705), il a suivi les leçons de Van Ostade en 1667.

5. *Galoubet* : « Petite flûte à trois trous, et de deux octaves plus élevée que la flûte traversière » (*Dictionnaire de l'Académie*, 1694).

Page 408.

1. *Brauwer* : Adriaen Brouwer (1605-1638), artiste flamand installé à Anvers, peintre réputé de la débauche et de la folie. Sa vie fait l'objet d'un autre récit du *Drageoir aux épices*, « Adrien Brauwer ».

Page 410.

1. Arnold *Houbraken* (1660-1719), auteur de l'ouvrage de référence sur les peintres hollandais du Siècle d'or, *Le Grand Théâtre des artistes et peintres néerlandais* (*De groote schouburgh der Nederlantsche konstschilders en schilderessen*, Amsterdam, 1718-1721). Huysmans s'en fit probablement traduire des passages.

2. Selon Houbraken, il mourut de la peste le 27 août 1664, après avoir rendu visite à sa maîtresse contagieuse.

SCHWOB

« Érostrate, incendiaire »

Page 419.

1. Du fait même de la *damnatio nominis* qui le frappe, Érostrate figure à peine chez les auteurs anciens (Strabon, Plutarque, Cicéron, Valère Maxime), comme l'incendiaire du temple d'Artémis à Éphèse, en 356 av. J.-C. Schwob s'inspire, pour une grande part, de la vie du maître supposé de son héros : le philosophe ionien Héraclite (v. 535-v. 475 av. J.-C.), sur lequel Diogène Laërce nous a livré de maigres détails.

SCHWOB

« Paolo Uccello, peintre »

Page 424.

1. Giorgio *Vasari*, auteur des *Vies des plus excellents peintres, sculpteurs et architectes* (Florence, 1550, 1568), et premier biographe de l'histoire de l'art. Comme l'a démontré Bruno Fabre, Schwob les a lues dans la version anglaise de

Jonathan Forster (Londres, 1888-1890, 6 vol.), dont il suit l'appareil critique et les choix de traduction parfois contestables.

Page 426.

1. *Selvaggia*, dont les traits sont entièrement inventés, tient son nom de l'amante du poète Cino da Pistoia (1270-1337). Schwob, qui la mentionnait déjà dans son essai « L'Art » (*Spicilège*, 1896), en a eu connaissance par l'anthologie de Dante Gabriel Rossetti (*The Early Italian Poets*, 1861). Il s'est également inspiré du conte de Poe « Le Portrait ovale ».

QUENEAU

« Fantomas »

Page 451.

1. Selon le *Dictionnaire des personnages de Raymond Queneau* (p. 161), la statistique serait fautive, le bilan du tome VII (*Le Pendu de Londres*) ayant sauté à la mise en page.

VIES IMAGINAIRES

De Plutarque à Michon

DOSSIER

COLLECTION FOLIO

Dernières parutions

5456. Italo Calvino	*Le sentier des nids d'araignées*
5457. Italo Calvino	*Le vicomte pourfendu*
5458. Italo Calvino	*Le baron perché*
5459. Italo Calvino	*Le chevalier inexistant*
5460. Italo Calvino	*Les villes invisibles*
5461. Italo Calvino	*Sous le soleil jaguar*
5462. Lewis Carroll	*Misch-Masch* et autres textes de jeunesse
5463. Collectif	*Un voyage érotique. Invitation à l'amour dans la littérature du monde entier*
5464. François de La Rochefoucauld	*Maximes* suivi de *Portrait de de La Rochefoucauld par lui-même*
5465. William Faulkner	*Coucher de soleil* et autres Croquis de La Nouvelle-Orléans
5466. Jack Kerouac	*Sur les origines d'une génération* suivi de *Le dernier mot*
5467. Liu Xinwu	*La Cendrillon du canal* suivi de *Poisson à face humaine*
5468. Patrick Pécherot	*Petit éloge des coins de rue*
5469. George Sand	*Le château de Pictordu*
5470. Montaigne	*Sur l'oisiveté* et autres Essais en français moderne
5471. Martin Winckler	*Petit éloge des séries télé*
5472. Rétif de La Bretonne	*La Dernière aventure d'un homme de quarante-cinq ans*
5473. Pierre Assouline	*Vies de Job*
5474. Antoine Audouard	*Le rendez-vous de Saigon*
5475. Tonino Benacquista	*Homo erectus*
5476. René Fregni	*La fiancée des corbeaux*

5477. Shilpi Somaya Gowda	*La fille secrète*
5478. Roger Grenier	*Le palais des livres*
5479. Angela Huth	*Souviens-toi de Hallows Farm*
5480. Ian McEwan	*Solaire*
5481. Orhan Pamuk	*Le musée de l'Innocence*
5482. Georges Perec	*Les mots croisés*
5483. Patrick Pécherot	*L'homme à la carabine. Esquisse*
5484. Fernando Pessoa	*L'affaire Vargas*
5485. Philippe Sollers	*Trésor d'Amour*
5487. Charles Dickens	*Contes de Noël*
5488. Christian Bobin	*Un assassin blanc comme neige*
5490. Philippe Djian	*Vengeances*
5491. Erri De Luca	*En haut à gauche*
5492. Nicolas Fargues	*Tu verras*
5493. Romain Gary	*Gros-Câlin*
5494. Jens Christian Grøndahl	*Quatre jours en mars*
5495. Jack Kerouac	*Vanité de Duluoz. Une éducation aventureuse 1939-1946*
5496. Atiq Rahimi	*Maudit soit Dostoïevski*
5497. Jean Rouaud	*Comment gagner sa vie honnêtement. La vie poétique, I*
5498. Michel Schneider	*Bleu passé*
5499. Michel Schneider	*Comme une ombre*
5500. Jorge Semprun	*L'évanouissement*
5501. Virginia Woolf	*La Chambre de Jacob*
5502. Tardi-Pennac	*La débauche*
5503. Kris et Étienne Davodeau	*Un homme est mort*
5504. Pierre Dragon et Frederik Peeters	*R G Intégrale*
5505. Erri De Luca	*Le poids du papillon*
5506. René Belleto	*Hors la loi*
5507. Roberto Calasso	*K.*
5508. Yannik Haenel	*Le sens du calme*
5509. Wang Meng	*Contes et libelles*
5510. Julian Barnes	*Pulsations*
5511. François Bizot	*Le silence du bourreau*

5512. John Cheever	*L'homme de ses rêves*
5513. David Foenkinos	*Les souvenirs*
5514. Philippe Forest	*Toute la nuit*
5515. Éric Fottorino	*Le dos crawlé*
5516. Hubert Haddad	*Opium Poppy*
5517. Maurice Leblanc	*L'Aiguille creuse*
5518. Mathieu Lindon	*Ce qu'aimer veut dire*
5519. Mathieu Lindon	*En enfance*
5520. Akira Mizubayashi	*Une langue venue d'ailleurs*
5521. Jón Kalman Stefánsson	*La tristesse des anges*
5522. Homère	*Iliade*
5523. E.M. Cioran	*Pensées étranglées* précédé du *Mauvais démiurge*
5524. Dôgen	*Corps et esprit. La Voie du zen*
5525. Maître Eckhart	*L'amour est fort comme la mort* et autres textes
5526. Jacques Ellul	*«Je suis sincère avec moi-même»* et autres lieux communs
5527. Liu An	*Du monde des hommes. De l'art de vivre parmi ses semblables.*
5528. Sénèque	*De la providence* suivi de *Lettres à Lucilius (lettres 71 à 74)*
5529. Saâdi	*Le Jardin des Fruits. Histoires édifiantes et spirituelles*
5530. Tchouang-tseu	*Joie suprême* et autres textes
5531. Jacques de Voragine	*La Légende dorée. Vie et mort de saintes illustres*
5532. Grimm	*Hänsel et Gretel* et autres contes
5533. Gabriela Adameşteanu	*Une matinée perdue*
5534. Eleanor Catton	*La répétition*
5535. Laurence Cossé	*Les amandes amères*
5536. Mircea Eliade	*À l'ombre d'une fleur de lys...*
5537. Gérard Guégan	*Fontenoy ne reviendra plus*
5538. Alexis Jenni	*L'art français de la guerre*
5539. Michèle Lesbre	*Un lac immense et blanc*
5540. Manset	*Visage d'un dieu inca*

5541. Catherine Millot — O Solitude
5542. Amos Oz — *La troisième sphère*
5543. Jean Rolin — *Le ravissement de Britney Spears*
5544. Philip Roth — *Le rabaissement*
5545. Honoré de Balzac — *Illusions perdues*
5546. Guillaume Apollinaire — *Alcools*
5547. Tahar Ben Jelloun — *Jean Genet, menteur sublime*
5548. Roberto Bolaño — *Le Troisième Reich*
5549. Michaël Ferrier — *Fukushima. Récit d'un désastre*
5550. Gilles Leroy — *Dormir avec ceux qu'on aime*
5551. Annabel Lyon — *Le juste milieu*
5552. Carole Martinez — *Du domaine des Murmures*
5553. Éric Reinhardt — *Existence*
5554. Éric Reinhardt — *Le système Victoria*
5555. Boualem Sansal — *Rue Darwin*
5556. Anne Serre — *Les débutants*
5557. Romain Gary — *Les têtes de Stéphanie*
5558. Tallemant des Réaux — *Historiettes*
5559. Alan Bennett — *So shocking !*
5560. Emmanuel Carrère — *Limonov*
5561. Sophie Chauveau — *Fragonard, l'invention du bonheur*
5562. Collectif — *Lecteurs, à vous de jouer !*
5563. Marie Darrieussecq — *Clèves*
5564. Michel Déon — *Les poneys sauvages*
5565. Laura Esquivel — *Vif comme le désir*
5566. Alain Finkielkraut — *Et si l'amour durait*
5567. Jack Kerouac — *Tristessa*
5568. Jack Kerouac — *Maggie Cassidy*
5569. Joseph Kessel — *Les mains du miracle*
5570. Laure Murat — *L'homme qui se prenait pour Napoléon*
5571. Laure Murat — *La maison du docteur Blanche*
5572. Daniel Rondeau — *Malta Hanina*
5573. Brina Svit — *Une nuit à Reykjavík*
5574. Richard Wagner — *Ma vie*
5575. Marlena de Blasi — *Mille jours en Toscane*

5577. Benoît Duteurtre — *L'été 76*
5578. Marie Ferranti — *Une haine de Corse*
5579. Claude Lanzmann — *Un vivant qui passe*
5580. Paul Léautaud — *Journal littéraire. Choix de pages*
5581. Paolo Rumiz — *L'ombre d'Hannibal*
5582. Colin Thubron — *Destination Kailash*
5583. J. Maarten Troost — *La vie sexuelle des cannibales*
5584. Marguerite Yourcenar — *Le tour de la prison*
5585. Sempé-Goscinny — *Les bagarres du Petit Nicolas*
5586. Sylvain Tesson — *Dans les forêts de Sibérie*
5587. Mario Vargas Llosa — *Le rêve du Celte*
5588. Martin Amis — *La veuve enceinte*
5589. Saint Augustin — *L'Aventure de l'esprit*
5590. Anonyme — *Le brahmane et le pot de farine*
5591. Simone Weil — *Pensées sans ordre concernant l'amour de Dieu*
5592. Xun zi — *Traité sur le Ciel*
5593. Philippe Bordas — *Forcenés*
5594. Dermot Bolger — *Une seconde vie*
5595. Chochana Boukhobza — *Fureur*
5596. Chico Buarque — *Quand je sortirai d'ici*
5597. Patrick Chamoiseau — *Le papillon et la lumière*
5598. Régis Debray — *Éloge des frontières*
5599. Alexandre Duval-Stalla — *Claude Monet - Georges Clemenceau : une histoire, deux caractères*
5600. Nicolas Fargues — *La ligne de courtoisie*
5601. Paul Fournel — *La liseuse*
5602. Vénus Khoury-Ghata — *Le facteur des Abruzzes*
5603. Tuomas Kyrö — *Les tribulations d'un lapin en Laponie*
5605. Philippe Sollers — *L'Éclaircie*
5606. Collectif — *Un oui pour la vie ?*
5607. Éric Fottorino — *Petit éloge du Tour de France*
5608. E.T.A. Hoffmann — *Ignace Denner*
5609. Frédéric Martinez — *Petit éloge des vacances*

5610. Sylvia Plath *Dimanche chez les Minton et autres nouvelles*
5611. Lucien *« Sur des aventures que je n'ai pas eues ». Histoire véritable*
5612. Julian Barnes *Une histoire du monde en dix chapitres ½*
5613. Raphaël Confiant *Le gouverneur des dés*
5614. Gisèle Pineau *Cent vies et des poussières*
5615. Nerval *Sylvie*
5616. Salim Bachi *Le chien d'Ulysse*
5617. Albert Camus *Carnets I*
5618. Albert Camus *Carnets II*
5619. Albert Camus *Carnets III*
5620. Albert Camus *Journaux de voyage*
5621. Paula Fox *L'hiver le plus froid*
5622. Jérôme Garcin *Galops*
5623. François Garde *Ce qu'il advint du sauvage blanc*
5624. Franz-Olivier Giesbert *Dieu, ma mère et moi*
5625. Emmanuelle Guattari *La petite Borde*
5626. Nathalie Léger *Supplément à la vie de Barbara Loden*
5627. Herta Müller *Animal du cœur*
5628. J.-B. Pontalis *Avant*
5629. Bernhard Schlink *Mensonges d'été*
5630. William Styron *À tombeau ouvert*
5631. Boccace *Le Décaméron. Première journée*
5632. Isaac Babel *Une soirée chez l'impératrice*
5633. Saul Bellow *Un futur père*
5634. Belinda Cannone *Petit éloge du désir*
5635. Collectif *Faites vos jeux !*
5636. Collectif *Jouons encore avec les mots*
5637. Denis Diderot *Sur les femmes*
5638. Elsa Marpeau *Petit éloge des brunes*
5639. Edgar Allan Poe *Le sphinx*
5640. Virginia Woolf *Le quatuor à cordes*
5641. James Joyce *Ulysse*
5642. Stefan Zweig *Nouvelle du jeu d'échecs*

5643. Stefan Zweig — *Amok*
5644. Patrick Chamoiseau — *L'empreinte à Crusoé*
5645. Jonathan Coe — *Désaccords imparfaits*
5646. Didier Daeninckx — *Le Banquet des Affamés*
5647. Marc Dugain — *Avenue des Géants*
5649. Sempé-Goscinny — *Le Petit Nicolas, c'est Noël !*
5650. Joseph Kessel — *Avec les Alcooliques Anonymes*
5651. Nathalie Kuperman — *Les raisons de mon crime*
5652. Cesare Pavese — *Le métier de vivre*
5653. Jean Rouaud — *Une façon de chanter*
5654. Salman Rushdie — *Joseph Anton*
5655. Lee Seug-U — *Ici comme ailleurs*
5656. Tahar Ben Jelloun — *Lettre à Matisse*
5657. Violette Leduc — *Thérèse et Isabelle*
5658. Stefan Zweig — *Angoisses*
5659. Raphaël Confiant — *Rue des Syriens*
5660. Henri Barbusse — *Le feu*
5661. Stefan Zweig — *Vingt-quatre heures de la vie d'une femme*
5662. M. Abouet/C. Oubrerie — *Aya de Yopougon, 1*
5663. M. Abouet/C. Oubrerie — *Aya de Yopougon, 2*
5664. Baru — *Fais péter les basses, Bruno !*
5665. William S. Burroughs/Jack Kerouac — *Et les hippopotames ont bouilli vifs dans leurs piscines*
5666. Italo Calvino — *Cosmicomics, récits anciens et nouveaux*
5667. Italo Calvino — *Le château des destins croisés*
5668. Italo Calvino — *La journée d'un scrutateur*
5669. Italo Calvino — *La spéculation immobilière*
5670. Arthur Dreyfus — *Belle Famille*
5671. Erri De Luca — *Et il dit*
5672. Robert M. Edsel — *Monuments Men*
5673. Dave Eggers — *Zeitoun*
5674. Jean Giono — *Écrits pacifistes*
5675. Philippe Le Guillou — *Le pont des anges*
5676. Francesca Melandri — *Eva dort*

5677. Jean-Noël Pancrazi	*La montagne*
5678. Pascal Quignard	*Les solidarités mystérieuses*
5679. Leïb Rochman	*À pas aveugles de par le monde*
5680. Anne Wiazemsky	*Une année studieuse*
5681. Théophile Gautier	*L'Orient*
5682. Théophile Gautier	*Fortunio. Partie carrée. Spirite*
5683. Blaise Cendrars	*Histoires vraies*
5684. David McNeil	*28 boulevard des Capucines*
5685. Michel Tournier	*Je m'avance masqué*
5686. Mohammed Aïssaoui	*L'étoile jaune et le croissant*
5687. Sebastian Barry	*Du côté de Canaan*
5688. Tahar Ben Jelloun	*Le bonheur conjugal*
5689. Didier Daeninckx	*L'espoir en contrebande*
5690. Benoît Duteurtre	*À nous deux, Paris !*
5691. F. Scott Fitzgerald	*Contes de l'âge du jazz*
5692. Olivier Frébourg	*Gaston et Gustave*
5693. Tristan Garcia	*Les cordelettes de Browser*
5695. Bruno Le Maire	*Jours de pouvoir*
5696. Jean-Christophe Rufin	*Le grand Cœur*
5697. Philippe Sollers	*Fugues*
5698. Joy Sorman	*Comme une bête*
5699. Avraham B. Yehoshua	*Rétrospective*
5700. Émile Zola	*Contes à Ninon*
5701. Vassilis Alexakis	*L'enfant grec*
5702. Aurélien Bellanger	*La théorie de l'information*
5703. Antoine Compagnon	*La classe de rhéto*
5704. Philippe Djian	*"Oh..."*
5705. Marguerite Duras	*Outside* suivi de *Le monde extérieur*
5706. Joël Egloff	*Libellules*
5707. Leslie Kaplan	*Millefeuille*
5708. Scholastique Mukasonga	*Notre-Dame du Nil*
5709. Scholastique Mukasonga	*Inyenzi ou les Cafards*
5710. Erich Maria Remarque	*Après*
5711. Erich Maria Remarque	*Les camarades*
5712. Jorge Semprun	*Exercices de survie*
5713. Jón Kalman Stefánsson	*Le cœur de l'homme*

5714. Guillaume Apollinaire	*« Mon cher petit Lou »*
5715. Jorge Luis Borges	*Le Sud*
5716. Thérèse d'Avila	*Le Château intérieur*
5717. Chamfort	*Maximes*
5718. Ariane Charton	*Petit éloge de l'héroïsme*
5719. Collectif	*Le goût du zen*
5720. Collectif	*À vos marques !*
5721. Olympe de Gouges	*« Femme, réveille-toi ! »*
5722. Tristan Garcia	*Le saut de Malmö*
5723. Silvina Ocampo	*La musique de la pluie*
5724. Jules Verne	*Voyage au centre de la terre*
5725. J. G. Ballard	*La trilogie de béton*
5726. François Bégaudeau	*Un démocrate : Mick Jagger 1960-1969*
5727. Julio Cortázar	*Un certain Lucas*
5728. Julio Cortázar	*Nous l'aimons tant, Glenda*
5729. Victor Hugo	*Le Livre des Tables*
5730. Hillel Halkin	*Melisande ! Que sont les rêves ?*
5731. Lian Hearn	*La maison de l'Arbre joueur*
5732. Marie Nimier	*Je suis un homme*
5733. Daniel Pennac	*Journal d'un corps*
5734. Ricardo Piglia	*Cible nocturne*
5735. Philip Roth	*Némésis*
5736. Martin Winckler	*En souvenir d'André*
5737. Martin Winckler	*La vacation*
5738. Gerbrand Bakker	*Le détour*
5739. Alessandro Baricco	*Emmaüs*
5740. Catherine Cusset	*Indigo*